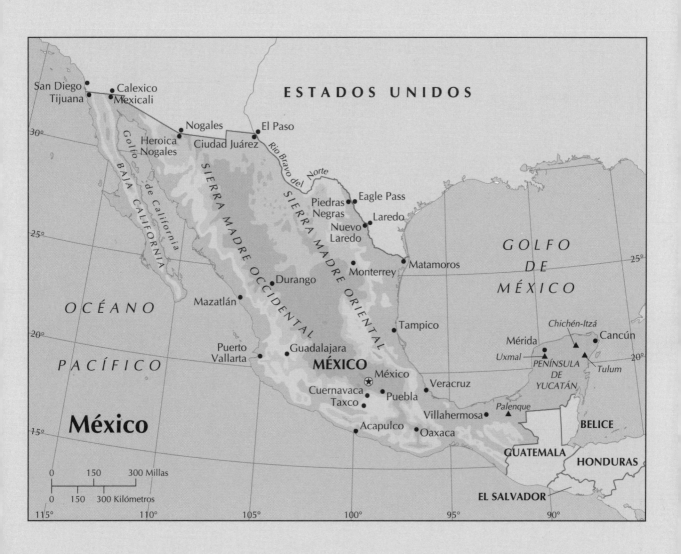

ESTADOS UNIDOS

San Diego
Tijuana
Calexico
Mexicali
Nogales
Heroica
Nogales
Ciudad Juárez
El Paso
Río Bravo del
Norte

Golfo de California

BAJA CALIFORNIA

SIERRA MADRE OCCIDENTAL

SIERRA MADRE ORIENTAL

Piedras
Negras
Eagle Pass
Laredo
Nuevo
Laredo
Matamoros
Monterrey
Durango
Mazatlán

OCÉANO

PACÍFICO

GOLFO
DE
MÉXICO

Tampico

México
Puerto
Vallarta
Guadalajara
MÉXICO
Cuernavaca
Taxco
Puebla
México
Veracruz

Chichén-Itzá
Mérida
Cancún
Uxmal
PENÍNSULA
DE
YUCATÁN
Tulum

Palenque

BELICE

Villahermosa

México

Acapulco
Oaxaca

GUATEMALA
HONDURAS
EL SALVADOR

0   150   300 Millas
0   150   300 Kilómetros

115°   110°   105°   100°   95°   90°

30°   25°   20°   15°

D1060493

Annotated Instructor's Edition

Dicho y hecho

Annotated Instructor's Edition

SIXTH EDITION

Dicho y hecho

Beginning Spanish

Laila M. Dawson
University of Richmond

Albert C. Dawson
University of Richmond

with

Gorky Cruz
Georgetown University

JOHN WILEY & SONS, INC.

New York • Chichester • Weinheim • Brisbane • Singapore • Toronto

EXECUTIVE PUBLISHER   Joe Heider
DEVELOPMENT EDITORS   Nancy Perry, Kristin Swanson
ASSISTANT EDITOR   Samantha Alducin
NEW MEDIA EDITOR   Martha Fay
SENIOR SUPPLEMENT PRODUCTION EDITOR   Lenore Belton
MARKETING MANAGER   Ilse Wolfe
ASSOCIATE PRODUCTION DIRECTOR   Lucille Buonocore
SENIOR PRODUCTION EDITOR   Christine Cervoni
TEXT DESIGNER   Kenny Beck
ILLUSTRATION EDITOR   Anna Melhorn
PHOTO MANAGER   Hilary Newman
PHOTO RESEARCHER   Elyse Rieder
COVER DESIGNER   Carol C. Grobe
COVER PHOTOS   Group of college students: ©Strauss/Curtis/The Stock Market.
Young woman on phone: ©David Young Wolff/Tony Stone Images, New York.
Men working with laptop: ©Terry Vine/Tony Stone Images, New York. Bride
and groom: ©Kaluzny/Thatcher/Tony Stone Images, New York. Globe:
©Mark Andrews/Tony Stone Images, New York.

Wiley Nonce
PUBLISHER   Steve Debow
EDITORIAL DIRECTOR   Bob Hemmer
EDITOR   María F. García

This book was set in 10/12 New Aster by UG / GGS and printed and bound by
Von Hoffmann Press. The cover was printed by Phoenix Color Corp.

This book is printed on acid free paper.

To order books or for customer service please call 1(800)225-5945.

ISBN 0-471-32353-5

Printed in the United States of America

10   9   8   7   6   5   4   3   2   1

A nuestras queridas madres, Gerd e Ione Roselle.

Laila y Al Dawson

A Marina y María Fátima que siempre me han dado tanto de sí.

Gorky Cruz

Preface

Dicho y hecho is a carefully crafted and sequenced, classroom-tested Beginning Spanish program that has been enthusiastically praised by over 100,000 students and instructors for its straightforward, easy-to-implement, lively, and highly successful approach to teaching and learning Spanish. Since its first edition in 1981, users and non-users have participated actively in the development of the program. *Dicho y hecho* changes from edition to edition, but never deviates from its core objective: to be the **easiest to understand**, **easiest to use**, and **easiest to adapt** Beginning Spanish program available.

 Hallmarks of the *Dicho y hecho* program

Why *Dicho y hecho* works

- **Easy to understand**   *Dicho y hecho*'s award-winning **design** features crisp, clean, and uncluttered pages. The design highlights key grammatical structures and important information, making the text an easy study guide. The grammar is carefully sequenced, and explanations are clear and concise and concentrate only on a minimum of exceptions to the rules. Ample opportunities for in-class and out-of-class practice ensure student mastery.

- **Easy to use**   The **streamlined organization** of the chapters makes *Dicho y hecho* one of the easiest and most accessible Spanish programs available today. Rather than complicating the chapter structure with myriad optional material, *Dicho y hecho* adheres to a simple, straightforward presentation with practical and creative application activities. Every aspect of every chapter has been thoroughly class-tested with successful results.

- **Easy to supplement or adapt for any type of course** *Dicho y hecho*'s streamlined approach **focuses on the essentials** that students need to study, while leaving the text flexible and adaptable for any kind of course in the curriculum. Whether you supplement with transparencies or technology, *Dicho y hecho*'s clean, streamlined approach to the basics helps you maintain a clear course for your students.

How *Dicho y hecho* works

- **Practical active vocabulary** Thematic vocabulary is presented visually and then becomes active through multiple and progressive phases of application, ranging from identification in the chapter-opening illustrations to personal expression and situational conversations. *Dicho y hecho* offers the most thorough and varied practice and application of vocabulary of any text available today.

- **Dramatic chapter opening two-page spreads and an ongoing story line** A cast of likeable, real characters offers students opportunities to relate and react to situations that reflect the theme, vocabulary, functions, and structures of every chapter. The main characters consist of twelve students with varying interests and personalities, two instructors, and a family. The characters come alive in the chapter-opening art, in subsequent spots throughout each chapter, and in the *Conversaciones*. Together, these sections tell life's story—a birth, an engagement, a wedding, a death (the cat), and all of the ups and downs along the road of life.

- **Exemplary step-by-step presentation of grammar with support on the Internet** A clear, uncomplicated, classroom-tested presentation of structures allows students to study easily on their own.

- **Ample, varied opportunities for structured, guided, and open-ended practice** *Dicho y hecho* presents a broader variety of time-tested exercises and activities than any text of its kind. As always, *Dicho y hecho* presents its exercises and activities to provide a varied pace and rhythm to every class—individual and whole group exercises and activities are interwoven with paired and smaller group activities.

- **An exciting Web-extended culture strand** Teaching and learning about culture have become more important as national borders fade. *Noticias culturales* encourage students to reflect on their own heritage and culture as they learn about the cultures of Hispanic peoples. *Panorama cultural* sections are streamlined, flexible, and interactive for in-class use. The *Sixth Edition* offers country-specific home pages with a mix of textual information, maps and graphics, streamed brief video clips, and Web-based discussion and research activities. The numerous links on every page offer virtual experiences in any land and culture. New to the *Sixth Edition*, *Encuentro cultural* sections feature authentic readings and visual materials that focus region by region, on varied aspects of the creative expression of the Hispanic peoples. Students encounter the arts in varying forms—literary, visual, textile, folk, culinary, and so on.

Chapter Organization

Each of the fourteen chapters is organized into easy-to-teach sections, which offer maximum flexibility.

Overview   The **Overview** spells out the goals for communication, structures, and areas of cultural exploration in the chapter.

Bien dicho   The theme of each vocabulary unit is applicable to the student's life and to survival situations in the Spanish-speaking world. A beautiful two-page illustration presents much of the chapter's vocabulary visually. Items are identified in both Spanish and English for ease of use. **Práctica y comunicación** exercises practice vocabulary with visual cues and the application of the vocabulary to areas of personal and general reference.

Conversación   The **Conversaciones** provide concise, practical and natural contexts in which to apply the functions, themes, vocabulary and grammar of the chapter, without sacrificing authentic language. These short situational conversations, designed for oral practice, are followed by a brief exercise to check retention of the content.

Estructuras   Each grammar point is introduced by an icon so users can find it easily for study or review. A description explains its purpose and use. Each grammatical structure is presented in its most commonly used form without complex ramifications. Grammatical structures, functions, and chapter topics are integrated whenever possible, and structures are reintroduced, recycled, and practiced in subsequent chapters.

Práctica y comunicación   Practice exercises and activities follow all vocabulary and grammar presentations. The exercises are designed to move the student gradually from controlled to open-ended communication, with frequent student feedback along the way. A variety of exercises and activities provide ample opportunity for student interaction in pairs and groups. Activities include mini-dramas (both prepared and spontaneous), role-playing activities and presentations, and mime. All direction lines beginning with Chapter 2 are in Spanish.

Noticias culturales   These short readings in Spanish expand on a cultural aspect of the chapter theme. They are followed by a set of questions and/or a short comprehension activity to help reinforce the content of the passage. Each **Noticias culturales** section concludes with **Conexiones y contrastes**, which asks students to make cultural contrasts and comparisons as they build bridges among cultures and peoples.

Así se dice   A pronunciation section (Chapters 1–6) systematically reviews key points presented in the Preliminary Chapter.

Dicho y hecho   This section of the chapter integrates the theme, functions, grammar, and vocabulary of the chapter. Activities range in type and include structured conversations, role-play, and situational dramatizations. Carefully directed writing (ranging from brief descriptions to postcards and letters to dramatic skits), listening, and video- and Web-based activities also present opportunities for integrating and extending what students have learned.

Web-expanded *Panorama cultural*   Portions of this appealing combination of readings, maps, photos, and intriguing **Curiosidades** are available in the text and on the Web. They acquaint students with "Big C" Hispanic culture—the geography, history, and other facets of the different countries and regions of the Spanish-speaking world. In-text and online comprehension exercises and **Adivinanzas** activities help students synthesize and apply the information.

Encuentro cultural   After reading and discussing background information on a country or region, students encounter authentic selections representing an example of the artistic and creative expression of the country in focus.

Repaso de vocabulario activo   At the end of each chapter, active vocabulary (without translations) is presented in a checklist, alphabetized by parts of speech. To provide an additional context, nouns and expressions are presented in thematic subgroups. All vocabulary entries are recorded on cassette/CD.

Autoprueba y repaso   Review exercises at the end of each chapter in the text and on the Web may be used by students individually or in groups as excellent preparatory work for tests. An answer key appears in the Appendix.

Highlights of the *Sixth Edition*

We believe the *Sixth Edition* is the best edition ever. We have fine-tuned the scope and sequence, and, based on user feedback about what works and what might work even better, we have enriched the program in some extraordinary ways:

Dicho's Online Communication Center

[www.wiley.com/college/dicho]

Students can access [www.wiley.com/college/dicho] all day, every day to experience authentic Spanish at **Dicho's Online Communication Center**. The Web site features online grammar help and support, exciting Web-based vocabulary and communication exercises and activities, and Web-extended *Panorama cultural* sections.

A New and Exciting Web-extended Culture Strand

Teaching and learning about culture have become more important as national borders fade. Thanks to the participation of Gorky Cruz at Georgetown University, all cultural components of the program have taken on a new look.

- The revised ***Noticias culturales*** now include a ***Conexiones y contrastes*** discussion section to instill in today's students an appreciation of their own heritage and culture as well as that of others.

- ***Panorama cultural*** sections are more streamlined, flexible, and interactive for in-class use. They present an attractive collage of maps, map questions, historical highlights, and visually-based information. The *Sixth Edition* offers country-specific home pages with a mix of textual information, maps and graphics, streamed brief video clips, and Web-based discussion and research activities. The numerous links on every page offer virtual experiences in any land and culture.

- The new ***Encuentro cultural*** sections feature authentic readings and visual materials. These authentic texts focus region by region, on varied aspects of the creative expression of the Hispanic peoples. Students encounter the arts in varying forms—literary, visual, textile, folk, culinary, and so on.

Increased Opportunities for Communicative Practice

We've added new and exciting dimensions to the communicative exercises and activities in every chapter of the text, with greater emphasis on student feedback, student interaction, collaborative work, and creative expression. A greater variety of exercises and activities now include photo- and realia-based materials. Structures are reinforced through a mini in-class writing strand that appears in the body of the chapters.

Listening Exercises   Lively listening clips that include conversations, telephone messages, radio ads, and a radio soap-opera have been added to the ***Dicho y hecho*** section. All listening texts and activities are recorded on the student tape or CD that accompanies each text.

Additional features of the *Sixth Edition*

- ***Estructuras***   The grammatical scope and sequence have been slightly modified for better balance and distribution. The illustrations that introduce and model each ***Estructuras*** section feature many new Antonio Tucán cartoons.

- **Revised and updated vocabulary**   The *Sixth Edition* includes a new or restructured presentation of timely themes: *La universidad de hoy* (Chapter 2) with emphasis on vocabulary related to technology, *La naturaleza y el medio ambiente* (Chapter 8), *Las amistades y el amor* (Chapter 11), and *El siglo 21: Desafíos y oportunidades* (Chapter 14).

- ***Conversaciones*** **have been rewritten or revised**   The *Sixth Edition* ***Conversaciones*** highlight the characters in the text. Designed as mini-plays, each ***Conversación*** can be acted out by students to enhance the natural flow of the dialog and to incorporate the cultural and personal experiences of the text characters.

- **Brief *Así se dice* Pronunciation Check sections**   These appear in Chapters 1–6 in order to recycle key points presented in the preliminary ***La pronunciación*** section. These sections include bits of poetry and other rhymes and tongue-twisters to help students work on important pronunciation points.

- ***Dicho y hecho***   This section, formally called ***En resumen***, presents new summary activities in each of the skill areas.

- More extensive recycling throughout the text.

The *Dicho y hecho* Program

Dicho y hecho is a complete teaching and learning program and includes the following components. Please check Dicho's Online Communication Center for updates and availability of *new* components.

- The **Student Textbook** of 14 chapters. A **student tape/CD** including the pronunciation materials and the listening activities from the *Dicho y hecho* sections of every chapter.

- **Annotated Instructor's Edition** with suggestions for presentation and reinforcement of material.

- The **Instructor's Resource Manual** includes the printed testing program, video and audio script, answer key to the Lab Manual, sample syllabi, and an array of suggestions and tips for using *Dicho y hecho*.

- **Dicho's Online Communication Center** [www.wiley.com/college/dicho] Students can access [www.wiley.com/college/dicho] all day, every day to experience authentic Spanish at **Dicho's Online Communication Center**. The Web site features online grammar help and support, exciting Web-based vocabulary and communication exercises and activities, and Web-extended *Panorama cultural* sections.

- **Transparencies** of all drawings and maps used in exercises and activities, including the chapter-opener illustrations without the vocabulary labels.

- An **Activities Manual** composed of a **workbook**, designed to practice writing skills and to reinforce classroom activity, a **laboratory manual**, which coordinates with the laboratory tape program to provide practice and reinforcement of the vocabulary and grammar for each chapter as well as practice in listening comprehension, and **Internet Discovery** activities.

- A **laboratory audio program** coordinates with the listening exercises in the *Manual de laboratorio*. The Lab Program is available on cassette or CD. The *Repaso de vocabulario activo* sections are recorded on cassettes that are included in the Lab Program.

- **Testing Program** tests chapter structures, vocabulary, and cultural information. The program is available on diskette, online through the Instructor's Resources section of the Online Communication Center, or as printed pages in the Instructor's Resource Manual.

- A 60-minute **video** is coordinated with the text. Pre-viewing, while-viewing, and post-viewing activities are included.

- **Supplementary oral exercises and activities** for use in class and in small-group practice sessions.

- The **Instructor's CD/tape** includes recordings of the *Conversaciones* and the *¡A escuchar!* sections.

Acknowledgments

The professional and personal support of many individuals has been instrumental and indispensable in the development of this *Sixth Edition* of *Dicho y hecho*.

A very special and separate commendation should be paid to Gorky Cruz of Georgetown University for his development of the **Conversaciones** and the cultural information for the **Noticias culturales, Panorama cultural** sections, and the new **Encuentro cultural**. His gentle spirit and his expertise in multiple areas were greatly appreciated.

We are grateful to the loyal users of *Dicho y hecho* who over the years have continued to provide valuable tips, insights, and suggestions for improvements of the text.

For their critically important observations and comments, and for their creative ideas, we wish to thank the following reviewers from across the nation for their assistance on the *Sixth Edition*:

Serge M. Ainsa, *Yavapai College*
Renée Andrade, *Mt. San Antonio College*
Jennifer Barr-Alcorn, *Anderson University*
Isabel Bustamante-López, *California State Polytechnic University, Pomona*
Manuel Castillejos, *Mt. San Antonio College*
Hilde F. Cramsie, *Mt. San Antonio College*
Debora J. Cristo, *Arizona State University*
Thomas C. Farias, *San Antonio College*
Anthony Farrell, *St. Mary's University, Nova Scotia*
Edmée Fernández, *Pittsburgh State University, Pittsburg, KS*
Marcela Fierro, *Mesa Community College*
Ellen Friedrich, *Presbyterian College*
M. Eliza González, *Mesa Community College*
Mary Ann Gosser-Esquilin, *Florida Atlantic University*
James Grabowska, *University of Minnesota at Mankato*
Ana Hansen, *Pellissippi State Technical Community College*
Terry Hansen, *Pellissippi State Technical Community College*
Deane Hetric, *Southern Connecticut State University*
Diane Hobbs, *University of North Carolina at Wilmington*
Hanna Kaufmann, *San Antonio College*
Marianna Appel Kunow, *Southeastern Louisiana University*
Paloma LaPuerta, *Central Connecticut State University*
Linda S. Maier, *University of Alabama at Huntsville*
Enrique Manchen, *University of British Columbia*
Americo Marano, *Mt. San Antonio College*
Li McLeod, *University of Saskatchewan*
Carmen de Miguel, *Paradise Valley Community College*
Michael Morris, *Northern Illinois University*
Patricia Meoño-Picado, *Montclair State University*
David O'Dell, *Angelo State University*
Sonia Rivera-Valdés, *City University of New York, York College*
Sharon D. Robinson, *Virginia Polytechnic Institute*
Silvia Gutiérrez Vidrio, *Universidad Autónoma Metropolitana-Xochimil, México*
José Villalobos, *Northwestern College*
Guillermo Villarreal, *Mt. San Antonio College*

Over the years, previous editions of the program have benefited from the significant contributions and astute comments of instructors and students. We gratefully acknowledge María Mabrey of the University of South Carolina, Columbia, and Dulce Garciá of the City College of New York, contributing authors the the fourth and fifth editions of *Dicho y hecho*, respectively. We also acknowledge and thank:

Renée Andrade, *Mt. San Antonio College*
Nelson Arana, *University of South Dakota*
Franklin Attoun, *College of the Desert*
Michael Beykirch, *Corning Community College*
Sarah E. Blackwell, *University of Georgia, Athens*
Carolyn Bruno, *University of New Haven*
William J. Calvano, *Temple University*
Gwyn E. Campbell, *Washington and Lee University*
Antonio Candau, *Southwest Texas State University*
Sharon Cherry, *University of South Carolina, Spartanburg*
Daisy Defilipis, *City University of New York, York College*
Carole Demmy, *Butler University*
Tony Dutton, *Angelo State University*
Bruce Gamble, *Owens Technical College*
Dulce M. García, *City College of New York*
Trinidad González, *California State Polytechnic University*
Lisa Donde Green, *Bucks County Community College*
Paula Heuskinveld, *Clemson University*
Mary Anne Kucserik, *Cedar Crest College*
John Lipski, *University of Florida*
Beth Markowitz, *Brandeis University*
Carmen De Miguel-Márquez, *Paradise Valley Community College*
Sivya Molins, *Community College of Philadelphia*
Terry Mount, *University of North Carolina at Wilmington*
Joanne Olson-Biglieri, *Lexington Community College*
Marilyn Platinus, *Pellissippi State Technical Community College*
Rubén Pelayo, *Southern Connecticut State University*
Louise Rozwell, *Monroe Community College*
Stephen A. Sadow, *Northeastern University*
Cándido Tafoya, *Eastern New Mexico State University*
Robert M. Terry, *University of Richmond*
Mirtha Toledo, *Valparaiso University*
Aida Toplin, *University of North Carolina at Wilmington*
David Torres, *Angelo State University*
Carmen Vidal-Lieberman, *University of Maryland, College Park*
Ann S. White, *Virginia Commonwealth University*
Ingrid Watson-Miller, *Hampton University*
Jeanne Yanes, *University of Missouri, Kansas City*

For their invaluable assistance with multiple aspects of this project, we are also indebted to many colleagues and students at the University of Richmond and beyond. A heartfelt thanks goes to María Vidal for her assistance in finding *realia*, to Ted Peebles for his Internet research contributions, to Dulce Lawrence and students Kristen Kincaid and Charles Caldrone for their ideas for the opener spreads, to Susana Rubio, Aurora Hermida-Ruiz, and students Bret Myers and Alvaro Fraile for their contributions to the listening activities, to Bob Terry for his work on the text dictionary, to Claudia Ferman for her patient assistance with multiple vocabulary and grammar queries, and Kit Decker for his help locating cultural information. For the technical assistance and support of Andrew Ross, Director of the Multimedia Language Lab the University of Richmond, Fran White, our computer doctor, and Monica Tinoco, director of the lab at CEDEI in Cuenca, Ecuador, we will be forever grateful.

We feel very fortunate for having been able to work with such an extraordinarily talented artist as Carlos Castellanos, whose artistic renderings bring a wonderfully vibrant and Hispanic flair to the text illustrations. Also, Jeff Hall, a respected Richmond artist, has added his gifts of interpretation through the cartoons accompanying and introducing each grammatical structure. Thanks to Eric Dawson for his gift of wit in conceptualizing the cartoons, and to Sheila Dawson for her superb artistic interpretations of the literary selections in the text. Our thanks go to Kenny Beck and Karin Kincheloe for their extraordinary work in developing a unique and beautiful design for the *Sixth Edition* of the text.

Throughout the years, we have greatly appreciated the professionalism and expertise of all members of the Wiley team that have worked hands-on with the authors. Much appreciation goes to Lyn McLean for her vision in initiating the *Sixth Edition*, and to Nancy Perry, Senior Developmental Editor and Kris Swanson, Developmental Editor, for their invaluable contributions to the development of the *Sixth Edition*, their collegiality, and their constant moral support. We applaud the arrival of our new editors, Steve Debow, Bob Hemmer, and María García and want to express appreciation for the depth and breadth of their experience, their enthusiasm for the project, and their tireless efforts on our and the project's behalf.

Also, special thanks go to Anna Melhorn, Senior Illustrations Coordinator, for her cheerful disposition, insights, and efficiency in coordinating *Dicho y hecho*'s complex art component, to Hilary Newman, Photo Editor, and Elyse Rieder for helping us find great photos for the text, to Ernst Schrader, meticulous Copy Editor and long-time devotee of *Dicho y hecho*, to Christine Cervoni, Senior Production Editor, for her expertise, flexibility, and positive spirit, and to the countless behind-the-scenes contributors to the project.

CAPÍTULO	BIEN DICHO

ESTRUCTURAS

CULTURA

ESTRUCTURAS

CULTURA

ESTRUCTURAS

CULTURA

ESTRUCTURAS	CULTURA

ESTRUCTURAS

CULTURA

¡Bienvenidos!

 In an effort to establish closer connections, experience other cultures, and interact with other communities, each region and country presented in the *Panorama cultural* section has its own unique home page, with a mix of textual information, maps and graphics, streamed video clips, and Web-based discussion and research activities. Log on to **[www.wiley.com/college/dicho/panorama]** — the Spanish-speaking world is only a click away!

"What can I do as a language learner with Internet access?"

How you use the Internet to learn more about a language and culture will depend on you—your needs, your interests, and your schedule. You could find a summer job overseas through an international online employment agency, read your favorite fashion, news, or sports magazine, take a virtual tour of a famous art museum. Perhaps you would like to talk with native speakers? You could join a language discussion group about something that interests you.

Untangling the Web by Carl S. Blyth
[www.onlang.com/blyth.html]

Capítulo preliminar

Así se dice°

It's said like this

La pronunciación

*Note: The information presented in this chapter and the accompanying pronunciation exercises are recorded on the student tape or CD that accompanies each textbook. They are also on the **Capítulo preliminar** tape or CD, which is part of the lab program.*

1. *A sampling of Spanish you already know*

Spanish has long been a major influence on the English language. Of the many words drawn from Spanish that English speakers use as their own today, the majority were absorbed during the early period of the Spanish colonization of the Americas. English-speaking settlers were especially given to borrowing the Spanish names for places, animals, and plants that they encountered for the first time in the New World. Take a look at a few examples—they may be quite familiar to you. Listen to the contrast between the pronunciations of these words in English and Spanish.

> **Places:** *rodeo, ranch/o, pueblo, plaza, patio, Colorado, Nevada, Florida, Las Vegas*
> **Animals:** *iguana, mosquito, barracuda, burro, bronco, armadillo, jaguar*
> **Plants/foods:** *banana, chocolate, tapioca, tortilla, salsa, taco, enchilada*
> **Things:** *sombrero, poncho, machete, fiesta, siesta, tornado, vista*

In the centuries since the Spanish conquest, the influence of Spanish on English has steadily increased. Many newer words absorbed into English come from the fields of international communications and the shifting world of politics, reflecting the importance of U.S. relations with Spanish[1] America. *Guerrilla, contra, zapatista, junta, embargo, cargo* are some examples. You probably know many more. So you see, you already have a "foot in the door" . . . **¡Pase adelante** (*Come on in*)**!**

---

[1]The term Spanish America refers to the Spanish-speaking countries of Latin America. Latin America also includes non-Spanish-speaking countries such as Brazil.

Several ways to present this preliminary chapter have been successfully tested in the classroom. On the first day of class, you may wish to present Sections 1, 2, and 3 along with the introductory material in Chapter 1. Section 4 may be presented on the second day, and sections 5 and 6 on the third. The section *En la clase* may be introduced at any time, according to the instructor's preference. As a follow-up, ask students to review the chapter using the student tape/CD that accompanies each textbook or the tape/CD labeled *Capítulo preliminar*, which is part of the lab program. Another option is to assign the entire chapter as homework, asking students to use either the student tape/CD that accompanies each textbook or the lab tape/CD on their own. If you adopt this approach, reinforce the students' work by using some of the practice exercises presented in the chapter.

This exercise is for in-class use. It is not recorded on the lab tapes/CDs nor on the student tape/CD.

A. ¿Qué más sabe usted (*What else do you know*)**?** What other words of Spanish origin do you know? Where did you learn them? Share a couple of them with the class.

2. *Cognates*

A number of words in Spanish and English are cognates—words that are identical or similar in both languages and have the same root word in common. Repeat the following cognates. Listen for the differences in sounds, such as **r** and the silent **h** in Spanish.

Adjetivos: importante, interesante, popular, sentimental, terrible, cruel, responsable, inteligente, independiente, arrogante, rebelde, flexible, liberal, famoso, romántico, fantástico, ridículo, tímido, dinámico

Animales: elefante, tigre, león, hipopótamo, gorila, chimpancé

Lugares (*places*)**:** hospital, hotel, restaurante, bar, cafetería, rancho

Instrumentos musicales: piano, violín, guitarra, clarinete, flauta, saxofón

Deportes (*sports*)**:** béisbol, vólibol, fútbol americano, tenis

Profesiones: dentista, doctor, profesor, secretaria, actor, artista, mecánico, político

This exercise is for in-class use. It is not recorded on the lab tapes/CDs nor on the student tape/CD.

B. ¿Es usted muy sentimental (*Are you very sentimental*)**?** Answer the following questions affirmatively or negatively. The adjectives in the above list that end in **-o** change the **-o** to **-a** when referring to a female.

MODELO: (*to a male*) ¿Es usted muy romántico?
Sí, soy (*Yes, I am*) **muy romántico.** *o* (*or*)
No, no soy muy romántico.
(*to a female*) ¿Es usted muy romántica?...

1. ¿Es usted muy romántico/a?
2. ¿Es usted famoso/a?
3. ¿Es usted tímido/a? ¿Dinámico/a?
4. ¿Es usted muy sentimental?
5. ¿Es usted independiente? ¿Rebelde?
6. ¿Es usted flexible?
7. ¿Es usted muy responsable?

¡Ustedes son fantásticos!

Vowels

3. Las vocales°

Unlike English vowels, each Spanish vowel has only one basic sound, even though slight variations are sometimes created by its position within a word or phrase. Spanish vowels are short and clipped, never drawn out. Listen carefully and repeat each sound and word. (The English equivalents in italics are only approximations.)

a	*bah*	**banana**
e	*let*	**bebé**
i	*machine*	**sí**
o	*more*	**loco**
u	*flu*	**Lulú**

C. Arbolito del Perú (*Little tree from Perú*). Line by line, repeat the following children's verse, focusing on the vowel sounds.

> a e i o u
> Arbolito del Perú
> Yo me llamo... (*add your name*).
> ¿Cómo te llamas tú?

4. Los consonantes

*Note: The information that follows is reviewed in segments in the **Así se dice** sections found in Chapters 1–6.*

Some consonants in Spanish are pronounced differently from their English counterparts. Others vary within the Spanish-speaking world itself. Below you will find general guidelines for pronouncing some of the consonants that may be problematic to English-speaking persons. Repeat each sample word.

b/v In Spanish, the letters **b** and **v** are pronounced in the same way. However, they both have two possible pronunciations. At the beginning of a phrase or sentence and after **m** or **n,** the letters **b** and **v** are pronounced like the English *b* in *boy*.

    banana   **sombrero**   **invitación**   **violeta**

    In most other positions, and particularly between vowels, **b** and **v** are pronounced with the lips barely touching, allowing air to pass through them.

    liberal   **aventurero**   **rebelde**

c In Spanish America, **c** before **e** or **i** has the English *s* sound as in *sister*.

    cero   **chimpancé**   **círculo**   **gracias**

    In most regions of Spain, **c** before **e** or **i** is pronounced with a *th* sound as in *thanks*.

    cero   **chimpancé**   **círculo**   **gracias**

    Before **a, o, u**, or a consonant, **c** has the English *k* sound as in *cat* in both Spanish America and Spain.

    café   **cucaracha**   **americano**   **clase**

d In Spanish the letter **d** has two sounds. At the beginning of a phrase or sentence and after **n** or **l**, the letter **d** has a pronunciation similar to the English *d* in *door*.

    doctor   **dentista**   **independiente**   **banda**

    In most other positions, particularly between vowels and at the end of a word, **d** has a slight *th* sound as in *this* or *brother*.

    adiós   **universidad**   **tímido**

g Before **e** or **i**, the letter **g** has the English *h* sound as in *help*.

generoso   **inteligente**   **mágico**

In other positions (except between vowels, where it is slightly softened), **g** is hard as in *goat*.

gracias   **galería**   **amigo**

In the combination **gue** and **gui**, the **u** is silent as in *guest*.

guitarra   **guerra**   **guía**

With the addition of the dieresis (**ü**), the **u** is pronounced, producing a sound resembling a *w*.

pingüino   **bilingüe**

h Not pronounced; silent as in *honest*.

hotel   **hospital**   **alcohol**   **deshonesto**

j Approximates the pronounced *h* sound of English as in *help*.

Jamaica   **ejecutivo**   **garaje**   **José**

ll Double **l** most commonly approximates the English *y* sound as in *yes*.

millón   **amarillo**   **llama**

ñ Is similar to the *ny* sound in *canyon*.

mañana   **montaña**   **cañón**

q Occurs only in the combinations **que** and **qui**, which have a silent **u**. The combination **qu** is pronounced as a *k*.

queso   **Don Quijote**   **chiquita**

r If not used at the beginning of a word, the single **r** approximates the sound of *tt* as in *Betty likes butter better* or *dd* as in *Eddy*.

bar   **cafetería**   **pirata**

rr Has a trilled or rolled sound as in mimicking a motor; initial **r** has the same sound.

correcto   **carrera**   **Roberto**   **rifle**

z In Spanish America, **z** is pronounced the same as *s*. The English *z* sound is never used in Spanish.

zafiro   **Arizona**

In most regions of Spain, **z** is pronounced with a *th* sound as in *thanks*.

zafiro   **Arizona**

D. Vamos a practicar (*Let's practice*). Read each sentence on your own. Focus on the highlighted consonants or consonant–vowel combinations.

c/q **C**ompro **c**inco **c**ocos y **qui**nce **que**sos.
b/v **V**endo **v**einte **b**uenas **v**acas y un **b**urro.
g   El **g**urú, el **gu**ía y el **gi**tano son **g**olosos y **g**enerosos.
h/j **H**éctor es el **j**oven **h**otelero **j**aponés.
r/rr **R**ita co**rr**e **r**ápidamente por la ca**rr**etera.
z/s La **s**eñorita **Z**elda **s**irve **z**umo de **z**anahorias.

5. El alfabeto

The present day Spanish alphabet has 27 letters, the 26 letters found in English plus **ñ**. In the past, three two-letter combinations—**ch** (che), **ll** (elle), **rr** (erre)—were part of the Spanish alphabet. Now they are considered part of the letters **c**, **l**, and **r** and will be listed that way in most dictionaries. However, these two-letter combinations are still used in spelling words out loud. (In many older dictionaries, **ch** and **ll** will still be found as separate letters.)

The letters and their names in Spanish follow. Repeat each letter.

a (a)	**j** (jota)	**r** (ere)
b (be)	**k** (ka)	**s** (ese)
c (ce)	**l** (ele)	**t** (te)
d (de)	**m** (eme)	**u** (u)
e (e)	**n** (ene)	**v** (ve) (uve)
f (efe)	**ñ** (eñe)	**w** (doble ve) (doble uve)
g (ge)	**o** (o)	**x** (equis)
h (hache)	**p** (pe)	**y** (i griega)
i (i)	**q** (cu)	**z** (zeta)

E. ¿Cómo se escribe (*How is it spelled*)?

1. Move about the classroom with notebook and pen/pencil in hand, asking five classmates to spell their first and last names. (**¿Cómo se escribe tu nombre?**) Write each letter. Then call out the name as it is spelled.
2. Your instructor will ask you to spell a name from your list. (**¿Cómo se escribe** *un nombre*?) Your classmates will then identify the person whose name has been spelled.

This exercise is for in-class use. It is not recorded onthe lab tapes/CDs nor on the student tape/CD.

6. La acentuación°   *Accents and stress*

- In Spanish, if a word has a written accent mark (called in Spanish **acento**), the accented syllable is stressed.

  di-ná-mi-co   ri-dí-cu-lo   chim-pan-cé

- In words without a written accent, the next to the last syllable is stressed if the word ends in a vowel, **n**, or **s**.

  pa-tio   re-su-men   gra-cias

- The last syllable is stressed if the word ends in a consonant other than **n** or **s**.

  a-ni-mal   doc-tor   u-ni-ver-si-dad

F. Vamos a practicar. Pronounce the following words, stressing the correct syllable.

1. pro-fe-sor
2. den-tis-ta
3. pre-si-den-te
4. per-so-nal
5. di-ná-mi-co
6. es-pa-ñol
7. di-fí-cil
8. se-cre-ta-ria
9. flo-res

G. Danza negra. Luis Palés Matos is considered one of the great Puerto Rican poets (1898–1959). A good portion of his poetry highlights the customs and manner of speech of the Caribbean population of African descent. In these lines from his poem "**Danza negra**," he evokes the sounds and natural environment of both Africa and the Caribbean islands. Repeat each line focusing on the vowel sounds and the rhythm.

Calabó y bambú.
Bambú y calabó.
El Gran Cocoroco dice: tu-cu-tú.
La Gran Cocoroca dice: to-co-tó.
Es el sol de hierro que arde en Tombuctú.
Es la danza negra de Fernando Póo.
El cerdo en el fango gruñe: pru-pru-prú.
El sapo en la charca sueña: cro-cro-cró.
Calabó y bambú.
Bambú y calabó.

Rompen los junjunes en furiosa ú.
Los gongos trepidan con profunda ó.
Es la raza negra que ondulando va
en el ritmo gordo del mariyandá.
Llegan los botucos a la fiesta ya.
Danza que te danza la negra se da.

Calabó y bambú.
Bambú y calabó.
El Gran Cocoroco dice: tu-cu-tú.
La Gran Cocoroca dice: to-co-tó.

Dicho y hecho and the World Wide Web

How much time do you spend online every day? How many Web sites written in Spanish do you visit? Maybe you would like to travel to Uruguay, Spain, the Dominican Republic? The World Wide Web is a great source of information and provides myriad opportunities to bring the Spanish-speaking world to you.

The *Dicho y hecho* program offers you outstanding ways to experience Spanish via the Web. The authors have developed fabulous Web pages, one for each Spanish-speaking country you will study in the Panorama cultural sections at the end of every chapter. Take a look now and see what awaits you on the Dicho Web sites: www.wiley.com/college/dicho/panorama.

In the *Dicho y hecho* Activities Manual, you will be introduced to one fun, language-related Web site per chapter. Did you know that there are Web sites that help you conjugate verbs? Do you need a bilingual, online dictionary? Would you like to listen to music in Spanish? There are lots of helpful language learning tools at your disposal on the Web.

In fact, whatever you're looking for . . . with the Web, consider it *Dicho y hecho!*

En la clase

Repeat the following classroom instructions and useful expressions.

Abra el libro.
Open (singular, formal command—to one person) the book.

Abran los libros en la página uno (dos, tres, cuatro, cinco).
Open (plural, formal command—to more than one person) the books to page one (two, three, four, five).

Cierre(n) los libros.
Close the books.

Repita(n) la palabra/las palabras
Repeat the word/words.

Traduzca(n) la oración/las oraciones.
Translate the sentence/sentences.

Conteste(n) la pregunta/las preguntas.
Answer the question/questions.

Escriba(n) la respuesta/las respuestas en el cuaderno.
Write the answer/answers in the notebook.

Estudie(n) el vocabulario.
Study the vocabulary.

Lea(n) en voz alta.
Read aloud.

¿Cómo se dice... en español?
How do you say . . . in Spanish?

¿Qué significa la palabra...?
What does the word . . . mean?

Tengo una pregunta.
I have a question.

No comprendo.
I don't understand.

Repita, por favor.
Repeat, please.

H. Instrucciones en acción. Follow the instructions.

1. Cierre(n) el libro/los libros.
2. Repitan la oración **Somos muy inteligentes.**
3. Abran los cuadernos.
4. Escriban la palabra **generoso** en el cuaderno. Traduzcan la palabra.
5. Escriban la pregunta **¿Cómo está usted?** en el cuaderno.
6. Escriban la respuesta **Muy bien, gracias.**
7. Abran los libros en la página (2).
8. Lean las instrucciones del Ejercicio **B** en voz alta.
9. Contesten la pregunta número uno del Ejercicio **B**.
10. ...y..., pasen a la pizarra.
11. Escriban una palabra en español en la pizarra.
12. Gracias. Siéntense.

This exercise is for in-class use. It is not recorded on the lab tapes/CDs nor on the student tape/CD.

The purpose of involving the whole class in this mime/physical response activity is quick comprehension by associating the command with the action. Students literally follow your instructions.

I. ¿Qué dicen (*What do they say*)**?** Complete the instructions that an instructor might give to her/his class. Provide as many options as possible.

This exercise is for in-class use. It is not recorded on the lab tapes/CDs nor on the student tape/CD.

MODELO: la palabra
Repitan la palabra. Traduzcan la palabra.
Escriban la palabra en la pizarra/en el cuaderno.

1. el libro   2. la oración   3. la pregunta   4. la respuesta   5. la palabra

What might a student say to follow up the statement **No comprendo**?

CAPÍTULO 1

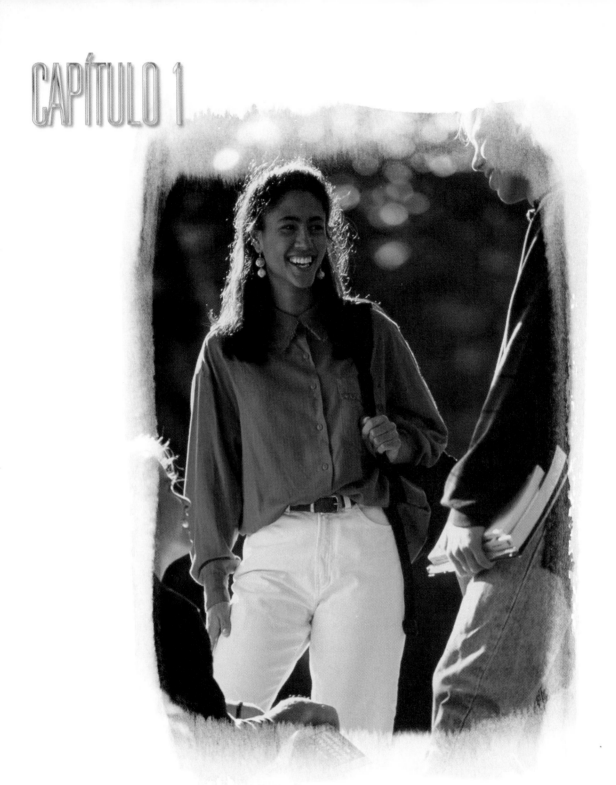

¿Qué hay de nuevo? Estudiantes universitarios.

Nuevas caras, nuevas perspectivas

Goals for communication

- To meet and greet Spanish-speaking people
- To state where you are from and learn the origins of others
- To ask and respond to yes/no questions
- To indicate days of the week and dates
- To tell time

Cultural focus

- Greetings in the Hispanic world
- The diversity of the Spanish-speaking world

Structures

1. Los pronombres personales, **ser** y **ser** + **de**
2. Preguntas y declaraciones afirmativas y negativas
3. Adjetivos de nacionalidad
4. Los días de la semana
5. ¿Qué hora es?
6. Las fechas y los cumpleaños

Pronunciation

La consonante **d**

A key element in developing a positive, cooperative classroom environment is to move student chairs or desks out of the "lecture" configuration, i.e., lined up in rows one behind the other, and develop 2–3 rows in a semicircle. You are thus able to have better eye contact with each student, plus they are able to see and communicate with each other on a face-to-face, personal level.

Presentation of *Bien dicho*, pp. 10–11

Transparency #1 Use the transparency of the opener drawings for Chapter 1 to present the expressions. Practice the expressions, first through choral repetition and then through individual responses. Highlight the difference between the formal and informal expressions.

¡Bien dicho!

Nuevas caras, nuevas perspectivas

Informal greetings and introductions (used in most first-name basis relationships)

1. Hi, how are you? My name is. . . . What's your name?   2. My name is. . . .   3. . . . , I want to introduce you to my friend (f.) . . . .   4. Delighted (f.) to meet you. **Encantado** (m.).   5. Nice meeting you, too.

Formal greetings and introductions (used in most last-name basis relationships)

6. Good morning. My name is. . . . What's your name?   7. My name is. . . .

8. . . . , I would like to introduce you to my friend (m.) . . . .   9. Pleased to meet you.   10. The pleasure is mine.

Práctica y comunicación

Complete *Exercise A* by calling on individual students. Refer to *transparency #1*. Encourage students to look at the transparency and not the text!

A. Nuestros personajes. In this exercise you will become acquainted with some of the principal characters whose activities you will follow throughout this text. Answer the questions referring to the drawings on pages 10–11.

1. ¿Qué dice Linda (*What does Linda say*)? **Linda dice...**
    ¿Cómo contesta Manuel (*How does Manuel answer*)? **Manuel contesta...**

2. ¿Qué dice Javier?
    ¿Qué dice Pepita?
    ¿Cómo contesta Natalia?

3. ¿Qué dice Alfonso?
    ¿Cómo contesta Carmen?

4. ¿Cómo se llama la profesora (*What is the professor's name*)?
    Se llama...
    ¿Qué dice Inés?
    ¿Qué dice la profesora Falcón?
    ¿Cómo contesta Octavio?

Throughout the text, this icon represents paired, group, and/or conversational activities.

An option is to present formal-presentation expressions such as **Permítame presentarle a...** or **Quisiera presentarle a....** The selected **Me gustaría...** works well in a number of situations.

As in *Exercise B*, "moving about the classroom" exercises provide the opportunity for communication with a changing selection of students. To bring the activity to a close, call out **¡Siéntense!** If you prefer that students remain in their seats vs. moving about the classroom, they may direct the questions to other students seated in close proximity.

Prior to having all students participate in this exercise, you may wish to have two students demonstrate the interactions following the directions for #1, 2, and subsequently, for the *Un paso más.* Students were introduced to **amigo** (m.) and **amiga** (f.) in the chapter opener. Alert them to **profesor** (m.) and **profesora** (f.).

B. Las presentaciones. Move about the classroom introducing yourself and learning the names of at least five of your classmates and your instructor.

1. With your classmates, use the following expressions: **Hola, me llamo...**; **¿Cómo te llamas?**; **Encantado** (said by males)/**Encantada** (said by females). Shake hands as you say that you are delighted to meet him or her.

2. With your instructor, use the following expressions: **Buenos días**; **Me llamo...**; **¿Cómo se llama usted?**; **Mucho gusto.** Shake hands as you say that you are pleased to meet him or her.

Can you identify your classmates? Respond as your instructor indicates various students and asks their names.

MODELO: ¿Cómo se llama?
         Se llama George.

Un paso más: Now, moving about the classroom in pairs, introduce several classmates and the instructor to your partner. Use the following constructions:

(*A classmate's name*), **te presento a mi amigo/a** (*partner's name*).
Profesor/a..., **me gustaría presentarle a mi amigo/a** (*partner's name*).
Each party should respond to the introduction appropriately.

Conversación

The *Conversaciones* are recorded on the *Dicho y hecho* instructor's CD/tape. You may wish to introduce the *Conversación* by playing it for the class. The characters that speak in the *Conversaciones* are primarily from the *Dicho y hecho* cast of characters that appear in the illustrations.

El primer día de clases

Es el primer día de clases en la universidad. Natalia y Javier, dos estudiantes, conversan.

NATALIA: Hola, Javier. ¿Qué tal?°   *How are you?*

JAVIER: Bien, ¿y tú?

NATALIA: Super bien. Acabo de ir° a mi clase de Literatura de los Andes. La   *I have just gone*
profesora es fenomenal.

JAVIER: ¿Cómo se llama?

NATALIA: Ana Falcón. Es de Perú.

JAVIER: ¿A qué hora° es la clase?   *At what time?*

NATALIA: A las 10:30 (diez y media) de la mañana°.   *in the morning*

JAVIER: ¿Los martes° y los jueves°?   *Tuesdays / Thursdays*

NATALIA: Sí. ¿Vas a matricularte° en la clase?   *register*

JAVIER: Creo° que sí. Me gusta° la literatura de Latinoamérica y me gusta   *I think / I like*
la hora de la clase. ¡Trato de evitar° las clases de las 8:00 (ocho)!   *I try to avoid*

NATALIA: Perfecto. Nos vemos más tarde.°   *See you later.*

JAVIER: Hasta pronto.

¿Qué pasa?

Complete las oraciones.

1. Natalia y Javier son... universitarios.
2. La profesora de la clase de literatura se llama...
3. La profesora es de...
4. La clase es a las... los martes y...
5. Javier va a matricularse en la clase porque (*because*) le gusta...

The *Conversaciones* incorporate the vocabulary and expressions from the chapter-opener illustrations and also preview some of the *Estructuras* presented in the chapter.

Quickly read the *Conversación* in phrases and have students repeat in chorus and/or individually. Then have the students read the *Conversación* in pairs, taking the roles of Natalia and Javier. As they read, move about the classroom listening. If pronunciation errors are heard, those words/phrases can be isolated for practice. You may wish to have 2 students perform in front of the class, acting out the parts.

Estructuras

1. *Identifying yourself and telling where you are from:*
Los pronombres personales, ser y ser + de

Los pronombres personales

Antonio   Julia

singular		plural	
yo	*I*	**nosotros/nosotras**	*we*
tú	*you (informal)*	**vosotros/vosotras**	*you (informal, Spain)*
usted	*you (formal)*	**ustedes**	*you*
él	*he*	**ellos**	*they (m.)*
ella	*she*	**ellas**	*they (f.)*

- Note that some subject pronouns have both masculine and feminine forms. The masculine forms **nosotros** and **vosotros** refer to two or more males as well as to a combination of males and females. The corresponding feminine forms refer to two or more females.[1]

- Spanish has two different words to express *you* (*singular*) and their usage varies from region to region. In general, **tú** is used to indicate informal, first-name basis relationships (for example, when addressing friends, classmates, children, and most relatives). **Usted** generally indicates formal, more distant, last-name basis relationships (for example, when addressing strangers, persons with titles such as **señor**, **señorita**, **profesor**, or persons much older than yourself).

- In Spain, the plural of **tú** is **vosotros/vosotras**. In most of Spanish America and in the United States, **ustedes** is the plural form for both **tú** and **usted**.

- **Usted** is often abbreviated to **Ud.** and **ustedes** is often abbreviated to **Uds.** The abbreviated forms are always capitalized, while the unabbreviated ones are not, unless they begin a sentence.

to be **El verbo ser°**

(yo)	**soy**	*I am*
(tú)	**eres**	*you are*
(usted, él, ella)	**es**	*you are, he/she is*
(nosotros/nosotras)	**somos**	*we are*
(vosotros/vosotras)	**sois**	*you are*
(ustedes, ellos/ellas)	**son**	*you are, they are*

- Since Spanish verb forms usually indicate the subject of a sentence by themselves, subject pronouns are frequently omitted. For that reason, the verb charts in this text present subject pronouns in parentheses. However, subject pronouns *are* used to clarify (**Él es de México.** vs. **Ella es de México.**) or to stress or contrast (**Yo** soy de California. **Él** es de Nuevo México.).

- Spanish does not have a subject pronoun equivalent to *it*. The verb form **es** is used to convey this idea. **Es mi radio** (*It's my radio*).

to be from **¿De dónde es usted? ¿De dónde eres? Ser + de°**

One use of the verb **ser** is to ask about or to express origin. Study the following formal and informal conversations.

Formal

—¿De dónde es usted?   *Where are you from?*
—Soy de Colorado. ¿Y usted?   *I'm from Colorado. And you?*
—Soy de Nueva Jersey.   *I'm from New Jersey.*

Informal

—¿De dónde eres?   *Where are you from?*
—Soy de Arizona. ¿Y tú?   *I'm from Arizona. And you?*
—Soy de Nuevo México.   *I'm from New Mexico.*

---

[1]The Real Academia Española de la Lengua has recently indicated that the gender of the pronoun should reflect the majority. For example: **nosotros** if there are more men than women, and **nosotras** if vice-versa.

Vosotros and related verb forms are presented in this text principally for recognition.

Note that the subject pronoun **vos** is commonly used instead of **tú** primarily in Argentina, Uruguay, and some Central American countries. Its corresponding verb form is different as well. In this book, you will not be using the **vos** form.

Write the subject pronouns plus **ser** on the board. Have the students first repeat the subject pronouns, then add the forms of the verb ser. You may wish to do a quick subject-verb substitution drill. Add . . . **de los Estados Unidos** to place the verb in a context.

To recycle the cognates presented in the Preliminary Chapter, review *Exercise B* (p. 2) and add the plural subject pronouns/verb forms/adjectives: ¿**Son ustedes...?** ¿**Ellos/Ellas son...?**

Práctica y comunicación

C. ¿De dónde es usted? ¿De dónde eres? First, practice the above *formal* and *informal* conversations in pairs. Then, move about the classroom learning the origin of at least five of your classmates and your instructor. Once you have gotten the necessary information, your instructor will ask you where some of your classmates are from. Report back what you discover.

MODELO: ¿De dónde es...?
Es de...

Un paso más: Move about the classroom asking your classmates once again where each is from and as you do so, group yourselves according to place of origin (cities/states/countries). Then answer your instructor's questions and try to remember the origin of each group/person.

1. ¿De dónde son ustedes? **(Nosotros/Nosotras) Somos de...** ¿Y ustedes/usted?
2. Clase, ¿de dónde son ellos/ellas? ¿De dónde es él/ella?

D. Personas famosas. Using the information provided, try to match the profession (**Es...**) and the origin (**Es de...**) to each of the people in the photos. You will need the information later to complete Exercise **E**.

Profesiones: escritora (*writer*), cantante (*singer*), actor, actriz, jugador de béisbol
Origen: la República Dominicana, España, los Estados Unidos[2], Cuba, Chile

1. Gloria Estefan

2. Enrique Iglesias

3. Sammy Sosa

4. Melanie Griffith, Antonio Banderas

5. Isabel Allende

[2]The use of the article with the names of certain countries, e.g., **la** República Dominicana and **los** Estados Unidos, is generally diminishing in daily speech. In more formal situations and in written Spanish, however, you will often still find the articles included.

Dicho y hecho, 6th edition, presents many exercises with an *Un paso más* follow-up activity. The first part of the exercise generally lays the foundation. *Un paso más* expands upon or gives a different dimension to the first part of the exercise and most commonly provides greater opportunity for student communication.

The *Un paso más* in this exercise practices the plural forms of the verb ser and helps students bond on the basis of common geographical origin!

Answers for quick reference: 1. Es cantante. Es de Cuba. 2. Es cantante. Es de España. 3. Es jugador de béisbol. Es de la República Dominicana. 4. Ella es actriz/Él es actor. Él es de España/Ella es de los Estados Unidos. 5. Es escritora. Es de Chile.

To introduce this and all *Estructura* sections, you may wish to have students read the introductory cartoon in pairs and guess what the birds are saying. Antonio, Julia, and Miguelito are *Dicho's* ongoing cartoon characters.

2. *Yes/No questions and affirmative and negative statements:* Preguntas y declaraciones afirmativas y negativas

Point out the flexibility in word order for asking questions by highlighting the first three examples.

Preguntas de sí y no

When asking yes/no questions, the subject may either follow or precede the verb. In both cases, the intonation rises at the end of the question.

¿Es usted de California?	*Are you from California?*
¿Linda es de Nuevo México?	*Is Linda from New Mexico?*
Tom y José, ¿son de Tejas?	*Are Tom and Joe from Texas?*
¡Sí! ¡Son de El Paso!	*Yes, they are from El Paso!*

As you have seen, in addition to the expected punctuation mark at the end, Spanish uses an upside-down question mark at the beginning of a question. (Note that Spanish also uses an upside-down exclamation point to mark the beginning of an exclamation.)

Declaraciones afirmativas y negativas

To answer yes/no questions affirmatively, place **sí** (*yes*) before the statement.

> **Sí**, soy de California.

To make a negative statement, place **no** before the verb. In answering a yes/no question with a negative statement, repeat the **no**.

El profesor **no** es de España.	*The professor is not from Spain.*
¿Sonia es de Costa Rica?	*Is Sonia from Costa Rica?*
No, ella **no** es de Costa Rica.	*No, she is not from Costa Rica.*
Es de Panamá.	*She is from Panama.*

Práctica y comunicación ───────────

E. ¿Sí o no? Answer the questions referring to the photos on page 15 and the information you gathered about each famous person. If your answer is negative, give the correct information.

MODELO: ¿Gloria Estefan es de España?
No, no es de España. Es de Cuba.
¿Es cantante?
Sí, es cantante.

1. ¿Sammy Sosa es de Cuba? ¿Es jugador de tenis?
2. ¿Enrique Iglesias es de Francia? ¿Es actor?
3. ¿Isabel Allende es de Argentina? ¿Es escritora?
4. ¿Antonio Banderas es de España? ¿Melanie Griffith es de España? ¿Son actores?

F. Mi personalidad.

F. Mi personalidad. Form groups of three or four students. Ask each other yes/no questions to determine each other's personality traits. The adjectives provided may be used to describe males or females.

admirable	flexible	materialista	rebelde
arrogante	independiente	optimista	responsable
conformista	inteligente	paciente	sentimental
eficiente	liberal	pesimista	terrible

MODELO: ESTUDIANTE 1: (*Nombre*), ¿eres sentimental?

   ESTUDIANTE 2: **Sí, soy muy sentimental. ¿Y tú?** *o*
      No, no soy sentimental. ¿Y tú?

Report back to the class some of the personality traits of your classmates: (*Nombre*) **es... y...**

Bien dicho Expresiones de cortesía°

Expressions of courtesy

Con permiso.	*Pardon me, excuse me. (to seek permission to pass by someone or to leave)*
Por favor.	*Please.*
Perdón.	*Pardon me, excuse me. (to get someone's attention or to seek forgiveness)*
Lo siento (mucho).	*I'm (so) sorry.*
(Muchas) Gracias.	*Thank you (very much).*
De nada.	*You're welcome.*

Práctica y comunicación

G. ¡Son muy corteses! Study the drawings and determine what each character should be saying under the circumstances.

Transparency #2 Use the transparency to complete this exercise. Ask students to dramatize situations similar to those presented in the drawings. The class provides the appropriate response.

Rubén a Camila

El profesor Marín-Vivar
a Natalia y Alfonso

Esteban a Inés y Pepita

Linda a Manuel

Bien dicho
Los saludos, el bienestar y la despedida

Examine the following two conversations. The first introduces certain formal greetings (**los saludos**) and expressions of well-being (**el bienestar**). The second presents their informal equivalents, as well as expressions of farewell (**la despedida**). Expressions given in parentheses may be used to substitute for the expression first presented (for example, *Good morning* vs. *Good afternoon*).

First, have students practice the expressions through repetition. Then move on to *Exercise H.*

Point out that **Buenos días** and **Buenas tardes/noches** can also be used in informal settings, especially if it's the first time you see a group of people during a given day.

You may want to add the commonly used expression ¿**Cómo te va?** with its appropriate follow-up: ¿**Y a ti?**

Formal

PROF. RUIZ:	**Buenos días, señorita.**	*Good morning, Miss.*
	(Buenas tardes, señora.)	*(Good afternoon, Ma'am.)*
	(Buenas noches, señor.)	*(Good evening, Sir.)*
SUSANA:	**Buenos días. ¿Cómo está usted?**	*Good morning. How are you?*
PROF. RUIZ:	**Muy bien, gracias. ¿Y usted?**	*Very well, thanks. And you?*
SUSANA:	**Bien, gracias.**	*Fine, thanks.*

Informal

LUIS:	**¡Hola!**	*Hello!/Hi!*
OLGA:	**¡Hola!**	
	¿Cómo estás? (¿Qué tal?)	*How are you? (How's it going?)*
LUIS:	**Muy bien, gracias. ¿Y tú?**	*Very well, thanks. And you?*
OLGA:	**Regular.**	*Okay./So-so.*
LUIS:	**¿Qué pasa?**	*What's happening?*
	(¿Qué hay de nuevo?)	*(What's new?)*
OLGA:	**Nada nuevo.**	*Nothing new./Nothing much.*
	Voy a la clase de historia.	*I'm going to history class.*
LUIS:	**Bueno (Pues), hasta luego.**	*Well, see you later.*
	(Hasta mañana.)	*(See you tomorrow.)*
	(Hasta pronto.)	*(See you soon.)*
	(Chao.)	*(Bye, So long.)*
OLGA:	**Adiós.**	*Good-bye.*

Students should be encouraged to study *¡Un momento, por favor!* sections outside of class. They most commonly present important information related to the grammar or vocabulary construction under consideration. Highlight at your discretion certain points in class.

> **¡Un momento, por favor!**
>
> You may have noticed that Spanish has two verbs expressing *to be*: **ser** (**Soy** de México.) and **estar** (¿Cómo **está** usted?). You will study **estar** and the differences between **ser** and **estar** in Chapter 3.

Práctica y comunicación

After practice in pairs, ask two pairs of students to dramatize the conversations (one formal, one informal) in front of the class. ¡Con mucha expresión!

H. ¿Cómo estás? In pairs, practice both the formal and informal conversations presented above. Read expressively! Use some of the alternate expressions in parentheses where appropriate (**Buenas tardes** vs. **Buenos días**, etc.). Then switch roles.

I. ¿Cómo contestas? Your instructor arrives on the first day of class. Give an appropriate response to each of her/his greetings or inquiries.

Exercise I is designed to <u>recycle</u> previous material (origin, presentations) and to spot-check control of the formal and informal expressions. Encourage students to listen to your cues and respond without looking at their textbooks!

1. Buenos días, señorita (señora/señor).
2. ¿Cómo está usted?
3. ¿Cómo se llama usted?
4. ¿De dónde es usted?
5. Me gustaría presentarle a...
6. Hasta luego.

A student from another school joins your study-abroad group. Give an appropriate response to each of her/his greetings or inquiries.

7. ¡Hola!
8. ¿Qué tal?
9. ¿Cómo te llamas?
10. ¿De dónde eres?
11. Te presento a...
12. ¿Qué pasa?
13. Hasta pronto.

J. Saludos (*Greetings*). In pairs, skim the following advertisement.

1. Can you guess what the following note cards say? **¿Cómo te va? Una nota para ti. Con amor.**
2. Now select your favorite cards. **Mis tarjetas favoritas son...**

K. Situaciones. Imagine that you find yourself in the following situations. What might you say? With a classmate, create a conversation appropriate to each setting. Begin with a greeting.

The situations in *Exercise K* may also be developed by asking students to stand, in pairs, to complete #1, then switch partners for #2, and so on. At the conclusion of the exercise, you may wish to ask four pairs of students to each present one of the situations.

1. En la universidad. Usted y un amigo o una amiga conversan. **¡Hola!...**
2. En una conferencia en la ciudad de México. Usted y una colega conversan. Son las 9:00 de la mañana (A.M.).
3. En la universidad. Usted desea conocer (*want to meet, get to know*) a la profesora García. Son las 4:00 de la tarde (P.M.).
4. En una fiesta. Usted desea conocer a Jaime, un estudiante de Perú. Son las 10:00 de la noche (P.M.).

Un paso más: Write a dialogue that takes place between yourself and a person your age that you want to get to know. Begin with a greeting and end with your good-byes.

The *Un paso más* provides a brief writing activity to be completed in class or for homework.

Noticias culturales

LOS SALUDOS ENTRE HISPANOS

everyone
children / strangers
even if

among

Los saludos son muy importantes en la cultura hispana. Todo el mundo°
se saluda —adultos, niños°, amigos y desconocidos°. Las personas se
saludan en todas las ocasiones, aun si° es necesario interrumpir una
actividad o conversación. En la cultura hispana la gente generalmente
se saluda con contacto físico. Entre° los hispanos, existen diversas
maneras de saludarse:

Es muy común **darse la mano.**

Entre amigos, y aun entre
hombres, también es común
darse un abrazo y
palmaditas en la espalda°.

Entre las mujeres, o entre
un chico y una chica, es
usual **darse un beso
suave° en la mejilla.**

little pats on the back
soft kiss

To present this *Noticias*, read
it to the students, acting out
the expressions such as **darse
la mano, darse un abrazo,**
etc. Students will thus not only
comprehend the text, but also
enjoy your dramatic
presentation.

Suggestion: After the activity,
ask two extroverted students
to give a demonstration of the
physical expressions
accompanied by the
corresponding verbal
greetings, etc. Stress that the
kiss on the cheek is very light,
often as if kissing the air, with
the cheeks barely touching.

¿Qué hay de nuevo?

Indicate if the statements are true or false (**cierto o falso**). If the
information is false, provide the correct information.

1. Los hispanos no interrumpen sus actividades para saludarse.
2. El contacto físico es importante cuando los hispanos se saludan.
3. Entre los hombres es común darse un abrazo.
4. Entre las mujeres hispanas es usual darse un beso en la mano.

Un paso más: In groups of five, dramatize each of the following: **darse
la mano, darse un abrazo, darse palmaditas en la espalda, darse un
beso suave en la mejilla.** Accompany each physical expression with
appropriate verbal greetings, questions, etc.

Conexiones y contrastes

¿Qué diferencias existen entre los saludos hispanos y los saludos de su
país (*your country*)? En parejas (*In pairs*), determinen si (*if*) en su país
es común (o **no es común**): saludarse con contacto físico, darse la
mano, darse un abrazo, darse un beso suave, interrumpir una
conversación para saludarse, saludar a desconocidos.

3. *Indicating nationality:* **Adjetivos de nacionalidad**

Through working with adjectives of nationality, students will become familiar with the concept of masculine/feminine/singular/plural prior to formally studying adjectives in Chapter 3.

Write él, ella, ellos, and ellas on the board, or draw stick figures representing 1 male, 1 female, 2 males, and 2 females. Present **panameño**, **portugués**, and **estadounidense** as models and show how their forms change (or don't change) as they describe each of your stick figures. Then practice several of the other nationalities presented in the *Bien dicho* section, until students become aware of the changes in form.

Most adjectives of nationality have four possible forms (masculine or feminine, singular or plural) to agree with the noun or pronoun they modify.

- Adjectives of nationality that end in **-o** change **-o** to **-a** to modify a feminine singular noun or pronoun. Add **-s** to form the plural adjective.

	singular	*plural*
masculino	Él es **mexicano**.	Ellos son **mexicanos**.
femenino	Ella es **mexicana**.	Ellas son **mexicanas**.

- Adjectives of nationality ending in a consonant add **-a** to the final consonant to agree with the feminine singular noun or pronoun. To form the plural, add **-es** to the masculine adjective or **-s** to the feminine adjective.

	singular	*plural*
masculino	Él es **español**.	Ellos son **españoles**.
femenino	Ella es **española**.	Ellas son **españolas**.

- Adjectives of nationality that end in **-e** have no feminine form. Add **-s** to form the plural adjective.

singular	*plural*
Él/Ella es **canadiense**.	Ellos/Ellas son **canadienses**.

Bien dicho Las nacionalidades

Las nacionalidades del mundo hispano[3]:

argentino/a	**hondureño/a**
boliviano/a	**mexicano/a**[4]
chileno/a	**nicaragüense**
colombiano/a	**panameño/a**
costarricense	**paraguayo/a**
cubano/a	**peruano/a**
dominicano/a	**puertorriqueño/a**
ecuatoriano/a	**salvadoreño/a**
español/española	**uruguayo/a**
guatemalteco/a	**venezolano/a**

Otras nacionalidades:

alemán/alemana (*German*)	**inglés/inglesa**
canadiense	**italiano/a**
chino/a	**japonés/japonesa**
estadounidense	**portugués/portuguesa**
francés/francesa	**ruso/a**

¡Un momento, por favor!

Alemán, chino, español, francés, inglés, italiano, japonés, portugués, and **ruso** in the masculine form also function as the name of the language. Neither adjectives of nationality nor languages are capitalized in Spanish. Names of countries are capitalized.

Enrique Iglesias habla (*speaks*) **inglés** y **español.**

Él es **español.** Es de Madrid, **España.**

Hay comida (*food*) de muchas nacionalidades. ¿Cuál (*which*) prefiere usted?
[Madrid.lanetro.com/comerbeber]

---

[3]The term **hispano** describes all that pertains and relates to Spanish-speaking countries. (See map, p. 64.)

[4]In modern Spanish, the letter **x** in **mexicano/México** is pronounced like a Spanish **j**. The word is of indigenous origin.

Práctica y comunicación ━━━━━━━━

L. ¿De dónde son? Read aloud the statements that indicate the country where each person is from. Then give the nationality. Use the correct form of the adjective.

MODELO: La artista Frida Kahlo es de México, ¿verdad (*right*)?
        Sí, es mexicana.

1. El cantante Ricky Martin es de Puerto Rico, ¿verdad?
2. El ganador (*winner*) del Premio Nobel de la Paz, Oscar Arias, es de Costa Rica, ¿verdad?
3. La ex-presidenta Violeta Chamorro es de Nicaragua, ¿verdad?
4. Las actrices Jennifer López y Rosie Pérez son de los Estados Unidos, ¿verdad?
5. El cantante Elton John y los Rolling Stones son de Inglaterra, ¿verdad?
6. El rey (*king*) Juan Carlos y el príncipe Felipe son de España, ¿verdad?
7. La tenista Arantxa Sánchez Vicario es de España, ¿verdad?
8. El actor Rubén Blades es de Panamá, ¿verdad?

M. Autores y personajes famosos de la historia. Can you identify the nationalities of the following famous authors and historical figures? In groups of four, see how many you can identify in four minutes. Jot down your answers. Which group can correctly identify the highest number of nationalities correctly?

Autores famosos

1. Miguel de Cervantes
2. Fyodor Dostoevsky
3. Gabriel García Márquez
4. Isabel Allende
5. Jane Austen y Virginia Woolf
6. Edgar Allan Poe
7. Voltaire y Jean-Paul Sartre
8. Goethe y Hermann Hesse
9. Confucio

Personajes famosos de la historia

10. Juan y Evita Perón
11. Juana de Arco
12. Pancho Villa y Emiliano Zapata
13. Harriet Tubman y Martin Luther King, Jr.
14. Josef Stalin y Vladimir Ilyich Lenin
15. Adolfo Hitler
16. la princesa Diana y la reina Isabel
17. el emperador Hirohito
18. el Generalísimo Francisco Franco

4. Indicating days of the week:
Los días de la semana

What day is it today?   **¿Qué día es hoy?**°

abril						
lunes	**martes**	**miércoles**	**jueves**	**viernes**	**sábado**	**domingo**
1 *(Monday)*[5]	**2**	**3**	**4**	**5**	**6**	**7**

└─ **el día** ─┘   └─ **el fin de semana** ─┘
└────────────────────────── la **semana** ──────────────────────────┘

Have students in pairs first review the alphabet (*Section 5*, p. 5, Preliminary Chapter), then practice spelling the days of the week. One student spells the day, the other student identifies it. Write on the board: **acento** = *accent.* Highlight the two days that are spelled with an accent.

- The word **día**, though ending in **-a**, is masculine: **el día.**
- The days of the week are not capitalized in Spanish.
- All the days of the week are masculine. With the day of the week, the definite article **el** or **los** is used to indicate *on.*

  El sábado vamos a una gran fiesta.   ***On Saturday*** *we are going to a big party.*

  Los miércoles vamos al gimnasio.   ***On Wednesdays*** *we go to the gym.*

- The plural of **el sábado** and **el domingo** is **los sábados** and **los domingos**. The other days use the same form in the singular and in the plural: **el lunes** → **los lunes.**

Práctica y comunicación ━━━━━━━

N. **¿Qué día es?** Complete the statements with the appropriate day(s).

1. ¿Qué día es hoy? Hoy es...
2. Mañana es...
3. Los días favoritos de los estudiantes son...
4. El peor (*worst*) día para los estudiantes es...
5. En los Estados Unidos, el peor día para los supersticiosos es el... 13.
6. Un día bueno para hacer fiestas es...
7. Un día bueno para ir a la iglesia (*church*)/sinagoga es...
8. La clase de español es **los**...

---

[5]In Hispanic calendars, the week most commonly begins on Monday.

Bien dicho Los números del 0 al 59

cero	0
uno	1
dos	2
tres	3
cuatro	4
cinco	5
seis	6
siete	7
ocho	8
nueve	9
diez	10
once	11
doce	12
trece	13
catorce	14
quince	15
dieciséis	16
diecisiete	17
dieciocho	18
diecinueve	19
veinte	20
veintiuno	21
veintidós	22
veintitrés	23
veinticuatro	24
veinticinco	25
veintiséis	26
veintisiete	27
veintiocho	28
veintinueve	29
treinta	30
treinta y uno...	31 ...
cuarenta	40
cuarenta y uno...	41 ...
cincuenta	50
cincuenta y uno...	51 ...

Prior to moving on to the exercises, allow the students, working in pairs, to become familiar with the numbers through counting: even numbers, odd numbers, by fives, backwards, etc.

From your local newspaper, bring in the scores from football games. Write them on the board or on a transparency, and have students practice numbers by reading them.

PRONOSTICO DEL TIEMPO
Lunes 17 de mayo de 1999

GALAPAGOS

■ Quito

Guayaquil

Cuenca ●

Tormentas y lluvias

Tormentas y lluvias

EN EL MUNDO

CIUDAD	MAX.	MIN.	COND.
Bogotá	19	07	Nuboso
Bonn	16	09	Cubierto
Buenos Aires	20	13	Nuboso
Caracas	30	21	Soleado
Lima	24	14	Despejado
Londres	15	06	Despejado
Los Angeles	22	14	Soleado
Madrid	22	12	Despejado
México	28	15	Despejado
Miami	30	21	Nuboso
Nueva York	20	12	Soleado
Panamá	34	23	Lluvioso
París	19	09	Soleado
Pekín	24	15	Nuboso
Río de Janeiro	30	20	Despejado
Roma	26	16	Nuboso
Santiago	18	07	Nuboso
Washington	23	13	Nuboso

SIMBOLOGIA

Soleado

Cubierto

Nublado

Lluvias

Tormentas y lluvias

COSTA
Nublado variando ocasionalmente a parcial nublado, brumoso. Lluvias dispersas en la región.

GALAPAGOS
Nublado variando a parcial nublado.

SIERRA
Cielo variando entre nublado y parcial nublado. Precipitaciones dispersas.

ORIENTE
Cubierto con claros parciales en el día. Precipitaciones en la zona.

EN EL PAIS

CIUDAD	MAX.	MIN.	COND.
Quito	19	10	Cubierto
Guayaquil	30	23	Nublado
Cuenca	20	12	Nublado
Esmeraldas	30	23	Nublado
Sto. Domingo	27	20	Cubierto
Portoviejo	31	22	Nublado
Machala	30	23	Nublado
Ambato	21	11	Nublado
Riobamba	19	10	Nublado

Fuentes: Instituto Nacional de Meteorología e Hidrología (Inamhi). *Efe.*

¿Cuál es la temperatura máxima (en grados Centígrados) en Bogotá? ¿Y en Madrid? ¿Y en Panamá?

¡Un momento, por favor!

Uno is used for counting. When **uno** modifies a masculine noun, use **un**. When it modifies a feminine noun, use **una**. The same holds true for **veintiuno**, **treinta y uno**, and so on.

Un profesor es de Nuevo México.

One professor (m.) is from New Mexico.

Una profesora y **veintiún** estudiantes son de Tejas.

*One professor (f.) and **twenty-one** students are from Texas.*

Ñ. Vamos a sumar (*Let's add*). Repeat the following children's verse.

Dos y dos son cuatro,
cuatro y dos son seis,
seis y dos son ocho,
y ocho, son dieciséis.

O. Las matemáticas. Read the following math problems aloud. Then give the answer. Work in pairs. (**Y** is equivalent to +; **son** is equivalent to =.)

1. 9 + 5 =
2. 7 + 4 =
3. 8 + 7 =
4. 6 + 6 =
5. 15 + 13 =
6. 17 + 16 =
7. 31 + 18 =
8. 40 + 10 =

P. Mini-censo. Try to recall where your classmates are from. Make notes below. Your instructor will ask: **¿De dónde son los estudiantes de esta clase?** Call out the states/cities/countries to your instructor. She/He will write them on the board, then ask how many students are from a given place. As students raise their hands, count how many there are.

MODELO: INSTRUCTOR/A: **¿Cuántos estudiantes son de...? Vamos a contar** (*Let's count*).

ESTUDIANTES: **...estudiantes son de...**

ESTUDIANTE	¿DE DÓNDE ES?

5. *Telling time: ¿Qué hora es?*

It is helpful to use a large clock, real or made of cardboard, to illustrate and practice telling time.

When you want to know what time it is, ask: **¿Qué hora es?**

● For telling time on the hour, use **es** for *one o'clock* only.
Use **son** for all other times.

Es la una.

Son las ocho.

● To state the number of minutes past the hour, say the name of that hour plus (**y**) the number of minutes.

Es la una y diez.

Son las cinco y cuarto.
Son las cinco y quince.

Son las diez y media.
Son las diez y treinta.

Son las once y cuarenta[6].

● To state the number of minutes before the coming hour, give the next hour less (**menos**) the number of minutes to go before that hour.

If you wish to add another variation to the *hour minus minutes* construction (**Son las tres menos veinte/Son las dos y cuarenta**), give your students the option of also using the following *minutes before the hour* construction (**Son veinte para las tres**, etc.).

Es la una <u>menos</u> diez.

Son las nueve <u>menos</u> veinticinco.

---

[6]In Spanish, trends in telling time have been affected by the increase in popularity of digital watches and clocks. This presentation on telling time reflects these changes.

Bien dicho La hora

¿Qué hora es?	*What time is it?*
Es la una./Son las dos...	*It is one o'clock./It's two o'clock . . .*
cuarto/media	*a quarter/half*
¿A qué hora...?	*At what time . . . ?*
A la una./A las dos...	*At one o'clock./At two'clock . . .*
de la mañana	A.M. *(in the morning)*
de la tarde[7]/de la noche	P.M. *(in the afternoon)/*P.M. *(in the evening)*
Es (el) mediodía./Es (la) medianoche.	*It's noon./It's midnight.*

¡Un momento, por favor!

Note that **Es la una/Son las dos**, etc. is used for telling the time, and **A la una/A las dos**, etc. is used for telling *at what time* something occurs.

Práctica y comunicación

Transparency #3 Use the transparency to complete this exercise.

Q. ¿Qué hora es? First your instructor will tell the time on each clock in random order. Identify the clock that tells the given time.

MODELO: Son las ocho y media de la mañana.
Reloj (*clock*) **3.**

1.   2.   3.   4.   5.

6.   7.   8.   9.

Un paso más: In pairs, tell the time on each clock. Where applicable, try to say each time as many ways as you can.

---

[7]In most Spanish-speaking countries, **tarde** is used while there is still daylight, and thus may extend until 7:00 or even 8:00 P.M.

R. El mundo (*The world*). According to the information on the map, tell what time it is in the following cities.

Telling time in Spanish can even be a vehicle for learning world geography!

MODELO: ¿Qué hora es en Tokio?
Son las 22 horas. *o* **Son las 10:00 de la noche.**

1. ¿Qué hora es en Anchorage, Alaska?
2. ¿Qué hora es en Los Ángeles, California? ¿Y en Nueva York?
3. ¿Qué hora es en Buenos Aires, Argentina? ¿Y en Madrid, España?
4. ¿Qué hora es en Moscú, Rusia? ¿Y en Beijing, China?

¡Un momento, por favor!

The times on the map that follows are given according to the 24-hour clock, which is often used for transportation schedules, TV and movie times, etc. To convert time on the 24-hour clock to a 12-hour clock, subtract 12. (For example, 14:00 minus 12 equals 2:00 P.M.) All A.M. times are the same in both systems.

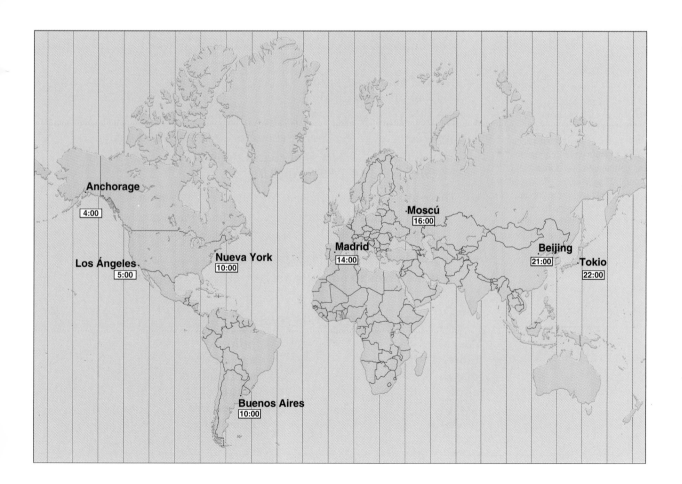

S. Programas de televisión. As a class, generate a list of the most popular television shows. Your instructor will write it on the board. In pairs, ask each other what day the program is shown and at what hour.

MODELO: ESTUDIANTE 1: **¿Qué día dan** (*show*) **«60 Minutes»? ¿Y a qué hora?**

ESTUDIANTE 2: **Dan «60 Minutes» los domingos a las 7:00 de la noche.**

6. *Indicating dates and birthdays:* **Las fechas y los cumpleaños**

A good option is to bring in a large wall calendar to present and practice the months.

A fun way to initially practice months and birthdays follows: Students line up in two teams. Then each team rearranges itself consecutively according to birthday dates (month and day, not year) by asking each other **¿Cuándo es tu cumpleaños?** and getting into the appropriate order. No English allowed! Whichever team first completes the line-up, wins. Have the winning team members call out their individual birthday dates to confirm the correct line-up.

- To express days of the month in Spanish, use cardinal numbers (**dos, tres, cuatro,** etc.) except to express the first, in which case **el primero** is used.

  Es el cuatro de julio.
  Es el primero de abril.

- Written dates in Spanish are shown with the day, then the month, as opposed to English, where the month comes before the day.

  (*Spanish*) **4-7-99 = el cuatro de julio**
  (*English*) **4-7-99 = April 7**

- There are several ways to ask for the date. Two options follow:

  ¿Cuál es la fecha? *What's the date?*
  ¿Qué fecha es hoy? *What's today's date?*

- To ask the date of a friend's birthday, use:

  ¿Cuándo es tu cumpleaños? *When is your birthday?*

Months

 Bien dicho Los meses°

enero[8]	**julio**
febrero	**agosto**
marzo	**septiembre**
abril	**octubre**
mayo	**noviembre**
junio	**diciembre**

---

[8]In Spanish, the months of the year are not capitalized.

Práctica y comunicación _____

T. Los cumpleaños y otras (*other*) **fechas importantes**. Move about the classroom with a notebook and pen or pencil in hand. Ask five or six of your classmates and the instructor the dates of their birthdays. Write down their names and birthday dates.

MODELO: ESTUDIANTE 1: **¿Cuándo es tu cumpleaños?**

  ESTUDIANTE 2: **Mi cumpleaños es el ocho de octubre.**

Now answer your instructor's questions.

1. ¿Cuándo es el cumpleaños de...? ¿Y de...?
2. ¿Cuándo es el cumpleaños de la profesora/del profesor?
3. ¿Qué fecha es hoy?
4. ¿En qué fecha se[9] celebra la independencia de los Estados Unidos? **Se celebra...**
5. ¿En qué fecha se celebra la Navidad (*Christmas*)? ¿Y el Año Nuevo (*New Year's*)?

¡Un momento, por favor!

In Spain and in most other countries in the Hispanic world, it is common to celebrate your birthday and your saint's day (based on the Catholic tradition). If your parents give you the name of the saint honored on the day of your birth, then your birthday and your saint's day are one and the same. If they give you the name of a saint honored on a different day of the year, you have two celebrations!

U. El día de su santo. Answer the following questions based on the calendar.

MODELO: Imagine que su amiga se llama Ángela.
  ¿Cuál es el día de su santo?
  Es el 27 de enero.

Imagine que...

1. Su amiga se llama Elvira. ¿Cuál es el día de su santo?
2. Su amigo se llama Alberto.
3. Su amigo se llama Tomás.
4. Su amigo se llama Timoteo.
5. Su amiga se llama Martina.

Can you find a saint's day that corresponds to someone in the class, yourself, or a family member? Share the date with the class.

MODELO: **El ... de enero es el día del santo de** (*nombre*).

ENERO

LUNES MONDAY	MARTES TUESDAY	MIERCOLES WEDNESDAY	JUEVES THURSDAY	VIERNES FRIDAY	SABADO SATURDAY	DOMINGO SUNDAY
○ LUNA LLENA FULL MOON 1st-31st – DIA 1-31	◖ C. MENGUANTE LAST QUARTER 9th – DIA 9	○ LUNA NUEVA NEW MOON 17th – DIA 17	◗ C. CRECIENTE FIRST QUARTER 24th – DIA 24	**1** LA CIRCUNCISION NEW YEAR'S DAY	**2** SAN BASILIO M.	**3** S. ANTERO PAPA
4 SAN PRISCO	**5** S. TELESFORO	**6** LOS S. REYES EPIPHANY	**7** SAN RAYMUNDO	**8** SAN APOLINAR	**9** SAN MARCELINO	**10** SAN GONZALO
11 S.HIGINIO PAPA	**12** S. ARCADIO M.	**13** S. HILARIO OB.	**14** SAN FELIX M.	**15** S. MAURO ABAD ADULT'S DAY	**16** SAN MARCELO	**17** S. ANTONIO ABAD
18 STA. PRISCA V. MARTIN L. KING DAY (US)	**19** SAN MARIO (EID) AL FITR (END OF RAMADAN)	**20** SAN FABIAN	**21** SAN FRUCTUOSO	**22** SAN VICENTE M.	**23** SAN ALBERTO	**24** SAN FRANCISCO DE S.
25 STA. ELVIRA V.	**26** S. TIMOTEO OB.	**27** STA. ANGELA V.	**28** STO. TOMAS DE A.	**29** SAN VALERIO	**30** STA. MARTINA	**31** S. JUAN BOSCO

_____

[9]The word **se** before the verb slightly changes the meaning of the verb: **celebra** = *he/she, etc. celebrates*; **se celebra** = *is celebrated*.

V. Idiomas (*Languages*) **Plus, cursos de español**. Imagine that you are going to Madrid and want to study at the institute **Idiomas Plus**. Study the information and decide what type of course you want to take, and why the course is appealing to you. Then fill out the **Hoja de inscripción** (*Application Form*). Use the context to guess the meaning of words that you do not understand.

Idiomas Plus - 6º Dcha.
Calle Arenal 21
E-28013 Madrid
Tel.: 548 11 16-548 10 43
Fax: 559 29 04
E-mail: madrid.plus@jet.es

TIPOS DE CURSO

- Curso Plus
- Curso Standard
- Curso Intensivo
- Clases alternas
- Clases individuales
- Curso D.E.L.E.

CURSO PLUS

1h 30 min. de clase, de lunes a viernes.
Duración:
de 2 a 12 semanas.

CURSO STANDARD

3 horas de clase, de lunes a viernes.
Duración:
de 1 a 12 semanas.

CURSO INTENSIVO

4h 30 min. de clase, de lunes a viernes.
Duración:
de 1 a 12 semanas.

CLASES ALTERNAS

1h 30 min. dos días por semana. Perfectas para los que no tienen mucho tiempo.

CLASES INDIVIDUALES

Este curso se adapta a las necesidades especiales de cada estudiante.

CURSO D.E.L.E.

Clases especiales para preparar el examen oficial "Diploma de Español como lengua Extranjera".

Nuestro horario
normal es:
09:00 - 10:30
11:00 - 12:30
13:00 - 14:30
19:00 - 20:30
(clases alternas)

*Exercise V recycles expressions from the earlier part of the chapter (inquiring as to name/origin, etc.) as well as touching upon months and dates. The authentic realia on **Idiomas Plus** also allows students to guess meaning by context and answer questions in a role-play situation.*

Palabras útiles: **apellido** = *last name*;
desde = *from*; **media pensión** = *room and breakfast + another meal*

HOJA DE INSCRIPCION

APELLIDO _____
NOMBRE _____
FECHA DE NACIMIENTO _____
HOMBRE ( ) MUJER ( )
NACIONALIDAD _____
DIRECCION _____
CIUDAD _____ **PAIS** _____
TELEFONO _____ **FAX** _____
Deseo inscribirme en:
( ) CURSO PLUS
( ) CURSO STANDARD
( ) CURSO INTENSIVO
( ) CURSO POR LAS TARDES (Dos días por semana)
( ) CLASES PRIVADAS
DESDE _____ **HASTA** _____ **SEMANA/S**

NIVEL APROXIMADO
( ) PRINCIPIANTE   **( ) ELEMENTAL**
( ) INTERMEDIO   **( ) AVANZADO**

ALOJAMIENTO
( ) HAB. DOBLE   **( ) HAB. INDIVIDUAL**
( ) APARTAMENTO
( ) FAMILIA   ( ) CON DESAYUNO
                    ( ) CON MEDIA PENSION
( ) HOTEL

PRECIO TOTAL

DEPOSITO DE _____
POR   ( ) EUROCHEQUE (escribir su nº de pasaporte)
                    25.000 Ptas. por eurocheque.
          ( ) TRANSFERENCIA BANCARIA
          ( ) EFECTIVO

Now, working in pairs, imagine that one of you is a student seeking to study in the institute, and the other is the director of the institute. The director asks the questions and the student answers, referring to the **Hoja de inscripción** as necessary. Then reverse roles.

1. ¿Cómo se llama usted?
2. ¿De dónde es usted?
3. ¿Qué curso le gustaría tomar? **Me gustaría tomar...** (*and tell why per the course description*) **porque...** ¿Por cuántas semanas? ¿En qué fechas?
4. ¿Cuál es su nivel aproximado? ¿Avanzado?...
5. ¿Qué tipo de alojamiento le gustaría a usted? ¿Una habitación doble/individual? ¿Apartamento/familia?...

Así se dice

La pronunciación de la consonante *d*

Remember that in Spanish the letter **d** has two sounds. At the beginning of a phrase or sentence, and after **n** or **l**, the letter **d** has a pronunciation similar to the English *d* in *door*.

dos   **dieciséis**   **respondan**   **el día**

In most other positions, particularly between vowels and at the end of a word, **d** has a slight *th* sound as in *this* or *brother*.

canadiense   Buenos días.   Buenas tardes.   ¿De dónde eres?

Repeat the following children's verse, paying close attention to the **d** with a slight *th* sound.

> ...Y aserrín°
> aserrán
> los maderos° de San Juan
> piden queso°
> piden pan°.

Unos apellidos (*last names*) que empiezan (*begin*) con la letra D.
[www.tiempolibre.ciudadfutura.com/apellidos/D.htm]

Así se dice sections appear in the first six chapters of the text and recycle the consonant sounds presented in the Preliminary Chapter. With both the sample words and the verse, have students repeat after you, followed by practice pairs.

sawdust

the woodcutters
ask for cheese
ask for bread

Dicho y hecho

 Conversando

Dicho y hecho sections draw together and review the chapter vocabulary and structures, focusing on the skills of speaking, listening, and writing. They add a new dimension to the student's learning experience and build confidence as well.

Study Hints
See what you have learned! Turn to pp. 38–39 to review the active vocabulary (**Repaso de vocabulario activo**) and take the self-test (**Autoprueba y repaso 1**) for this chapter.

A conocernos (*Getting acquainted*)
Converse with a classmate. Pretend that you are meeting for the first time. In your conversation be sure to:

Conversando is an open-ended communicative activity that offers an opportunity for conversation based upon the theme, vocabulary, and/or structures presented in the chapter.

- Greet each other
- Ask names
- Inquire about origin (where from)
- Ask about what's happening
- Ask the time
- Say good-bye

Pair students, allowing five minutes for conversation. Have one or two pairs present their conversation to the class.

Let's listen! **¡A escuchar!°**

🎧 *¡A escuchar!* provides a listening activity that can be completed in class or assigned for homework. The conversation is recorded on both the instructor and student tape or CD that accompanies the text.

As an in-class, follow-up activity, have students recreate in their own words the scenario presented in the conversation—two students meet on campus and comment on another student that has attracted their attention.

Audioscript:

CAMILA: Hola, Pepita. ¿Qué tal?

PEPITA: Bien, ¿y tú?

CAMILA: Fenomenal.... Mira, Pepita. Ahí va Octavio. Es de Argentina. ¡Qué atractivo es! ¿Verdad?

PEPITA: Sí, y también es muy atlético. ¡Va al gimnasio a las seis de la mañana casi todos los días!

CAMILA: ¿De veras? Está en mi clase de biología y es muy inteligente. ¡Qué hombre tan perfecto!

PEPITA: ¡Sh! Aquí viene.

OCTAVIO: ¡Hola, Camila! ¡Hola, Pepita! ¿Qué pasa?

CAMILA Y
PEPITA: Hola, Octavio. Nada nuevo.

PEPITA: Vamos a la clase de historia.

Camila y Pepita conversan
Camila and Pepita are on campus on their way to class. They are talking about Octavio. First, listen to the conversation for the general content. You do not need to understand every word to understand what they are saying. Then answer the two general questions that follow by choosing the appropriate response.

1. ¿Camila y Pepita admiran a Octavio? _____ sí _____ no

2. ¿Octavio oye (*hears*) la conversación? _____ sí _____ no

Now scan questions 3–7 to see what information they require. Then listen to the conversation again for more specific details. Answer the questions by choosing the appropriate response or responses.

3. Camila saluda a Pepita. ¿Qué dice (*What does she say*)?
_____ ¿Cómo estás? _____ ¿Qué tal? _____ ¿Cómo te va?

4. ¿Cómo están Camila y Pepita?
_____ Bien _____ Regular
_____ Fenomenal

5. ¿De dónde es Octavio?
_____ de los Estados Unidos
_____ de Argentina

6. ¿A qué hora va (*does he go*) al gimnasio?
_____ a las 6:00 de la mañana _____ a las 6:00 de la tarde

7. ¿Qué palabras usan Camila y Pepita para describir a Octavio?
_____ fenomenal _____ atractivo _____ atlético _____ diligente
_____ inteligente _____ perfecto

De mi escritorio°

From my desk

Mi retrato (*My portrait*)
Write a brief description of yourself.

- Tell your name. **Me...**
- Indicate your nationality and where you are from (city, state, etc.)
- Tell your birthday
- Describe yourself using the verb **ser** and cognates from Section **2** of the Preliminary Chapter (p. 2) and from Exercise **F** (p. 17)

De mi escritorio sections can be assigned as homework or as an in-class writing activity. These sections also work well on tests.

Remind the students to review the chapter (individually or in study groups) by referring to the *Repaso de vocabulario activo* and by completing and correcting the *Autoprueba y repaso 1* that follows (answers in Apéndice 2).

HELPFUL STRATEGIES FOR READING

In this textbook you will read many types of passages. The primary ones include the *Noticias culturales*, the *Panorama cultural*, and the *Encuentros culturales*. (The *Encuentros culturales*, when focusing on literary content, have their own reading strategies.) Use the helpful reading strategies that follow whenever you read in Spanish—in this textbook, in Spanish magazines, on the Web, and so on.

Skimming for general content

Read the entire passage quickly to get a general idea of content. Do not attempt to translate word for word.

Scanning for cognates

Glean information about the content by finding words that are cognates—words that look the same and have similar meanings in both English and Spanish. Watch out for "false cognates." *Example*: **embarazada** = *pregnant, not embarrassed*!

Guessing the meaning of new words

In addition to identifying cognates, you will also recognize and know many other words in a text. Use these words *and the context of the sentence* to help you guess the meaning of new words. You do not need to know every word to understand a text!

Identifying key words and phrases

Identify and focus on key words and phrases in each paragraph. These key words and phrases are useful for understanding, remembering, and reviewing content.

Review the *Helpful Strategies for Reading* with your students. Using the *Panorama cultural* in Chapter 1 as the text, walk students through each strategy. Have them identify cognates, guess the meaning of words such as **mayoría**, and so on.

For *Panorama cultural* (pp. 36–37): Unlike the *Noticias culturales* that focus on cultural attitudes and behavior, the *Panorama cultural* sections introduce students to the geography, history, and civilization of the Spanish-speaking countries.

As an in-class activity, have your students read the text, answer the photo-based questions, and complete the *¿Qué descubrimos?* comprehension exercise working in groups of three. Review their answers with the class. Another option is to assign the *Panorama* and accompanying comprehension exercise for homework, followed by an in-class review.

PANORAMA CULTURAL

Nuevas caras, nuevas perspectivas

[www.wiley.com/college/dicho/panorama]

El mundo hispano es una fusión de la herencia[1] de las civilizaciones europeas y africanas en España, y las precolombinas[2], europeas y árabes en Hispanoamérica. Las diversas caras del mundo hispano representan una rica variedad de perspectivas raciales y culturales.

Hoy[3] la mayoría de los hispanos es una combinación de dos o más razas. La presencia indígena es evidente en todos los países[4] de Hispanoamérica, especialmente en Bolivia, Ecuador, Guatemala, México y Perú. En Bolivia y Guatemala, la población indígena es más del 50% de la población total.

La influencia africana es predominante en la región Caribe y en las costas orientales[5] de Centro y Sudamérica. La influencia europea en América no se limita a España: gran parte de la población de Argentina, Chile y Uruguay es de origen italiano y alemán.

Muchos latinoamericanos celebran esta diversidad racial y cultural el día de la Raza (el 12 de octubre).

---

[1]heritage [2]Indigenous cultures in the Americas prior to the arrival of Columbus. [3]Today [4]countries [5]eastern

1

2

3

Tres hispanos celebran festivales en sus países de origen. ¿Cuál (*Which*) de estas personas hispanas es de origen africano? ¿De origen indio? ¿De origen español?

The *Panorama cultural* has a Panorama-Web–a link to Web sites with activities, and home pages for each of the countries discussed. The introductory material presented in the *Panorama cultural* can be supplemented through Web-based activities.

ENCUENTRO CULTURAL

Artes pictóricas: Las pinturas[1] de castas

En el período colonial, la sociedad hispanoamericana agrupaba españoles, indígenas, africanos y combinaciones de los tres grupos. Las combinaciones eran llamadas[2] castas. Las pinturas de castas creadas en México y Perú en el siglo[3] XVIII presentan grupos de familiares de diferentes orígenes étnicos. Las pinturas documentan la diversidad que caracteriza al mundo hispano hasta hoy[4].

Examine estas pinturas de castas:

¿Qué descubrimos (What did we discover)?

Complete the following statements in Spanish with information from the reading.

1. Las civilizaciones ... y ... forman parte de la herencia de España.

2. La presencia indígena es evidente especialmente en...

3. En Bolivia y Guatemala la población ... es más del 50% de la población total.

4. En el Caribe y en las costas orientales de Centro y Sudamérica es predominante la influencia...

5. Gran parte de la población ... es de origen italiano y alemán.

De español y negra, mulato, circa 1760–1770 (**mulato** = una combinación de español y africano)

De español e india, mestizo, circa 1725 (**mestizo** = una combinación de español e indígena)

Preguntas

1. ¿Qué elementos étnicos presentan las pinturas? Identifique el origen étnico de cada (*each*) persona.
   (Palabras útiles: **hombre** = *man*; la **mujer** = *woman*; el **niño** = *child, m*)

2. ¿Qué grupos étnicos existen en su país (*your country*)?

3. ¿Qué combinaciones de nacionalidades u orígenes étnicos existen en su familia?

---

[1]*paintings* [2]*were called* [3]*century* [4]*until today*

Saludos y expresiones comunes

Buenos días, señorita (señora, señor).
Buenas tardes.
Buenas noches.
¡Hola!
¿Cómo está usted? ¿Cómo estás?
¿Qué tal?
Muy bien, gracias.
Regular.
¿Qué pasa?
¿Qué hay de nuevo?
Nada nuevo.
Me gustaría presentarle a...
   (formal)
Te presento a... (informal)
Mucho gusto.
Encantado/a.
Igualmente.
El gusto es mío.
¿Cómo se llama usted? ¿Cómo
   te llamas?
Me llamo...
¿De dónde es usted? ¿De dónde
   eres?
Soy de...
Perdón.
Lo siento mucho.
Con permiso.
Por favor.
Muchas gracias.
De nada.
Adiós.
Hasta luego.
Hasta pronto.
Hasta mañana.
Chao.

Verbo

ser

Nacionalidades

...del mundo hispano

argentino/a
boliviano/a
chileno/a
colombiano/a
costarricense
cubano/a
dominicano/a
ecuatoriano/a
español/española
guatemalteco/a
hondureño/a
mexicano/a
nicaragüense
panameño/a
paraguayo/a
peruano/a
puertorriqueño/a
salvadoreño/a
uruguayo/a
venezolano/a

Otras nacionalidades

alemán/alemana
canadiense
chino/a
estadounidense
francés/francesa
inglés/inglesa
italiano/a
japonés/japonesa
portugués/portuguesa
ruso/a

Los días de la semana

lunes
martes
miércoles
jueves
viernes
sábado
domingo

La hora

¿Qué hora es?
Es la una.
Son las dos.
¿A qué hora?
A la una.
A las dos.
cuarto
media
de la mañana/tarde/noche
Es (el) mediodía.
Es (la) medianoche.

Los meses

enero
febrero
marzo
abril
mayo
junio
julio
agosto
septiembre
octubre
noviembre
diciembre

I. Saludos y expresiones comunes. Complete las conversaciones. En algunos casos, hay más de una respuesta posible.

1. PROFESORA: Buenos días. ¿Cómo está usted?

   PEPITA: _____. ¿Y usted?

   PROFESORA: _____

2. PROFESORA: ¿_____?

   PEPITA: Me llamo Pepita.

3. CARMEN: ¡Hola, Pepita! ¿_____?

   PEPITA: Regular. ¿Y tú?

   CARMEN: _____.

4. PEPITA: Profesora, me gustaría presentarle a Carmen Martínez.

   PROFESORA: _____.

   CARMEN: _____.

5. PEPITA: ¿Cómo te llamas?

   MANUEL: _____. ¿Y tú?

   PEPITA: _____.

   MANUEL: Encantado, Pepita.

   PEPITA: _____.

6. CARMEN: ¿_____?

   PEPITA: Son las 9:30.

   CARMEN: Pues, tengo una clase ahora. Hasta luego.

   PEPITA: _____.

II. Pronombres personales y el verbo *ser*. ¿De dónde son las personas? Complete las oraciones. Use la forma correcta del verbo **ser**.

MODELO: yo/de México; ella/de Panamá
Yo soy de México pero (*but*) **ella es de Panamá.**

1. ellos/de Chile; nosotras/de México
2. tú/de Colombia; ustedes/de España
3. Luis/de El Salvador; Juan y Elena/de Honduras

III. Preguntas y declaraciones afirmativas y negativas. Conteste las preguntas de una manera afirmativa o negativa.

MODELO: ¿Es usted de Boston?
Sí, soy de Boston. *o*
No, no soy de Boston.

1. ¿Es usted de Tejas?
2. ¿Es usted muy sentimental?
3. ¿Es usted pesimista?
4. Usted y sus (*your*) amigos, ¿son responsables?
5. ¿Son ustedes arrogantes?

IV. Adjetivos de nacionalidad. Indique la nacionalidad.

MODELO: Ellas son de París.
Son francesas.

1. Ellas son de Tokio.
2. Aurora es de Madrid.
3. David es de Toronto.
4. Dulce y Rosita son de Acapulco.
5. Hans y Fritz son de Berlín.

V. Los días de la semana. Complete las oraciones.

1. Vamos (*We go*) a la clase de español los

   _____, _____, ____

   _____, ...

2. Muchos estudiantes van (*go*) a fiestas ____

   _____ y ____ _____.

VI. ¿Qué hora es? ¿A qué hora?

A. Indique la hora.

MODELO: 1:10 P.M.
Es la una y diez de la tarde.

1. 1:15 P.M.
2. 9:30 P.M.
3. 5:50 A.M. (*Give two ways.*)
4. 11:40 P.M. (*Give two ways.*)
5. 12:00 P.M.

B. Haga una pregunta. Luego (*Then*), conteste para indicar a qué hora son las clases.

MODELO: la clase de arte/1:30 P.M.
¿A qué hora es la clase de arte?
Es a la una y media de la tarde.

1. la clase de historia/8:15 A.M.
2. la clase de español/9:20 A.M.
3. la clase de religión/2:30 P.M.

VII. Las fechas. Escriba las fechas en español. Incluya el día y el mes.

MODELO: 2/1/00 (= *día/mes/año*)
Es el dos de enero.

1. 14/2/00
2. 1/4/00
3. 4/7/00
4. 23/11/00
5. 25/12/00

VIII. Repaso general del Capítulo 1. Conteste las preguntas con oraciones completas.

1. ¿Cómo se llama usted?
2. ¿Cómo está usted?
3. ¿De dónde es usted?
4. ¿De qué nacionalidad es usted?
5. ¿Cuál es la fecha de su cumpleaños?
6. ¿Qué día es hoy?
7. ¿Qué hora es?

_____

Answers to the **Autoprueba y repaso** are found in **Apéndice 2**.

CAPÍTULO 2

¿Cuál es tu sitio-web favorito? Una manera moderna de estudiar.

La universidad de hoy

Goals for communication

- To talk about computers, the language lab, and the classroom
- To say where you are going on campus
- To talk about your class schedule
- To talk about activities related to university life

Cultural focus

- University life in the Hispanic world
- The Spanish language: the axis of the Hispanic world

Structures

1. **Hay** para expresar *there is* o *there are*
2. Artículos y sustantivos
3. **Ir** + **a** + destino
4. El presente de los verbos regulares **-ar**
5. El presente de los verbos regulares **-er**, **-ir**; **hacer** y **salir**

Pronunciation

Las consonantes **g** y **z**

Presentation of *Bien dicho,* pp. 42–43

Transparency #4 Use the transparencies of the opener drawings for Chapter 2 to visually present vocabulary dealing with the lab (technology) and the classroom. Each vocabulary item can be repeated chorally.

La universidad de hoy

1. EL LABORATORIO
2. la impresora
3. imprimir
4. el papel
RECICLAR
Alfonso

5. la pantalla
6. el profesor
profesor Marín Vivar

8. sacar fotocopias
7. la fotocopiadora
Esteban

9. los audífonos
10. escuchar
11. la grabadora
12. el casete, la cinta
Carmen

13. navegar por Internet
14. el ratón
Natalia

15. usar
16. la computadora
17. el teclado
18. el disco compacto, el CD-ROM
19. el disqu
Javier

1. laboratory   2. printer   3. to print   4. paper   5. screen   6. professor (m.)   7. photocopier   8. to make photocopies   9. headphones   10. to listen to   11. tape recorder   12. cassette, tape   13. to explore (surf) the Internet   14. mouse   15. to use   16. computer   17. keyboard   18. CD, CD-ROM   19. disk

Alert students to the variations related to technology vocabulary.
For example: *computer* = **ordenador** (Spain) or
computador/computadora (Latin America).

20. LA CLASE DE ESPAÑOL

25. el correo electrónico
26. la dirección electrónica
24. el mapa
30. el televisor
21. la ventana
27. la pizarra
31. la videograbadora, el VCR
28. la tiza
22. la mesa
29. el borrador
32. el vídeo
23. la silla
33. la profesora
45. la puerta
34. el estudiante, el alumno
profesora Falcón
Manuel
35. la estudiante, la alumna
36. el libro
Linda
Octavio
37. el cuaderno
38. el pupitre
Inés
Camila
44. la mochila
43. la calculadora
40. el diccionario
41. el lápiz
42. el bolígrafo
39. el escritorio
ESPAÑOL INGLÉS

20. Spanish class   21. window   22. table   23. chair   24. map (m.)   25. e-mail   26. e-mail address
27. chalkboard   28. chalk   29. eraser   30. television set   31. VCR   32. video   33. professor (f.)   34. student (m.)
35. student (f.)   36. book   37. notebook   38. student classroom desk   39. (teacher's) desk   40. dictionary
41. pencil (los **lápices**, pl.)   42. ballpoint pen   43. calculator   44. backpack   45. door

43

Práctica y comunicación

Assign *Exercise A* for homework to be completed by the first class day. Students' written answers can be quickly spot-checked for completion. This process helps to ensure that students are better prepared for active class participation. Refer to *transparency #4* to complete *Exercise A*.

Study Hints

Review the section *En la clase* found on p. 7 of the *Capítulo preliminar*. Note that beginning with this chapter, classroom directions will be given in Spanish. You do not need to know every word in the direction line in order to understand its meaning.

Note that direction lines are given to the students using the **usted** form. When students address each other, the **tú** form is used.

A. ¡Todos están ocupados (*Everyone is busy*)**!** Estudie el vocabulario presentado en los dibujos (*drawings*), páginas 42–43. Luego (*Then*), complete las oraciones con las palabras apropiadas.

En el laboratorio

1. Alfonso usa la _____ para (*in order to*) _____ una composición. Los estudiantes reciclan el _____.

2. El profesor Marín-Vivar observa la diapositiva (*slide*) de las ruinas mayas de Chichén-Itzá, México. La imagen aparece en la _____.

3. Esteban necesita muchas copias de un mapa para la clase de geografía. Usa la _____ para sacar las _____.

4. Carmen practica el español. Pone (*She puts*) el _____ del Capítulo 2 en la _____. Usa los _____ para _____ el casete.

5. Natalia usa el _____ para navegar por _____.

6. Javier está muy ocupado. Usa la _____ y el _____. Pone el _____ _____ en la computadora.

En la sala de clase

7. Para enseñar (*to teach*) la clase, la profesora Falcón utiliza el _____ de América del Sur, la _____ y el televisor. En este momento, ella pone el _____ en la _____.

8. La _____ _____ de la profesora es *afalcon@esu.edu*.

9. El _____ que tiene (*has*) tres libros en el pupitre se llama Manuel.

10. La _____ que tiene un libro en el pupitre se llama Linda.

11. Inés escribe en el _____.

12. Octavio tiene una _____ muy grande.

13. Hay (*There are*) _____ pupitres en la sala de clase.

14. El escritorio de la profesora Falcón es grande. Ella permite que los estudiantes usen el _____, la _____, el _____ y el _____ de su (*her*) escritorio.

Word association exercises help students group related words and consequently remember and access vocabulary more readily.

B. Juego de palabras (*Word game*). ¿Qué palabras asocia usted con las siguientes (*following*) referencias?

MODELO: el estudiante > **el profesor, la clase**

1. la impresora
2. la fotocopiadora
3. la grabadora
4. la computadora
5. la videograbadora
6. la puerta
7. la mesa
8. la tiza
9. el bolígrafo
10. la mochila

C. Internet para todos. En parejas (*In pairs*), estudien el anuncio.

1. El servicio Internet de Telmex ofrece muchas ventajas (*advantages*). ¿Qué ventajas del servicio son importantes para (*for*) ustedes? Mencionen tres o cuatro.

2. ¿Qué sitios-web o tipo de información en Internet representan las imágenes que aparecen en el anuncio? Identifíquenlas. *Categorías*: **música, teatro, aviación, deportes** (*sports*), **naturaleza, tecnología y espacio, historia**. ¿Qué sitios-web son interesantes para ustedes?

3. ¿Cuál es la dirección electrónica de Telmex? (**.** = **punto**)

Palabra útil: **gratis** = *free*

Bien dicho En la clase

el **maestro**[1]	*teacher* (m.)
la **maestra**	*teacher* (f.)
el **aula**	*classroom*
el **capítulo**	*chapter*
la **lección**	*lesson*
la **página**	*page*
la **página-web**	*Web page*
el **sitio-web**	*Web site*
el **ejercicio**	*exercise*
la **oración**	*sentence*
la **palabra**	*word*
la **pregunta**	*question*
la **respuesta**	*answer*
la **tarea**	*assignment*
el **trabajo (escrito)**	*paper (academic)*
el **examen**	*exam*
la **prueba**	*test*
la **nota**	*grade*
sacar una nota	*to get a grade*
los **apuntes**	*notes*
tomar apuntes	*to take notes*

D. ¿Qué palabra corresponde? En parejas, lean las siguientes (*following*) descripciones. Identifiquen las palabras que les corresponden. Refiéranse a la lista de vocabulario.

MODELO: una serie de palabras
la oración

1. una serie de palabras con puntos de interrogación (¿?)
2. una serie de preguntas en el libro para practicar el español
3. una prueba grande
4. una «A» en el examen
5. la información importante que los estudiantes escriben en los cuadernos
6. el instructor de una escuela primaria
7. la impresora los imprime; generalmente son de muchas páginas
8. una parte o sección de un libro
9. **¿Cómo estás?** es la pregunta. **Muy bien, gracias** es la...
10. «Para mañana, estudien el vocabulario y contesten las preguntas.»

---

[1]**Maestro/maestra** refer to elementary and high school teachers. **Profesor/a** refer to college and university teachers/professors. **Instructor/a** is also used at this level.

E. ¡Ustedes son los profesores! Imagine que usted es el profesor/la profesora. Déle (*Give*) instrucciones a la clase. Complete las siguientes instrucciones. Incluya varias opciones cuando sea apropiado.

In addition to practicing new vocabulary, *Exercise E* recycles vocabulary from the chapter opener and classroom instructions from the Preliminary Chapter. For each item, elicit responses from various students.

MODELO: Cierren...
     Cierren la puerta (la ventana/el libro).

1. Abran...
2. Contesten...
3. Lean...
4. Repitan...
5. Pasen a...
6. Siéntense en...
7. Escriban con...
8. Escriban...
9. Traduzcan...
10. Completen...

🎧 The *Conversaciones* are recorded on the *Dicho y hecho* instructor's CD/tape. You may wish to introduce the *Conversación* by playing it for the class. The characters that speak in the *Conversaciones* are primarily from the *Dicho y hecho* cast of characters that appear in the illustrations.

Quickly read the *Conversación* in phrases and have students repeat in chorus and/or individually. Then have the students read the *Conversación* in pairs, taking the roles of Camila and Alfonso. As they read, move about the classroom listening. If pronunciation errors are heard, those words/phrases can be isolated for practice. You may wish to have 2 students perform in front of the class, acting out the parts.

Conversación

Un pequeño° accidente   *small*

En un corredor de la universidad. Alfonso va muy de prisa° y choca° con   *is in a big hurry / collides*
Camila. Sus libros, cuadernos y otras cosas se caen° al suelo°.   *fall / floor*

ALFONSO
Y CAMILA: ¡Ay!
  CAMILA: ¡Hombre! ¡Qué rápido vas!
 ALFONSO: Perdón, Camila. Es que todas las mañanas llego° tarde a clase.   *I arrive*
  CAMILA: No es tarde. Son las 9:20. ¿Adónde vas?
 ALFONSO: Voy al laboratorio. Tengo° una clase de computación a las 9:30.   *I have*
  CAMILA: Hum... Yo necesito imprimir un trabajo de historia del arte.
           ¿Hay° una impresora láser en el laboratorio?   *Is there*
 ALFONSO: Sí, hay dos.
  CAMILA: ¡Qué bien! Y ¿dónde está el laboratorio?
 ALFONSO: Allí. Es el aula con la puerta grande.
  CAMILA: Entonces vamos juntos°.   *together*

(Comienzan a recoger° las cosas del suelo.)   *pick up*

  CAMILA: ¿Dónde están mis disquetes y mis bolígrafos?
 ALFONSO: Aquí están. ¿Es tuyo este libro de matemáticas?
  CAMILA: No. Es tuyo. Mi libro está aquí.
 ALFONSO: ¡Ah, sí! Bueno. Vamos al laboratorio.
  CAMILA: ¡Yo necesito un café! ¿Vamos a la cafetería un momento?
 ALFONSO: Ay, Camila... Lo siento, pero sólo° tengo cinco minutos.   *only*

¿Qué pasa?

The comprehension exercise may be completed in pairs or as a class.

1. ¿Quién (*Who*) llega tarde a clase todas las mañanas?
2. ¿Qué hora es? ¿A qué hora es la clase?
3. ¿Qué trabajo necesita imprimir Camila?
4. ¿Hay impresoras en el laboratorio?
5. ¿Alfonso va con Camila a la cafetería?

Estructuras

1. *Indicating the existence of persons, places, and things:*
Hay para expresar *there is* o *there are.*

To introduce this and all *Estructura* sections, you may wish to have students read the introductory cartoon in pairs and guess what the birds are saying. Antonio, Julia, and Miguelito are *Dicho's* on-going cartoon characters.

Present **hay** through sample sentences contrasting its use with that of the verb **ser: Es una ventana.** *vs.* **Hay tres ventanas en el aula.**

Hay is a special form of the verb **haber**, which denotes existence. It means *there is* and *there are* in a statement, or *is there* and *are there* in a question. It can be used with just one item or several without changing its form.

Hay una ventana en el aula.	*There is* a window in the classroom.
Hay treinta pupitres.	*There are* thirty desks.

Be careful not to confuse **Es** (*It is*) or **Son** (*They are*) with **Hay** (*There is, there are*).

Es una computadora Macintosh.	*It's* a Macintosh computer.
Hay una computadora Macintosh en el laboratorio.	*There is* a Macintosh computer in the laboratory.

Práctica y comunicación

Exercise F recycles affirmative and negative statements.

F. ¿Hay o no hay? Trabajen en parejas. Un/a estudiante pregunta si (*if*) **hay** o **no hay** lo siguiente en la universidad. El otro/La otra (*The other*) estudiante contesta la pregunta.

MODELO: muchos profesores buenos
      ESTUDIANTE 1: **¿Hay muchos profesores buenos en la universidad?**
      ESTUDIANTE 2: **Sí, hay muchos profesores buenos.** *o*
                    No, no hay muchos profesores buenos.

1. muchos profesores interesantes
2. muchos estudiantes extranjeros (*foreign*)
3. laboratorios/salas de computadoras
4. computadoras IBM/computadoras Macintosh/impresoras en los laboratorios
5. computadoras en las residencias estudiantiles (*dorms*)
6. una cafetería excelente
7. un gimnasio

Y en las aulas (por lo general)...

8. videograbadoras/pantallas/mapas
9. mesas/pupitres/escritorios grandes para los profesores

▶ **G. ¿Cuántos** (*How many*) **hay?** En parejas, determinen cuántos hay. Apunten (*Jot down*) el número.

¿Cuántos?/¿Cuántas? are used passively in this exercise. Active use will begin in Chapter 3.

1. ¿Cuántos pupitres hay en el aula? **1, 2,... Hay ... en total.**
2. ¿Cuántas alumnas hay en la clase?
3. ¿Cuántos alumnos hay en la clase?
4. ¿Cuántas ventanas hay en el aula?
5. ¿Cuántas mochilas hay?

2. *Identifying gender and number:* **Artículos y sustantivos**

Artículos definidos e indefinidos

All nouns in Spanish, even those referring to nonliving things, are either masculine or feminine (gender) and singular or plural (number). Consequently, the definite article (*the*) or indefinite article (*a, an, one*) that accompanies each noun must also be either masculine or feminine and singular or plural to agree with the noun.

Write on the board in a column the singular definite and indefinite articles. Add nouns exemplifying each of the three categories presented (see 3 bullets). Have students repeat the examples. Then change the articles and nouns to the plural forms.

Artículos definidos: el, la, los, las = *the*		
	singular	*plural*
masculino	**el** alumno	**los** alumnos
femenino	**la** alumna	**las** alumnas

Artículos indefinidos: un, una = *a, an, one;* **unos, unas** = *some*		
	singular	*plural*
masculino	**un** alumno	**unos** alumnos
femenino	**una** alumna	**unas** alumnas

Sustantivos° masculinos y femeninos

Nouns

- Most nouns that end in **-o**, as well as nouns referring to male, are masculine.

Hay **un alumno** colombiano en la clase.	*There is **a Colombian student** (m.) in the class.*
El profesor es de Panamá.	*The professor (m.) is from Panama.*
Hay **un libro** en **el escritorio**.	*There is **a book** on **the desk**.*

Study Hints
Always learn a new word by saying the article with the noun. Remember them as a unit.

- Most nouns that end in **-a** and **-ción**,[2] as well as nouns referring to female, are feminine.

Hay **una alumna** japonesa en la clase.	*There is **a Japanese student (f.)** in the class.*
La maestra necesita **una silla**.	*The teacher (f.) needs **a chair**.*
Lean **la oración**.	*Read **the sentence**.*

- All other nouns must be learned as masculine or feminine.

El lápiz está sobre **el pupitre**.	*The pencil is on the desk.*
Vamos a **la clase** de español.	*Let's go to Spanish **class**.*
Hay **un examen** por la tarde.	*There is **an exam** in the afternoon.*

---

[2]Most nouns that end in **-ad**, **-ud**, **-ez**, and **-umbre** are also feminine. Examples: la **ciudad** (*city*), la **salud** (*health*), la **vejez** (*old age*), la **costumbre** (*custom*).

- In Spanish, the definite article **el** or **la** is used with titles (**señor**, **señora**, **señorita**, **profesor/a**, etc.) when not speaking to the person directly.

  Buenos días, **señor Gómez**. ¿Cómo está **la señora Gómez**?

- Note that some nouns that end in **-a** are actually masculine.

  el mapa   el día   el problema   el programa

- **Aula** is feminine even though it uses the article **el**. The plural form is **las aulas**.

Nouns that end in -o and are feminine (la mano, etc.) will be presented as they appear in the text.

Plural nouns

Sustantivos en el plural°

- To form the plural of nouns ending in a vowel, add **-s**.

  Los estudiantes están en la clase.
  Los ejercicios están en la página dos.
  Las preguntas están en el cuaderno de ejercicios.

- To form the plural of nouns ending in a consonant, add **-es**.

  Los profesores están en la oficina.
  Repitan **las oraciones**[3].
  ¿Dónde están **los lápices**?

Práctica y comunicación

Exercise H allows students to identify nouns according to gender and number and combine each with the corresponding article. Move swiftly through this exercise.

H. ¡Hay mucha tarea! Complete las instrucciones. Use el artículo definido **el** o **la**.

MODELO: Escriba... (ejercicio)
            Escriba el ejercicio.

1. Escriba... (pregunta, respuesta, ejercicio, dirección electrónica)
2. Estudie... (vocabulario, lección, mapa, Capítulo 2)
3. Traduzca... (palabra, diálogo, oración, párrafo)
4. Use... (computadora, grabadora, casete, ratón, impresora)

Complete las instrucciones. Use el artículo definido **los** o **las**.

MODELO: Escriban... (ejercicios)
            Escriban los ejercicios.

5. Escriban... (preguntas, respuestas, oraciones, ejercicios A, B y C)
6. Estudien... (Lecciones 6 y 7, mapas, apuntes)
7. Lean... (Capítulos 4 y 5, diálogos, listas de vocabulario)
8. Traigan (*Bring*) a clase... (mochilas, lápices, bolígrafos, cuadernos, calculadoras, libros)

To complete this exercise, students revisit the chapter-opener illustration to indicate the existence of objects and persons. If you wish to provide an example, do so using transparency #4.

I.   ¿Qué hay en el laboratorio? ¿Y en la sala de clase? Contesten las preguntas según los dibujos (*according to the drawings*) en las páginas 42–43. Trabajen en parejas.

1. ¿Qué hay en el laboratorio? **Hay un/una... Hay tres...**
2. ¿Cuántos estudiantes hay en el laboratorio? ¿Y cuántos profesores?
3. ¿Qué hay en la sala de clase?
4. ¿Cuántos estudiantes hay en la clase?
5. ¿Qué hay en el escritorio de la profesora?

---

[3]Words ending in **-ción** lose the accent in the plural.

3. *Talking about going places:* **Ir + a + destino**

¿Adónde vas, Antonio?

A Cancún.

Miguelito   Antonio

To state where you are going, use a form of the verb **ir** (*to go*) + **a** (*to*) + your destination.

Write the conjugations for the verb **ir** on the board.

After presenting the verb, move through the class quickly, giving subject pronouns for which students provide corresponding verb forms. Add ...**a clase** and other references to place the verb in a context.

ir *to go*		
(yo)	**voy**	**Voy** a la universidad.
(tú)	**vas**	¿**Vas** a la universidad?
(usted, él, ella)	**va**	Ella **va** a clase.
(nosotros/as)	**vamos**[4]	**Vamos** a la cafetería.
(vosotros/as)	**vais**	¿**Vais** a la cafetería?
(ustedes, ellos, ellas)	**van**	Ellas **van** al gimnasio.

The present tense in Spanish is used to talk about actions that occur in the present or that commonly reoccur.[5] The forms of **ir** can be translated according to context in three different ways (*I go, I do go, I am going*).

Voy a la cafetería todos los días.	*I go to the cafeteria every day.*
Voy a la cafetería ahora.	*I am going to the cafeteria now.*
¿**Vas** con frecuencia?	*Do you go frequently?*

Bien dicho ¿Adónde van?

¿Adónde?   *(To) Where?*

Present the vocabulary through choral and/or individual repetition.

To practice the campus-related locations, give the name of your campus library, bookstore, dorm(s), etc. and have students identify the corresponding vocabulary word.

Vamos a la clase de...

español/inglés
arte/música/literatura
religión/filosofía
historia/ciencias políticas
psicología/sociología
biología/física/química
   (*chemistry*)
matemáticas/álgebra/cálculo
computación, informática
   (*computer science*)
contabilidad (*accounting*)
economía

Vamos...

a la residencia estudiantil (*to the dorm*)
a la biblioteca (*to the library*)
a la librería (*to the bookstore*)
a la cafetería
a la oficina del profesor/de la profesora
a la universidad
a la fiesta
al cuarto (*to the room*)
al apartamento
al centro estudiantil
al gimnasio
a casa (*home*)

---

[4]**¡Vamos!** also means *Let's go!*
[5]The present tense, accompanied by phrases indicating future time, may also be used to talk about actions in the near future. **María va a la discoteca esta noche.** (*María will go/is going to the disco tonight*).

¡Un momento, por favor!

- Note that **a** (*to*) combines with **el** (*the*) to become **al**. In the combinations **a** + **la**, **los**, **las**, no change takes place.

  a + **el** = **al**   Vamos **al** cuarto.

- Note that **de** (*from, about, of*) combines with **el** to become **del**. In the combinations **de** + **la**, **los**, **las**, no change takes place.

  de + **el** = **del**   Vamos a la oficina **del** profesor.

Práctica y comunicación

Exercise J is a "recognition" exercise, allowing students to become familiar with the new vocabulary in a context prior to active use in *Exercises K, L,* etc. Students need to jot down their responses (as per the symbols presented) to complete the follow-up.

In **Modelos** and other exercises that require students to jot down answers, the students have the option of recording answers in their class notebook or in the text.

In **Modelos** of this kind, students should provide the name of their partner in the first three dots (**...y yo = Juan,** etc. **y yo**).

Exercise K may be completed by the class as a whole, or in pairs.

Answers for quick reference:
1. ...biología
2. ...computación/informática
3. ...música 4. ...química 5. ...arte
6. ...literatura/inglés 7. ...historia
8. ...psicología 9. ...religión
10. ...ciencias políticas
11. ...economía

J. La vida universitaria. Indique con qué frecuencia usted va a los lugares (*places*) mencionados. Apunte sus respuestas. **(F) = con mucha frecuencia; (V) = a veces** (*sometimes*); **(N) = casi nunca** (*almost never*).

1. Voy a la biblioteca.
2. Voy al laboratorio para usar las computadoras. ¿Y escuchar casetes?
3. Voy al centro estudiantil.
4. Voy a la oficina de mi profesor/a de español.
5. Voy a la librería de la universidad.
6. Voy al gimnasio.
7. Voy a fiestas.

En parejas, comparen sus respuestas. Luego, díganle (*tell*) a la clase si tienen las mismas (*same*) respuestas.

MODELO: **... y yo vamos al gimnasio con mucha frecuencia.**

K. ¿A qué clase va? Según el objeto, indique a qué clase va la persona. Refiérase a la lista de clases en la página 51.

MODELO: Manuel: su calculadora
   Va a la clase de matemáticas.

1. nosotros: los microscopios
2. Alfonso: sus disquetes para la computadora
3. Inés: su violín
4. yo: mi tubo con ácido sulfúrico
5. Camila: un libro sobre Picasso
6. Natalia y Linda: sus copias de *Hamlet*
7. tú: un libro sobre Abraham Lincoln
8. nosotros: los libros sobre Freud
9. Javier: una Biblia y un libro sobre Ghandi
10. tú: un libro sobre la política de los Estados Unidos
11. yo: un libro sobre finanzas

For this activity, if your class is very large and/or you do not wish to have students moving about the classroom, divide the class into working groups of 4–5 students.

Let students know that nº is the abbreviation for **número** in Spanish.

L. ¿Adónde vas después de (*after*) **la clase de español?** Con sus cuadernos y sus bolígrafos, caminen por (*walk around*) la clase haciendo (*asking*) la siguiente pregunta a varios estudiantes. Escriban los nombres (*names*) de las/los estudiantes y sus respuestas en los cuadernos.

MODELO: ESTUDIANTE 1: **¿Adónde vas después de la clase de español?**
   ESTUDIANTE 2: **Voy a la clase de biología,** etc.
   (*Estudiante nº 1 escribe el nombre de la persona y adónde va.*)

Ahora, contesten la pregunta de la profesora/del profesor.

MODELO: ¿Adónde va ... después de la clase de español?
   ... va al centro estudiantil.

M. Mi horario (*schedule*) **de clases**. Escriba una lista de sus clases. Pase la lista a un/a compañero/a de clase (*classmate*). Luego, él/ella le hace preguntas, según la lista, para averiguar (*find out*) los días y las horas de las clases. Él/Ella apunta la información. Al final, cambien de papel (*change roles*).

MODELO: ESTUDIANTE 1: **¿Qué días vas a la clase de química? ¿Y a qué hora?**

ESTUDIANTE 2: **Voy los martes y los jueves a las 8:15 de la mañana.**

(*Estudiante nº 1 apunta la información.*)

Along with practicing the verb ir and class subjects, *Exercise M* recycles the days of the week and telling at what time students go to class.

Hora	lunes	martes	miécoles	jueves	viernes
8:15		química		química	

Al final, varios estudiantes presentan parte del horario de su compañero o compañera de clase a la clase.

MODELO: **... va a la clase de química los martes y los jueves a las 8:15 de la mañana.**

 Bien dicho ¿Cuándo?

¿Cuándo?	*When?*
hoy/mañana/pasado mañana	*today/tomorrow/the day after tomorrow*
ahora/más tarde	*now/later*
esta mañana/esta tarde	*this morning/this afternoon*
esta noche	*tonight*

Práctica y comunicación

N. ¿Adónde va? En parejas, háganse (*ask each other*) preguntas según el modelo. Usen varias expresiones en las preguntas: **más tarde**, **esta tarde/noche**, **mañana**, etc.

MODELO: ESTUDIANTE 1: **¿Adónde vas esta tarde?**
ESTUDIANTE 2: **Voy a la biblioteca, etc.**

Un paso más: Escriba tres oraciones indicando adónde va usted esta mañana/tarde/noche. Luego, lea sus oraciones a otro/a estudiante.

Quick in-class writing exercises allow for immediate reinforcement of new material, in this case time expressions + vocabulary.

Noticias culturales

LA VIDA UNIVERSITARIA EN EL MUNDO HISPANO

Although   Aunque° la mayoría de las universidades hispanas son instituciones públicas, también existen universidades privadas. En muchos países, el
government   gobierno° financia el costo de la educación en la universidad pública
buy   —los estudiantes sólo necesitan comprar° libros.

old   Frecuentemente, las universidades antiguas° son pequeñas y están
buildings / together   en el centro de las comunidades. Los edificios° no están todos juntos° en
Nevertheless   un campus. Sin embargo°, en las universidades nuevas, generalmente hay más edificios y frecuentemente están agrupados en un campus.

Muchas universidades hispanas tienen más de 15.000 (quince mil)
live   estudiantes. Los estudiantes viven° con sus padres, en casa de otros
boarding houses   familiares, en pensiones° o en apartamentos porque, por lo general, en las universidades no hay residencias estudiantiles. Los estudiantes hispanos
have to / before   tienen que° decidirse por una carrera antes de° comenzar sus estudios.
From   Desde° el comienzo de la carrera, las clases son muy especializadas. Los programas son muy rígidos, con muchos requisitos y pocas clases
elective   optativas°.

La Universidad Iberoamericana. México, D.F.
¿Es similar al campus de su (*your*) universidad?

Universidad de Barcelona, una de las más antiguas de España. ¿De qué hablan (probablemente) los estudiantes?

¿Que hay de nuevo?

Decida si las siguientes oraciones son ciertas o falsas. Luego, dé (*give*) la información correcta para las oraciones falsas.

1. Generalmente las universidades hispanas son instituciones privadas.
2. Las universidades nuevas están en el centro de las comunidades.
3. En muchas universidades hispanas no hay residencias estudiantiles.
4. Los estudiantes financian el costo de sus estudios universitarios.

Conexiones y contrastes

¿Qué diferencias existen entre su (*your*) universidad y las universidades hispanas? En parejas, identifiquen dos o tres.

4. Talking about actions in the present:
El presente de los verbos regulares de -ar

¿Estudias todas las noches?
Sí.

All verbs in Spanish fall into three groups:

1. verbs ending in **-ar**, for example, **estudiar** (*to study*)
2. verbs ending in **-er**, for example, **aprender** (*to learn*)
3. verbs ending in **-ir**, for example, **escribir** (*to write*)

Thus far you have learned two irregular verbs, **ser** and **ir**. These verbs are irregular because they *do not* follow a set pattern and must be learned separately. However, in this chapter you will learn how to conjugate regular **-ar** verbs in the present tense, followed by **-er** and **-ir** verbs. These verbs *do* follow a set pattern. Thus, once you have learned to conjugate one kind of regular verb, you will be able to express yourself using many other verbs of the same kind.

- To form the present tense of regular **-ar** verbs, drop the **-ar** and replace it with the following endings.

hablar *to speak* hablar > habl-	
(yo)	habl**o**
(tú)	habl**as**
(usted, él, ella)	habl**a**
(nosotros/as)	habl**amos**
(vosotros/as)	habl**áis**
(ustedes, ellos, ellas)	habl**an**

Introduce **-ar** verbs by writing a model verb on the board with endings highlighted. Write the infinitives of additional -ar verbs on sheets of paper. Holding up one sheet at a time, move through the class quickly giving subject pronouns for which students provide corresponding verb forms. You may wish to add an appropriate word or phrase to each verb to place the verb in a context. Alert students to the -ar verbs presented in the chapter-opener drawings. Remind students of the three English translations that correspond to the present tense. (See p. 51.)

You have seen and used regular **-ar** verbs earlier in this chapter: **escuchar**, **usar**, **navegar** por Internet, **sacar** fotocopias, **sacar** una nota, **tomar** apuntes. Following are some additional examples of **-ar** verbs. Study the sample sentences or questions. When a subject is not given, identify the subject according to the verb conjugation.

Los verbos regulares -ar

cenar	*to have dinner*	**Ceno** en casa.
comprar	*to buy*	**Compro** mis cuadernos en la librería.
desayunar	*to have breakfast*	**Desayunamos** en la cafetería.
estudiar	*to study*	Eva **estudia** en la biblioteca.
hablar	*to speak*	¿**Hablas** italiano?
llegar	*to arrive*	**Llegamos** a las dos.
tomar	*to take, drink*	Los estudiantes **toman** apuntes. La profesora **toma** café durante la clase.
trabajar	*to work*	¿**Trabajan** ustedes en el centro estudiantil?

Study Hints
Practice conjugating each of the verbs listed using the **-ar** endings presented with the model verb **hablar**.

As you can see, the Spanish infinitive corresponds to the English infinitive form *to + action*. For example, *to buy* = **comprar**.

Práctica y comunicación

Exercise Ñ is a "recognition" exercise that helps students to become familiar with the new verbs through passive use prior to active and then creative use (Exercises O, P . . .). This exercise also recycles numbers.

Make certain that students write down the numbers. They are necessary for the follow-up.

Ñ. Un sondeo (*poll*) **de la clase**. Escuchen las preguntas del profesor/de la profesora. Levanten la mano (*Raise your hand*) para contestar afirmativamente. Cuenten (*Count*) los estudiantes en cada categoría. Apunten los números.

¿Quién (*Who*) **...**

1. ... estudia con frecuencia en la biblioteca? _____
2. ... toma muchos apuntes en la clase de español? _____
3. ... usa el correo electrónico con mucha frecuencia? _____
4. ... compra discos compactos con mucha frecuencia? _____
5. ... escucha casetes o CDs de música clásica? _____
6. ... trabaja fuera de (*outside of*) la universidad? _____
7. ... desayuna en la cafetería? _____
8. ... llega a clase tarde? _____

En parejas, confirmen los números. Sigan el modelo.

MODELO: **Cinco estudiantes estudian con frecuencia en la biblioteca.** *o* **Nadie** (*No one*) **estudia con frecuencia en la biblioteca.**

Follow-up questions presented in parentheses are to be asked after an affirmative response to the main question. If the response is negative, the follow-up question is not applicable.

O. Sus (*Your*) **hábitos**. En parejas, contesten las preguntas en oraciones completas. Si la respuesta es negativa, den (*give*) la información correcta.

MODELO: ¿Desayunas en el centro estudiantil? (¿A qué hora?)
Sí, desayuno en el centro estudiantil a las 7:30 de la mañana. ¿Y tú? *o* **No, no desayuno en el centro estudiantil. Desayuno en McDonald's. ¿Y tú?**

1. ¿Desayunas en el centro estudiantil? (¿A qué hora?)
2. ¿Estudias en la biblioteca? (¿Cuándo?)
3. ¿Hablas inglés en la clase de español? (¿Con frecuencia?)
4. ¿Tomas cinco clases este (*this*) semestre? ¿Qué clases tomas?
5. ¿Usas la impresora del laboratorio o una impresora en tu residencia?
6. ¿Compras discos compactos en la librería de la universidad? ¿Qué otras cosas (*other things*) compras?
7. ¿Sacas buenas notas en las clases de matemáticas? ¿En qué (otras) clases sacas buenas notas?

P. Las actividades en la universidad. En grupos de tres, hagan una lista de las actividades de las siguientes personas. Tienen (*You have*) seis minutos. El secretario/La secretaria toma apuntes.

Verbos: **cenar, comprar, desayunar, escuchar, estudiar, hablar, ir, llegar, sacar, tomar, trabajar**

MODELO: Nosotros/as... **cenamos en la cafetería.**

1. Nosotros/as...
2. Los estudiantes de esta universidad (en general)...
3. Los profesores de esta universidad (en general)...
4. Los directores de laboratorios (en general)...

¿Qué grupo tiene la lista más completa? Léansela a la clase.

Bien dicho ¿Cuándo?

por (en) la mañana/tarde/noche	*in the morning/afternoon/at night*
toda la mañana/tarde/noche	*all morning/afternoon/night*
todas las mañanas/tardes/noches	*every morning/afternoon/night*
todo el día/todos los días	*all day/every day*
los fines de semana	*on weekends*
tarde/temprano/a tiempo	*late/early/on time*

¡Un momento, por favor!

The expressions **por (en) la mañana/tarde/noche** refer to a general period of time. In contrast, **de la mañana/tarde/noche** refer to a specific time.

Trabajo **por la tarde**. *vs.* Llego a la oficina a las 2:00 **de la tarde**.

Práctica y comunicación

Q. ¿Cuándo llegan? Conteste las preguntas según los dibujos.

1. La clase comienza a las 9:00 de la mañana. ¿Quién llega tarde? ¿A qué hora llega?
2. ¿Quién llega temprano? ¿A qué hora llega?
3. ¿Quién llega a tiempo? ¿A qué hora llega?
4. En la clase de español, ¿quiénes generalmente llegan temprano? ¿Tarde?

Natalia

Pepita

Esteban

R. Cosas en común (*Things in common*). En parejas, háganse (*ask each other*) preguntas y contéstenlas. En las preguntas, usen la forma de **tú** del verbo. Sigan (*Follow*) el modelo.

MODELO: *¿desayunar* todas las mañanas?

    ESTUDIANTE 1: **¿Desayunas todas las mañanas?**

    ESTUDIANTE 2: **Sí, desayuno todas las mañanas en la cafetería. ¿Y tú?** *o* **No, no desayuno todas las mañanas. ¿Y tú?**

Si las dos personas responden **sí** a una pregunta, apunten el número de la pregunta.

1. *¿tomar* Coca-Cola o Pepsi por la mañana? ¿Y tú?
2. *¿llegar* a clase a tiempo todos los días?
3. *¿ir* al gimnasio por la tarde?
4. *¿tomar* siestas por la tarde?
5. *¿estudiar* casi toda la noche cuando hay un examen muy importante?
6. *¿navegar* por Internet en la noche?
7. *¿usar* el correo electrónico casi todos los días?
8. *¿escuchar* discos compactos con mucha frecuencia?

Ahora, presente a la clase un ejemplo de lo que usted y su compañero/a de clase tienen en común **... y yo tomamos Coca-Cola por la mañana.**

S. Usted y sus amigos/as. En parejas, háganse preguntas y contéstenlas.

MODELO: ¿Dónde...? *trabajar*

    ESTUDIANTE 1: **¿Dónde trabajas?**

    ESTUDIANTE 2: **Trabajo en la biblioteca. ¿Y tú?** *o* **No trabajo. ¿Y tú?**

1. ¿Dónde...? *trabajar, estudiar, desayunar, cenar*
2. ¿Cuándo...? *estudiar, desayunar, cenar*
3. ¿Qué...? *estudiar*, notas *sacar* en la clase de..., tipo de música *escuchar*, tipo de computadora *usar*

¿Qué clase de computadora usa usted?

5. *Talking about actions in the present:* **El presente de los verbos regulares de -er e -ir; hacer y salir**

Yo como para vivir.

Y yo vivo para comer.

Present the regular -er and -ir verbs by writing model verbs on the board with endings highlighted. Point out the identical endings. Write the infinitives of additional -er/-ir verbs on separate sheets of paper. Holding up one sheet at a time, move through the class quickly giving subject pronouns for which students provide corresponding verb forms. Start with a model sentence to keep the verb in a context.

Point out to students that **asistir a** = *to attend*, whereas **asistir** = *to help, assist*.

Los verbos regulares de *-er* e *-ir*

To form the present tense of regular **-er** and **-ir** verbs, the infinitive ending is replaced with endings that correspond to the subject of the sentence.

	comer *to eat*	**vivir** *to live*
	comer > com-	vivir > viv-
(yo)	com**o**	viv**o**
(tú)	com**es**	viv**es**
(usted, él, ella)	com**e**	viv**e**
(nosotros/as)	com**emos**	viv**imos**
(vosotros/as)	com**éis**	viv**ís**
(ustedes, ellos, ellas)	com**en**	viv**en**

Note that regular **-er** and **ir** verbs have identical endings except in the **nosotros** and **vosotros** forms.

Earlier in the chapter you learned one **-ir** verb: **imprimir** (*to print*). Study the new **-er** and **-ir** verbs in the chart that follows.

Los verbos regulares -er, -ir		
aprender	to learn	**Aprendo** mucho en la clase de español.
leer	to read	**Leemos** las *Noticias culturales* en clase.
beber	to drink	**¿Bebes** Pepsi-Cola todos los días?
comer	to eat	**¿Comes** en casa todas las noches?
asistir a	to attend	**Asistimos a** la Universidad de Richmond.
escribir	to write	**Escribimos** los exámenes con lápiz.
vivir	to live	Los estudiantes **viven** en la residencia.

Study Hints

Practice conjugating each of the verbs listed using the **-er** and **-ir** endings presented with the model verbs **comer** and **vivir**.

Hacer y salir

The verbs **hacer** (*to do, make*) and **salir** (*to leave, go out*) are irregular only in the **yo** form.

hacer:	**hago**, haces, hace, hacemos, hacéis, hacen
salir:	**salgo**, sales, sale, salimos, salís, salen

Hago la tarea todas las noches.　　*I do homework every night.*
Salgo con mis amigos los fines 　　*I go out with my friends on*
　　de semana.　　　　　　　　　　　 *weekends.*

Once students are comfortable with the regular verbs, add **hacer** and **salir**, emphasizing the irregular yo form. These verbs were presented at this time because of their high-frequency usage.

Práctica y comunicación ━━━━━

Exercise T is a recognition exercise, which allows the students to become familiar with the new verbs prior to active usage. It also serves to contrast the **nosotros** form of -ar, -er, and -ir verbs.

Move about the class quickly as you seek responses to each statement. Be sure to call on students in random order.

T. ¿Sí o no? Diga si ocurre o no ocurre lo siguiente (*the following*) en su clase de español o en el laboratorio. Responda **sí** o **no** y repita la oración.

MODELO: *En la clase de español...* Aprendemos muchos verbos.
Sí, aprendemos muchos verbos. *o* **No, no aprendemos muchos verbos.**

En la clase de español...

1. Aprendemos mucho vocabulario.
2. Leemos novelas.
3. Bebemos Pepsi-Cola.
4. Escribimos los ejercicios del *Cuaderno de ejercicios* (*Workbook*).
5. Hacemos la tarea.
6. Tomamos apuntes constantemente.
7. Hablamos inglés.
8. Salimos temprano.

En el laboratorio...

9. Escuchamos casetes.
10. Imprimimos los trabajos escritos.
11. Sacamos fotocopias.
12. Comemos.
13. Usamos las computadoras.

Exercise U allows students to pool their knowledge and review all of the verbs in the chapter. The competition aspect keeps them moving! Always announce time limits.

U. Muchas actividades. En grupos de tres, con un secretario o una secretaria, escriban una lista de todas las posibles actividades de los estudiantes en los lugares (*places*) indicados. Tienen cinco minutos.

MODELO: En el laboratorio... **los estudiantes usan las computadoras.**

1. En el laboratorio...
2. En la clase...
3. En la biblioteca...
4. En la librería de la universidad...
5. En la cafetería...
6. En el centro estudiantil...

¿Qué grupo tiene más actividades? Lean la lista.

Así se dice

La pronunciación de las consonantes g y z

With both the sample words and the rhyme, have students repeat after you, followed by practice in pairs. Have two students recite the rhyme in unison.

g Remember that before **e** or **i**, **g** has the English *h* sound as in *help*.

página gimnasio religión sociología biología álgebra

z Remember that in Spanish America, **z** is pronounced the same as **s**. (In Spain it is commonly pronounced with a *th* sound.) The English *z* sound is never used in Spanish.

pizarra   tiza   lápiz

Repita el poemita (*little poem*) línea por línea.

Shoemaker / cobbler

with heart and soul

slippers / little shoe / big shoe

> Zapatero°, zapatero, zapatero remendón°
> cuando haces los zapatos pones vida y
>   corazón°...
> Analizas tu trabajo, su pureza y perfección,
> zapatillas° o sandalias, zapatito° o zapatón°.

V. Un sondeo. Con lápiz o bolígrafo, camine por (*walk around*) la clase haciendo preguntas para averiguar (*find out*) las preferencias de los estudiantes. Use la forma de **tú** del verbo en las preguntas y la forma de **yo** en las respuestas. Si un/a estudiante contesta afirmativamente, usted apunta su nombre. ¿Cuántas respuestas afirmativas puede usted obtener (*get*) en ocho minutos?

Ahora, ¿quién tiene información sobre (*about*) George? ¿Y sobre...? etc.

MODELO: UN/A ESTUDIANTE: **George asiste a los conciertos de «rock».**

OTRO/A ESTUDIANTE: **George lee novelas policíacas,** etc.

Move among the students checking for potential problems. Assist when necessary. Watch out for #7–9.

SONDEO DE LA CLASE

1. *¿ASISTIR A...?* **¿ASISTES A...?**

   LOS CONCIERTOS DE MÚSICA CLÁSICA _____

   LOS CONCIERTOS DE «ROCK» _____

2. *¿COMPRAR...?*

   LA PIZZA DE DOMINO'S _____ LA PIZZA DE PAPA JOHN'S _____

3. *¿BEBER...?*

   PEPSI-COLA _____ SPRITE _____ MOUNTAIN DEW _____

4. *¿COMER* (NORMALMENTE)...?

   EN LA CAFETERÍA _____

   EN CASA/TU APARTAMENTO _____

5. *¿VIVIR...?*

   EN UNA RESIDENCIA ESTUDIANTIL _____ EN UN APARTAMENTO _____

   EN CASA _____

6. *¿LEER* NOVELAS...?

   DE CIENCIA FICCIÓN _____ ROMÁNTICAS _____

   DE MISTERIO _____ POLICÍACAS (*DETECTIVE*) _____

7. *¿HACER* EJERCICIO...?

   CASI TODOS LOS DÍAS _____ CON MUY POCA FRECUENCIA _____

8. *¿IR* (FRECUENTEMENTE)...?

   A FIESTAS _____ AL CINE _____ A BARES _____

9. *¿SALIR* CON TUS AMIGOS/AS...?

   TRES O CUATRO NOCHES POR SEMANA _____

   UNA O DOS NOCHES POR SEMANA _____

In the *Un paso mas*, students will give input on the particular student you name according to the information they recorded. Ask for information about 5–6 students in the class. Then open the floor to receive information about any student.

Set a time limit for the *Un paso más* in-class writing activity. If you wish, collect student papers on occasion.

Un paso más: Escriba tres oraciones describiendo lo que (*what*) usted hace todos los días en la universidad. **Por la mañana, ...** Luego, lea sus oraciones a otro/a estudiante.

Dicho y hecho

Conversando

El campus de la PUCE en Quito, Ecuador

En parejas, examinen el mapa en la página 63 del campus de la PUCE (Pontificia Universidad Católica del Ecuador). Imaginen que ustedes son estudiantes nuevos/as en este campus. Utilizando el mapa como guía, conversen sobre las instalaciones de la PUCE.

- las salas de computadoras (¿Cuántas hay?) ¿Y comedores?
- las facultades o los departamentos que ustedes van a visitar
- diferencias entre (*between*) la PUCE y su universidad (¿Hay residencias estudiantiles en la PUCE?, ¿Hay invernadero en su universidad? etc.)
- aspectos similares entre la PUCE y su universidad   **Hay...**

¡A escuchar!

Computadoras de Compulandia

Comienza el nuevo año escolar y usted necesita comprar una computadora y otras cosas (*other things*) para la clase. Escuche el anuncio de Compulandia. Luego, apunte las respuestas correctas correspondientes al nº 1 y 2.

1. El anuncio es para: _____ estudiantes _____ el público en general.

2. Venden (*They sell*) sólo (*only*) computadoras y accesorios:

    _____ sí _____ no

Ahora, escuche el anuncio otra vez y complete las oraciones.

3. Ofrecen computadoras con _____, _____ e impresora por sólo _____ al mes.

4. Hay un descuento especial para las _____ a color.

5. Para las clases venden _____, _____ y bolígrafos.

De mi escritorio

Un mensaje electrónico a mi abuelita (*An e-mail to grandma*)

Imagine que usted le escribe a su abuelita por correo electrónico. Complete el mensaje electrónico. Incluya mucha información.

De:
Para: abuelita@lima.com
CC:

Asunto: | Referencia: la vida universitaria

Querida abuelita:
Este semestre soy estudiante de la Universidad de...
Vivo en...
La universidad es fantástica. En la universidad hay...
Este semestre estudio...
Soy un(a) estudiante excelente. Todos los días, yo...
Con frecuencia mis amigos y yo...
Los fines de semana...
Con cariño (With affection),...

Campus universitario

Comedores
Centro Médico
Salas de Computadoras
Información
SS. HH.
Parqueaderos
Entrada y Salida

1. Departamento de Arqueología
2. Consultorios Jurídicos
3. Bloque No.1
   Facultad de Administración
   Facultad de Enfermería
   Facultad de Psicología
   Relaciones Internacionales
4. Bloque No. 2
   Facultad de Ciencias Humanas
   Facultad de Jurisprudencia
   Facultad de Economía
5. Centro Cultural
6. Edificio Administrativo
7. Departamento de Física y Matemáticas
8. Departamento de Química
9. Facultad de Ciencias de la Educación
10. Ingeniería de Transportes
    Departamento de Biología
    Escuela de Tecnología Médica

11. Audiovisuales
12. Invernadero
13. Departamento de Religión
14. Biblioteca
    Museo Jacinto Jijóny y Camaño
    Archivo Juan José Flores
    Centro de Cómputo
15. Residencia de Profesores
16. Facultad de Lingüística y Literatura
17. Facultad de Teología
18. Aula Magna
19. F.E.U.C.E
20. Ingeniería de Sistemas
21. Coliseo Cerrado
22. Ingeniería Civil
23. Laboratorio de Suelos

Audioscript:

¡Estudiantes universitarios! ¡Vengan a Compulandia! ¡Les ofrecemos precios especiales antes del comienzo del nuevo año escolar! ¡Nosotros tenemos la computadora con monitor, teclado e impresora por sólo $50 al mes! ¡También les ofrecemos scanners e impresoras a color con descuento especial! ¡Estamos aquí para servirles! ¿Necesitan disquetes? ¿Papel para la impresora? ¿Calculadoras? ¿Cuadernos, lápices y bolígrafos para las clases? Lo tenemos todo, y ¡garantizamos nuestros productos!

Palabras útiles: **Facultad de...** = *School of...*;
invernadero = *greenhouse*

Study Hints
See what you have learned! Turn to pp. 68–69 to review the active vocabulary and take the self-test for this chapter.

La universidad de hoy

El español: eje del mundo hispano[1]

[www.wiley.com/college/dicho/panorama]

Transparency #5
Use the map transparency
to review the *Preguntas sobre
el mapa.* Have your students
read the text and complete the
¿Qué descubrimos? comprehension
exercise working in groups of three.
Review the latter with the class.
Give students a few moments to
select their favorite flags, then
proceed with the flag-related
questions. Don't forget the
Curiosidad (¡Qué diversidad!)!

Preguntas sobre el mapa

1. ¿Cuáles son dos países (*countries*) sudamericanos donde se habla español? ¿Y dos países centroamericanos? ¿Y dos países o regiones que no son parte del continente americano?
2. ¿De qué país importamos mucho café? ¿Y bananas? ¿Y flores? ¿Y vino?
3. ¿De qué país es el tango?
4. ¿De dónde son los mariachis? ¿Y los toreadores? ¿Y muchos jugadores de béisbol?

Argentina	México	Chile	Panamá	Costa Rica	Perú
Bolivia	Nicaragua	Colombia	Paraguay	Cuba	Puerto Rico

---

[1]*axis of the Hispanic world*

¿Por qué es importante aprender español?

▶ El español es una de las cinco lenguas[2] más importantes del mundo: ¡existen aproximadamente 350 (trescientos cincuenta) millones de hispanohablantes en el mundo!

▶ En los Estados Unidos más de 30 millones de personas hablan español.

▶ El español es la lengua común de los habitantes de 20 países: Argentina, Bolivia, Chile, Colombia, Costa Rica, Cuba, Ecuador, El Salvador, España, Guatemala, Honduras, México, Nicaragua, Panamá, Paraguay, Perú, Puerto Rico, la República Dominicana, Uruguay y Venezuela.

▶ La literatura española e hispanoamericana es rica[3] y variada. El *Quijote* de Cervantes, las novelas de Gabriel García Márquez e Isabel Allende, la poesía[4] de Pablo Neruda y Gabriela Mistral y los ensayos[5] de Octavio Paz son parte fundamental de la literatura universal.

---

[2]*languages*   [3]*rich*   [4]*poetry*   [5]*essays*

¿Sabía usted?[6]

El área lingüística del mundo hispano es muy extensa. Como resultado, la pronunciación y el vocabulario varían de país a país o de región a región. Por ejemplo, se dice[7] *autobús* en España, *camión* en México, *guagua* en el Caribe y *colectivo* o *bus* en varios países sudamericanos. Hoy el español es una lengua en expansión. El aumento del número de hablantes en el siglo XX es el mayor[8] en la historia del español.

---

[6]*Did you know?*   [7]*one says*   [8]*the greatest*

¿Qué descubrimos?

1. ... personas hablan español en el mundo.
2. En los Estados Unidos...
3. El español es la lengua común de ... (*número*) países.
4. Isabel Allende escribe ... y Pablo Neruda escribe...
5. El vocabulario y ... del español varían en cada país.
6. Es importante aprender español porque (*because*)...

¡Qué diversidad! Cuando llegaron los españoles existían aproximadamente 1.000 (mil) lenguas diferentes en América del Norte y por lo menos el doble en América del Sur.

Ecuador	Rep. Dominicana	España	Uruguay
El Salvador	Honduras	Guatemala	Venezuela

¿Cuáles son sus banderas favoritas? Las banderas de... ¿Qué nacionalidades les corresponden? ¿Pueden (*Can*) ustedes identificar las banderas de América Central? ¿Y de América del Sur?

ENCUENTRO CULTURAL

Artes literarias: ¿Español + inglés = Spanglish?

READING STRATEGIES
Anticipating Content

This Encuentro cultural ties closely to the theme of the Panorama cultural, giving a close-up view of a Spanish-speaking child in the U.S. Be sure to tell students that although Spanglish is often spoken among Hispanics in the U.S., it is not acceptable (beyond this story and its related questions) in Spanish class!

Students should follow the instructions in the Reading Strategies and read the story prior to class. In class, have students identify who is saying each line (the mother or the child), then read the story in pairs. The comprehension and related questions can be reviewed with the whole class, or completed by students working in pairs or small groups.

The illustration can help the students anticipate the content of the story, or may be used to describe the content of the story after it has been read.

1. Scan the selection and locate the words in the girl's statements that are related to spoken language. Based on these words, what do you think might be the content of the reading?

2. Take full advantage of the Spanglish! Before looking at the glosses, try guessing the meaning of Spanish phrases you don't know by referring to the English statements that immediately precede or follow them.

*3. Notice that the words **mi hija** (my daughter) are written in a contracted form (**m'ija**), indicating the Mexican dialect of the characters.*

¡Ojalá[2] que no!
de Lorraine Torres

—Bueno, m'ija, ¿cómo te fue[3]?

—Well, mamá, sí es verdad[4] que dan spankings cuando hablas español. Yo tenía mucho miedo[5]. Pero I did bien.

—Qué bueno, come tu lonche.

—Mamá, cuando I walked a la casa una de mis amigas nuevas was talking español. Ella no tenía miedo que la oyeran[6] hablar español, pero I did.

—Ándale, m'ija, ya es tiempo de volver[7] a la escuela.

—Bye, mamá.

¡Ay, cómo me dio lástima[8] por el boy cuando le dio la teacher con la ruler en las manos[9]. El pobre ni se dio cuenta[10] que he was talking in español. ¿Por qué se enojan[11] tanto? Yo voy a aprender English tan bien que never voy a hablar español, solamente cuando yo quiera[12]. Voy a comenzar a practice hablando solamente en inglés.

—Hello, Mamá.

—¡Hola! ¿Cómo te fue en la escuela?

—Fine, Mamá, but I was scared when the teacher le dio —I mean spanked a boy.

Lorraine Torres es una escritora hispana de Nuevo México. Muchos de sus cuentos[1] describen las experiencias de los hispanos en los Estados Unidos. En este cuento, es posible observar que la presencia de hispanohablantes en los Estados Unidos produce fenómenos lingüísticos muy interesantes. Por ejemplo, en situaciones informales, algunos hispanos en los Estados Unidos conversan en spanglish, una combinación de palabras y frases del inglés y el español.

En el cuento también es posible notar que, en el pasado, algunos sistemas educativos de los Estados Unidos no permitían a los inmigrantes hablar su lengua materna en las escuelas. Hoy, los programas bilingües de las escuelas estadounidenses aceptan el uso del español y otros idiomas. Como resultado, una buena parte de los hispanos en los Estados Unidos es bilingüe. En la sociedad moderna, el bilingüismo es un talento práctico y necesario.

---

[1]*short stories*

—Bah, qué lástima, pobre niño.
—Mamá, starting today I'm practicing my English all the time. No quiero —I mean I don't want to get a spanking.
—M'ija, ya mero son las nueve. ¡Apúrate![13] No quieres llegar tarde.
I hate school! I hate school! I hope my Spanish doesn't come out. Please, Jesus don't let me get a spanking today. I guess I'm lucky I know English so good! Please don't let me speak Spanish, Jesus! Please! I hate school! ¡Ojalá que no hable español! ¡Ojalá que no!

---

[2]*I hope, I wish*   [3]*how did it go?*   [4]*true*   [5]*was scared*   [6]*that they heard her*
[7]*return*   [8]*I felt sorry*   [9]*hands*   [10]*didn't notice*   [11]*they get upset*   [12]*only when I want to*   [13]*Hurry up!*

Preguntas

1. ¿Quiénes hablan en el cuento?
2. ¿Qué lengua (*language*) habla la madre? ¿Y la hija?
3. ¿Está permitido hablar español en la escuela de la hija? ¿Qué dan (*give*) las maestras cuando los alumnos hablan español?
4. En la primera (*first*) parte del diálogo, ¿qué lengua usa la hija más frecuentemente, español o inglés? ¿Y al final del diálogo?
5. En su clase de español, ¿está permitido hablar mucho inglés? ¿Qué hace el profesor/la profesora cuando los estudiantes hablan mucho inglés? (¡Está permitido responder en *spanglish*!)

REPASO DE VOCABULARIO ACTIVO

En la clase de español

la alumna
el alumno
los apuntes
el aula
el bolígrafo
el borrador
la calculadora
el capítulo
el cuaderno
el diccionario
el ejercicio
el escritorio
la estudiante
el estudiante
el examen
el lápiz
la lección
el libro
la maestra
el maestro
el mapa
la mesa
la mochila
la nota
la oración
la página
la palabra
el papel
la pizarra
la pregunta
el profesor
la profesora
la prueba
la puerta
el pupitre
la respuesta
la silla
la tarea
la tiza
el trabajo escrito
la ventana

En el laboratorio

los audífonos
el casete
la cinta
la computadora
el correo electrónico
la dirección electrónica
el disco compacto
el disquete
la fotocopiadora
las fotocopias
la grabadora
la impresora
la Internet
la página-web
la pantalla
el papel
el ratón
el sitio-web
el teclado
el televisor
el vídeo
la videograbadora

La clase de...

álgebra
arte
biología
cálculo
ciencias políticas
computación
contabilidad
economía
español
filosofía
física
historia
informática
inglés
literatura
matemáticas
música
química
psicología
religión
sociología

Verbos y expresiones verbales

hay
aprender
asistir a
beber
cenar
comer
comprar
desayunar
escribir
escuchar
estudiar
hablar
hacer
imprimir

ir
leer
llegar
tomar
tomar apuntes
trabajar
salir
usar
vivir
navegar por
   Internet
sacar fotocopias
sacar una nota

¿Adónde vas?

el apartamento
la biblioteca
la cafetería
el centro estudiantil
el cuarto
la fiesta
el gimnasio
la librería
la oficina
la residencia estudiantil

Adverbios y expresiones adverbiales

esta mañana/tarde/noche
hoy/mañana/pasado mañana
por la mañana/tarde/noche
toda la mañana/tarde/noche
todo el día/todos los días
todas las mañanas/tardes/noches
ahora/más tarde
a tiempo/temprano/tarde
los fines de semana

Palabras interrogativas

¿Cuándo?
¿Adónde?

I. Artículos, sustantivos y *hay*

A. El profesor nº 1 asigna la tarea para mañana. El profesor nº 2 es más (*more*) difícil. Él asigna más tarea. Complete cada oración con el artículo definido apropiado **(el, la, los, las)** y la palabra plural cuando sea necesario.

MODELO: PROFESOR 1: Contesten **la** pregunta nº 1.

PROFESOR 2: Contesten **las preguntas** del nº 1 al 10.

1.   PROF. 1: Escriban _____ ejercicio A.

PROF. 2: Escriban _____ _____ A y B.

2.   PROF. 1: Estudien _____ lección 1.

PROF. 2: Estudien _____ _____ 1 y 2.

3.   PROF. 1: Lean _____ página 40.

PROF. 2: Lean _____ _____ 40 y 41.

4.   PROF. 1: Completen _____ examen del Capítulo 3.

PROF. 2: Completen _____ _____ de los Capítulos 3 y 4.

B. ¿Qué hay en la universidad? Complete las oraciones con **un, una, unos** o **unas**.

1.   Aquí hay _____ centro estudiantil con _____ librería grande.

2.   Tenemos _____ laboratorio con _____ impresora y _____ computadoras nuevas.

3.   Hay _____ biblioteca grande con _____ libros muy raros e interesantes.

II. ¿Adónde van? Diga (*Tell*) adónde van las personas para hacer las actividades indicadas. Use la forma correcta del verbo **ir**.

MODELO: Esteban/estudiar
Va a la biblioteca.

1.   yo/desayunar
2.   nosotros/trabajar en la computadora
3.   mis amigos y yo/hacer ejercicio
4.   los estudiantes/hablar con el profesor
5.   tú/comprar libros y cuadernos
6.   Susana/tomar una siesta

III. Los verbos regulares de *-ar*. Escriba oraciones o preguntas con las palabras indicadas. Cambie (*Change*) el verbo a la forma correcta.

MODELO: *navegar* por Internet con frecuencia (yo)
Navego por Internet con frecuencia.

1.   *tomar* café en el centro estudiantil (yo)
2.   *llegar* a clase a tiempo (todos los estudiantes)
3.   ¿*estudiar* en la biblioteca por la tarde (usted)?
4.   ¿*trabajar* por la noche (tú)?
5.   *usar* el correo electrónico todos los días (nosotros)

IV. Los verbos regulares de *-er* e *-ir* (y algunos de *-ar*). Escriba oraciones con las palabras indicadas. Cambie los verbos a la forma correcta.

MODELO: *hacer* muchos exámenes y *escribir* muchas composiciones (ella)
Hace muchos exámenes y escribe muchas composiciones.

1.   *asistir* a una universidad buena y *aprender* mucho (nosotros)
2.   *vivir* en la residencia y *estudiar* en la biblioteca (yo)
3.   *comer* en la cafetería y *tomar* café en el centro estudiantil (los estudiantes)
4.   *leer* libros interesantes y *escribir* muchas composiciones (nosotros)
5.   *imprimir* los trabajos y *usar* las computadoras en el laboratorio (tú)
6.   *hacer* la tarea y después *salir* con mis amigos/as (yo)

V. Repaso general del Capítulo 2. Conteste las preguntas con oraciones completas.

1.   ¿Va usted a clase todos los días?
2.   ¿Cuántos estudiantes hay en la clase de español?
3.   ¿Hay tarea todas las noches? (¿Mucha tarea?)
4.   ¿Escriben ustedes en el *Cuaderno de ejercicios* todas las noches?
5.   ¿Adónde va usted para comprar libros interesantes? ¿Y para usar las computadoras?
6.   ¿Adónde va usted esta tarde/esta noche?
7.   ¿A qué hora cena usted?
8.   ¿Dónde come usted normalmente?

_____

Answers to the **Autoprueba y repaso** are found in **Apéndice 2**.

CAPÍTULO 3

Tres generaciones de una familia hispana se reúnen en el
patio de la casa. ¿Quién puede completar el rompecabezas
(*jigsaw puzzle*)?

Entre familia

Goals for communication

- To talk about the family
- To tell age
- To indicate possession
- To describe people and things
- To indicate location
- To describe mental and physical conditions

Presentation of *Bien dicho*, pp. 72–73

Transparency #6 Use the transparencies of the opener drawings for Chapter 3 to visually present vocabulary dealing with the family. Each vocabulary item can be repeated chorally.

Cultural focus

- The Hispanic family
- Hispanics in the United States

Structures

1. **Tener** y **tener ... años**
2. Los adjetivos posesivos
3. Los adjetivos descriptivos
4. **Estar** + lugar
5. **Estar** + condición
6. **Ser** y **estar**

Pronunciation

Las consonantes **h** y **j**

¡Bien dicho!

Entre familia *(All in the family)*

2. la casa

5. los abuelos

8. los padres

12. el tío

13. la tía

3. el abuelo

9. la bebé

7. el padre

4. la abuela

6. la madre

14. el gato

1. el coche,
el carro,
el auto

15. el perro

10. la hija

11. el hijo

NOÉ y LUCÍA,   JULIA y ANDRÉS   ANTONIO y ELISA
ANA   RODOLFO
JUANITO y ELENA   TEO

1. car   2. house   3. grandfather   4. grandmother   5. grandparents   6. mother   7. father   8. parents
9. baby (el **bebé**, m.)   10. daughter   11. son   12. uncle   13. aunt   14. cat   15. dog

16. boyfriend 17. girlfriend 18. husband 19. wife 20. granddaughter 21. grandson
22. cousin (m.) 23. cousin (f.) 24. brother 25. sister

Práctica y comunicación

Assign *Exercise A* for homework to be completed by the first class day for this chapter. Students' written answers can be quickly spot-checked for completion. This process helps to ensure that students are better prepared for active class participation.

Complete *Exercise A* by calling on individual students. Use *transparency #6*, encouraging students to look at the transparency and not the text.

A. La familia. Conteste las preguntas según los dibujos (*drawings*) en las páginas 72–73.

MODELO: ¿Quién es Andrés?
Andrés es el padre de Elena y Juanito.

En la fotografía grande...

1. Los abuelas llegan en coche para celebrar el cumpleaños de Juanito. ¿Cómo se llama el abuelo? Y la abuela?
2. ¿Quién es Julia? ¿Quiénes son Andrés y Julia?
3. ¿Quién es Ana? ¿Cómo se llama la otra (*other*) hija? ¿Y el hijo?
4. ¿Cuántas velas (*candles*) hay en la torta de cumpleaños de Juanito?
5. ¿Quién es Antonio? ¿ Y Elisa?
6. El gato se llama Rodolfo. ¿Cómo se llama el perro?
7. ¿Cuántas personas hay en la familia?

En las fotografías pequeñas de la familia...

8. Andrés es el novio. ¿Quién es Julia?
9. Julia es la esposa. ¿Quién es Andrés?
10. Noé es el abuelo. ¿Quién es Elena? ¿Y Juanito?
11. ¿Juanito y Ricardo son hermanos? ¿Qué son? ¿Y quién es Tere?
12. ¿Elena y Juanito son primos? ¿Qué son?

 Bien dicho La familia y otras personas

Present vocabulary through choral and/or individual repetition. The latter affords opportunity for correction of pronunciation when needed.

Point out that *la familia* is a singular noun and therefore requires a singular verb, for example: *La familia es de Chile.*

mayor/menor	*older/younger*
el **hermanastro**/la **hermanastra**	*stepbrother/stepsister*
el **medio hermano**/la **media hermana**	*half-brother/half-sister*
el **padrastro**/la **madrastra**	*stepfather/stepmother*
el **bisabuelo**/la **bisabuela**	*great-grandfather/great-grandmother*
el **sobrino**/la **sobrina**	*nephew/niece*
el **cuñado**/la **cuñada**	*brother-in-law/sister-in-law*
el **suegro**/la **suegra**	*father-in-law/mother-in-law*
los **parientes**	*relatives*
Otras **personas:**	*persons, people*
el **hombre**/la **mujer**[1]	*man/woman*
el **niño**/la **niña**	*child (m./f.)*
el **muchacho**/la **muchacha**	*boy/girl*
el **chico**/la **chica**	*boy/girl*
el **amigo**/la **amiga**	*friend (m./f.)*
mi **mejor amigo/a**	*my best friend (m./f.)*
el **compañero de cuarto**/ la **compañera de cuarto**	*roommate (m./f.)*
¿Cuántos?/¿Cuántas?	*How many?*
¿Quién?/¿Quiénes?	*Who?*
¿Dónde?	*Where?*

DICHO° **De tal palo°, tal astilla°. De tal padre, tal hijo.**
¿Cuál es el dicho equivalente en inglés? ¿Se aplica a su familia? ¿Es usted como (like) su madre o padre?

Saying / stick / splinter

---

[1]**Mujer** also has the meaning *wife*. Its masculine counterpart is **marido** (*husband*).

B. Solicitando información. En parejas, háganse las preguntas y contéstenlas.

1. ¿Dónde vive tu familia?
2. ¿Cómo se llama tu padre? **Se llama...** ¿De dónde es? ¿Dónde trabaja?
3. ¿Cómo se llama tu madre? ¿De dónde es? ¿Dónde trabaja?
4. ¿Cuántos hermanos o hermanas tienes? **Tengo... No tengo hermanos/as.** (¿Son mayores o menores?)
5. ¿Tienes madrastra? ¿Padrastro? (¿Hermanastro o hermanastra?) (¿Medio hermano o media hermana?)
6. ¿Quiénes son tus parientes favoritos?
7. ¿Tienes sobrinos? ¿Primos? ¿Hijos? ¿Nietos? ¿Cuñados? ¿Suegros? ¿Abuelos? ¿Bisabuelos?
8. ¿Tienes muchos amigos aquí en la universidad? ¿Quién es tu mejor amigo/a?
9. ¿Tienes un compañero/una compañera de cuarto? (¿De dónde es?)
10. ¿Tienes esposo/esposa? ¿Novio/Novia? (¿De dónde es?)
11. ¿Tienes perro ? (¿Cómo se llama?) ¿Tienes gato? (¿Cómo se llama?)

Be sure students have different partners for each exercise completed in pairs.

Instruct students to ask each other all questions. For example: **¿Dónde vive tu familia?... ¿Y tu familia?**

Tener is used in this exercise following a set pattern: **¿Tienes...? Tengo...** The verb is presented formally in *Estructura 1* of this chapter.

Bien dicho Algunas profesiones y vocaciones

1. el abogado/ la abogada

señor Vega

2. la mujer de negocios/ el hombre de negocios

señora Vega

3. el médico/ la médica

Dr. López

4. la enfermera/ el enfermero

señorita Rojas

5. el camarero/ la camarera

señor Casona

6. la dependienta/ el dependiente

señorita Cortés

7. la programadora/ el programador

señora Ruíz

8. el contador/ la contadora

señor Gómez

9. el ama de casa[2]

señora Casona

1. lawyer (m./f.)   2. businesswoman/man   3. doctor (m./f.)   4. nurse (f./m.)
5. waiter/waitress   6. store clerk (f./m.)   7. computer programmer (f./m.)
8. accountant (m./f.)   9. homemaker

Transparency #7 Present the vocabulary of the professions via the transparency. Have students repeat each item. The transparency does not include the vocabulary labels identifying the professions; thus, it can be used for follow-up practice of vocabulary at a later time.

---

[2]There is no masculine equivalent to the word **ama de casa** in Spanish. The concept of "Mr. Mom" is not yet prevalent in Hispanic culture.

¡Un momento, por favor!

- Even though **ama** is a feminine word that only refers to women, it requires the article **el**. However, in the plural **las** is used rather than **los**.

    el ama de casa *but* **las amas de casa**

- When stating a person's profession or vocation without further qualifiers or description, the indefinite article **un** or **una** is not used. When an adjective is added, the indefinite article is used.

    Mi madre es **abogada**. *but* Mi madre es **una abogada** estupenda.

Práctica y comunicación

Refiérase a los dibujos en la página 75.

C. ¿Quién es? Identifique la persona que corresponde a la profesión. Refiérase a los dibujos en la página 75.

MODELO: abogado
El señor Vega es abogado.

1. enfermera
2. médico
3. camarero
4. mujer de negocios
5. programadora
6. contador
7. ama de casa
8. dependienta

D. ¿Cuál es la profesión? En parejas, identifiquen la profesión que corresponde a la descripción. Refiéranse a las profesiones presentadas en los dibujos y a la siguiente lista de profesiones. Sigan el modelo.

Otras profesiones:

actor/actriz   agente de bienes raíces (m./f.) (*real estate agent*)   arquitecto/a
artista (m./f.)   atleta (m./f.)   cantante (m./f.)   carpintero/a   científico/a
dentista (m./f.)   electricista (m./f.)   gerente (m./f.) (*manager*)   ingeniero/a
mecánico/a   militar (m./f.)   músico/a   periodista (m./f.) (*journalist*)
policía (m./f.)   político/a   psicólogo/a   secretario/a   veterinario/a

MODELO: ¿Quiénes trabajan con computadoras?
Los programadores/Las programadoras trabajan con computadoras.

1. ¿Quiénes trabajan para compañías grandes?
2. ¿Quiénes defienden a los «inocentes»?
3. ¿Quiénes trabajan en casa?
4. ¿Quiénes trabajan en los hospitales?
5. ¿Quiénes trabajan con cifras (*figures*) grandes y escriben informes sobre la situación económica de una compañía?
6. ¿Quiénes trabajan en Bloomingdale's, Sears, etc.?
7. ¿Quiénes trabajan en los restaurantes?
8. ¿Quiénes trabajan en clínicas para animales?
9. ¿Quiénes construyen mesas, sillas, etc.?
10. ¿Quiénes trabajan en laboratorios?
11. ¿Quiénes analizan los problemas personales?
12. ¿Quiénes defienden la nación?

Exercise C can be completed as a total class activity, using the transparency (or the drawing in the text), or it may be completed by students working in pairs, using the drawings in the text.

This exercise has a three-fold purpose: to familiarize students with the vocabulary, to practice the use of the definite article with a title when speaking about a person (El señor Vega...), and to practice the omission of the indefinite article with a profession (unmodified).

As a follow-up, the exercise can be altered to include the use of the indefinite article with a profession simply by adding a qualifying adjective: El señor Vega es un abogado excelente.

The additional list of vocabulary that accompanies Exercise D is for recognition only as an aid in completing Exercises D and E.

E. Preguntas personales. En parejas, háganse las preguntas y contéstenlas.

1. ¿Cuál (*What*) es la profesión o vocación de tu madre? ¿Y la de tu padre? **Mi madre...**
2. ¿Cuál es la profesión de tu tío favorito? ¿Y la de tu tía favorita?
3. ¿Trabajas? (¿Dónde trabajas?) (¿Eres camarero/a?) (¿Dependiente/a?)
4. En el futuro, ¿quieres (*do you want*) ser abogado/a? **Sí, quiero ser...** *o* **No, no quiero ser...** ¿Quieres ser militar? ¿Profesor/a de español? ¿Hombre/Mujer de negocios?

Conversación

Para eso están los amigos°

En la cafetería de la universidad. Inés está sola en una mesa, tomando su café. Llega Pepita, acompañada de Octavio.

PEPITA: ¡Hola, Inés!

INÉS: Pepita, ¡qué sorpresa! (*Se dan un beso en la mejilla.*) ¿Cómo estás?

PEPITA: Muy bien. Quiero presentarte a Octavio. Él es el nuevo compañero de cuarto de Manuel.

INÉS: (*Inés y Octavio se dan la mano.*) Mucho gusto, Octavio. ¿Eres nuevo en la universidad?

OCTAVIO: Sí, soy de Mendoza, Argentina. Estudio administración de empresas°. ¿De dónde eres?

INÉS: Soy española, de León. Mis abuelos todavía viven allá, pero mis padres y mis dos hermanos están aquí. Estudio economía. ¿Así que° eres un viejo amigo de Manuel?

OCTAVIO: En realidad, tengo un primo en Buenos Aires que es amigo de Manuel desde hace años°. Yo conozco° a Manuel desde hace un mes.

INÉS: ¡Manuel y su familia tienen amigos en todo el mundo!

PEPITA: A propósito, Inés, ¿tienes planes este fin de semana? Mi madre prepara una fiesta para el sábado. Es el cumpleaños de mi tía Rosita. ¿Tienes tiempo libre°?

INÉS: ¡Por supuesto!° Gracias por la invitación.

PEPITA: ¡Qué bueno! Manuel, su novia y Octavio también están invitados.

OCTAVIO: Tenemos espacio en el auto, Inés. ¿Por qué no vamos todos juntos° a la fiesta el sábado?

INÉS: ¡Estupendo! Es un buen plan. Gracias, Octavio.

OCTAVIO: De nada. Para eso están los amigos.

¿Qué hay de nuevo?

1. ¿Quién es Octavio?
2. ¿Quién tiene abuelos que viven en España?
3. ¿Dónde vive el primo de Octavio?
4. ¿Para quién es la fiesta del sábado?
5. ¿Hay otros invitados?
6. ¿Cómo responde Inés a la oferta de Octavio? ¿Acepta?

That's what friends are for

The *Conversaciones* are recorded on the *Dicho y hecho* instructor's CD/tape. You may wish to introduce the *Conversación* by playing it for the class.

The *Conversaciones* in *Dicho y hecho*, 6th edition, are like mini-plays. Encourage students to read expressively when they practice or perform them.

business administration

So

for years / I know

free
Of course!

together

Have students practice this conversation in groups of 3, playing the roles of Pepita, Inés, and Octavio (characters from the text). One student should also read the introduction and direction line. Listen to students as they read, then focus on the pronunciation of difficult words or phrases. Choose one group to perform in front of the class.

The comprehension exercise may be completed by the total class or by students in their groups of 3.

Estructuras

1. *The verb* **tener** *and telling age with* **tener:** tener y tener ... años

El verbo *tener*

You have already informally seen and used **tener** to express possession.

Tengo tres hermanos.	*I have three brothers.*
¿Tienes primos?	*Do you have any cousins?*

tener	*to have*	
(yo)	**tengo**	**Tengo** un hermano.
(tú)	**tienes**	**¿Tienes** bisabuelos?
(usted, él, ella)	**tiene**	Mi madre **tiene** cuatro hermanas.
(nosotros/as)	**tenemos**	Mi hermano y yo **tenemos** un perro.
(vosotros/as)	**tenéis**	**¿Tenéis** un coche?
(ustedes, ellos, ellas)	**tienen**	Mis tíos **tienen** una casa nueva.

Tener ... años

The verb **tener** has many other functions, one of which is to tell age. In contrast to English, which uses *to be . . .* to tell age (*She is 18 years old*), Spanish uses **tener ... años**, which translates literally as *to have . . . years.* To inquire about age, the question **¿Cuántos años...?** (*How many years . . . ?*) is used with **tener.**

¿Cuántos años tiene él?	*How old is he?*
Tiene veintiún años.	*He is twenty-one years old.*

Práctica y comunicación ━━━━━━━━━━━

F.   En la mochila. En parejas, háganse la siguiente pregunta: **¿Qué tienes en la mochila?** Abran las mochilas e identifiquen los objetos.

Palabras útiles: las **llaves** = *keys*; la **cartera** = *wallet*; la **agenda** = *appointment book*; la **calculadora** = *calculator*; las **gafas de sol** = *sunglasses*

MODELO: ESTUDIANTE 1: **En mi mochila tengo una calculadora.**

ESTUDIANTE 2: **Tengo tres libros.**

ESTUDIANTE 1: **Tengo...**

Luego, mencione a la clase un objeto que ambos (*both*) tienen en las mochilas.

MODELO: **... y yo tenemos gafas de sol en las mochilas.**

Bien dicho Los números del 60 al 100

sesenta	60	noventa	90
setenta	70	cien	100
ochenta	80	ciento uno...	101...

¡Un momento, por favor!

As you learned in Chapter 1, remember that **uno**, even when part of a higher number, becomes **un** or **una** to agree with a masculine or feminine noun.

> **sesenta y un** alumnos/**sesenta y una** alumnas
>
> *61 students (m.)/ 61 students (f.)*

G.   ¿Cuántos años tiene? En parejas, háganse preguntas para averiguar cuántos años tienen ustedes, sus parientes, etc.

1. ¿Cuántos años tienes tú? **Tengo... años.**
2. ¿Tienes una hermana o un hermano mayor? ¿Cuántos años tiene? ¿Tienes una hermana o un hermano menor? ¿Cuántos años tiene?
3. ¿Cuántos años tiene tu mejor amigo/a?
4. ¿Cuántos años tiene tu madre o tu padre?
5. ¿Tienes abuelos? ¿Cuántos años tiene tu abuelo favorito o tu abuela favorita?
6. ¿Tienes bisabuelos? ¿Cuántos años tiene tu bisabuelo o tu bisabuela?

Un paso más: Contesten las preguntas de la profesora/del profesor.

1. ¿Cuántos años tiene...? ¿Y...?
2. ¿Quién tiene el hermano/la hermana menor más joven (*youngest*) de la clase?
3. ¿Quién tiene el abuelo más viejo o la abuela más vieja de la clase?
4. ¿Quién tiene bisabuelos? ¿Cuántos años tiene(n)?
5. ¿Y cuántos años tiene su profesor/a de español? **Mi...**

For the completion of *Exercise F*, students literally review the contents of their backpacks. If a student does not have a backpack, he/she can pull things out of an imaginary backpack.

This exercise and its follow-up section practice the verb **tener** within the context of possession as well as recycling classroom vocabulary. The *Palabras útiles* are useful for the completion of this exercise and are not active vocabulary at this stage. Add more words as needed.

Study Hints
Review the numbers from 0–59 found on page 25.

As a warm-up prior to completing *Exercise G*, have students turn to the chapter-opener drawings. Ask them to identify family members according to age: ¿Quién tiene 55 (41, 35, 81, 75, 9, 6) años? ¿Quién tiene un año?

In the exercise itself, be sure to have students ask each other all of the questions.

H. Mi familia. Primero, dibuje un árbol genealógico de su familia. Presénteselo a un/a compañero/a de clase. Él/Ella le hace preguntas a usted según el modelo. Luego, cambien de papel (*change roles*).

MODELO: ESTUDIANTE 1: **Tengo una abuela y dos abuelos.**

ESTUDIANTE 2: **¿Cómo se llama tu abuela? ¿Cuántos años tiene? ¿De dónde es? ¿Dónde vive?**

2. *Expressing possession:* Los adjetivos posesivos

In addition to using **tener** to express possession (**Tengo un coche**), possession may also be expressed with possessive adjectives, which you have previously seen and used: **Mis abuelos viven en España**. As with the verb **tener**, possessive adjectives show ownership (*my house*) or a relationship between people (*my boyfriend*). Observe the varying forms of the possessive adjectives in the chart below.

Los adjetivos posesivos	
mi tío, **mis** tíos	*my*
tu[3] hermana, **tus** hermanas	*your*
su abuelo, **sus** abuelos	*his, her, its, your (formal)*
nuestro amigo, **nuestros** amigos	*our*
nuestra amiga, **nuestras** amigas	
vuestro[4] primo, **vuestros** primos	*your (informal)*
vuestra prima, **vuestras** primas	

Son **mis perros**. — *They are **my dogs**.*
Lola, ¿son **tus gatos**? — *Lola, are they **your cats**?*
Eduardo tiene **su carro**. — *Eduardo has **his car**.*
Nuestra casa es nueva. — ***Our house** is new.*

---

[3]Note that the addition or deletion of an accent mark can make a difference in the meaning of a word. For example: **tú** = *you* (*fam.*) and **tu** = *your* (*fam.*).
[4]Like **vosotros**, **vuestro** and **vuestra** are used only in Spain.

- In Spanish, possessive adjectives agree with the thing possessed, **not** with the possessor.

    Susana tiene **sus libros**.   *Susana has **her books**.*

- The possessive adjectives **mi**, **tu**, and **su** have only singular and plural forms (**mi/mis, tu/tus, su/sus**). **Nuestro** and **vuestro** have singular and plural as well as masculine and feminine forms (**nuestro/ nuestros, nuestra/nuestras, vuestro/vuestros, vuestra/vuestras**).

- If the ownership referred to by **su/sus** is not clear from context, you may use an alternate form for clarity: **de** + the subject pronoun or **de** + person's name.

    Es **su carro**. *o* Es el carro **de él/ella/usted/ellos/ellas/ustedes**.
    Es el carro **de Elena**.

Práctica y comunicación

I. Álbumes de fotos. Imaginen que ustedes están examinando unos álbumes de fotos. ¿De quién o de quiénes tienen fotos?

MODELO: Tengo una foto de... (abuelos)
          Tengo una foto de mis abuelos.

1. Tengo una foto de... (primos, padres, hermano, gato)
2. Carmen tiene una foto de... (mejores amigas, sobrino, cuñado, hermanas)
3. Camila y su hermana tienen una foto de... (perro, novios, primos, familia)
4. Tenemos una foto de... (casa, abuelos, familia, tíos)

Un paso más: ¿Qué fotos especiales tienen ustedes en sus álbumes de fotos o en sus cuartos? En parejas, háganse la siguiente pregunta y contéstenla.

MODELO: ESTUDIANTE 1: **¿Qué fotos especiales tienes en tu álbum de fotos o en tu cuarto?**

          ESTUDIANTE 2: **En mi álbum de fotos/En mi cuarto, tengo una foto de mi(s)...**

Luego, háblele a la clase de una foto que su compañero/a tiene en su álbum o cuarto. **Miguel tiene una foto de... en su cuarto/en su álbum de fotos.**

J. ¿Cuál (*Which*) **es tu favorito? ¿Cuáles son tus favoritos?** En parejas, háganse las preguntas y contéstenlas con oraciones completas. Escuchen con atención las respuestas de su compañero/a.

MODELO: ¿Cuáles son tus clases favoritas?
          Mis clases favoritas son la clase de ... y la clase de...

1. ¿Cuáles son tus clases favoritas?
2. ¿Cuáles son tus programas de televisión favoritos? ¿Y cuál es el programa favorito de tu madre o de tu padre?
3. ¿Cuál es tu actor favorito o actriz favorita?
4. ¿Cuál es tu grupo musical favorito?
5. ¿Cuál es tu equipo (*team*) favorito de béisbol? ¿Y de fútbol americano?

Ahora, conteste las preguntas de la profesora/del profesor.

MODELO: ¿Cuáles son las clases favoritas de...?
          Sus clases favoritas son...

3. *Describing people and things:* Los adjetivos descriptivos

Adjectives are words that describe a noun (**chica**) or a pronoun (**ella**). Like the articles you've already learned (**el, la, los, las, un, una, unos, unas**), adjectives in Spanish agree in gender (masculine or feminine) and number (singular or plural) with the nouns or pronouns they describe. You have already learned some adjectives of nationality in Chapter 1. The adjectives in the first category listed below (those ending in **-o**) follow the same rules as adjectives of nationality that end in **-o** such as **mexicano** or **italiano** (see page 21).

Soy un tucán magnífico.

Formación de los adjetivos

- Adjectives ending in **-o** have four possible forms (masculine or feminine, singular or plural) to indicate agreement.

	singular	*plural*
masculino	Él es **honesto**.	Ellos son **honestos**.
femenino	Ella es **honesta**.	Ellas son **honestas**.

Note that the **-o** changes to **-a** to agree with the feminine singular pronoun.
Note the addition of **-s** to the vowel (**-o** and **-a**) to form the plural.

- Adjectives ending in **-e** or **-ista**, and most that end in a consonant, have only two possible forms (singular or plural) to indicate agreement. (Adjectives of nationality that end in a consonant are one exception. See Indicating Nationality, page 21.)

singular	*plural*
Él/Ella es **inteligente**.	Ellos/Ellas son **inteligentes**.
... **idealista**.	... **idealistas**.
... **sentimental**.	... **sentimentales**.

Note the addition of **-s** to the vowel or **-es** to the consonant to form the plural.

Posición de los adjetivos

- In Spanish descriptive adjectives most commonly follow the noun.

    Marta es una estudiante responsable.   *Martha is a responsible student.*

- Adjectives of quantity (such as numbers) precede the noun, as in English.

    Tres estudiantes son de Nuevo México.
    Muchos estudiantes van al concierto.

Bien dicho Adjetivos descriptivos

The following descriptive adjectives are most commonly used with the verb **ser** to indicate characteristics or qualities that are considered inherent or natural to the person or thing described.

Transparency #8 Present the contrasting descriptive adjectives via the transparency. Students repeat each word, associating it with the character in the illustration. Labels do not appear on the transparency; thus, it may be used for follow-up practice of these adjectives.

1. **alto(a)/bajo(a)**

2. **fuerte/débil**

3. **joven[5]/viejo(a)**

4. **tonto(a)/inteligente**

5. **perezoso(a)/trabajador(a)**

6. **pobre/rico(a)**

7. **bonito(a)/feo(a)**
8. **hermoso(a)** 9. **guapo(a)**

10. **flaco(a)/gordo(a)**
11. **delgado(a)**

12. **grande/pequeño(a)**

13. **viejo(a)/nuevo(a)**

1. tall/short 2. strong/weak 3. young/old 4. dumb, silly/intelligent 5. lazy/hardworking 6. poor/rich 7. pretty/ugly 8. beautiful 9. good-looking, handsome 10. skinny/fat 11. slender 12. large/small, little 13. old/new

If you wish, add variations to some of the adjectives. For example: pequeño/chico; guapo/bien parecido; viejo/anciano.

Reinforce the concept of adjectives changing to agree in gender and number by using several of the new adjectives to describe él, ella, ellos, ellas (represented by stick figures drawn on the board).

[5]The plural of **joven** is **jóvenes**.

Bien dicho Adjetivos descriptivos *(continuación)*

moreno(a)[6]**/rubio(a)**	*brunet(te), dark-skinned/blond(e)*
pelirrojo(a)	*redhead*
bueno(a)/malo(a)	*good/bad*
amable	*kind, nice*
simpático(a)/antipático(a)	*nice/disagreeable, unpleasant* (persons)
divertido(a)/aburrido(a)	*amusing, funny/boring*
serio(a)	*serious*
difícil/fácil	*difficult, hard/easy*

Otras palabras útiles

muy	*very*
un poco[7]	*a little, somewhat*
y	*and*
o	*or*
pero	*but*

¡Un momento, por favor!

- The adjectives **bueno** and **malo** may be placed before a noun. If the noun is masculine and singular, **bueno** becomes **buen**, and **malo** becomes **mal**.

  Es un **buen** estudiante. Es una **buena** profesora.

- Adjectives ending in **-dor** add **-a** to agree with a feminine singular noun:

  trabajador > **trabajadora**
  conservador > **conservadora**

- **Y** becomes **e** before words beginning with **i** or **hi**.

  Mi madre es bonita **e** inteligente.

- **O** becomes **u** before words beginning with **o** or **ho**.

  ¿El presidente es deshonesto **u** honesto?

Práctica y comunicación

K. ¿Cómo son (*What are they like*)**?** Conteste las preguntas según los dibujos en la página 83.

MODELO: ¿Cómo es Pepita (*What is Pepita like*)?
　　　　Es baja.
　　　　¿Y Javier?
　　　　Es alto.

1. ¿Cómo es Alfonso? ¿Y Octavio?
2. ¿Cómo es Noé? ¿Y Juanito?
3. ¿Cómo es el payaso? ¿Y Natalia?
4. ¿Cómo es Natalia? ¿Y Esteban?
5. ¿Cómo es Octavio? ¿Y el vagabundo?
6. ¿Cómo es el ogro? ¿E Inés?
7. ¿Cómo es el ogro? ¿Y Camila?
8. ¿Cómo es la casa? ¿Y la casita?
9. ¿Cómo es el coche nº 1? ¿Y el coche nº 2?

---

[6]Other expressions for brunette are: **Tiene pelo** (*hair*) **castaño/negro/color café**.
[7]The phrase **un poco** is an adverb. Unlike adjectives, adverbs do not change to reflect gender and number. **Luisa es un poco seria. Miguel y Ricardo son un poco serios también.**

L. Los opuestos (*Opposites*). A veces (*Sometimes*) hay un gran contraste entre (*between*) novios, amigos, esposo/esposa o padres e hijos. Complete las oraciones con adjetivos de significado contrario. Use la forma correcta del adjetivo (masculino/femenino, singular/plural).

MODELO: Pancho es un poco **aburrido**, pero su novia, Lola, es...
    ...**divertida.**

1. Pepe es **simpático**, pero, a veces su hermana es un poco...
2. Antonio es **bajo**, pero su esposa es...
3. Felipe y Fernando son un poco **gordos**, pero sus esposas son...
4. Los señores Navarro son muy **serios**, pero sus hijos son...
5. Los señores Clarín son **morenos**, pero sus hijas son...
6. Héctor y Víctor son un poco **perezosos**, pero sus amigos son...

Un paso más: Escriba dos oraciones indicando algunos contrastes que existen en su familia. **Mi madre es ... pero mi padre es...** Lea sus oraciones a otro/a estudiante o a la clase.

M. Descripciones. En grupos de tres, describan a las siguientes personas y clases. Tienen cinco minutos.

MODELO: Somos...
    Somos jóvenes e inteligentes.

1. Soy...
2. Mi padre es...
3. Mi madre es...
4. Mi hermano/a mayor es...
    o Mi hermano/a menor es...
5. Mi novio/a es... o Mi mejor amigo/a es...
6. Mis amigos, en general, son...
7. Mi profesor/a de español es...
8. Nuestra clase de español es...
9. Mis clases en general son...

N. Adivinanza (*Guessing game*). Trabajen en grupos de cinco. Un/a estudiante del grupo adopta la personalidad de una persona famosa. Los otros/Las otras estudiantes le hacen preguntas para determinar su identidad. Refiéranse a las palabras del vocabulario *Adjetivos descriptivos* (pp. 83–84) y a la siguiente lista de cognados. El /La estudiante sólo contesta **sí** o **no** a todas las preguntas. *Categorías posibles*: **político/a, actor/actriz, atleta, músico/a, cantante** (*singer*). Usen todas las categorías. *Ejemplos de preguntas*: **¿Eres actor? ¿Eres joven? ¿Eres cómico?**

famoso/a	modesto/a	exótico/a	conservador/a
atlético/a	tranquilo/a	ridículo/a	liberal
práctico/a	sincero/a	moral	cruel
generoso/a	ambicioso/a	inmoral	responsable
dinámico/a	organizado/a	pesimista	irresponsable
enérgico/a	disciplinado/a	optimista	tolerante
cómico/a	honesto/a	independiente	intolerante
grosero/a	deshonesto/a	arrogante	egoísta

Ñ. Mi anuncio personal. Lea los anuncios. ¿Qué tipo de persona busca el caballero (*is the gentleman looking for*)? ¿Y el norteamericano?

Un paso más: Escriba un breve anuncio personal, y luego léaselo a un/a compañero/a de clase. **Busco amigo(a)/compañero(a)/esposo(a) amable,...**

Noticias culturales

LA FAMILIA HISPANA

affection Para los hispanos la familia es como una pequeña comunidad unida por la solidaridad y el cariño°. El concepto hispano de la familia incluye a los parientes más inmediatos (madre, padre, hijos, hermanos) y también a los abuelos, tíos, primos y numerosos otros parientes. En la familia tradicional, y especialmente en las zonas rurales, es común tener muchos niños.

same
upbringing / take care
of them
single
while
Nevertheless
changing
outside of

En los países hispanos, los padres, los hijos y los abuelos con frecuencia viven en la misma° casa. Los abuelos son muy importantes en la crianza° de sus nietos y nietas y normalmente los cuidan° cuando los padres salen. Tradicionalmente, el padre trabaja y la madre cuida de la casa y de los niños. Los hijos solteros° generalmente viven en la casa de sus padres mientras° asisten a la universidad o trabajan. Sin embargo°, hoy en día, el concepto de la familia hispana está cambiando°. Dos de los cambios más notables son que la familia es más pequeña y que muchas mujeres trabajan fuera de° casa.

godparents
baptisms
place

Por lo general, la familia, sea tradicional o moderna, es el núcleo de la vida social. Abuelos, nietos, padres, tíos, padrinos° y primos se reúnen con frecuencia para celebrar los cumpleaños, bautizos°, comuniones y otras fiestas. Las relaciones familiares ocupan un lugar° esencial en la sociedad hispana.

Noticias culturales are very effective as in-class reading/comprehension exercises. To introduce the *Noticias*, present key ideas to the students, perhaps via illustrations on the board (stick figures of the extended family inside a house, etc.).

Follow your presentation by having students read the *Noticias* in pairs, alternating lines. After students complete the *¿Qué hay de nuevo?* that follows, check their answers.

The *Conexiones y contrastes* section may be completed in groups of 3, with a total class follow-up. This section provides an important bridge between cultures. If you have students in your class from other countries, allow them to share comparisons between families in their countries and Hispanic families.

¿Qué hay de nuevo?

1. ¿Qué palabras describen a la familia hispana?
2. ¿Cuáles (*What*) son algunas de las características de la familia hispana tradicional?
3. ¿Qué cambios existen en la familia hispana de hoy?
4. ¿Cómo se ve (*How is it seen*) que la familia ocupa un lugar muy importante en la sociedad hispana?

Una reunión familiar. Puerto Rico.

Conexiones y contrastes

Conversen en grupos de tres.

1. ¿Qué diferencias existen entre las familias hispanas y algunas familias típicas de su país? Mencionen tres o cuatro.
2. En su familia o en las familias de sus amigos/as, ¿qué familiares viven en la casa? ¿Viven hijos solteros en la casa? ¿Es la familia el núcleo de la vida social?

4. Indicating location: Estar + lugar°

location

Write the conjugation for estar on the board.

Practice the forms of estar with a quick subject-verb substitution drill, starting with a model sentence. Example: **Estamos en el aula de clase**.

Take a moment to point out to the students the difference between hay and estar, contrasting the concepts of existence versus location: **Hay 30 estudiantes en la clase** versus **Los estudiantes están en la clase.**

You have used the two verbs in Spanish that mean *to be*: **ser** and **estar**. So far, you have used **ser** to tell origin, to indicate profession, to describe inherent personality and physical characteristics, and to tell time. You have used **estar** with the expressions: **¿Cómo está usted?/¿Cómo estás?** When **estar** is used with the preposition **en** (*in, at*), it indicates the location of people or objects.

¿Están en la fiesta o **en** su apartamento?	Are they **at** the party or **in** their apartment?

Study the forms of the present tense of the verb **estar** (*to be*), as well as the sample sentences. Note that **estar** is an irregular verb.

estar	*to be*	
(yo)	**estoy**	**Estoy** en la universidad.
(tú)	**estás**	**¿Estás** en casa?
(usted, él, ella)	**está**	Carlos **está** en el gimnasio.
(nosotros/as)	**estamos**	**Estamos** en la biblioteca.
(vosotros/as)	**estáis**	**¿Estáis** en el apartamento de José?
(ustedes, ellos, ellas)	**están**	Mis **amigas** están en clase.

 Bien dicho ¿Dónde están?

If you are artistic, draw representations of each of the locations (or have one or more students do so). Practice by having students identify the location.

aquí/allí	*here/there*
en el campo/en la ciudad	*in the country, field/in the city*
en las montañas	*in the mountains*
en la playa	*at the beach*
en la escuela	*at school*
la escuela primaria	*elementary school*
la escuela secundaria[8]	*high school*
en la universidad	*at the university*
en casa	*at home*
en el trabajo	*at work*

---

[8]La **escuela secundaria** is also referred to as **el colegio**, **la preparatoria**, or **el liceo**. A **colegio** is *not* a college!

Práctica y comunicación

Exercise O provides the students with the forms of the verb **estar** so that their focus is on the new vocabulary.

For these and other practice exercises, follow the procedure outlined in the annotation General Guidelines on page 81.

O. **¿Dónde estamos?** Según la descripción, diga dónde están las personas. Refiérase a la lista de vocabulario en la página 87.

MODELO: Juanito está en la sala de clase con su maestra.
Tiene seis años.
Está... en la escuela primaria.

1. Sandra toma varias clases. Tiene muchos maestros.
    Está...
2. Tenemos varios profesores. Las clases son difíciles.
    Estamos...
3. Trabajamos desde las 9:00 de la mañana hasta las 5:00 de la tarde.
    Estamos...
4. Tomo una siesta. Miro la televisión.
    Estoy...
5. Estás de vacaciones. El océano es muy bonito.
    Estás...
6. Estás de vacaciones. Usas tus suéteres y tus esquís.
    Estás...
7. Los González dicen (*say*) que hay mucho tráfico allí.
    Están...
8. Los González dicen que hay animales, flores y mucha tranquilidad allí.
    Están...

Transparency #9 Use the transparency to either preview the exercise or as a follow-up after students have completed their work in pairs. This exercise requires students to actively use the varying forms of the verb estar plus the new vocabulary.

P.   Fotografías de una visita a México. En las fotos de su viaje a México, indique a un/a compañero/a de clase dónde están las personas. Trabajen en parejas.

MODELO: En esta (*this*) foto...
**Mi primo Ricardo
está en la escuela.**

Ricardo

yo

mi amigo y yo

mi tía Anita

yo

mis tíos

nosotros

Un paso más: En parejas, indiquen dónde están ahora las personas más importantes de su vida (*life*). **Mi mejor amigo/a está en...**

Entre familia

5. *Describing conditions:* **Estar** + **condición**

Estar can also be used with descriptive words to indicate the mental or physical condition in which the subject is found at a given time.

Transparency #10 Present the concept of **estar** + *condition* via the transparency. Vocabulary labels do not appear on the transparency, thereby facilitating its use for future <u>recycled</u> practice of the vocabulary.

Bien dicho ¿Cómo están?

2. **enojado(a)**

4. **enfermo(a)**

1. **aburrido(a)**

3. **cansado(a)**

7. **contento(a)/triste**
8. **bien/mal**

10. **cerrado(a)/abierto(a)**

5. **nervioso(a)**
6. **preocupado(a)**

9. **ocupado(a)**

1. bored 2. angry 3. tired 4. sick 5. nervous 6. worried 7. happy/sad
8. well/bad, badly, sick 9. busy 10. closed/open

Q. Condiciones. Diga cómo está la persona o el objeto según los dibujos en la página 90.

1. ¿Cómo está Rubén? ¿Y Camila? ¿Y Octavio? ¿Y Alfonso?
2. Carmen tiene dos problemas. ¿Cuáles son?
3. ¿Cómo está Linda? ¿Y Manuel? ¿Y Natalia?
4. ¿Está abierta o cerrada la puerta? ¿ Y la ventana? ¿Y el libro? ¿Y el cuaderno?

R. Tú y yo. En parejas, háganse las preguntas y contéstenlas.

1. ¿Estás contento/a con tus clases aquí en la universidad?
2. ¿Estás contento/a con la vida social aquí? ¿Por qué (*Why*)?
3. A veces (*Sometimes*), ¿estás aburrido/a los fines de semana? ¿Por qué?
4. Con frecuencia, ¿estás cansado/a? ¿Trabajas mucho?
5. ¿Estás preocupado/a por tus notas? (¿En qué clases?)
6. Normalmente, ¿estás muy ocupado/a? ¿Por qué?

¿Quiénes tienen las mismas respuestas?

MODELO: **... y yo estamos contentos/as con la vida social aquí porque** (*because*)**...**

S. Situaciones. Indique la condición de las siguientes personas o cosas (*things*). Complete cada oración con la forma correcta de **estar** y la condición que corresponde a la situación.

MODELO: Cuando sacas una buena nota, (tú) **estás contento/a**.

1. Cuando tienes un examen muy, muy difícil, (tú)...
2. Cuando hay un examen, los libros..., pero cuando no hay examen,...
3. Cuando estamos en una clase con un profesor poco interesante, (nosotros)...
4. Los lunes, los estudiantes frecuentemente..., pero los viernes,...
5. Asisto a todas mis clases, hago la tarea, trabajo y tengo muchas actividades. (Yo)...
6. ¡Alfonso tiene una temperatura de 103°F! (Él)...

Un paso más: En parejas, digan cuándo ustedes están en las siguientes condiciones: **contentos/as, aburridos/as, preocupados/as, enojados/as, muy ocupados/as.**

MODELO: contentos/as
Estamos contentos/as cuando no hay tarea.

Write each of the key concepts for **ser** and **estar** on the board. Present personalized sample sentences relevant to each concept and ask students to identify the corresponding concepts.

6. *Describing people, places, and things:* **ser** y **estar**

So far, you have learned to use the two Spanish verbs that mean *to be* in very different circumstances. Study the chart that follows to compare their uses.

Ser **en contraste con** *estar*

Ser	Estar
ORIGIN/NATIONALITY	LOCATION
Ser tells where the subject is from.	**Estar** tells where the subject is.
¿De dónde es Carlos? *Where is Carlos from?* **Es de Chile./Es chileno.** *He is from Chile./He is Chilean.*	**¿Dónde está Carlos?** *Where is Carlos?* **Está en Chile.** *He is in Chile.*
IDENTITY	
Ser identifies who or what the subject is (vocation, profession, religion, etc.)	
Ella es abuela. *She is a grandmother.* **Él es profesor.** *He is a professor.* **Soy católico/a.** *I am Catholic.*	
CHARACTERISTICS	CONDITIONS
Ser tells what the subject is like— descriptive characteristics and qualities (physical or personality traits) inherent to the person or thing described.	**Estar** tells in what condition the person or thing is at a given time (how the subject feels, looks, appears, etc.).
¿Cómo es tu padre? *What is your father like?* **Es alto, inteligente y muy simpático.** *He is tall, intelligent, and very nice.*	**¿Cómo está él hoy?** *How is he today?* **Está muy preocupado.** *He is very worried.* **Su esposa está enferma.** *His wife is sick.*

Ser y estar con ciertos adjetivos

Observe how the use of **ser** and **estar** with certain adjectives can change the meaning of those adjectives. With **ser**, as is most often the case, the adjective denotes an inherent characteristic or trait; with **estar**, it reflects a condition or perception at a particular moment.

El programa de televisión **es aburrido**.	*The television program **is boring**.*
Los niños **están aburridos**.	*The children **are bored**.*
Carmen **es** muy **bonita**.	*Carmen **is** very **pretty**.*
Pepita **está** muy **bonita** hoy.	*Pepita **looks** very **pretty** today.*
La fruta chilena **es** muy **buena**.	*Chilean fruit **is** very **good**. (general quality)*
La fruta **está buena** hoy.	*The fruit **looks (tastes) good** today. (condition today)*

Práctica y comunicación ———————

T. La familia ¿Cómo son? ¿Cómo están? Conteste las preguntas según la foto de la familia.

1. ¿Es la familia hispana? ¿Dónde vive?
2. ¿Están en la ciudad o en el campo?
3. ¿Es la madre rubia, pelirroja o morena? ¿Y el padre? ¿Y los niños?
4. ¿Es simpática o antipática la hermana mayor?
5. ¿Es el padre divertido o serio?
6. ¿Está distraído (*distracted*) el niño pequeño?
7. ¿Están tristes o contentos?

Exercise T allows students to recognize the various uses of ser and estar within a photo context prior to active usage.

Los López. Long Island, Nueva York.

U. ¿De dónde son y dónde están ahora? Completen en parejas.

MODELO: James Bond/Inglaterra/Monte Carlo
James Bond es de Inglaterra pero ahora está en Monte Carlo.

NOMBRE	ORIGEN	LUGAR
1. la reina Sofía	Grecia	España
2. Gloria Estefan	Cuba	la Florida
3. mi profesor/a de español	_____	_____
4. mi mejor amigo/a	_____	_____
5. mi madre	_____	_____
6. mi abuelo/a	_____	_____
7. yo	_____	_____

Exercises U and V practice specific, contrasting concepts of ser and estar. W and X combine all concepts in creative usage.

V. ¿Característica o condición? Combine la descripción (del nº 1 al 10) con la palabra apropiada de la lista. Use **es** con las características y **está** con las condiciones. Siga el modelo.

triste
fuerte
rico/a
trabajador/a
viejo/a
inteligente
ocupado/a
enfermo/a
preocupado/a
perezoso/a
contento/a

MODELO: Mi familia no está aquí.
Estoy triste. *o* **Estoy preocupado/a.**
Estudiamos mucho.
Somos muy inteligentes. *o* **Estamos muy ocupados/as.**

1. Trabajo mucho.
2. Saco buenas notas.
3. Esteban no estudia y no trabaja.
4. Alfonso toma aspirina y Alka Seltzer.
5. Tenemos tres exámenes mañana.
6. El niño tiene $100 (cien dólares).
7. Octavio tiene los músculos grandes.
8. Carmen toma tres clases, tiene dos niños y trabaja.
9. El abuelo tiene 90 años.
10. Las amigas de Inés no están aquí. Inés...

W. Una entrevista (*An interview*). Hable con un/a compañero/a de clase. Hágale las preguntas y apunte la información. Luego, cambien de papel.

1. ¿De dónde eres?
2. ¿Cómo estás hoy? Explica.
3. ¿Quién es una de tus personas favoritas? ¿Dónde está en este momento? ¿Cómo es (descripción física, de personalidad, etc.)?
4. ¿Cómo son tus clases este semestre? ¿Y tus profesores?

Presente la información de la entrevista a otro/a compañero/a o a la clase.

Palabras útiles:
el **árbol** = *tree*;
la **piñata**;
la **torta**/el **pastel** = *cake*;
el **jardín** = *garden*;
la **iglesia** = *church*

X. La familia. En grupos de tres, describan las fotos de la familia en los dibujos, pp. 72–73. Usen **ser** y **estar**. Un/a secretario/a apunta la información. Tienen cinco minutos. ¿Qué grupo tiene la descripción más completa? Léansela a la clase.

Un paso más: Escriba cinco oraciones describiendo a su familia. Use **ser** y **estar**.

With both the sample words and the practice sentences, have students repeat after you, followed by practice in pairs.

Así se dice

La pronunciación de las consonantes *h* y *j*

h Remember that in Spanish the **h** is not pronounced.

hermana   hombre   hermanastro   hermoso

j The **j** in Spanish approximates the pronounced *h* sound of English as in *help*.

viejo   joven   mujer de negocios

Los niños de Ecuador usan estas oraciones en la escuela para practicar la pronunciación de la **h** y la **j**. Repita cada oración. Luego, léala más rápidamente.

sells / ice cream

rabbits

h **Héctor** vende° ricos **helados°** en su **heladería**.

j **José** tiene una **pareja** de **conejos°** jóvenes.

Dicho y hecho

Conversando

Vamos a ser compañeros/as de cuarto
Trabajen en parejas. Imaginen que ustedes van a ser compañeros/as de cuarto en el futuro. Hablan por primera vez (*for the first time*). Háganse muchas preguntas. Incluyan preguntas acerca de sus familias.

¡A escuchar!

Linda conversa con su padre
El padre de Linda es muy tradicional. Linda sale con Manuel y por supuesto (*of course*) el padre de Linda tiene muchas preguntas acerca de la familia de Manuel. Padre e hija conversan. Escuche la conversación. Luego, conteste las dos primeras preguntas.

1. ¿Quién hace la mayoría (*majority*) de las preguntas?

    _____ el padre   _____ Linda

2. ¿A quién describe Linda más (*more*)?

    _____ a Manuel   _____ a la familia de Manuel

Escuche la conversación otra vez y apunte la(s) respuesta(s) correcta(s).

3. Linda dice (*says*) que Manuel es:

    _____ trabajador y buen estudiante   _____ muy simpático y divertido.

4. La madre de Manuel es: _____ de San Francisco

    _____ de Los Ángeles   _____ de Perú.

5. La madre es: _____ alta _____ baja _____ rubia _____ morena.

6. El padre es: _____ alto _____ bajo _____ gordo _____ delgado.

7. El padre es: _____ profesor de español _____ hombre de negocios.

8. Invitan a la familia de Manuel a cenar: ___ sí ___ no ___ posiblemente.

De mi escritorio

Mi pariente favorito/a
Escriba una descripción de su pariente (*relative*) favorito/a.

- ¿Cómo se llama?
- ¿De dónde es?
- ¿Qué es? (profesión, etc.)
- ¿Cuántos años tiene?

- ¿Cómo es? (características físicas y de personalidad)
- ¿Cómo está ahora? (probablemente)
- ¿Dónde está en este momento?

Lea su descripción a la clase o a otro/a estudiante de la clase.

Study Hints
See what you have learned! Turn to pp. 102–103 to review the active vocabulary and take the self-test for this chapter.

The *Conversando* recycles, in an unstructured context, material from Chapter 1 along with the key concepts and vocabulary from this chapter. You may wish to have two students present their conversation to the class.

¡A escuchar! can be completed as an in-class activity or assigned for homework.

The conversation between Linda (one of the characters in the text) and her father is recorded on both the instructor and student tape or CD that accompanies each textbook.

Audioscript:

LINDA: Papi, Manuel es muy trabajador y excelente estudiante.
PAPÁ: Estas son características muy buenas, m'hija. Pero, ¿de dónde es su familia?
LINDA: Su mamá es peruana y su papá es de San Francisco. Ahora viven en Los Ángeles. Son super-simpáticos. La madre es baja, morena y muy bonita, y el padre es alto, delgado y ¡tan divertido!
PAPÁ: ¿Y dónde trabaja su padre?
LINDA: Pues, es un hombre de negocios. Y su madre es profesora de español. Van a visitar a Manuel en octubre. ¿Los invitamos a cenar?
PAPÁ: Bueno, m'hija. Primero, hablamos con tu mamá.

Assign *De mi escritorio* sections as homework or as an in-class writing activity. These sections also work well on tests. They most commonly recycle material from past chapters as well as focus on the vocabulary and structures of the current chapter.

Los hispanos en los Estados Unidos

[www.wiley.com/college/dicho/panorama]

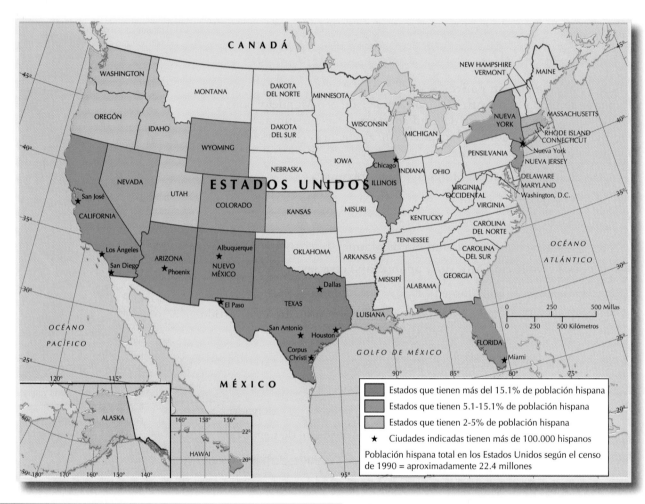

Estados que tienen más del 15.1% de población hispana

Estados que tienen 5.1-15.1% de población hispana

Estados que tienen 2-5% de población hispana

★ Ciudades indicadas tienen más de 100.000 hispanos

Población hispana total en los Estados Unidos según el censo de 1990 = aproximadamente 22.4 millones

Preguntas sobre el mapa

1. ¿Cuáles son los estados con mayor concentración hispana (más del 15.1%)?
2. ¿Cuáles son los estados que tienen de 15.1% a 15.1% de población hispana?
3. ¿Sabe usted (*Do you know*) en qué estados viven muchas personas de origen mexicano? ¿De origen cubano? ¿De origen puertorriqueño?

The *Panorama cultural* and *Encuentro cultural* sections may be assigned for homework, followed by a review in class, or they may be completed entirely in class, as follows.

Transparency #11 (map) Review the map-related questions with the class using the transparency. Students, working in pairs, can then read the text, answer the photo-based questions and complete the *¿Qué descubrimos?* comprehension exercise. Don't forget the *Curiosidades* (trivia information)!

Be sure to have students complete the *Preguntas* that follows the comprehension exercise. The content of this *Panorama* lends itself to additional input from students!

¿Cuántos hispanos hay?

¿Sabe usted que hoy los hispanos representan casi[1] el 15% (por ciento) de la población de los EEUU (Estados Unidos)? La comunidad hispana es una de las más importantes del país. Aproximadamente el 70% de la población hispana se concentra en cuatro estados: California, Tejas, Nueva York y la Florida. Gran parte de esta población vive en grandes áreas metropolitanas como[2] Los Ángeles, Nueva York, Miami, Chicago, Washington, D.C. y San Antonio. También existen comunidades hispanas importantes en ciudades más pequeñas como Santa Fe (NM), Pueblo (CO), Yuma (AZ), Hialeah (FL), Trenton (NJ), Gary (IN), Racine (WI) y Cheyenne (WY).

Study Hints
Follow the Helpful Strategies for Reading found on p. 35.

¿De dónde son?

La mayoría de los hispanos en los EEUU son de México, Puerto Rico y Cuba. Gran parte de los nuevos inmigrantes hispanos de los últimos[3] treinta años son de Centroamérica — salvadoreños, nicaragüenses, hondureños y guatemaltecos— y también de la República Dominicana. Viven en diversas zonas del país.

¡QUÉ ENCHILADA!

La enchilada más grande del mundo se hace (*is made*) en un pueblo de Nuevo México; 75 personas la preparan ¡y 8.500 personas la comen (*eat it*)!

En el suroeste[4] del país la presencia de la población hispana de origen mexicano es anterior a la llegada[5] de la población angloparlante[6]. ¿Sabe usted en qué estado de los Estados Unidos se celebra la «Fiesta San Antonio»? ¿Qué raíces[7] étnicas se celebran en la fiesta?

---

[1]*almost* [2]*like* [3]*last* [4]*southwest* [5]*arrival* [6]*English-speaking* [7]*roots*

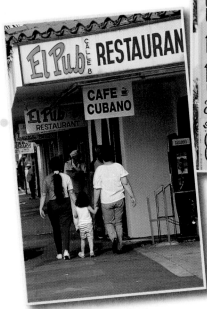

A partir de 1959, como resultado de la revolución cubana, muchos cubanos inmigraron al sureste[8] de los EEUU, especialmente a Tampa y Miami. Hoy, medio millón de cubanos y cubanoamericanos viven en Miami. ¿Cómo se manifiesta la fusión de la cultura hispana y norteamericana en esta escena? En la otra foto, ¿cuál es la atracción principal del restaurante El Pub en la pequeña Habana?

¿DÓLAR ESPAÑOL?

El signo del dólar ($) viene de una moneda (*coin*) antigua española que tenía (*had*) como símbolo dos columnas con una cinta entrelazada (*interlaced ribbon*) entre ellas.

Hoy hay más de un millón de puertorriqueños en Nueva York. La comunidad dominicana más grande del país también está allí. ¿Cómo se llama este supermercado en Spanish Harlem, Nueva York? ¿Qué productos se venden?

Su influencia

▶ Los nombres de varias ciudades y estados son la evidencia más notable de la presencia hispana en la historia del país.
▶ La ciudad más antigua en el territorio continental de los EEUU tiene un nombre hispano (San Agustín, FL).
▶ La vida diaria[9] de los EEUU integra numerosos elementos de las artes, la comida[10] y el idioma de la cultura hispana.
▶ Los hispanos también hacen contribuciones muy valiosas[11] a la política, las ciencias y la economía del país.

---

[8]*southeast* [9]*daily* [10]*food* [11]*valuable*

Hispanos famosos en los EEUU

Varios hispanos famosos en los EEUU están en las siguientes fotos. ¿Sabe quiénes son? ¿Qué nombre corresponde a cada foto? *Nombres*: Ricky Martin, Oscar de la Hoya, Dra. Ellen Ochoa, Jeff Bezos. ¿Conoce[12] usted a otros hispanos famosos residentes en los EEUU?

[12]*Do you know*

(a) cantante

(b) boxeador

(d) científica y astronauta

(c) creador de Amazon.com

¿Qué descubrimos?

1. El 70% de la población hispana se concentra en...
2. ...son tres ciudades donde hay comunidades hispanas importantes.
3. Muchos de los hispanos en los EEUU son de..., ... y...
4. La población hispana del suroeste es de origen...
5. La población cubana vive en el ... del país.
6. En Nueva York dos comunidades importantes son los ... y los...
7. ...son evidencia de la importancia histórica de los hispanos en los EEUU.
8. Los hispanos son participantes muy activos en...

Answers to the "famous people" photo matching: (a) Ricky Martin, (b) Oscar de la Hoya, (c) Jeff Bezos, (d) Dr. Ellen Ochoa.

Preguntas

Conversen en parejas.

1. ¿Cuáles son algunos nombres de ciudades y estados que indican la presencia hispana en la historia de los EEUU?
2. ¿Cuáles son algunos ejemplos de la comida hispana en los EEUU? ¿Cuál es su favorita?
3. ¿Existen otras influencias hispanas en su comunidad?

ENCUENTRO CULTURAL

Artes populares: Los murales, arte público

Los murales son creaciones que inspiran la imaginación y estimulan la conciencia. Los primeros[1] murales tienen miles[2] de años: están en las cuevas[3] de Lascaux (Francia) y Altamira (España). Históricamente, en los EEUU, los murales son la auto-expresión y la auto-definición de muchas comunidades, especialmente en el oeste y el suroeste del país. La creación de murales en las ciudades más importantes de California en los años 60 y 70 es labor de jóvenes chicanos[4]. Muchos murales presentan panoramas de la historia méxico-americana. Los murales más recientes también manifiestan los intereses y preocupaciones de cada comunidad.

California es la capital del arte mural en los EEUU. El sol[5], las numerosas paredes[6] de cemento y estuco, la influencia de la tradición muralista mexicana y la buena recepción que tiene el arte popular entre los californianos contribuyen a la preservación de la colección de arte público más impresionante de la nación.

Examine los siguientes murales y conteste las preguntas.

[1]*first*   [2]*thousands*   [3]*caves*   [4]*Mexican-Americans*   [5]*sun*   [6]*walls*

(1)

Mural «Siete punto uno» de John Pugh. Los Ángeles, California. ¿Ruinas mayas en Los Ángeles? En realidad es un mural pintado en el exterior de un restaurante hispano.

Preguntas

1. ¿Qué mural celebra el activismo de la mujer hispana? ¿Cuántas mujeres hay en el mural? ¿Qué mural hace referencia a una cultura precolombina? ¿Qué cultura?

2. *Mural 1*: ¿Qué elementos históricos hay en el mural? ¿La mujer es parte del mural o no?

3. *Mural 2*: ¿Qué simbolizan las manos (*hands*) grandes? ¿Representan los siguientes símbolos un elemento positivo o un elemento negativo en el mural? *Símbolos*: el grupo de hombres tristes, las manos grandes, el hombre que cultiva las plantas, las flores, la sangre (*blood*), Dolores Huerta.

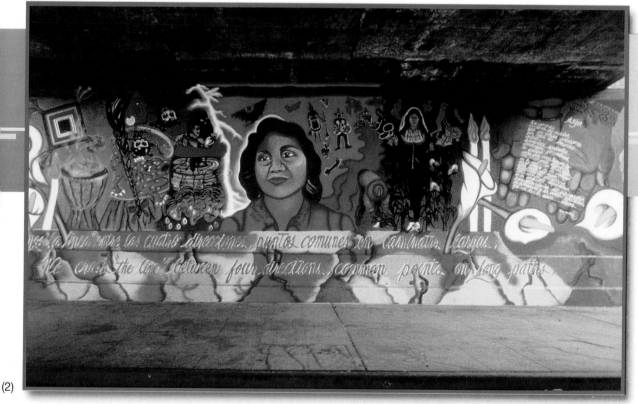

(2)

«La ofrenda» de Yreina Cervantes. Los Ángeles, California. En el centro está Dolores Huerta, fundadora del sindicato United Farm Workers.

Adjetivos

abierto/a
aburrido/a
alto/a
amable
antipático/a
bajo/a
bonito/a
bueno/a
cansado/a
cerrado/a
contento/a
débil
delgado/a
difícil
divertido/a
enfermo/a
enojado/a
fácil
feo/a
flaco/a
fuerte
gordo/a
grande
guapo/a
hermoso/a
inteligente
joven
malo/a
mayor
menor
moreno/a
nervioso/a
nuevo/a
ocupado/a
pelirrojo/a
pequeño/a
perezoso/a
pobre
preocupado/a
rico/a
rubio/a
serio/a
simpático/a
tonto/a
trabajador/a
triste
viejo/a

Conjunciones

y/e
o/u
pero

Sustantivos

La familia

la abuela
el abuelo
la bisabuela
el bisabuelo
la cuñada
el cuñado
la esposa
el esposo
el gato
la hermana
la hermanastra
el hermanastro
el hermano
la hija
el hijo
la madrastra
la madre
la media hermana
el medio hermano
la nieta
el nieto
el padrastro
el padre
los padres
el pariente
el perro
la prima
el primo
la sobrina
el sobrino
la suegra
el suegro
la tía
el tío

Otras personas

la amiga
el amigo
    mi mejor amigo/a
el/la bebé
la chica
el chico
la compañera de cuarto
el compañero de cuarto
el hombre
la muchacha
el muchacho
la mujer
la niña
el niño
la novia
el novio
la persona

Las profesiones

la abogada
el abogado
el ama (f.) de casa
la camarera
el camarero
el contador
la contadora
la dependienta
el dependiente
la enfermera
el enfermero
el hombre de negocios
la médica
el médico
la mujer de negocios
el programador
la programadora

Cosas *(things)* y lugares *(places)*

el auto
el carro
el campo
la casa
la ciudad
el coche
la escuela
    la escuela primaria
    la escuela secundaria
la montaña
la playa
el trabajo
la universidad

Adverbios

allí
aquí
bien
mal
muy
un poco

Verbos y expresiones verbales

estar
tener
tener ... años
¿Cuántos años tienes?

Palabras interrogativas

¿Cuántos/as?
¿Quién/es?
¿Dónde?

I. El verbo _tener_. Use la forma correcta de **tener**.

1. Yo _____ tres hermanos.

2. Mi hermano mayor _____ 21 años.

3. Mis padres _____ 55 años.

4. Mi hermano menor y yo _____ un perro.

5. ¿Cuántos años _____ tú?

II. Los adjetivos posesivos. ¿Qué tienen los estudiantes?

MODELO: mi hermano/cuadernos
Tiene sus cuadernos.

1. yo/fotos
2. ¿tú/libros?
3. José/diccionario
4. mi hermano y yo/televisor
5. ¿ustedes/calculadoras?

III. El verbo _ser_ y las características. Complete cada oración con la forma correcta del verbo **ser** y el adjetivo de significado contrario.

MODELO: Mi tío Paco __es__ un poco gordo. Al

contrario, mi tía Lisa _____es_____

flaca/delgada.

1. Yo _____ muy fuerte. Al contrario, algunos de mis amigos _____ _____. ¡Nunca van al gimnasio!

2. Mis padres _____ muy altos. Al contrario, mi hermano _____ _____.

3. Nosotros no _____ pobres. Al contrario, _____ _____.

4. Nuestra clase de español _____ fácil. Al contrario, nuestras clases de ciencia _____ _____.

IV. El verbo _estar_ y condición. Complete cada oración con la forma correcta del verbo **estar** y el adjetivo que corresponde a la situación. Hay más de una respuesta posible.

MODELO: Tenemos un problema.
Estamos preocupados.

1. Tengo un examen mañana.
2. Mis amigos/as tienen mucha tarea.
3. Sancho tiene apendicitis.
4. ¡Tenemos un día sin (_without_) preocupaciones! ¡No hay clases!

V. _Ser_ en contraste con _estar_. Use la forma correcta de **ser** o **estar** según las indicaciones.

MODELO: La casa de la familia Gutiérrez ... grande.
La casa de la familia Gutiérrez es grande.

1. El coche de la familia ... viejo.
2. Los padres ... jóvenes y trabajadores.
3. El padre ... hombre de negocios y la madre... abogada.
4. La hija ... muy simpática.
5. La familia ... contenta porque se va de vacaciones a la Florida.
6. Los abuelos ... en la Florida.
7. Los tíos ... de la Florida.
8. Todas las personas de la familia ... bilingües.

VI. Repaso general del Capítulo 3. Conteste con oraciones completas.

1. ¿Cuántos años tiene usted?
2. ¿Cómo es su madre o padre?
3. ¿Cómo son sus amigos/as?
4. ¿Cómo están sus amigos/as?
5. ¿Están usted y sus amigos/as preocupados/as por sus notas? ¿En qué clases?
6. ¿Qué días tienen ustedes clases?
7. ¿Cómo son sus clases?

———————

Answers to the **Autoprueba y repaso** are found in **Apéndice 2**.

CAPÍTULO 4

Las dos mujeres venden tomates y otros productos
en el mercado. Están muy contentas, ¿verdad?

¡Comer es vivir!

Goals for communication

- To buy and talk about food (in a market, restaurant, etc.)
- To talk about actions, desires, and preferences in the present
- To make future plans
- To express large quantities and determine prices
- To express likes and dislikes
- To ask for specific information

Cultural focus

- Food in the Hispanic world
- Life in contemporary Mexico

Structures

1. Verbos con cambios en la raíz
2. **Ir** + **a** + infinitivo
3. Los números del 100 al... y los años
4. **Gustar**
5. Palabras interrogativas (Un resumen)

Pronunciation

Las combinaciones **ce/ci**, **gue/gui** y **que/qui**

Presentation of *Bien dicho*, pp 106–107

Transparency #12 Use the transparency of the opener drawings for Chapter 4 to visually present vocabulary dealing with food and the market. Each vocabulary item can be repeated chorally.

As a follow-up, bring to class real food items, fake food, or pictures of food from magazines.

¡Bien dicho!

¡Comer es vivir!

1. MERCADO CENTRAL
2. FRUTAS
3. las piñas
4. las bananas, los plátanos
5. las manzanas
6. las uvas
7. las naranjas
8. los limones
9. las peras
10. las cerezas
11. las fresas
12. los duraznos, los melocotones
13. las san[día]
14. MARISCOS
15. el pesc[ado]
16. vender
17. la langosta
18. los camar[ones]

1. market 2. fruits 3. pineapples 4. bananas 5. apples 6. grapes 7. oranges 8. lemons (el **limón**) 9. pears
10. cherries 11. strawberries 12. peaches (el **melocotón**) 13. watermelons 14. seafood 15. fish 16. to sell
17. lobster 18. shrimp

106

19. CARNES
20. el pollo
21. el jamón
22. la salchicha, el chorizo
23. el bistec
24. la carne de res
25. las chuletas de cerdo/puerco
26. la carne de cerdo/puerco
27. LEGUMBRES VERDURAS
28. el ajo
29. el maíz
30. las papas, las patatas
31. las cebollas
32. los tomates
33. la lechuga
34. el bróculi
35. las judías verdes, las habichuelas
36. las zanahorias
37. los guisantes
38. los frijoles
39. el arroz

19. meats (f.), beef   20. chicken   21. ham   22. sausage   23. steak   24. beef   25. pork chops   26. pork
27. vegetables (f.)   28. garlic   29. corn   30. potatoes   31. onions   32. tomatoes   33. lettuce   34. broccoli
35. green beans   36. carrots   37. peas   38. beans   39. rice

Práctica y comunicación

Assign *Exercise A* for homework to be completed by the first class day for this chapter. Students' written answers can be quickly spot-checked for completion. This process helps to ensure that students are better prepared for active class participation.
Complete *Exercise A* by calling on individual students. Refer to *transparency #12*.

A. El mercado al aire libre (*The open air market*). Conteste según los dibujos en las páginas 106–107 y según sus preferencias personales.

1. ¿Qué frutas venden en el mercado? Según el dibujo, ¿cuál es la fruta favorita de Juanito (el niño)? Y usted, ¿cuál es su fruta favorita?
2. ¿Qué mariscos vende el vendedor? Y usted, ¿cuál es su marisco favorito?
3. ¿Qué legumbres venden en el mercado? Y usted, ¿cuál es su legumbre favorita?
4. ¿Qué carnes vende el vendedor? ¿Come usted carne? ¿Cuál es su carne favorita? (¿Es usted vegetariano/a?)

Shopping

Bien dicho De compras° en el mercado

la **comida**	*food, main meal*
desear	*to want, desire*
necesitar	*to need*
cocinar	*to cook*
preparar	*to prepare*
¿Cuánto cuesta?	*How much does it cost?*
¿Cuánto cuestan?	*How much do they cost?*

¡Un momento, por favor!

When two verbs are used together consecutively, only the first is conjugated.

¿Desea usted **cenar?**	*Do you want to have dinner?*
Necesitamos comprar más tomates.	*We need to buy more tomatoes.*

Each student works with three different partners to complete the outlined conversation three times. Each time the client buys the ingredients for one of the three dishes indicated. For each round, designate which student will be the client by stating, for example: **El/La estudiante más alto/a es el/la cliente**, etc.

B. Vamos al mercado. Trabajen en grupos de cuatro. Imaginen que un/a estudiante es el vendedor/la vendedora en el mercado público. Tres estudiantes son los clientes. Ellos/Ellas desean comprar los ingredientes que necesitan para preparar los tres platos (*dishes*) indicados. Completen el diálogo tres veces. Por turnos, hagan el papel del vendedor.

El/La cliente compra los ingredientes para...

1. ...una ensalada extraordinaria.
2. ...una exquisita ensalada de frutas.
3. ...una sopa muy original.

MODELO: VENDEDOR/A: Buenos días, don/doña[1]... ¿Qué desea usted hoy?
    CLIENTE: Buenos días. Esta noche voy a preparar... Necesito comprar...
    VENDEDOR/A: Pues, tenemos...
    CLIENTE: ¿Cuánto cuesta(n)... y...?
    VENDEDOR/A: ...pesos[2] en total.
    CLIENTE: Muchas gracias, don/doña...
    VENDEDOR/A: ...Hasta mañana.

---

[1]**Don** (m.) /**Doña** (f.) is a title of respect used with first names.
[2]**Peso** = monetary unit used in Argentina, Chile, Colombia, Cuba, Mexico, the Dominican Republic, and Uruguay.

C. Chef Merito. Estudien el anuncio de Chef Merito. Trabajen en parejas.

1. Identifiquen las comidas en el anuncio.
2. Identifiquen las dos comidas en la foto que son típicamente mexicanas: los chiles y el nopal (*cactus leaf*).
3. Según la foto, ¿qué tipo de carne es buena con salsa picante? ¿Usan ustedes mucha salsa picante? ¿En qué comidas?
4. Lean la rima que comienza con «El pollo». En el contexto de la rima, ¿qué significa «carne»?
5. ¿Qué sazonadores desean ustedes comprar para cocinar sus comidas favoritas?

Palabra útil:
sazonador = *seasoning*

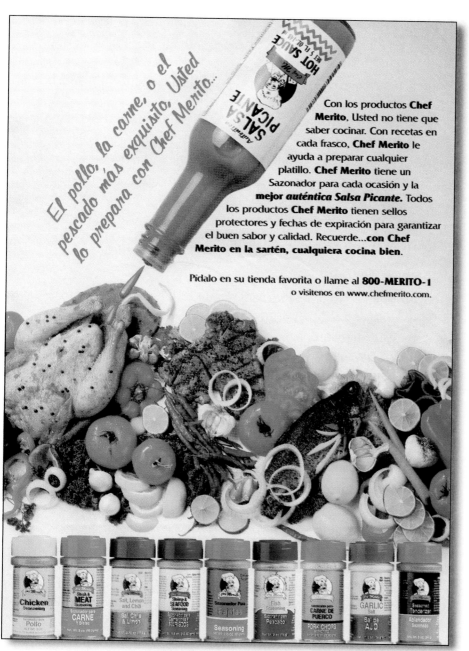

El pollo, la carne, o el pescado más exquisito, Usted lo prepara con Chef Merito...

Con los productos **Chef Merito**, Usted no tiene que saber cocinar. Con recetas en cada frasco, **Chef Merito** le ayuda a preparar cualquier platillo. **Chef Merito** tiene un Sazonador para cada ocasión y la **mejor *auténtica Salsa Picante*.** Todos los productos **Chef Merito** tienen sellos protectores y fechas de expiración para garantizar el buen sabor y calidad. Recuerde...**con Chef Merito en la sartén, cualquiera cocina bien.**

Pídalo en su tienda favorita o llame al **800-MERITO-1** o visítenos en www.chefmerito.com.

¡Comer es vivir!

Conversación

¿Qué hay de comer?

Frente a la cafetería de la universidad. Es hora de cenar y Carmen lee el menú en la entrada. Llegan Camila y Esteban.

CAMILA Y
ESTEBAN: ¡Hola, Carmen! ¿Cómo te va?

CARMEN: Bastante bien. ¿Qué hay de nuevo?

ESTEBAN: Nada. Vamos a comer. ¿Hay algo° bueno en el menú de hoy?

CARMEN: Depende... ¿Te gusta el arroz con guisantes y pollo frito?

CAMILA: ¿Pollo frito otra vez? ¡No es un plato muy saludable°! ¿Hay ensalada?

CARMEN: Claro que sí, es tu favorita: ensalada de bróculi y zanahoria con mayonesa.

CAMILA: ¡Ugh! Eso tiene mucha grasa° y yo estoy a dieta. Pero hay sopa de legumbres, ¿verdad?

CARMEN: Vamos a ver... Pues, no. Sólo hay sopa de pescado.

ESTEBAN: Yo quiero comer algo diferente. Quiero unas chuletas de cerdo con puré de papas°, frijoles y arroz...

CAMILA: Y una ensalada de lechuga fresca, con tomates y aceitunas...

CARMEN: ¡Y flan° y café para el postre°!

(Todos suspiran.°)

ESTEBAN: Bueno, ¿y por qué no vamos a un restaurante?

CAMILA: Esteban, ir a un restaurante es caro° y no tengo mucho dinero° en este momento.

CARMEN: Es verdad. Pero... ¿Por qué no cocinamos una cena rápida? Las chuletas de cerdo son mi especialidad y son muy fáciles de preparar.

ESTEBAN: Yo no cocino bien, pero mi especialidad es el flan instantáneo... Camila, ¿quieres preparar la ensalada?

CAMILA: ¡Sí! Y podemos preparar la cena en mi apartamento. Vivo frente al supermercado.

CARMEN: ¡Fantástico! Vamos al supermercado. Mi coche está en el estacionamiento norte.

Glosses: *something* · *healthy* · *fat* · *mashed potatoes* · *caramel custard / dessert* · *They all sigh.* · *expensive / money*

¿Qué pasa?

1. ¿Adónde van Camila y Esteban?
2. ¿Qué hay en el menú de hoy?
3. ¿Por qué no quiere Camila comer la ensalada de bróculi y zanahoria?
4. ¿Qué desea comer Esteban? ¿Y Camila? ¿Y Carmen?
5. ¿Por qué no van a un restaurante? ¿Qué hacen?

Bien dicho Más comida y las bebidas

8. la pimienta
7. la sal
9. la leche
6. el cereal
3. el pan (tostado)
5. la mermelada
1. los huevos
2. el tocino, la tocineta
4. la mantequilla

Transparency #13 Present vocabulary via the transparency. To reinforce vocabulary, bring to class real food items, fake food, or pictures of food from magazines.

You may wish to alert your students to the many regional variations in food vocabulary. For example, el pastel can mean *cake*, *pie*, or *pastry*. Please teach the regional variations with which you feel most comfortable.

13. el jugo, el zumo (Esp.)
11. la crema
12. el azúcar
10. el café
14. el té

17. el vinagre
16. el aceite
18. la aceituna
15. la sopa
19. la ensalada

23. el refresco
22. el sándwich, el bocadillo (Esp.)
21. las papas fritas
20. la hamburguesa

24. el vino
25. la cerveza
26. el agua
27. el hielo

28. el pastel
29. el queso
32. la torta
30. el helado
31. las galletas

1. eggs 2. bacon 3. bread (toast) 4. butter 5. jam 6. cereal 7. salt 8. pepper 9. milk 10. coffee
11. cream 12. sugar 13. juice 14. tea 15. soup 16. oil 17. vinegar 18. olive 19. salad 20. hamburger
21. French fries 22. sandwich 23. soft drink 24. wine 25. beer 26. water 27. ice 28. pie, pastry
29. cheese 30. ice cream 31. cookies 32. cake

La comida *(continuación)*

Present the additional list through choral and/or individual repetition.

el **desayuno**	*breakfast*
el **almuerzo**	*lunch*
la **merienda**	*afternoon snack*
la **cena**	*supper, dinner*
la **bebida**	*drink, beverage*
el **plato**	*dish*
el **postre**	*dessert*
los **huevos revueltos**	*scrambled eggs*
frío(a)/caliente	*cold/hot (temperature, not spiciness)*
frito/a	*fried*
al horno	*baked*
a la parrilla	*grilled*
con/sin	*with/without*
más/menos	*more/less*
mucho/poco (adv.)	*a lot, a little*
mucho/a/os/as (adj.)	*much, a lot, many*
poco/a/os/as (adj.)	*little (quantity), few*

¡Un momento, por favor!

- Like **aula, agua** is feminine even though it uses the article **el,** for example, **el agua fría**. The plural form is **las aguas**.
- **Mucho** and **poco** as adverbs of quantity *do not* change in gender and number.

    Comemos **mucho/poco.** *We eat a lot/little.*

- As adjectives, **mucho** and **poco** *do* change in gender and number to agree with the noun.

    Comemos **muchas** verduras y **poca** carne.

- Spanish uses the preposition **de** (*of*) to join two nouns for the purpose of description.

helado de vainilla	*vanilla ice cream*
torta de chocolate	*chocolate cake*
jugo de naranja	*orange juice*

Have students invent combinations such as "cherry pie," "strawberry ice cream," "apple juice," etc.

¿Es bueno para la salud (*health*) el jugo de piña Goya? ¿Por qué?

Práctica y comunicación

I. ¡Vamos a comer! ¿Asocia usted las siguientes comidas con el desayuno, el almuerzo o la cena?

MODELO: huevos fritos
el desayuno

1. pan tostado con mantequilla y mermelada
2. sopa y ensalada
3. pastel de manzana con helado de vainilla
4. un cóctel de camarones
5. huevos revueltos con tocino
6. jugo/zumo de naranja
7. un sándwich/bocadillo de jamón y queso
8. arroz con pollo, pan y vino
9. café caliente con crema y azúcar
10. una hamburguesa con papas fritas
11. bistec a la parrilla con papas al horno y ensalada mixta

Write the words **el desayuno, el almuerzo,** and **la cena** on the board for easy reference. Encourage students to look at your cues without referring to the textbook. Eye-to-eye communication is always the most effective.

J.   Consejos de los dietéticos (*Advice from dieticians*). Imaginen que ustedes son dietéticos/dietéticas y tienen un paciente, el señor Gómez, que tiene problemas serios de salud. Escríbanle una lista larga de toda la comida que *no* debe (*should not*) comer. Trabajen en grupos de tres. Tienen cinco minutos.

MODELO: **Señor Gómez, usted no debe comer/beber/tomar...**

¿Qué grupo tiene la lista más completa? Léasela a la clase. Los otros/Las otras estudiantes añaden (*add*) otras comidas a la lista.

Un paso más: En sus grupos de tres, decidan si ustedes son adictos o no a la mala comida. Hablen de la comida «mala» que ustedes consumen y también de la comida saludable (*healthy*) que comen.

K.   El menú del día. Imaginen que ustedes son los *chefs* de la cafetería de su universidad. Hablen de lo que quieren servir y escriban el «menú del día». Describan lo que van a servir en detalle (*in detail*). Trabajen en grupos de tres.

MODELO: UN/A ESTUDIANTE: **¿Qué queremos servir en el desayuno?**

OTRO/A ESTUDIANTE: **Pues, para tomar, café con crema y azúcar, té caliente con limón...**

EL DESAYUNO	EL ALMUERZO	LA CENA

Lean sus menús a otro grupo y/o a la clase.

DICHO   **Desayuna como un rey°, almuerza como un burgués° y cena como un mendigo°.**
¿Cómo puede usted explicar este dicho?

*king / middle-class person
beggar*

Is there a Hispanic restaurant in your area? Plan a class dinner, so that students can try first-hand some of these foods.

Ask your students to volunteer the names of other Hispanic foods with which they might be familiar!

L. La comida hispana. La comida hispana es sabrosa (*tasty*) y muy variada. En parejas, lean las descripciones de los platos[5] y asócienlas con las fotos. Luego, decidan cuáles quieren probar (*try, taste*).

1. Los **churros**: masa de harina° cilíndrica frita. Frecuentemente se sirven con café con leche o con chocolate caliente.

dough

2. La **paella**: plato de arroz sazonado con azafrán°, con carnes (pollo, etc.), con una gran variedad de mariscos y con legumbres (guisantes, cebolla, etc.).

saffron

3. La **tortilla** (España): omelete que contiene huevos, patatas y cebollas. Se sirve con frecuencia a la hora de la merienda en los bares de España. También se come en casa para la cena.

4. La **empanada**: masa de harina rellena° generalmente de carne, cebollas, huevos, aceitunas, etc., frita u horneada°.

stuffed
baked

5. El **flan**: un postre de huevos, leche, azúcar y vainilla, cocido al horno en un molde con un almíbar° de caramelo.

syrup

a.

b.

c.

d.

e.

---

[5]These dishes are sometimes associated with a particular country (for example, **la paella** = Spain). Most, however, are popular throughout the Spanish-speaking world.

Bien dicho Otras expresiones y palabras útiles

tener (mucha) hambre	*to be (very) hungry*	también	*also*
tener (mucha) sed	*to be (very) thirsty*	todavía	*still, yet*
otro/a	*another*	quisiera[6]...	*I would like...*
otros/as	*other*		

After presenting this vocabulary, you may wish to focus on the special constructions **tener (mucha) hambre** and **tener (mucha) sed**. As per the first item in *¡Un momento, por favor!* point out the difference between the Spanish and the English expressions for being hungry or thirsty. Practice through personal questions: ¿Tienes mucha hambre?, etc.

¡Un momento, por favor!

- In Chapter 3 you learned the expression **tener... años** (*to be . . . years old*). **Tener hambre** and **tener sed** follow the same pattern. Whereas English uses *to be* to express age, hunger, and thirst, Spanish uses **tener**, meaning *to have . . . years, hunger,* and *thirst.*

  ¡Tengo mucha hambre!   *I am very hungry.*

- **Otro/a** does *not* use the indefinite article **un/una**.

  Quisiera **otra** limonada,   *I want **another** lemonade,*
  por favor.   *please.*

M. Cuando tienes mucha hambre o mucha sed. En parejas, háganse las preguntas y contéstenlas.

1. En este momento, ¿tienes mucha hambre? (¿Qué quieres comer?)
2. ¿Tienes sed ahora? (¿Qué quieres tomar?)
3. Cuando estás en una fiesta y tienes mucha sed, ¿qué tomas?
4. Cuando estás en tu casa y tienes mucha sed, ¿qué tomas?
5. Cuando estás en tu casa y tienes mucha hambre, ¿qué comes?
6. Cuando estás en la residencia por la noche y tienes mucha hambre, ¿que comes?
7. Cuando estás en McDonald's y tienes mucha hambre, ¿qué pides?
8. Cuando estás en un restaurante elegante y tienes hambre, ¿qué pides?

N. ¿Desea otro? En grupos de cuatro, imaginen que tres de ustedes participaron (*participated*) en un maratón de 26 millas. Ahora están en un restaurante y tienen mucha hambre y sed. Piden más y más bebidas y comida. El otro/La otra estudiante es el camarero/la camarera.

Exercise N practices the **tener** expressions, food vocabulary, the polite **quisiera**, and **otro/a**. For the latter, highlight the second item in *¡Un momento, por favor!*

The *modelo* is designed to get the students started. They should continue by adding requests: Quisiera otro/a...

MODELO: CAMARERO/A: **¿Desean algo más?**

ESTUDIANTE 1: **Sí, por favor. Todavía tengo mucha sed. Quisiera otro jugo de naranja.**

ESTUDIANTE 2: **Yo también tengo sed. Más agua, por favor.**

ESTUDIANTE 3: **Y yo, todavía tengo mucha hambre. Quisiera otra hamburguesa, por favor.**

CAMARERO/A: **¿Todavía tienen hambre/sed? ¿Algo más?**

...

El camarero/La camarera trae (*brings*) las bebidas y las comidas. Ustedes le dan las **gracias** y piden más.

---

[6]**Quisiera...** is a polite variation of **Quiero....**

Ñ. En el restaurante TropiBurger de Venezuela. Lea el anuncio. Luego, conteste las preguntas.

1. ¿Cuáles son los ingredientes de la hamburguesa «El Guapo»?
2. ¿Qué ingrediente extra tiene el «Tociburger»?
3. ¿Qué es el «Granjero»?
4. ¿Qué comidas que sirven en TropiBurger son típicas de Venezuela pero *no* son típicas de la «comida rápida» de los Estados Unidos?

Un paso más: Imaginen que ustedes tienen mucha hambre. En parejas, decidan lo que (*what*) quieren pedir.

Palabras útiles: **arepitas** = *small corn rounds, often filled with cheese or beans*; **merengadas** = *beverage similar to a milkshake*; **mantecado** = *vanilla (as ice cream flavor)*

Noticias culturales

EL HORARIO HISPANO PARA LAS COMIDAS

Como ocurre en los EEUU, el desayuno hispano es temprano: entre las
6:00 y las 9:00 de la mañana. Pero comparado con el desayuno
tradicional de los estadounidenses, el desayuno hispano es muy ligero°. *light*
Muchos españoles e hispanoamericanos desayunan una taza de café
(expreso) con leche y pan con mantequilla o mermelada. En las regiones
costeras° de Hispanoamérica también es común desayunar con plátanos *coastal*
verdes° o tortillas de maíz y café. El almuerzo generalmente es entre la *green plantains*
1:00 y las 2:00 de la tarde y es la comida más fuerte° del día[7]. El *largest*
almuerzo puede incluir una ensalada, sopa, arroz o verduras, carne o
pescado y postre. En algunos países, a las 5:00 o a las 6:00 de la tarde, es
común comer la merienda. La merienda consiste en café o té, leche,
galletas, pastel o algún bocadillo. Generalmente los hispanos cenan más
tarde que los estadounidenses. La cena hispana típicamente es entre las
8:00 y las 9:00 de la noche. En España la hora de la cena puede ser más
tarde (10:00–12:00). La cena es la comida con la que se celebran eventos
importantes: en el mundo hispano las cenas de Navidad° y Año Nuevo *Christmas*
son verdaderos° banquetes. *veritable*

To introduce the *Noticias culturales*, present key ideas to the students. Focus on the times and content of each meal. Students read the *Noticias* in pairs, alternating lines.

The *¿Qué hay de nuevo?* that follows should be completed by the class as a whole. To complete *Conexiones y contrastes*, students can work in groups of three.

¿Qué hay de nuevo?

Asocie las referencias correspondientes a **los
Estados Unidos**, a los **países hispanos** o a
los dos.

1. desayuno con pan y café con leche
2. almuerzo con sopa, carne, arroz y postre
3. desayuno con cereal, huevos y tocino
4. cena a la medianoche
5. cena con una pizza y Coca-Cola
6. merienda con leche y galletas
7. almuerzo con un sándwich

Conexiones y contrastes

Conversen en grupos de tres.

1. ¿Cuáles son las horas típicas de las
   comidas en su país? ¿Y en el mundo
   hispano?
2. ¿Cómo es un almuerzo típico para
   ustedes? ¿Es similar o diferente al
   almuerzo hispano? Expliquen.

En el bar de la foto (España), la merienda incluye
tapas—pequeñas y sabrosas (*tasty*) porciones de
comida que se sirven para acompañar las
bebidas. ¿Se sirve buena comida en los bares de
su país?

---

[7]Businesses, particularly in small towns, close down during lunchtime.

2. *Making future plans:* **Ir** + **a** + **infinitivo**

Clarify that **ir** + **a** + *infinitive* is one way of expressing the future. However, the immediate future can be expressed using the present tense: **Voy mañana.** Point out that there is a future tense in Spanish which will be presented in Chapter 13.

To talk about plans and actions yet to occur, use a form of the verb **ir** + **a** + *infinitive*.

¿**Van a almorzar** en la cafetería?	***Are you going to have lunch*** *in the cafeteria?*
Sí, y esta noche **vamos a cenar** en un restaurante.	*Yes, and tonight **we are going to have dinner** in a restaurant.*

A common question to ask with this construction is:

¿**Qué vas a hacer?**	*What are you going to do?*

A time reference may be added:

¿Qué vas a hacer **esta tarde/esta noche/este fin de semana**, etc.?

¡Un momento, por favor!

Vamos a + *infinitive*, used affirmatively, can also mean *let's*.

¡Vamos a comer!	*Let's eat!*

Práctica y comunicación

Exercise 0 practices the **ir** + **a** + *infinitive* construction within the context of buying items at specialty stores. The responses are controlled and allow for recycling of food vocabulary.

O. ¿Qué vamos a hacer (*What are we going to do*)**?** En el mundo hispano existen tiendas (*stores*) pequeñas donde venden artículos o productos especiales. Por ejemplo, una tienda (p. 123) donde venden pasteles se llama una pastelería.

Seleccione de la lista lo que cada persona va a comprar en las tiendas indicadas.

MODELO: En la panadería, (yo)...
          Voy a comprar pan.

1. En la heladería, (nosotros)...
2. En la pastelería, tú y yo...
3. En la carnicería, Elena...
4. En la tortillería, ustedes...
5. En la lechería, (yo)...
6. En el supermercado, Tina y Tom...
7. En la chocolatería, (nosotros)...

> pan
> chuletas de cerdo
> leche fresca y crema
> tortas y pasteles
> helado de chocolate
> bombones
> una docena de tortillas
> sal y pimienta

¿Quiere usted comprar pasteles o panes dulces (*sweet*) en esta (*this*) pastelería mexicana de Los Ángeles? Hay una gran variedad, ¿verdad?

Un paso más: ¿Y qué van a hacer ustedes en los siguientes lugares? ¿En la biblioteca, en el laboratorio, en la librería, en el centro estudiantil, en la residencia estudiantil/su apartamento?

P. Este fin de semana. En parejas, háganse preguntas para averiguar lo que van a hacer este fin de semana.

MODELO: ¿…ir de compras?

ESTUDIANTE 1: **¿Vas a ir de compras este fin de semana? (¿Adónde?)**

ESTUDIANTE 2: **Sí, voy a ir de compras a Macy's. ¿Y tú?** *o* **No, no voy a ir de compras. ¿Y tú?**

1. ¿…cenar en un restaurante? (¿En qué restaurante?)
2. ¿…cocinar algo especial? (¿Qué?)
3. ¿…dormir mucho? (¿Cuántas horas?)
4. ¿…estudiar? (¿Para qué clases?)
5. ¿…ir al cine? (¿Qué película… ver [*to see*]?)
6. ¿…asistir a un partido (*game*) de fútbol americano/béisbol/básquetbol? (¿A qué partido?)
7. ¿…ir a una fiesta? (¿Adónde?)
8. ¿…leer un libro interesante? (¿Qué libro?)
9. ¿…trabajar? (¿Dónde?)
10. ¿…ir al gimnasio? (¿Cuándo?)

Dígale a la clase una cosa que su compañero/a de clase va a hacer este fin de semana … y/o una cosa que los dos van a hacer. **…va a… Nosotros vamos a…**

Un paso más: Escriba tres oraciones describiendo lo que usted **va a hacer** hoy/mañana/pasado mañana y lo que usted **quiere** o **prefiere** hacer. Lea sus oraciones a un/a compañero/a de clase.

The *Un paso más* is important in that it allows students to give original and creative responses using a variety of infinitives. It may be completed as a class or in pairs.

In paired activities such as *Exercise P*, make certain that students do not always work with the same partner. As they work, move about the classroom to spot-check their responses. Students should ask the follow-up questions in parentheses if the response to the initial question is affirmative.

3. Counting from 100 and identifying the year: Los números del cien al... y los años

Prior to beginning exercises on numbers, it is preferable to <u>recycle</u> the numbers 0–100 and then add 100 and higher by having students count by 50's from 0–1000. This may be done by working with the total class and/or in pairs.

Be sure to highlight the numbers 500, 700, and 900.

In Hispanic countries, prices of everyday items are often expressed in hundreds of thousands[8] of *pesos, pesetas,* and so on. It is good to become accustomed to understanding and using numbers over 100.

cien	100
ciento uno/a	101
doscientos/as	200
trescientos/as	300
cuatrocientos/as	400
quinientos/as	500
seiscientos/as	600
setecientos/as	700
ochocientos/as	800
novecientos/as	900
mil	1000
dos mil	2000
cien mil	100.000
doscientos mil	200.000
un millón (de...)	1.000.000
dos millones (de...)	2.000.000

Ochocientos noventa y uno... ochocientos noventa y dos.

Study Hints

Review the numbers from 0 to 59 and 60 to 100 found on pages 25 and 79.

- **Cien** is used before a noun or as the number 100 when counting. **Ciento** is used with numbers 101 to 199.

    Hay **cien** estudiantes en la clase.
    Noventa y nueve, **cien, ciento uno,** etc.

- In Spanish there is no **y** between hundreds and a smaller number, although *and* is often used in English.

    205 (*two hundred and five*) = **doscientos cinco**

- When the numbers 200–900 modify a noun, they agree in gender.

    trescient**os** alumnos y quinient**as** alumnas

- In Spanish, years above 1000 are not broken into two-digit groups as they are in English.

    1971 (*nineteen seventy-one*) = **mil novecientos setenta y uno**

- In writing numbers, Spanish commonly uses a period where English uses a comma.

    English: $121,250.50 = Spanish: $121.250,50

---

[8]Note that this does not make the goods more expensive than in the U.S. One U.S. dollar often equals many units in the foreign currency.

Práctica y comunicación

After students complete the exercise working in pairs, find out which pizza(s) proved to be the most popular. Ask several pairs to report their total price (question #4).

Q. ¿Tienen ustedes hambre? Usted y un/a amigo/a están en San José de Costa Rica. Tienen hambre y deciden pedir dos pizzas. Estudien el menú y decidan qué tipo de pizzas van a pedir. Trabajen en parejas.

1. ¿Desean la pizza ExtravaganZZa, la pizza Vegy o la pizza Deluxe?¿Prefieren la pizza mediana de ocho porciones o la pizza grande de doce porciones? ¿Cuánto cuesta la pizza que quieren pedir?
   (¢ = **colón,** la moneda nacional de Costa Rica)
   Apunten el precio en español.

2. También quieren una pizza con sus ingredientes favoritos. ¿Quieren comprar la pizza mediana o la grande? ¿Cuál es el precio «base»? **Apunten el precio base en español.**

   ¿Qué ingredientes adicionales desean? ¿Cuánto cuesta cada ingrediente? ¿Cuánto van a costar los ingredientes adicionales? Hagan la suma. **Apunten el precio total de los ingredientes adicionales.**

3. Tienen sed; por eso (*so*), piden medio litro de Coca-Cola. ¿Cuánto cuesta? **Apunten el precio.**

4. ¿Cuál es el precio total? **Apúntenlo.**

5. ¿Cuál es el número de teléfono de la pizzería?

Palabras útiles: **chile dulce verde** = *green pepper*; **carne molida** = *ground beef*; **hongos** = *mushrooms*

¡Comer es vivir!

Exercise R practices dates within the context of restaurants.

After completing the exercise, you can <u>recycle</u> dates and birthdays by having students tell each other their birthdays including the year. Then the class volunteers birthday years, with the instructor writing them on the board. The class can then determine how many students were born each year.

R. ¿En qué año? Diga desde (*since*) qué año están abiertos los siguientes restaurantes/establecimientos antiguos (*old*).

1. Hotel Restaurante la Diligencia, originalmente Casa de Postas (Tarragona, España): ¡1515! **Está abierto desde...**
2. Casa Botín (Madrid, España): 1725
3. Delmonico's (Nueva York, NY): 1836
4. Venta de Aires (Toledo, España): 1891
5. Restaurante Richmond (Buenos Aires, Argentina): 1917
6. Restaurante El Faro (Nueva York, NY): 1927
7. Restaurante El Quijote (Nueva York, NY): 1930

También hay restaurantes que llevan fechas en sus nombres. Diga que usted va a comer allí. Lea los nombres.

8. Restaurante 1800 (Buenos Aires, Argentina) **Voy a comer en...**
9. México Lindo 1900 (Panamá, Panamá)
10. Havana'59 (1959) (Richmond, Virginia)
11. Bar Restaurante 1985 (Panamá, Panamá)
12. Cafetería Año 2000 (Tegucigalpa, Honduras)

Exercise S provides great fun as there normally are great differences of opinion, as well as wild guessing, on the cost of some of these items. As students determine prices, make certain that they are saying them in Spanish!

S. ¿Cuánto cuesta? En parejas, determinen cuánto cuestan las cosas indicadas. Apunten el precio aproximado en dólares.

Precios aproximados

1. una radiograbadora de discos compactos y casetes
2. un estéreo magnífico que usted quiere comprar en el futuro
3. un televisor con una pantalla muy grande
4. una computadora con monitor y teclado
5. una impresora
6. los libros de texto para un semestre
7. la matrícula de un año en su universidad
8. un coche usado del año 1995
9. un coche deportivo (*sporty*) nuevo
10. un Rolls Royce nuevo
11. una casa elegante en San Francisco, California
12. una cena elegante en un restaurante de cinco estrellas

Ahora, vamos a comparar los precios que ustedes apuntaron.

4. *Expressing likes and dislikes:* Gustar

Gustar, meaning *to be pleasing* (to someone), is used in a special construction to express the Spanish equivalent of English *to like*.

Me gustan todas las frutas.

		LITERAL TRANSLATION
Me gusta el helado.	*I like ice cream.*	*(Ice cream is pleasing to me.)*
¿Te gustan las fresas?	*Do you like strawberries?*	*(Are strawberries pleasing to you?)*
No le gusta tomar vino.	*He doesn't like to drink wine.*	*(Drinking wine isn't pleasing to him.)*

As you can see in the examples, the subject pronouns **yo, tú, él,** etc. are *not* used in the **gustar** constructions. To express who is doing the liking (or literally, to whom something is pleasing), indirect object pronouns are used: **me, te, le, nos, os, les**.[9] Only two forms of the verb **gustar** are used frequently: **gusta** for single items and **gustan** with plural items.

Person(s) doing the liking + **gusta/gustan** + *thing(s) liked*		
me		
te	**gusta**	el
le		
nos		
os	**gustan**	las
les		

Note that the definite article is used with the thing(s) liked. Me gusta **el** helado.

- To express the idea that one *likes to do something,* the singular form of **gustar (gusta)** is used with the infinitive (the **-ar, -er, -ir** form of the verb). The singular form of **gustar** is even used with two or more activities (infinitives).

  Nos **gusta comer**. / *We **like to eat**.*
  Les **gusta cenar** en restaurantes y **asistir** a conciertos. / *They **like to have dinner** in restaurants and **attend** concerts.*

- To clarify the meaning of **le** and **les,** use the **a** + *person* structure: **a mis padres, a Pedro, a él, a ella, a usted, a ellos,** etc.

  A mis padres les gusta la langosta. / ***My parents** like lobster.*
  A Pedro le gusta tomar café con leche. / ***Pedro** likes to drink coffee with milk.*
  A ellas no les gusta la comida. / ***They (f.)** don't like the food.*

- For emphasis, use **a mí, a ti, a usted, a nosotros,** etc.

  A mí no me gustan los guisantes. / *I don't like peas.*
  A ti te gustan, ¿verdad? / *You like them, right?*

- To ask a follow-up question, use **¿Y a ti?, ¿Y a usted?, ¿Y a él?,** etc.

---

[9]The indirect object pronouns, meaning *to me, to you, to you/him/her, to us, to you, to you/them,* will be studied in detail in Chapter 7.

Práctica y comunicación ━━━━━━━━

Exercise T provides a controlled context which allows students to become familiar with the indirect object pronouns used with **gustar**. After students complete their work in pairs, have them volunteer answers for the blanks. Students can make corrections as necessary. Conclude by having a pair of students perform the conversation (expressively) in front of the class.

T. La sopa de champiñones (*mushrooms*). Dos estudiantes conversan en la cafetería. Completen la conversación con el pronombre apropiado: **me, te, le, nos** o **les**. Trabajen en parejas.

ESTUDIANTE 1: *(Nombre)*, ¿ _____ gusta la comida de la cafetería?

ESTUDIANTE 2: Sí, _____ gusta mucho.

ESTUDIANTE 1: ¿De veras? A mí no _____ gusta para nada y a mi compañero/a de cuarto no _____ gusta tampoco *(either)*.

ESTUDIANTE 2: ¿Por qué no _____ gusta (a ustedes)?

ESTUDIANTE 1: (A nosotros/as) no_____ gusta porque no es nutritiva ni es muy buena.

ESTUDIANTE 2: Pero esta sopa de champiñones es deliciosa. _____ gusta muchísimo.

ESTUDIANTE 1: Sí, es deliciosa, pero el problema es que lo que estás comiendo no tiene champiñones.

ESTUDIANTE 2: ¡Qué asco *(Yuk)*! ¿Qué son?

ESTUDIANTE 1: ¿Quién sabe?

Ahora, una pareja lee la conversación frente a la clase.

Students should note the number of the item they both like in order to be able to respond to the follow-up question, using **nos gusta/gustan**. A student's name goes in the first blank (...).

U. ¡Me gusta! En parejas, háganse preguntas y contéstense. Si tienen las mismas respuestas, apunten el número de la referencia.

MODELO: los tomates
ESTUDIANTE 1: **¿Te gustan los tomates?**
ESTUDIANTE 2: **Sí, me gustan. ¿Y a ti?** o
No, no me gustan. ¿Y a ti?

1. los guisantes
2. el bróculi
3. las aceitunas
4. las cebollas
5. la cerveza
6. el vino
7. los helados de Dairy Queen
8. los sándwiches de Subway
9. el pollo de KFC
10. los tacos de Taco Bell
11. las hamburguesas de Burger King
12. la comida italiana/china/francesa

¿Quiénes tienen gustos en común? **A... y a mí nos gusta/gustan...**

Students enjoy asking questions of their instructor!

V. Preguntas para la profesora/el profesor. Háganle preguntas a su profesor/a de español. Escojan *(Choose)* actividades de la lista o mencionen otras actividades.

MODELO: **¿Le gusta a usted...?**

1. cocinar (¿Qué comidas prepara?)
2. desayunar temprano (¿A qué hora?)
3. comer en la cafetería (¿Todos los días?)
4. escuchar discos compactos (¿Qué tipo de música?)
5. asistir a conciertos (¿De «rock»? ¿De música clásica?)
6. navegar por Internet (¿Con mucha frecuencia?)
7. leer novelas (¿Qué tipo de novelas?)
8. ¿...?

128   ciento veintiocho

W. ¿Qué les gusta? En grupos de tres o cuatro, decidan lo que les gusta o no les gusta a las siguientes categorías de personas. Un/a secretario/a apunta las respuestas.

Have secretaries from various groups contribute likes and dislikes for each category.

MODELO: En general, a los profesores de español...
A los profesores de español les gusta la comida española.
No les gusta hablar inglés en clase.

En general...

1. A los niños les... y no les...
2. A los estudiantes les... y no les...
3. A nosotros en las fiestas nos... y no nos...
4. A nosotros en la clase de español nos... y no nos...
5. A nuestros amigos les... y no les...

Ahora, los secretarios/las secretarias presentan ejemplos en cada categoría.

5. *Asking for specific information:* Palabras interrogativas (Un resumen)

Present the interrogative words first through expressive repetition. *Exercise X*, with the interrogative words written on the board for reference, serves as a good introduction.

You have been using some interrogative words to ask questions since Chapter 1: **¿Cómo** estás? **¿Qué** pasa? **¿De dónde** eres? **¿Adónde** vas después de la clase? **¿Cuántos** años tienes? **¿Cuánto** cuesta?, etc. Following are the most commonly used interrogative words in Spanish.

¿Qué?	*What? Which?*	**¿Qué** frutas tienen hoy?
¿Cómo?	*How?*	**¿Cómo** están las fresas hoy?
¿Cuándo?	*When?*	**¿Cuándo** llegan las piñas?
¿Por qué?	*Why?*	**¿Por qué** no hay cerezas?
¿Quién? ¿Quiénes?	*Who?*	**¿Quién** vende mariscos?
¿De quién?	*Whose?*	**¿De quién** es?
¿Cuál? ¿Cuáles?	*Which (one)?*	**¿Cuál** prefieres?
	Which (ones)?	**¿Cuáles** son tus favoritos?
¿Cuánto? ¿Cuánta?	*How much?*	**¿Cuánto** es en total?
¿Cuántos? ¿Cuántas?	*How many?*	**¿Cuántos** tomates tienes?
¿Dónde?	*Where?*	**¿Dónde** está el vendedor?
¿Adónde?	*(To) where?*	**¿Adónde** va?
¿De dónde?	*From where?*	**¿De dónde** es?

¡Un momento, por favor!

- **¿Qué?** is used to obtain a definition or explanation; *in front of a noun*, **qué** (rather than **cuál**) is used to seek a choice.

¿Qué es?	*What is it?* (definition)
¿Qué quieres?	*What do you want?* (explanation)
¿Qué postre deseas?	*What (Which) dessert do you want?* (choice)

- **¿Cuál/Cuáles?** is used to ask for a choice and is used *in front of a verb or preposition*. It is typically *not* used in front of a noun. **Cuál/Cuáles** translate as *Which (one/ones)?* or *What?*

¿Cuáles quieres comprar?	*Which ones do you want to buy?*
¿Cuál es tu postre favorito?	*Which (What) is your favorite dessert?*
¿Cuál de los postres prefieres?	*Which of the desserts do you prefer?*

Some of the words listed previously change meaning slightly without an accent. In that case, instead of being used to ask a question, they are used to connect two separate thoughts within a statement.

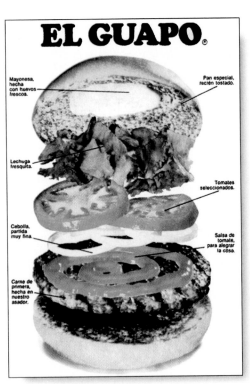

EL GUAPO.

Mayonesa, hecha con huevos frescos.

Pan especial, recién tostado.

Lechuga fresquita.

Tomates seleccionados.

Cebolla, partida muy fina.

Salsa de tomate, para alegrar la cosa.

Carne de primera, hecha en nuestro asador.

que *that, which, who*

En el mercado **que** está en la plaza venden mariscos.

The market that's in the plaza sells seafood.

lo que *what, that which*

Compro **lo que** necesito.

I buy what I need.

cuando *when*

Cuando tengo hambre voy a la cafetería.

When I'm hungry, I go to the cafeteria.

porque (written as one word) *because*

Quiero una hamburguesa grande **porque** tengo mucha hambre.

I want a big hamburger because I'm very hungry.

Quiero una hamburguesa grande porque tengo mucha hambre.

Práctica y comunicación

X. Preguntas para la profesora/el profesor. Su profesor/a les da cierta información. Hágale preguntas para solicitar más información. Use las palabras interrogativas: **cuál/cuáles, qué, por qué, dónde, cuándo, cuánto(a, os, as), cómo, de dónde, adónde, dónde.**

Write interrogatives on the board. As students use each interrogative, place a check by it. The visual reinforcement is helpful.

MODELO: PROFESOR/A: París no es mi ciudad favorita.
           ESTUDIANTE: **¿Cuál es su ciudad favorita?**
           PROFESOR/A: Madrid.

1. No soy de Paraguay.
2. No tengo diecinueve años.
3. No tengo cinco hijas.
4. No vivo en una residencia en la universidad.
5. No trabajo en la oficina por la noche.
6. Después de la clase no voy a mi oficina.
7. No como en la cafetería.
8. No tomo cerveza con la comida.
9. La música «rock» no es mi música favorita.
10. *Tom Sawyer* y *Huckleberry Finn* no son mis novelas favoritas.

Un paso más: Usted va a entrevistar (*interview*) a una persona de la clase de español. Como preparación para la entrevista, escriba ocho preguntas. Use las palabras interrogativas. Luego haga la entrevista.

For the *Un paso más*, you may wish to have students write the questions in pairs (to help each other out), then interview a person other than their partner. Pairs can be chosen by counting off students (in a class of 20, 1–10, 1–10), with partners who have the same number finding each other.

Y. Una cena especial. En parejas, hablen de una cena especial que van a preparar para sus amigos/as. En su conversación, usen las palabras interrogativas. Hablen de:

Some classes would enjoy planning for a real dinner party, either held at the instructor's home or in the apartment/home of a student!

* la fecha y la hora de la cena (¿Cuándo?)
* el número de personas que van a invitar (¿Cuántos/as?)
* lo que van a servir (¿Qué?)
* los ingredientes que van a comprar y las cantidades (*quantities*) (¿Qué?) (¿Cuántos/as?)
* las responsabilidades de las diferentes personas que van a preparar la comida (¿Quién?)

Así se dice

With both the sample words and the practice sentences, have students repeat after you, followed by practice in pairs.

La pronunciación de *ce/ci, gue/gui* y *que/qui*

Remember that in Latin America **c** before **e** or **i** has the English *s* sound as in *sister*. In most regions of Spain, **c** before **e** or **i** is pronounced with a *th* sound as in *thanks*. Practice these words with both pronunciations.

   cena   **gracias**   **aceite**   **cerveza**   **cereal**

In the combinations **gue, gui, que, qui,** remember that the **u** is silent.

   hamburguesa   **guisantes**   **queso**   **mantequilla**

Repita estas oraciones que los niños ecuatorianos usan para practicar la pronunciación de **c, gue/gui, que/qui**. Luego, léalas rápidamente.

ce/ci	La **pecera**° de **Lucero** tiene **peces**° de colores.
gue/gui	El señor **Guerrero, guitarrista, guitarrea** su **guitarra.**
que/qui	**Raquelita** tiene una **quinta**° en **Quito.**

fish tank / fish

farm

Dicho y hecho

Conversando

Una cena especial en el restaurante Larios en Miami Beach.
Gloria Estefan y su esposo Emilio, son dueños (*owners*) del restaurante
Larios en Miami Beach. El restaurante sirve comida típica de Cuba.

En grupos de cuatro, imaginen que tres son los clientes y uno/a es el
camarero/la camarera. Primero, lean el menú y hablen de las comidas. El
camarero/La camarera tiene varias recomendaciones. Luego, decidan lo
que van a pedir y pidan la comida. Expresiones útiles:

EL CAMARERO/LA CAMARERA	EL/LA CLIENTE
¿Qué desean ustedes? ¿Y para ustedes?	**Quisiera...**
¿Qué desean tomar?	**¿Cuál es la sopa del día?**
Les recomiendo (comidas/bebidas)**...**	**¿Qué nos recomienda?**
Nuestros postres (etc.) **son exquisitos.**	**¿Sirven arroz y plátanos**
Estoy para servirles.	**fritos con todos los platos?**
	Muchas gracias.

SOPAS
SOUPS

SOPA DEL DIÁ	
SOUP OF THE DAY	$3.75
SOPA DE POLLO	
CHICKEN SOUP	$3.50
SOPA DE FRIJOLES NEGROS	
BLACK BEAN SOUP	$3.50

TORTILLAS
OMELETTES

TORTILLA ESPAÑOLA	
CON ARROZ Y PLÁTANOS	$6.75
SPANISH OMELETTE, RICE & PLANTAINS	
TORTILLA DE PLÁTANO	
CON ARROZ Y FRIJOLES NEGROS	$5.95
PLANTAIN OMELETTE WITH RICE & BEANS	

ENSALADAS
SALADS

ENSALADA MIXTA	
HOUSE SALAD	$4.75
ENSALADA DE SARDINAS	
SARDINE SALAD	$6.95
ENSALADA DE TOMATE	
TOMATO SALAD	$3.50
SERRUCHO EN ESCABECHE	
PICKLED KINGFISH	$8.25
PLATO DE FRUTAS	
FRUIT PLATTER	$4.95

AVES
CHICKEN

PECHUGA DE POLLO A LA PLANCHA	
BONELESS GRILLED CHICKEN BREAST	$8.25
POLLO ASADO	
ROASTED CHICKEN	$7.95
CHICHARRONES DE POLLO	
DEEP FRIED CHICKEN CHUNKS	$7.95
ARROZ CON POLLO	
CHICKEN AND YELLOW RICE	$6.95
PECHUGA DE POLLO RELLENA CON CAMARONES	
CHICKEN BREAST STUFFED WITH SHRIMP	$8.95

PESCADOS
FISH

PESCADO EMPANIZADO	
BREADED FISH	$9.95
PESCADO A LA PLANCHA	
GRILLED FISH	$9.75
BROCHETA DE CAMARONES	
SHRIMP KABOB	$11.75
CAMARONES EMPANIZADOS	
BREADED SHRIMP	$12.25
CAMARONES AL AJILLO	
SHRIMP IN GARLIC	$12.25
LANGOSTA ENCHILADA	
LOBSTER CREOLE	$20.50

> TODOS ESTOS PLATOS SE SIRVEN CON ARROZ Y PLÁTANOS FRITOS

CARNES
MEATS

BISTEC DE PALOMILLA	
CUBAN STEAK	$8.95
LOMO DE PUERCO	
ROAST PORK LOIN-CUBAN STYLE	$9.75
MASAS DE PUERCO	
FRIED PORK CHUNKS	$9.25
CHULETAS DE PUERCO	
PORK CHOPS	$8.50
CARNE AL PINCHO	
SHISH KABOB	$12.95
PICADILLO A LA CUBANA	
CUBAN GROUND BEEF CREOLE	$6.25

POSTRES
DESSERTS

PUDÍN DE PAN	
BREAD PUDDING	$3.75
FLAN DE LECHE	
CUSTARD	$3.75
ARROZ CON LECHE	
RICE PUDDING	$3.75
COCO RALLADO	
SHREDDED COCONUT	$3.25

HELADOS
ICE CREAM

COCO	$2.95
MANGO	$2.95
GUANÁBANA SORBET	$2.95
CHOCOLATE	$2.95
VAINILLA	$2.95

¡A escuchar!

Un mensaje (*message*) telefónico.
Suena el teléfono. No hay nadie en casa y contesta la máquina. Una mujer deja (*leaves*) un mensaje. Escuche el mensaje. Luego, conteste las dos primeras preguntas.

1. ¿Quién deja el mensaje?
    _____ la esposa de Pablo   _____ la madre de Pablo

2. ¿Quién va a preparar la comida?
    _____ Pablo   _____ ella

Escuche el mensaje otra vez y complete las oraciones.

3. Puede preparar un sándwich con _____, _____, lechuga y _____.

4. Para tomar hay _____.

5. Para el postre hay _____ y _____.

🎧 The *¡A escuchar!* telephone message is recorded on both the instructor and student tape or CD that accompanies each textbook.

Audioscript:

BEEP

Aló, Pablo... ¿estás en casa? Bueno,... mira hijo, estoy en el trabajo y voy a llegar tarde a casa. Necesitas preparar algo de comer para ti y para tu hermana. En el refrigerador hay jamón, queso, lechuga y tomate. Puedes hacer unos sándwiches. En la mesa de la cocina también hay una botella de jugo de manzana y unas bananas. Para el postre hay galletas de chocolate en la mesa y helado de vainilla en el congelador. Bueno, eso es todo. Un beso, hasta luego.

BEEP

De mi escritorio

Assign *De mi escritorio* sections as homework or as an in-class writing activity. These sections also work well as tests.

Una carta (*letter*) a su abuelita.
Usted le escribió (*wrote*) un mensaje electrónico a su abuelita en el Capítulo 2. Ahora, escríbale una carta. Incluya lo siguiente:

---

la fecha

Querida abuelita:

Indique:

*   si (*if*) le gusta a usted la universidad o no y si está contento/a o no
*   quién es su compañero/a de cuarto/apartamento o mejor amigo/a y cómo es (descripción)
*   lo que usted piensa de la cafetería de la universidad y las comidas que le gustan o no le gustan
*   lo que usted quiere hacer y va a hacer este fin de semana

Un abrazo fuerte de (*A big hug from*)...

Study Hints
See what you have learned! Turn to pp. 138–139 to review the active vocabulary and take the self-test for this chapter.

México: tradición e innovación

[www.wiley.com/college/dicho/panorama]

The *Panorama cultural* and *Encuentro cultural* sections may be assigned for homework, followed by a review in class, or they may be completed entirely in class, as follows.

Use *transparency #14* (map) to answer the map-based questions. Students, working in pairs, can then read the text, answer the photo-based questions and complete the *¿Qué descubrimos?* comprehension exercise. Don't forget the *Curiosidades* (trivia information)!

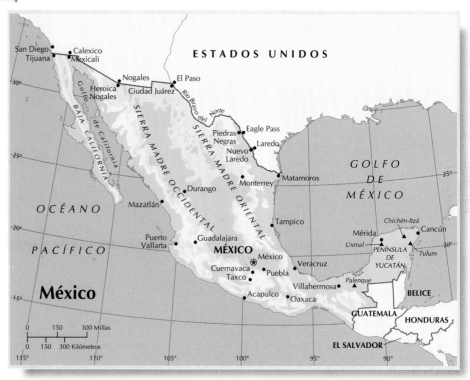

MAR Y TIERRA

¿Sabe usted que el Golfo de México es el golfo más grande del mundo?

Study Hints
Follow the Helpful Strategies for Reading found on p. 35.

Preguntas sobre el mapa

1. ¿Cuáles son cuatro ciudades importantes en la frontera (*border*) entre México y los EEUU?
2. ¿Cuáles son dos ciudades importantes en la región del Golfo de México? ¿Y en la costa del Pacífico?
3. ¿Puede usted identificar la capital? ¿Y una ciudad importante que está al noroeste de la capital?
4. ¿Puede usted identificar tres de las ruinas mayas en la Península de Yucatán? ¿Y una ciudad turística muy famosa?
5. ¿Qué montañas separan la región central de las costas?

Un territorio diverso

México es un país muy diverso. El centro del país es una vasta región de valles. La región centro-oeste es una zona fértil con una rica producción agrícola y ganadera[1]. En el sureste está la región más industrializada del país, en el Golfo de México, donde el petróleo y los productos petroquímicos son la industria principal. ¿Conoce usted la frontera[2]? ¿La Península de Yucatán? ¿La «Nueva Riviera»? Vea las siguientes fotos.

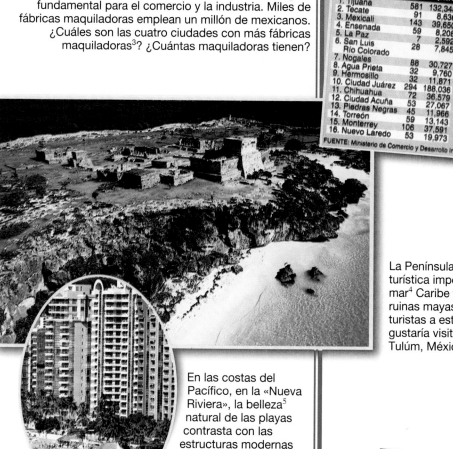

Aumento de las maquiladoras

Más de 3,800 fábricas maquiladoras emplean 1 millón de mexicanos. Cifras al 30 de junio de 1997.

MÉXICO

Océano Pacífico

Golfo de México

Ciudad	No. de maquiladoras	No. de trabajadores
1. Tijuana	581	132,348
2. Tecate	91	8,636
3. Mexicali	143	39,650
4. Ensenada	59	8,208
5. La Paz	7	2,592
6. San Luis Río Colorado	28	7,845
7. Nogales	88	30,727
8. Agua Prieta	32	9,760
9. Hermosillo	32	11,871
10. Ciudad Juárez	294	188,036
11. Chihuahua	72	36,579
12. Ciudad Acuña	53	27,067
13. Piedras Negras	45	11,966
14. Torreón	59	13,143
15. Monterrey	106	37,591
16. Nuevo Laredo	53	19,973

Ciudad	No. de maquiladoras	No. de trabajadores
17. Reynosa	91	44,108
18. Río Bravo	12	2,900
19. Matamoros	121	52,086
20. Gómez Palacios	85	24,338
21. Guadalajara	22	3,280
22. Cd. de México	61	9,967
23. Aguascalientes	61	16,133
24. Guanajuato	42	9,963
25. Puebla	33	12,845
26. Mérida	45	9,909
27. Otras ciudades combinadas	308	89,622
TOTAL	**2,824**	**881,148**

FUENTE: Ministerio de Comercio y Desarrollo Industrial; Twin Plant News magazine/A.Mundial

La frontera entre Tijuana y Matamoros es una región fundamental para el comercio y la industria. Miles de fábricas maquiladoras emplean un millón de mexicanos. ¿Cuáles son las cuatro ciudades con más fábricas maquiladoras[3]? ¿Cuántas maquiladoras tienen?

En las costas del Pacífico, en la «Nueva Riviera», la belleza[5] natural de las playas contrasta con las estructuras modernas de los hoteles y discotecas. ¿Cuáles son algunas de las atracciones principales de Acapulco, una de las ciudades más famosas del Pacífico? (Vea la foto.)

La Península de Yucatán es un área turística importante. Las playas del mar[4] Caribe y las impresionantes ruinas mayas atraen una multitud de turistas a este paraíso tropical. ¿Le gustaría visitar estas ruinas mayas de Tulúm, México? ¿Por qué?

ADIÓS, DINOSAURIOS MEXICANOS

Un meteorito que cayó en Yucatán, México, posiblemente fue la razón de la extinción de los dinosaurios en esa zona.

---

[1]cattle-raising   [2]border   [3]assembly plants   [4]sea   [5]beauty

La capital, México, D.F.

La ciudad de México es una de las ciudades más grandes del mundo. ¡En la capital hay 5.660 personas por km² (kilómetro cuadrado[6])! Pero la población de México disminuye cada año con la migración a las ciudades del norte donde hay más trabajo.

Tenochtitlán, capital de los aztecas, era[7] una ciudad esplendorosa. Hoy esta ciudad es la ciudad de México, la capital actual más antigua[8] de Latinoamérica. La cultura indígena es visible en los murales que decoran la capital. ¿Qué aspectos de la vida azteca puede usted describir en el mural del famoso pintor mexicano, Diego Rivera?

México es una ciudad fascinante en donde coexisten la tradición y la modernidad. La Plaza de las Tres Culturas simboliza esta fusión; combina ruinas arqueológicas aztecas, una iglesia[11] colonial y edificios[12] modernos. Según la foto, ¿qué cultura representa la catedral? ¿Las ruinas? ¿La nueva arquitectura?

En las avenidas de la zona céntrica de la ciudad hay muchas tiendas[9], restaurantes, teatros y hoteles elegantes. La impresionante arquitectura es futurista y tradicional. El Ángel de la Independencia domina el Paseo de la Reforma, una de las avenidas principales de la ciudad capital. En su opinion, ¿cuál es más impresionante? ¿El monumento? ¿El tráfico? ¿Los edificios grandes? ¿Las luces[10]?

UNA MARCA
La ciudad de México tiene la avenida más larga (*long*) del mundo, Insurgentes. ¡Tiene 25 kilómetros!

---

[6]*square* [7]*was* [8]*oldest* [9]*stores*
[10]*lights* [11]*church* [12]*buildings*

¿Qué descubrimos?

Según el mapa y la información presentada en el *Panorama cultural*, identifique la ciudad correspondiente a cada descripción.

Cancún, Ciudad Juárez, México, Acapulco, Veracruz

1. Está en la región turística del Pacífico conocida como la «Nueva Riviera».
2. Está en la región más cercana (*closest*) a los EEUU. Existen muchas fábricas maquiladoras allí.
3. Está en la región que tiene playas en el Caribe. Hay muchas ruinas mayas a poca distancia.
4. Está en la región más industrializada de México donde abundan las industrias petroquímicas.
5. La Plaza de las Tres Culturas está en esta ciudad moderna.

ENCUENTRO CULTURAL
Artes culinarias:
Las tortillas de maíz

READING STRATEGIES:
LINKING LANGUAGE AND VISUALS

The following introductory paragraph and diagram come from a Web site about Mexican cuisine for native speakers of Spanish. Skim the passage quickly to find general information about the preparation of tortillas. Then refer to the diagram to help you determine the steps involved in making a homemade tortilla.

El consumo diario de tortillas en México es de aproximadamente 300 millones. Desde luego[1], para satisfacer una demanda de esta magnitud, existen máquinas que las elaboran[2] en grandes cantidades. Pero en muchas partes del país, especialmente en zonas rurales, hacer las tortillas es el deber cotidiano[3] de las mujeres. La única[4] concesión a los tiempos modernos es el empleo[5] de la pequeña prensa[6] metálica para extender la masa[7]: un instrumento elemental, que se vende en todos los mercados de México y que ha ahorrado[8] incalculables millones de horas de trabajo a millones de manos[9] femeninas.

Con la información del diagrama determine el orden correcto de las siguientes instrucciones para hacer una tortilla.

En México, la tortilla es la base de la comida típica y forma parte de muchos platos sabrosos (*tasty*).

Instrucciones:

___ cerrar la prensa, presionar y luego abrir la prensa

1 tomar la masa necesaria y hacer una bolita

___ cocinar cada lado[10] de la tortilla unos momentos

___ poner[11] la bolita en el centro de una prensa metálica, entre dos pedazos[12] de plástico transparente

___ extender la tortilla sobre el comal[13] caliente

___ separar la tortilla del plástico superior y luego del otro plástico

(Diagrama) bola de masa — plástico transparente — prensa metálica — comal caliente — plástico superior — A B C D

Preguntas

1. ¿Cuál es el consumo diario de tortillas en México?
2. ¿Cómo preparan las tortillas para satisfacer una demanda tan grande?
3. En las zonas rurales, ¿quiénes hacen las tortillas?
4. ¿Para qué usan las mujeres las prensas metálicas? ¿En dónde compran las prensas?
5. En su experiencia, ¿qué platos mexicanos usan las tortillas como base?
6. ¿Qué comidas tienen más consumo diario en su comunidad?

[1]*Of course* [2]*make them* [3]*daily task* [4]*only* [5]*use* [6]*press* [7]*dough* [8]*has saved* [9]*hands* [10]*side* [11]*put* [12]*pieces* [13]*griddle*

¡Comer es vivir!

Adjetivos y expresiones adjetivales

caliente
frío/a
frito/a
mucho/a/os/as
otro/a/os/as
poco/a/os/as
al horno
a la parrilla

Adverbios

más/menos
mucho/poco

Palabras interrogativas

¿Adónde?
¿Cómo?
¿Cuál?/¿Cuáles?
¿Cuándo?
¿Cuánto/a/os/as?
¿De dónde?
¿De quién?
¿Dónde?
¿Por qué?
¿Qué?
¿Quién/es?

Palabras adicionales

que
lo que
cuando
porque

Preposiciones

con
sin

Sustantivos

Las comidas del día

el almuerzo
la cena
el desayuno
la merienda

Las legumbres y las verduras en el mercado

el arroz
el brócoli
la cebolla
los frijoles
los guisantes
las habichuelas
las judías verdes
la lechuga
el maíz
la papa
   las papas fritas
la patata
el tomate
la zanahoria

Las frutas

la banana
la cereza
el durazno
la fresa
el limón
la manzana
el melocotón
la naranja
la pera
la piña
el plátano
la sandía
la uva

Las carnes y los mariscos

el bistec
el camarón
la carne de
   cerdo/puerco
la carne de res

el chorizo
la chuleta de
   cerdo/puerco
la hamburguesa
el jamón
la langosta
el pescado
el pollo
la salchicha
la tocineta
el tocino

Las bebidas

el agua
el café
la cerveza
el jugo
la leche
el refresco
el té
el vino
el zumo

Los postres

la galleta
el helado
el pastel
la torta

Otras comidas y condimentos

el aceite
la aceituna
el ajo
el azúcar
el bocadillo
el cereal
la crema
la ensalada
el hielo
el huevo
   los huevos
   revueltos
la mantequilla

la mermelada
el pan
   el pan tostado
la pimienta
el queso
el plato
la sal
el sándwich
la sopa
el vinagre

Verbos y expresiones verbales

almorzar (ue)
cocinar
desear
dormir (ue)
entender (ie)
gustar
necesitar
pedir (i)
poder (ue)
preferir (ie)
preparar
querer (ie)
servir (i)
vender
tener (mucha)
hambre
tener (mucha) sed

I. Los verbos con cambios en la raíz. Escríbales preguntas a sus amigos usando la forma de **ustedes** del verbo. Luego, escriba las respuestas a las preguntas usando la forma de **nosotros**.

MODELO: entender el ejercicio
¿Entienden el ejercicio?
Sí, entendemos el ejercicio. *o* **No, no entendemos el ejercicio.**

1. poder cocinar
2. querer ir de compras
3. almorzar a las doce todos los días
4. preferir cenar en un restaurante o en la cafetería
5. normalmente pedir postres en los restaurantes

II. Ir + a + *infinitivo*. Indique lo que las personas **van a hacer** esta tarde.

MODELO: yo/estudiar
Voy a estudiar.

1. yo/imprimir mi trabajo escrito
2. nosotros/tomar una siesta
3. tú/escuchar cintas en el laboratorio
4. mis amigos/ir al gimnasio
5. Carmen/hablar con la profesora

III. Los números del cien al... El señor Trompa es muy, muy rico. Va a comprar todo lo que sus dos hijos necesitan para asistir a la universidad. ¿Cuánto dinero necesita para comprar dos de cada (*each*) cosa indicada? Siga el modelo. Escriba el número.

MODELO: Un libro de psicología cuesta $90.
Dos cuestan ciento ochenta dólares.

1. Un libro de arte cuesta $125.
2. Una calculadora excelente cuesta $70.
3. Una impresora cuesta $350.
4. Una computadora con teclado y monitor cuesta $1400.
5. Un televisor para el cuarto cuesta $350.
6. Un coche nuevo cuesta $16.000.

IV. ¿Le gusta o no le gusta? Escriba preguntas según el modelo y luego contéstelas. Use la forma correcta del verbo **gustar** y el pronombre que corresponde.

MODELO: ¿a su hermano/las legumbres?
¿A su hermano le gustan las legumbres?
Sí, le gustan las legumbres. *o* **No, no le gustan...**

1. ¿A sus padres/tomar café?
2. ¿A ustedes/la comida italiana?
3. ¿A ustedes/tomar el desayuno temprano?
4. ¿A su abuela/los postres?
5. ¿A usted/los frijoles negros?

V. Palabras interrogativas. Haga preguntas para solicitar más información. Use palabras interrogativas diferentes.

MODELO: Ana no come en la cafetería.
¿Dónde come? *o* **¿Por qué no come en la cafetería?**

1. Ana no bebe vino.
2. La sandía no es su fruta favorita.
3. No trabaja por la mañana.
4. No es de Buenos Aires.
5. No tiene veinte años.
6. No vive en la residencia de estudiantes.
7. No va a la librería ahora.
8. No está enferma hoy.

VI. Repaso general del Capítulo 4. Conteste con oraciones completas.

1. ¿Qué come usted en el desayuno?
2. ¿Cuál es su postre favorito?
3. ¿Qué frutas le gustan más a usted?
4. ¿Dónde quiere usted cenar esta noche?
5. ¿Qué va a hacer usted esta noche?
6. Usted y sus amigos/as, ¿cuántas horas duermen (generalmente) por la noche?
7. Usted y sus amigos, ¿pueden estudiar toda la noche sin dormir?

Answers to the **Autoprueba y repaso** are found in **Apéndice 2.**

CAPÍTULO 5

Iluminada Concepción, campeona cubana de tenis. ¡Qué pasión por su deporte (*sport*) tiene!

¿Qué quieres hacer hoy?

Goals for communication

- To talk about a wide variety of activities
- To identify parts of the body and talk about ailments
- To state preferences and obligations
- To describe the weather and the seasons
- To describe an action in progress
- To indicate that an action has been going on for a period of time

Presentation of *Bien dicho*, pp. 141–142

Transparency #15 Use the transparency of the opener drawings for Chapter 5 to visually present vocabulary dealing with activities. Each vocabulary item can be repeated chorally. Dramatize the actions whenever possible.

Cultural focus

- Soccer—a way of life in the Hispanic world
- The Antilles—Cuba, the Dominican Republic, and Puerto Rico

Structures

1. La **a** personal
2. Verbos con la forma de **yo** irregular
3. **Tener que..., tener ganas de...** y más
4. El tiempo y las estaciones
5. El presente progresivo
6. **Hacer** para expresar tiempo

Pronunciation

La combinación **ll** y la consonante **v**

¡Bien dicho!

¿Qué quieres hacer hoy?

2. correr

1. esquiar

10. la pelota

3. nadar

4. tomar el sol

5. pintar
(un cuadro)

Inés

9. jugar (ue) al
vólibol

7. cantar

8. tocar
(la guitarra)

Camila

6. caminar

Rubén

Linda

Manuel

1. to ski   2. to run   3. to swim   4. to sunbathe   5. to paint (a picture, painting)   6. to walk   7. to sing
8. to play (instruments)   9. to play volleyball   10. the ball

11. to play basketball   12. to smoke   13. to rest   14. to exercise, to do exercises   15. to lift weights
16. to play tennis

Práctica y comunicación

Assign *Exercise A* for homework to be completed by the first class day for this chapter. Students' written answers can be quickly spot-checked for completion. This process helps to ensure that students are better prepared for active class participation.

Complete *Exercise A* by calling on individual students. Refer to *transparency #15*.

A. Los sábados en el parque. ¿Qué hacen las siguientes personas en el parque? Refiérase a los dibujos en las páginas 142–143.

MODELO: ¿Qué hace la mujer que está en el lago (*lake*)?
Ella esquía[1].

1. ¿Qué hace el hombre que está en el lago?
2. Juanito persigue (*chases*) a su perro Teo. ¿Quién corre más rápido? ¿Juanito o el perro?
3. Inés está cerca (*near*) del lago. ¿Qué le gusta hacer?
4. ¿Qué hace Camila, la artista?
5. ¿Qué hacen Linda y Manuel?
6. A Rubén le gusta la música. ¿Qué hace?
7. La pelota está en el aire. ¿Qué hacen los niños?
8. Esteban no juega al tenis. ¿Qué hace? ¿Y Javier?
9. A Natalia le gusta escuchar música en su Walkman. ¿Qué más hace?
10. El vagabundo siempre visita el parque. ¿Qué hace?
11. Octavio no levanta pesas. ¿Qué hace? ¿Y qué hace Alfonso?
12. ¿Qué hace Pepita?

Exercise B recycles **gustar**. The follow-up practices the **nos** and **le** pronouns with **gustar**. A student's name is placed in the initial (...) space.

B. Los gustos de los estudiantes. En parejas, háganse preguntas y contéstenlas para averiguar en qué actividades les gusta participar. Si les gustan las mismas actividades, apunten el número de la referencia.

MODELO: **¿... jugar al vólibol?**

ESTUDIANTE 1: **¿Te gusta jugar al vólibol?**

ESTUDIANTE 2: **Sí, me gusta jugar al vólibol. Juego casi todos los días. ¿Y a ti?** *o* **No, no me gusta jugar al vólibol. ¿Y a ti?**

1. ¿...jugar al tenis? (¿En qué canchas [*courts*] juegas?)
2. ¿...nadar? (¿Prefieres nadar en una piscina [*swimming pool*], un lago, un río o en el océano)?
3. ¿...tomar el sol? ¿...ir a la playa? (¿A qué playa?)
4. ¿...levantar pesas? ¿...hacer ejercicio? (¿Cuándo?) (¿Dónde?)
5. ¿...correr? (¿Cuántas millas corres?)
6. ¿...esquiar? (¿Prefieres esquiar en la nieve [*snow*] o en el agua?)
7. ¿...fumar? ¿Fuman muchos de tus amigos/as?
8. ¿...escuchar música? (¿Qué tipo?)
9. ¿...leer? (¿Qué tipo de libros?)

Ahora, háblenle a la clase o a otra pareja de un interés que ustedes tienen en común y una diferencia en sus intereses.

MODELOS: **A ... y a mí nos gusta levantar pesas y hacer ejercicio.**
A ... le gusta tomar el sol, pero a mí no me gusta. Prefiero...

---

[1]When conjugating the verb **esquiar** in the present tense, place an accent mark over the **í** in all persons except **nosotros** and **vosotros**: **esquío, esquías, esquía, esquiamos, esquiáis, esquían.**

Bien dicho Más actividades y deportes

bailar	*to dance*
limpiar	*to clean*
manejar, conducir	*to drive*
ver la tele(visión)	*to watch TV (television)*
el deporte	*the sport*
el equipo	*the team, athletic equipment*
el partido	*the game, match*
practicar	*to practice, to go in for a sport*
ganar	*to win, to earn*
perder (ie)	*to lose*
jugar (ue) al [2]**fútbol/** **fútbol americano/** **béisbol/golf**	*to play soccer/American football/baseball/golf*

C. Preferencias. Escuche la pregunta. Escriba la actividad que usted prefiere.

MODELO: ¿Qué prefiere usted, leer o practicar un deporte?
Usted escribe: **leer** o **practicar un deporte**.

¿Qué prefiere usted...?

1. ¿ver la tele o hacer ejercicio?
2. ¿escuchar música o bailar?
3. ¿leer una novela o esquiar en un lago?
4. ¿preparar la comida en casa o ir a un restaurante?
5. ¿ver un partido de básquetbol/fútbol/vólibol/tenis/béisbol o jugar en un partido de...?
6. ¿conducir o caminar?

Ahora, analice sus respuestas. Generalmente, ¿es usted una persona activa o tranquila?

Bien dicho ¿Cuándo?

(casi) siempre *(almost) always*   **a veces** *sometimes*   **nunca** *never*

D. Mis hábitos. ¿Hace usted las siguientes cosas (casi) siempre **(S)**, a veces **(V)** o (casi) nunca **(N)**? Apunte la letra apropiada según sus hábitos.

1. Manejo después de tomar bebidas alcohólicas.
2. Fumo cuando estoy con mis amigos.
3. Bailo en las fiestas.
4. Tomo el sol cuando estoy en la playa.
5. Veo telenovelas (*soap operas*) por la tarde.
6. Hago ejercicio por la mañana.
7. Escucho música cuando estoy solo/a en mi cuarto.

En parejas, comparen respuestas. ¿Qué tienen en común? Luego, presenten la información a otra pareja o a la clase.

MODELO: **... y yo nunca manejamos después de tomar bebidas alcohólicas.**

[2]**Jugar al béisbol/golf**, etc. may also be expressed by using **jugar** + *sport*: **Jugar béisbol/golf**, etc. In modern usage the **a** + *article* is often dropped.

Exercise C is a "recognition" activity in which students use the new vocabulary without having to actively produce it. As a follow-up, have students determine which category best describes them. (**¿Es usted una persona muy activa, activa, generalmente tranquila o muy tranquila?**) Then ask for a show of hands from the class for each category. (**¿Qué tipo de personalidad predomina en la clase? ¿Cuántas personas hay en cada categoría?**)

E. Los talentos de la clase de español. En la parte superior de un papel, escriba las siguientes seis categorías: **practicar un deporte, tocar un instrumento musical, cantar, bailar, cocinar, pintar.** Caminen por la clase, haciéndose las preguntas para averiguar quién tiene talento o interés especial en cada categoría. Si la persona responde que **sí,** escriba el nombre de la persona debajo de (*under*) la actividad. Apunte información adicional (qué deporte practica, etc.). Es posible escribir varios nombres en cada categoría. Tienen seis minutos.

1. ¿Practicas un deporte? ¿Cuál? ¿Tu equipo generalmente gana o pierde los partidos?
2. ¿Tocas un instrumento musical? ¿Cuál? (la guitarra, el violín, el piano, la trompeta, el saxofón)
3. ¿Cantas bien?
4. ¿Bailas bien?
5. ¿Cocinas bien?
6. ¿Pintas cuadros bonitos?

Ahora vamos a determinar qué personas tienen talentos o intereses en común. Contesten según la información que tienen apuntada.

MODELO: ¿Quiénes practican algún deporte?
... y ... practican el tenis.

Un paso más: Escriba una breve sinopsis de los intereses de los estudiantes de la clase y los intereses personales de usted.

Bien dicho El cuerpo humano

1. la cabeza
2. el pelo
3. los ojos
4. las orejas
5. la cara
6. la nariz
7. la boca
8. los dientes
9. la lengua
10. los labios

1. head   2. hair   3. eyes   4. ears   5. face   6. nose   7. mouth   8. teeth
9. tongue   10. lips

1. el cuerpo

11. las manos

10. los dedos

9. las uñas

8. la espalda

2. el cuello

3. los hombros

4. el pecho

5. los brazos

6. las piernas

7. los pies

---

1. body 2. neck 3. shoulders 4. chest, breast 5. arms 6. legs 7. feet
8. back 9. fingernails 10. fingers 11. hands

F. ¿Qué partes del cuerpo se usan (*are used*)**?** En parejas, miren los dibujos en las páginas 142–143. Indiquen las partes del cuerpo que cada persona usa para su actividad.

MODELO: **Para esquiar, la mujer usa los brazos, los hombros y las piernas.**

To complete this exercise, have students refer to the chapter-opener drawings. Use *transparency #15* to illustrate the model and/or to review a few student responses after completion of the activity.

G. ¡Soy artista! Un/a estudiante con habilidades artísticas va a la pizarra. Los otros estudiantes le indican las partes del cuerpo que él/ella debe (*should*) dibujar para crear un hombre muy interesante.

MODELO: **Tiene pies grandes.**
Tiene mucho pelo.
Tiene tres ojos, etc.

Pues, ¿cómo se llama? En parejas, describan al hombre.

Conversación

Un deportista muy serio

Un sábado por la mañana en un parque cerca de la universidad. Esteban
grass *duerme en la hierba°. Llega Pepita.*

PEPITA: Esteban, ¿qué haces? ¿Duermes tan temprano?

ESTEBAN: Uhmm, Pepita... ¿Qué tal? Estoy... tomando el sol ...

PEPITA: ¿Con suéter y jeans?

resting / before ESTEBAN: Bueno, estoy descansando° antes de° comenzar a tomar el sol. ¿Qué haces aquí?

looking for PEPITA: Estoy buscando° a Octavio. Vamos a jugar al vólibol. ¿Quieres jugar con nosotros?

You know ESTEBAN: Tú sabes° que no soy atleta. Mi deporte favorito es ver la televisión.

laughing / never PEPITA: (*riendo°*) ¡Eres incorregible! ¿Nunca° haces ejercicio?

ESTEBAN: ¡Claro que sí! A veces juego al fútbol y baloncesto con Manuel y Javier.

PEPITA: ¡Qué bien! Esos deportes son excelentes para los músculos de los brazos y las piernas.

ESTEBAN: Es verdad, pero con esos partidos me canso mucho.

PEPITA: ¡Ah! Ahora comprendo. Por eso estás descansando hoy.

next ESTEBAN: Bueno... sí. Necesito mucha energía para el próximo° partido.

You are right. PEPITA: Tienes razón.° Más tarde Octavio y yo vamos a la heladería.
to come ¿Vas a venir°?

ESTEBAN: ¿A la heladería? Sí, voy con ustedes. Comer helados es otro de mis deportes favoritos... ¡y soy un deportista muy dedicado!

¿Qué pasa?

1. ¿Dónde está Esteban? ¿Qué hace?
2. ¿A qué van a jugar Pepita y Octavio en el parque?
3. ¿Cuál es el deporte favorito de Esteban?
4. ¿Cree usted (*Do you think*) que Esteban hace suficiente ejercicio?
5. ¿Qué opinión tiene Pepita sobre el fútbol y el baloncesto?
6. ¿Cuál es el otro deporte favorito de Esteban?

Estructuras

1. *Indicating the person that is the object of your attention:*
La a personal

Note the word in the Spanish sentences whose equivalent is not found in the English translation.

Amo **a** Elena.	*I love Ellen.*
Llamo **a** mi familia una vez por semana.	*I call my family once a week.*

Whenever a specific person[3] or persons receives the action of a verb, Spanish uses the "personal **a**" before the reference to the person or persons. The "personal **a**" emphasizes that it is a *person, not a thing,* that receives the action of the verb. It has no equivalent in English. Contrast the two example sentences.

Linda mira **a** Manuel.	*Linda looks at Manuel.*
Mira las fotos de Manuel.	*She is looking at the photos of Manuel.*

The "personal **a**" is also used with **quién** or **quiénes** to ask the question *whom/who?*

¿**A quién** amas?	*Whom do you love?*
¿**A quiénes** buscas?	*Whom are you looking for?* (more than one person in speaker's mind)

¡Un momento, por favor!

- Remember that **a** combined with **el** becomes **al**.

Camila llama **al** médico cuando está enferma.	*Camila calls the doctor when she is sick.*

- The "personal **a**" is not normally used after **tener**.

    Tengo dos compañeros de cuarto.

Bien dicho Acciones personales

amar	*to love*	**buscar**[4]	*to look for*
abrazar	*to hug*	**mirar**	*to look (at), watch*
besar	*to kiss*	**llamar**	*to call*

---

[3]or a pet

[4]The verb **buscar** requires the use of the personal **a** when you are looking for someone specific that you know. **Busco a mi amiga.** It is not used in more generalized contexts: **Busco novio, amigos nuevos**, etc. like you see in personal ads.

To present and highlight visually the "personal a," write **busco** on one sheet of paper (act out the meaning, as this is a new verb). Write **a** on a second, and **un taxi** and **María** on third and fourth sheets. Have three students stand in front of the class, each holding up one sheet for the class to see. Position students to form a sentence, placing or removing the "a student" according to the object (**un taxi** or **María**).

The "personal a" can be practiced further by substituting other objects of the verb (**el número, mi amigo, mi libro, mi profesora,** etc.). The "personal a" student moves in and out of the sentence according to need.

Have students working in pairs identify famous couples from TV, movies, literature, etc. who are known for loving each other. Then ask the students to identify a number of these couples: **Romeo ama a Julieta,** etc.

¡Un momento, por favor!

Note that in Spanish some verbs include a preposition in their meaning: **pedir** (*to ask for*), **buscar** (*to look for*), **mirar** (*to look at*). Do not try to add a preposition to these verbs.

Busco el número de teléfono de Linda.

*I am **looking for** Linda's telephone number.*

Práctica y comunicación

Transparency #17 Use the transparency to complete this exercise.

H. Manuel ama a Linda. Conteste las preguntas según los dibujos.

MODELO: ¿A quién mira Manuel?
Manuel mira a Linda.

¿A quién besa Manuel?

¿A quién abraza Linda?

¿A quién llama Linda?

¿A quién ama Manuel?

¿A quién busca Manuel?

¿Qué busca Manuel?

I. En mis sueños (*dreams*) **o en la vida real**. En parejas, háganse las preguntas y contéstenlas usando la **a** personal.

En tus sueños o en la vida real...

1. ¿A quién o a quiénes besas?
2. ¿A quién o a quiénes abrazas?
3. ¿A quién o a quiénes amas?
4. ¿A quién miras con mucho interés?
5. ¿A quién llamas por teléfono con frecuencia?
6. ¿A quién escuchas más? ¿A tu madre, a tu padre o a tus amigos/as?

Dígale a la clase algo (*something*) acerca de su compañero/a de clase.

MODELO: **... ama mucho a su familia.** *o* **... ama mucho a Brad Pitt.**

2. Talking about more activities (in the present): Verbos con la forma de yo irregular

Introduce the yo-irregular verbs by stating personalized example sentences that contain the yo form of each verb. See if students can identify the infinitive. You may wish to write the yo forms on the board.

Practice and reinforce the irregular and regular forms of each verb by calling out pronouns and having students quickly provide the correct verb form. Add an appropriate word or words to the verb to place the verb in a context.

In the present tense, some verbs are irregular only in the **yo** form. You learned two verbs with an irregular **yo** form (**salir** and **hacer**) in Chapter 2. Review their conjugations in the chart that follows.

salir (de) (*to leave, go out*):	**salgo**, sales, sale, salimos, salís, salen
hacer (*to do, make*):	**hago**, haces, hace, hacemos, hacéis, hacen

Other verbs with an irregular **yo** form include:

traer	*to bring*	**Traigo** mis libros a casa.
poner	*to put, place*	**Pongo** los libros en el escritorio.
traducir	*to translate*	**Traduzco** los poemas.
conducir	*to drive*	**Conduzco** el coche de mi abuela.
saber	*to know* (facts, information)	**Sé** donde vive.
	to know how to (skills)	**Sé** tocar el piano.
conocer	*to know, be acquainted with* (persons, places, things)	**Conozco** a Roberto. **Conozco** Chicago bien.

You may wish to point out to students that saber, meaning *to know how to*, is followed by an infinitive. (Sé **tocar la guitarra**.) Conocer, meaning *to be acquainted with a person*, is followed by a "personal a." (Conozco a la profesora Martínez.)

¡Un momento, por favor!

- **Salir** is followed by **de** when the subject is leaving a stated place.

    Salen **del** gimnasio. *versus* Salen con sus amigos.

- When the verb **hacer** is used in a question, it does not necessarily require a form of the verb **hacer** in the answer.

    ¿Qué **haces** normalmente por la tarde? *What do you usually do in the afternoon?*
    Voy a la biblioteca, **hago la tarea**, y después, **trabajo** en la librería.

The verbs **oír**, **dar**, and **ver** have an irregular **yo** form as well as additional minor irregularities.

oír *to hear*:	**oigo**, **oyes**, **oye**, oímos, oís, **oyen** (note the **y**)
dar *to give*:	**doy**, das, da, damos dais, dan (no accent in **dais**)
ver *to see*:	**veo**, ves, ve, vemos, veis, ven (no accent in **veis**)

Like **tener**, the verbs **venir** and **decir** have an irregular **yo** form in addition to a stem change in the second- and third-person singular and in the third-person plural forms.

venir (ie) *to come*:	**vengo**, **vienes**, **viene**, venimos, venís, **vienen**
decir (i) *to say, tell*:	**digo**, **dices**, **dice**, decimos, decís, **dicen**
tener (ie) *to have*:	**tengo**, **tienes**, **tiene**, tenemos, tenéis, **tienen**

DICHO   **Decir y hacer son dos cosas, y la segunda es la dificultosa.**
¿Puede usted explicar este dicho?

Práctica y comunicación ——————

Exercise J is a "recognition" exercise, for the purpose of allowing students to use the new verbs in a context without manipulating the forms.

J. ¿Es usted un/a estudiante ideal o no? Escuche las declaraciones. Indique si usted hace o no hace las siguientes actividades. Apunte **sí** o **no**.

1. __ Cuando vengo a la universidad en carro, conduzco muy rápidamente.

2. __ Digo: «Buenos días, profesor/a» al entrar en la clase.

3. __ Vengo a clase con toda la tarea completa.

4. __ Traigo comida y bebidas a clase todos los días.

5. __ Pongo los pies en el escritorio de la profesora/del profesor.

6. __ Hago la tarea durante (*during*) la clase.

7. __ Traduzco todos los ejercicios al inglés.

8. __ En clase, con mucha frecuencia doy respuestas correctas.

9. __ Conozco a muchos de los estudiantes de la clase.

10. __ Sé navegar por Internet.

11. __ Todas las noches veo vídeos con mis amigos.

12. __ Salgo con mis amigos todos los jueves por la noche.

¿Respondió usted (*Did you answer*) que **no** a las preguntas nº 1, 4, 5, 6, 7, 11, 12? ¿Respondió usted que **sí** a los nº 2, 3, 8, 9, 10? ¡Usted es una estudiante o un estudiante ideal!

Un paso más allows for controlled, active use within the context of asking and answering questions. Students thus begin to contrast the irregular yo form with the regular tú form of the verb.

Un paso más: Trabajen en parejas. A base de las oraciones (del nº 1 al 12), háganse preguntas. Usen la forma de **tú** del verbo.

MODELO: **Cuando vienes a la universidad en carro, ¿conduces rápidamente? ¡No! No conduzco rápidamente... ¿Y tú?**

K. ¿Qué hace Pepita? Describa lo que hace Pepita.

MODELO: **Pepita duerme bien. No oye la música del radio-despertador** (*alarm*).

dormir... no oír...
del radio-despertador

Transparency #18 Use the transparency to complete the first part of this exercise. If you would like to highlight the **nosotros** form of the verbs as well, review the drawings again to state that *we* are doing each action. The follow-up allows students to work in pairs to reinforce the yo-irregular verbs.

hacer... por la mañana

llegar a clase... a las... *traer...*

poner...

saber todas...

traducir...

salir de... a las...

Ahora, en parejas, repitan el ejercicio. Digan si ustedes hacen o no hacen lo que Pepita hace.

MODELO: **Como** (*Like*) **Pepita, yo duermo bien, y no oigo la música del radio-despertador. ¿Y tú?**

L. Talentos y conocimientos: saber y conocer. Mire los dibujos en las páginas 142–143 y conteste las siguientes preguntas.

1. ¿Qué talentos tienen algunos de los estudiantes? **Camila sabe...**
2. Según el dibujo, ¿a quién conoce bien Manuel? ¿Juanito conoce bien a su perro? En su opinión, ¿conoce el vagabundo a los estudiantes?

Un paso más: Complete las oraciones con dos o tres ejemplos personales. Escriba las respuestas.

1. (información)   Sé..., ...
2. (habilidades/talentos) Sé..., ...
3. (personas)   Conozco bien a..., ...
4. (lugares)   Conozco bien..., ...

Compare sus oraciones con las de un/a compañero/a de clase. Luego, dígale a la clase dos o tres cosas acerca de ella/él.

MODELO: **...sabe tocar el piano y conoce bien la ciudad de Nueva York.**

The first part of *Exercise L* serves as a warm-up, allowing students to become familiar with the two major uses of saber and conocer. Use *transparency #15. Un paso más* allows for brief, written reinforcement of **saber** vs. **conocer**. When students compare sentences, encourage them to correct each other's work.

M. Nuestro día favorito: el sábado. En grupos de cuatro, hablen de cómo normalmente pasan ustedes los sábados.

1. los sábados por la mañana **(Yo)...**
2. los sábados por la tarde
3. los sábados por la noche

Exercise M recycles regular, stem-changing and yo-irregular verbs. Students, in groups of four, are free to draw from their "extensive" knowledge of present-tense verbs.

Noticias culturales

king **EL FÚTBOL: REY° DE LOS DEPORTES**

Para gran parte del mundo hispano —y para la mayor parte de la gente del planeta— el fútbol es verdaderamente el rey de los deportes. Para los dominicanos, los puertorriqueños y los venezolanos el béisbol es el deporte más importante, pero en los otros países hispanos muchos consideran que el fútbol es más que un deporte—¡es una forma de vida!

Los fanáticos del fútbol hacen de este deporte casi una religión. Ver un partido importante de fútbol, en el estadio o por televisión, es una obligación. El fútbol no respeta *schedules* horarios° ni lugares: en muchos países los empleados ponen televisores en sus lugares de trabajo para ver jugar a sus equipos favoritos.

La pasión por el fútbol aumenta al máximo cada cuatro años con la celebración de la *World Cup* Copa Mundial°. Durante la Copa, los fanáticos no se *miss* pierden° ningún partido. Los futbolistas talentosos, como el argentino Diego Maradona, son auténticos héroes nacionales y mundiales. Varios equipos y jugadores hispanos están entre los mejores del mundo. ¿Puede mencionar algunos?

¡Los argentinos son muy aficionados al fútbol! ¿El equipo está ganando o no? (Buenos Aires)

¿Qué hay de nuevo?
1. ¿Cuáles son las frases que describen la importancia del fútbol para los hispanoamericanos?
2. ¿Por qué dicen que el fútbol no respeta horarios ni lugares?
3. ¿Qué pasa durante la Copa Mundial?

Conexiones y contrastes
1. ¿Sabe usted cuándo y dónde se celebró (*took place*) la última Copa Mundial? ¿Y la Copa Mundial Femenina?
2. ¿Es la afición al fútbol americano en los EEUU tan (*so*) fuerte?
3. En su opinión, ¿qué eventos deportivos en su país tienen una importancia comparable a la de la Copa Mundial?
4. ¿Es usted fanático/fanática de algún deporte? ¿De qué deporte? ¿Cuál es su equipo favorito?

Muchos jóvenes aspiran a ser famosos jugadores de fútbol.

3. Stating preferences and obligations: Tener ganas de..., tener que... y más

Para expresar preferencias

Some verbs and expressions that indicate preference are:

desear	*to desire, to wish, to want*
preferir (ie)	*to prefer*
querer (ie)	*to want, to wish*
tener ganas de + *infinitivo*	*to feel like . . .* (doing something)

Quiero ir a la playa. **Tengo ganas de nadar** y **tomar** el sol.
I want to go to the beach. I feel like swimming and sunbathing.

Para expresar obligaciones

Some verbs and expressions that indicate obligation are:

necesitar	*to need*
deber	*ought to, should*
tener que + *infinitivo*	*to have to . . .*

Tengo que estudiar esta noche. No **debo** salir con mis amigos.
I have to study tonight. I should not go out with my friends.

Remind students that they have been expressing preferences and obligation with the verbs **desear, querer, preferir,** and **necesitar.** These new but commonly used expressions add variety to their expression! Give examples: **Tengo ganas de dormir. Tengo que estudiar. Debo limpiar el cuarto.** To familiarize students with the new expressions, ask a few questions: **¿Tienes ganas de salir de la clase?,** etc.

Point out that, following the expression **tener ganas de...,** Spanish uses the infinitive, whereas English uses an *-ing* form.

Práctica y comunicación

N. ¿Preferencias u obligaciones? Diga si las personas (probablemente) **tienen ganas de** hacer o **tienen que** hacer lo siguiente, según la actividad.

MODELO: Natalia
Natalia tiene ganas de ver vídeos.

Natalia

Transparency #19 Use the transparency to complete this exercise.

Esteban

Javier

Rubén

Pepita

Inés

Camila

Carmen

Octavio

Linda

Un paso más: En parejas, digan lo que ustedes **tienen ganas de** hacer en este momento. **(Yo)...** También, digan lo que ustedes **tienen que** hacer hoy y esta noche. **Hoy/Esta noche (yo)...**

If students prefer not to write in their textbooks, have them move about the classroom gathering signatures with notebook/paper in hand. Entries would be numbered from #1–7 with signatures placed by the corresponding number. In the follow-up, students answer according to the information that they have gathered, volunteering the names of their classmates.

Ñ. Firmas (*Signatures*). Caminen por la clase, haciéndose las siguientes preguntas y contestándolas en oraciones completas. Si el/la estudiante responde que **sí** a la obligación o preferencia, él/ella firma su nombre. Tienen seis minutos.

_____ 1. ¿Tienes que terminar un trabajo escrito esta semana?

_____ 2. ¿Tienes que leer muchos libros este semestre?

_____ 3. ¿Tienes ganas de dormir nueve horas?

_____ 4. ¿Tienes ganas de ir a las montañas para acampar o esquiar?

_____ 5. ¿Debes estudiar más para el próximo (*next*) examen de español?

_____ 6. ¿Tienes ganas de ir a la playa?

_____ 7. ¿Tienes que limpiar tu cuarto urgentemente?

Ahora, respondan a las preguntas del profesor/de la profesora según las firmas que tienen.

1. ¿Quién tiene que terminar un trabajo escrito esta semana? **... tiene que...**
2. ...

Exercise O recycles the ir + a + *infinitive* construction along with the new expressions. Here students have the opportunity to be creative. In the follow-up, elicit for each item responses from various secretaries.

As a follow-up, have students write four sentences describing their obligations, preferences, and plans for this weekend using these four expressions.

O. Obligaciones, preferencias y planes. En grupos de cuatro, digan lo que ustedes **tienen que/tienen ganas de/deben o van a hacer** según la situación. (Recuerden: **ir + a +** *infinitivo = to be going to do something.*) Un/a secretario/a apunta la información.

MODELO: Estamos muy preocupados/as hoy porque tenemos un examen importante mañana.
Tenemos que estudiar mucho esta noche/No debemos ver la televisión,...

1. Estamos muy ocupados/as esta semana.
2. Estamos aburridos/as con la vida social de la universidad.
3. Estamos un poco enfermos/as hoy.
4. ¡Estamos muy contentos/as! ¡Tenemos un día sin obligaciones!

tener ganas de...
deber...
tener que...
ir a...

Ahora, los secretarios/las secretarias presentan algunas de las actividades de sus grupos a la clase.

Present each ailment by dramatizing it. The students can then repeat the word and dramatize it in their own manner. This warms them up for *Exercise P.*

Ask students to note that most of these ailments are not expressed with the indefinite article. Point out that *I have a headache* = **Tengo dolor de cabeza.**

Bien dicho ¿Está usted enfermo/a?

Tengo...

dolor (m.) **de garganta**	*sore throat*	**tos** (f.)	*cough*
dolor de estómago	*stomachache*	**fiebre** (f.)	*fever*
dolor de cabeza	*headache*	**gripe** (f.)	*flu*
un **resfriado**	*cold*		

Práctica y comunicación

P. Estudiantes muy enfermos/as. ¡Vamos a ver si ustedes están enfermos! Primero, siete estudiantes, frente a la clase, dramatizan los problemas de salud (*health*) indicados en el vocabulario. La clase identifica qué problema tiene cada uno/a.

Un paso más: A ver si en realidad hay enfermos en la clase. Contesten las preguntas. ¿Quién tiene dolor de garganta? ¿Dolor de estómago? ¿Dolor de cabeza? ¿Resfriado? ¿Tos? ¿Fiebre? ¿Gripe? ¡Vamos a visitar al doctor/a la doctora Socorro (*Help*)!

Ask for student volunteers. Your less-shy students (and surprisingly, some very shy students as well), enjoy miming actions. Their total physical response facilitates learning, both for them and for the class.

Q. ¡Vamos al consultorio del doctor/de la doctora Socorro! En parejas, imaginen que uno/a de ustedes es el/la paciente y el otro/la otra es el doctor/la doctora Socorro. Completen la conversación de una manera original.

Pair students and allow five minutes for the development and practice of the conversation. Choose one or two pairs to perform in front of the class.

Palabras útiles: **la diarrea, los problemas digestivos, los problemas psicológicos, estar embarazada** (*pregnant*), **tomar aspirina/los antibióticos/el jarabe para la tos** (*cough syrup*)

DR./DRA. SOCORRO: Buenos días,... ¿Cómo está usted hoy?
USTED: Buenos días, Dr./Dra. Socorro Estoy muy...
Tengo..., ..., ... y...
DR./DRA. SOCORRO: ¿Tiene usted...?
USTED: Sí, ..., no puedo ... y no tengo ganas de...

(Después del examen físico...)

DR./DRA. SOCORRO: Usted debe tomar..., debe... y no debe...
Llame por teléfono si tiene más problemas.
USTED: Muchas gracias, Dr./Dra. Socorro Hasta luego.

Al final, una pareja presenta la conversación a la clase.

MEDICINA FAMILIAR

- Exámenes Físicos de Colegio, Trabajo, Seguros
- Exámenes para Prevención del Cáncer y para el Chequeo de la Anemia y Problemas de Coagulación
- Vacunas
- Ginecología y Cirugía Sencilla
- Electrocardiograma (sencillo y con esfuerzo), Exámenes de Función Pulmonar, Endoscopias en la Oficina y Quimioterapia (tratamiento del cáncer)
- Laboratorio Completo
- Lunes-Viernes 10am-5pm, Sábado 10am-3pm

Alberto A. Borges, MD
Certificado por el Buró Americano de Medicina Interna
ARLINGTON MEDICAL CENTER II
1635 N. George Mason Dr., Suite 480
Arlington, VA 22205
(703) 522-7444
FAX: (703) 522-1598

ARLINGTON, VIRGINIA   Norte
Lee Hwy.
1635 N. George Mason Drive
Suite 480
Arlington Medical Center II
Arlington
Wilson Blvd.
7-Eleven Nations Bank Roy Rogers
Patrick Henry Drive N. George Mason Drive
Sur

¿Qué días está abierto el consultorio del doctor Borges? ¿Y qué horas? **De diez a...** ¿Qué servicios ofrecen para el cáncer? ¿El corazón (*heart*)? ¿La tuberculosis? ¿Y para la mujer?

Present weather expressions through repetition, dramatizing, and/or providing artistic representations on the board. If you opt for the latter, ask students that arrive early to draw on the board their interpretation of several of the weather expressions.

4. *Talking about the weather and the seasons:* **El tiempo y las estaciones**

El tiempo

The verb **hacer** is used in Spanish to express most weather conditions.

¿Qué tiempo hace?	*What's the weather like?*
Hace buen/mal tiempo.	*It's good/bad weather.*
Hace (mucho) frío/calor.	*It's (very) cold/hot.*
Hace fresco.	*It's cool.*
Hace sol/viento.	*It's sunny/windy.*
Llueve.	*It rains, it's raining.*
Está lloviendo.	*It's raining (now).*
llover (ue)	*to rain*
la **lluvia**	*rain*
nevar (ie)	*to snow*
Nieva.	*It snows, it's snowing.*
Está nevando.	*It's snowing (right this minute).*
Hay nieve.	*There is snow.*
la **nieve**	*snow*
Está (muy) nublado.	*It's (very) cloudy.*
Hay nubes.	*There are clouds.*

Expresiones personales asociadas con el tiempo

Recycle **tener** expressions such as **tener hambre/sed.**

tener (mucho) frío	*to be (very) cold*	**¿Tienes mucho frío?**
tener (mucho) calor	*to be (very) hot*	**¡No! Tengo calor.**

Las estaciones

Recycle the months along with the presentation of seasons.

el **invierno**	*winter*	el **verano**	*summer*
la **primavera**	*spring*	el **otoño**	*autumn*

¡Un momento, por favor!

The seasons of the year are reversed in the northern and southern hemispheres; for example, when it is winter in Argentina, it is summer in the United States.

What season is it where you live? What season is it in Chile? And in Spain?

Práctica y comunicación

R. ¿Dónde estamos? Según las fotos, identifique el país, el tiempo y la estación del año (probable). Refiérase a la lista de las expresiones de tiempo/las estaciones en la página 158. Siga el modelo.

MODELO: **Estamos en Argentina.**
Hace frío y hay mucha nieve.
Es invierno.

Transparency #20 Use the transparency to complete this exercise. Through the photos, the students will practice weather expressions and seasons *and* be introduced to the beauty and variety of the Spanish-speaking world.

Another option for this exercise would be to have the instructor present the particular weather expression and have students match it to the geographical location. In the follow-up, students would then provide the weather expression that corresponds to the location.

Parque Nacional Los Glaciares, Argentina.

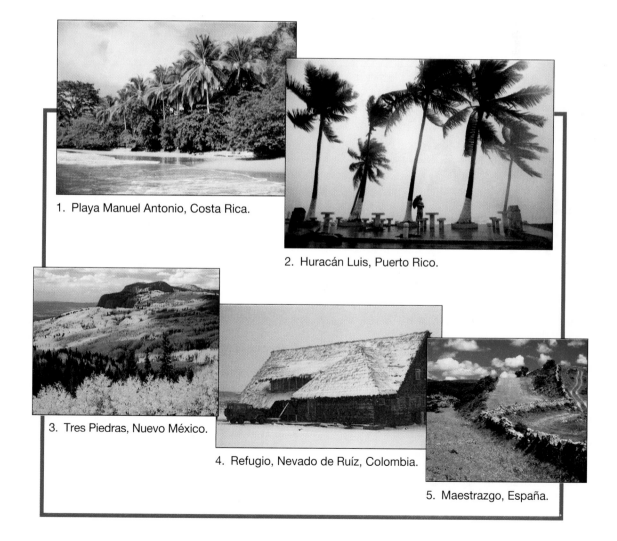

1. Playa Manuel Antonio, Costa Rica.

2. Huracán Luis, Puerto Rico.

3. Tres Piedras, Nuevo México.

4. Refugio, Nevado de Ruíz, Colombia.

5. Maestrazgo, España.

Exercise S recycles months (#1), activities (#4, 5, 8), and drinks (#9).

S. El tiempo y las estaciones. En parejas, háganse las preguntas y contéstenlas.

1. ¿Cuáles son los meses de invierno en este país? ¿De primavera? ¿De verano? ¿De otoño?
2. ¿Cuál es tu estación favorita? ¿Por qué?
3. ¿En qué estación estamos ahora? ¿En qué estación están en Argentina, Chile y Uruguay?
4. ¿Qué deportes asocias con la primavera? ¿El otoño? ¿El invierno?
5. ¿Cuáles son tus pasatiempos favoritos en el invierno? ¿Y en el verano?
6. ¿Qué tiempo hace hoy?
7. ¿Qué tiempo hace (probablemente) en San Francisco, California? ¿En Miami, Florida? ¿En Fairbanks, Alaska? ¿Y en Portland, Oregón?
8. ¿Qué te gusta hacer cuando llueve?
9. Cuando tienes mucho frío, ¿qué bebida prefieres tomar? ¿Y cuando tienes mucho calor?

DICHO   **Después de la lluvia sale el sol.**
          A mal tiempo... buena cara.
¿Qué significan los dichos?

Through the realia, students become aware of the Celsius scale used in the Hispanic world, recycle numbers, and learn about some of the capital cities of the world. Spanish class can be a vehicle for broadening horizons!

T. Las temperaturas. Estudie las escalas de temperatura.

Equivalencias

ESCALAS DE TEMPERATURA

Para convertir grados Centígrados, o Celsius, a grados Fahrenheit, use la siguiente fórmula:
$$(°C \times 1.8) + 32$$
Para convertir grados Fahrenheit a grados Centígrados, utilice esta fórmula:
$$\frac{(°F - 32)}{1.8}$$

TERMÓMETRO

°C	°F		°C	°F
36.5	97.7		38.4	101.1
36.6	97.9		38.5	101.3
36.7	98.1		38.6	101.5
36.8	98.2		38.7	101.7
36.9	98.4		38.8	101.8
37.0	98.6		38.9	102.0
37.1	98.8		39.0	102.2
37.2	99.0		39.1	102.4
37.3	99.1		39.2	102.6
37.4	99.3		39.3	102.7
37.5	99.5		39.4	102.9
37.6	99.7		39.5	103.1
37.7	99.9		39.6	103.3
37.8	100.0		39.7	103.5
37.9	100.2		39.8	103.6
38.0	100.4		39.9	103.8
38.1	100.6		40.0	104.0
38.2	100.8		40.1	104.2
38.3	100.9		40.2	104.4

temperaturas

Ciudad	Máx	Mín	T	Ciudad	Máx	Mín	T	Ciudad	Máx	Mín	T	Ciudad	Máx	Mín	T
Atlanta	40	19	s	Los Ángeles	80	55	nu	Beijing	59	36	nu	México	79	41	pn
Boston	30	16	nu	Miami	69	50	s	Berlín	39	28	s	Montreal	41	5	nu
Chicago	30	19	s	Nueva Orleáns	50	34	s	Bogotá	73	43	pn	Moscú	36	25	ni
Dallas	50	36	nu	Nueva York	34	21	s	Buenos Aires	81	64	s	París	43	37	a
Denver	52	26	s	Orlando	58	37	s	El Cairo	82	55	s	Río de Janeiro	93	75	pn
Filadelfia	34	19	s	San Francisco	66	51	a	Jerusalén	72	52	s	Roma	50	34	s
Hartford	25	11	nu	Seattle	59	45	nu	Lima	86	77	s	Santiago de Chile	79	55	nu
Honolulu	85	65	s	Syracuse	21	9	ni	Londres	50	45	a	Tokio	54	37	nu
Houston	51	39	nu	Washington	38	23	s	Madrid	63	43	pn	Toronto	23	7	s

Pronóstico: s-soleado, pn-parcialmente nublado, nu-nublado, a-aguaceros, t-tronadas, ll-lluvias, ni-nieve, hi-hielo.

Las temperaturas (continuación)

1. Si el termómetro dice 98.8 grados Fahrenheit, ¿cuál es la temperatura en grados Centígrados o Celsius?
2. ¿Más o menos a qué temperatura estamos ahora (grados Fahrenheit)? ¿Quién puede convertir los grados Fahrenheit a grados Celsius? Estudie la fórmula y calcule la temperatura equivalente.
3. Es el mes de marzo. ¿Cuál es la temperatura máxima (°F) en Honolulu hoy? ¿Y la mínima? ¿Y la máxima y la mínima en Beijing?
4. ¿Qué ciudad tiene la temperatura máxima más alta? ¿Y la temperatura mínima más baja?
5. ¿Puede usted identificar las capitales de los países donde se habla español? ¿Portugués? ¿Alemán? ¿Japonés? ¿Ruso?

5. Emphasizing that an action is in progress: El presente progresivo

Formación

The present progressive is formed as follows:

> a conjugated form of **estar** + present participle

Están comprando un regalo.   *They are buying a gift.*

Regular present participles are formed as follows:

	infinitive stem	+	*ending*	=	*present participle*
-ar verbs	cantar		**-ando**		**cantando**
-er verbs	comer		**-iendo**		**comiendo**
-ir verbs	escribir		**-iendo**		**escribiendo**

The present participle does not change to agree with the subject and always ends in **-o**. **Estar**, however, always changes to agree with the subject.

¿Están comiendo?   *Are you eating?*
No. Estamos viendo la tele.   *No. We are watching TV.*

Four frequently used irregular present participles are:

decir (i)	**di*c*iendo**	dormir (u)	**d*u*rmiendo**
pedir (i)	**p*i*diendo**	leer	**le*y*endo**

Función

While the present tense describes actions that occur in the present or immediate future, the present progressive emphasizes that an *action* is *in progress at a particular time.* The present progressive is not used as frequently as the present tense.

Trabajo todos los días.   *I work (am working) every day.*
Estoy trabajando ahora.   *I am working (right) now.*
Juan, ¿todavía estás comiendo?   *John, are you still eating?*

Introduce the present participle and the present progressive through written examples on the board and dramatization. Estoy cantando/hablando.

After presenting the present progressive and the formation of the present participle, practice by using verbs from this chapter and Chapter 2. Refer to the verbs listed in the respective *Repaso de vocabulario activo* sections. Once again, dramatize actions whenever possible.

Práctica y comunicación

U. Actores, actrices y estudiantes en el parque: ¿Qué están haciendo?
Diez estudiantes, frente a la clase, dramatizan las actividades que siguen. La clase indica quién **está dramatizando** la acción.

1. ¿Quién está buscando su tarea de español?
2. ¿Quién está llamando a sus amigos por teléfono?
3. ¿Quién está caminando por el aula?
4. ¿Quién está descansando?
5. ¿Quién está manejando su coche nuevo?
6. ¿Quién está tocando la guitarra?
7. ¿Quién está fumando?
8. ¿Quién está abrazando a su novio/a imaginario/a?
9. ¿Quién está haciendo ejercicio?
10. ¿Quién está durmiendo?

Un paso más: En parejas, describan lo que están haciendo los estudiantes en el parque el sábado por la tarde. Refiéranse a los dibujos en las páginas 142 y 143.

V. Probablemente. En parejas, imaginen lo que están haciendo las siguientes personas. Hay varias posibilidades. ¡Usen la imaginación!

MODELO: Octavio está en el gimnasio.
Está levantando pesas. Está jugando al básquetbol.

1. Los novios están en el restaurante Ritz un sábado por la noche.
2. Mis amigos están en la playa durante las vacaciones de primavera.
3. Mi padre está en casa el viernes por la noche.
4. Mi madre está en casa el día antes de (*before*) una gran fiesta.
5. Mi compañero/a de cuarto está en su cuarto y son las diez de la noche.
6. Es el sábado por la noche y mis amigos están en una fiesta.

6. *Indicating that an action has been going on for a period of time:* **Hacer para expresar tiempo**

Spanish has a special construction to indicate that an action or condition has been going on for a period of time and still is.

> **hace** + time + **que** + present tense

In this construction, **hace** never changes.

Hace dos horas **que toco** el piano.	*I have been playing the piano for two hours.*
Hace veinte minutos **que** estamos aquí.	*We have been here for twenty minutes.*

To ask how long an action or condition has been going on, use the question **¿Cuánto tiempo hace que...?**

> **¿Cuánto tiempo hace que** Carmen vive en Tejas?
> **Hace diez años que vive allí.**

Práctica y comunicación

W. ¿Cuánto tiempo hace? Su profesor/a le va a decir cuánto tiempo hace que cada persona en los dibujos participa en la actividad. Diga usted que la persona **todavía** (*still*) **está participando** en la actividad.

MODELO: PROFESOR/A: **Hace dos horas que Javier estudia.**

ESTUDIANTE: **¡Y todavía está estudiando!**

Javier/dos horas

Some programs prefer to present the hace + *time* construction at a later juncture. If this is the case, this section may be presented in Chapter 10. In like manner, if your students have a strong background, you may wish to introduce 2 or 3 reflexive verbs from Chapter 10 at this point, such as **levantarse, acostarse,** and **divertirse.**

Transparency #21 Use the transparency to complete this exercise. The first step allows the students to hear the structure, then respond by recycling the present progressive tense. The follow-up requires that students actively produce the structure in a controlled setting.

Inés/quince minutos

Linda y Manuel/media hora

Esteban/dos horas

Alfonso/una hora

Octavio/cuarenta minutos

Manuel/veinte minutos

Ahora, diga usted cuánto tiempo hace que cada persona participa en la actividad. **Hace... que...**

X. ¿Días, semanas, meses o años? En parejas, hagan preguntas para averiguar cuánto tiempo hace que ustedes participan en las actividades.

MODELO: *estudiar* en la universidad
—**¿Cuánto tiempo hace que estudias en la universidad?**
—**Hace dos años que estudio aquí. ¿Y tú?**

1. *asistir* a esta (*this*) universidad
2. *vivir* en este estado (*state*)
3. *estudiar* español
4. *salir* con tu novio o novia (si tienes novio o novia)
5. *conocer* a tu mejor amigo/a
6. *vivir* en tu residencia estudiantil/apartamento/casa

Dígale a la clase algo acerca de su compañero/a de clase.

MODELO: **Hace diez años que ... conoce a su mejor amigo/a.**

With both the sample words and the practice sentences, have students repeat after you, followed by practice in pairs.

Así se dice

La pronunciación de *ll* y la consonante *v*

ll Remember that double **l** approximates the English *y* sound as in *yes*.

llueve   lloviendo   lluvia   llover

v Between vowels, **v** (like **b**) is pronounced with the lips barely touching. Repeat the above words, concentrating on the **v** sound. Initial **v** is pronounced like the English *b* in *boy*.

viento   violín   viernes

Repita las oraciones para practicar la pronunciación de **ll** y **v**.

full moon / stars / shine

ll En las noches de **luna llena°**, las **estrellas° brillan°**.

sail / softly

v El **viento mueve** la **vela° suavemente°**.

¿Colecciona usted sellos?

Dicho y hecho

Conversando

Buscando información sobre su universidad

Conversen en grupos de tres. Un/a estudiante es de una escuela secundaria y quiere información acerca de la universidad. Hace muchas preguntas. Los otros/Las otras dos asisten a la Universidad de (*Nombre*) y contestan. Incluyan:

- cuánto tiempo hace que los/las dos estudiantes universitarios/as asisten a la universidad
- cómo son los profesores y las clases
- cuántos estudiantes hay en la universidad y cómo son típicamente (descripción)
- lo que hacen los estudiantes entre semana (de lunes a viernes)
- cómo pasan los fines de semana
- el tiempo que hace en la región (en otoño, invierno y primavera)
- cuánto cuesta la matrícula por un año

¡A escuchar!

¡Todo sobre fútbol!

Escuche los comentarios del locutor (*radio announcer*) y del comentarista Andrés Mauricio. Luego, conteste las dos primeras preguntas.

1. ¿De dónde son los dos equipos rivales? _____ de España _____ de México

2. ¿Se decide el campeón de la liga? _____ sí _____ no

Escuche la transmisión otra vez y escoja (*choose*) la respuesta correcta.

3. ¿Para qué equipo juega Sergio Flores? _____ Madrid _____ Barcelona
4. ¿Cuál es el número de Miguel? _____ 9 _____ 45
5. ¿Quién marca el gol? _____ Miguel _____ Sergio
6. ¿Quién gana? _____ Barcelona _____ Madrid

De mi escritorio

Una descripción creativa de Fulano[5] o Fulana

Dibuje una caricatura de Fulano o Fulana «en acción» (haciendo algo). Describa detalladamente la caricatura. Sea creativo/a. Incluya:

- lo que está haciendo en este momento y dónde está
- cuántos años tiene y cómo es (descripción)
- dónde vive y cuánto tiempo hace que vive allí
- si tiene familia/hermanos/perro/gato/novio(a) o no, y explique (*explain*)
- su rutina de todos los días
- lo que tiene que hacer casi todos los días
- lo que le gusta hacer en su tiempo libre (*free*)
- lo que quiere hacer o va a hacer en el futuro

---

[5] **Fulano/Fulana** is equivalent to John/Jane Doe or "what's his/her name."

Study Hints

See what you have learned! Turn to pp. 172–173 to review the active vocabulary and take the self-test for this chapter.

The listening passage for this and all *¡A escuchar!* sections is recorded on both the instructor and student tape or CD that accompanies each text.

Students need to be reminded that they do not have to understand all of the words in the radio announcement in order to understand the content.

Audioscript:

Aquí estamos nuevamente, en tu radio favorita: KZK 95fm—Todo sobre fútbol. Hoy, les traemos en directo toda la acción en el partido entre los eternos rivales de la liga española de fútbol—el Real Madrid y el Club Barcelona. El resultado del partido de hoy determina quién va a ser el nuevo campeón de la liga. Nuestro comentarista Andrés Mauricio está en el estadio... Mauricio, cuéntanos: ¿Qué está pasando en el estadio?

—Buenas noches, amigos. Éste es un momento muy interesante en el partido. ¡El marcador es uno a uno! Sergio Flores, jugador del Barcelona, tiene la pelota en el minuto cuarenta y cinco del partido. Flores organiza el ataque... ¡pero NO hay gol! Es una buena intervención de Julio, el portero del Real Madrid, pero... un momento... parece que el Real Madrid tiene la posibilidad de marcar un gol! Lleva la pelota Miguel, el número nueve del equipo de Madrid. Miguel escapa las defensas del Barcelona, continúa... tira... y ¡gooooooooool, gol, gol, gol!

Amigos, así termina el partido con un marcador de dos a uno a favor del Real Madrid. ¡El Real Madrid es el nuevo campeón de la liga! Mañana, no olviden escuchar el partido entre las selecciones de España y Austria en directo desde Viena, en su emisora favorita KZK 95 fm—¡Todo sobre fútbol! Hasta pronto.

Las Antillas Mayores:
Cuba, la República Dominicana, Puerto Rico

[www.wiley.com/college/dicho/panorama]   Use *transparency #22* (map) to review the map questions with the class.

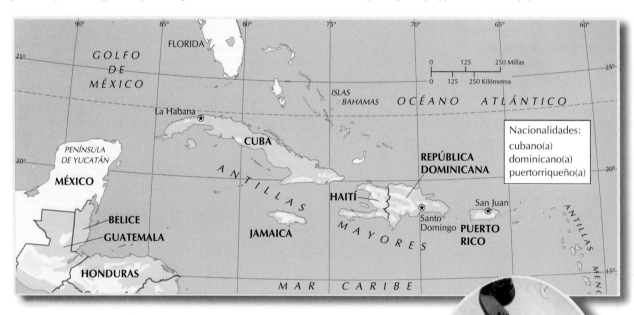

Preguntas sobre el mapa

1. ¿Cuál es la isla de las Antillas Mayores más cercana (*closest*) a la Florida?
2. ¿Cuál es la isla más grande? ¿Cuál es su capital? ¿Y la más pequeña? ¿Y su capital?
3. ¿Qué dos países ocupan una isla? ¿Cuál es la capital del país donde se habla español?

Tres países de habla hispana

Las Antillas Mayores, situadas entre el océano Atlántico y el mar Caribe, incluyen tres países de habla hispana: Cuba, Puerto Rico y la República Dominicana. La República Dominicana ocupa gran parte de la isla «La Española», nombrada así por Cristóbal Colón en su primera visita a América. Las Antillas son territorios muy importantes por su posición como «puertas» al continente americano.

El joven de la foto toca con mucho corazón en una banda en La Habana, Cuba.

Cuba

La caña de azúcar[1], el tabaco, las frutas tropicales y el ron han sido[2] las principales industrias de estas islas durante siglos[3]. Hoy, por su clima y belleza natural, las Antillas Mayores atraen un gran número de turistas.

La música y las danzas de estas islas son la expresión cultural preferida de sus habitantes. Los bailes de salón como la salsa, el mambo, el bolero y el merengue tienen su origen en las costumbres religiosas afrocaribeñas. Estas melodías tienen influencia española, pero en los ritmos es evidente la influencia africana.

¿Sabía usted?

- Cuba fue una colonia española hasta 1898.
- Después de la guerra entre los Estados Unidos y España, Cuba pasó a ser un «protectorado» de los EEUU.
- Cuba se independizó en 1902 pero su economía continuó dependiendo de los EEUU.
- La revolución de 1959 instituyó una dictadura marxista.
- Fidel Castro se convirtió en jefe del país.
- Cuba empezó a depender económicamente de la Unión Soviética, en parte a causa del embargo comercial instituido por EEUU.
- La disolución de la Unión Soviética causó una seria crisis económica en Cuba.

[1]Sugarcane   [2]have been   [3]centuries

El deporte nacional de Cuba y de la República Dominicana es el béisbol. ¡Los beisbolistas talentosos de estos países son conocidos en todo el mundo! ¿Conoce usted al famoso jugador dominicano en la foto?

UNA RANITA CARIBEÑA
¡La rana (frog) más pequeña del mundo [sminthillus limbatus] es cubana!

El producto principal de Cuba es la caña de azúcar, que generó prosperidad para el país en los años 70. ¿Qué productos se hacen de esta planta?

Para solucionar la crisis económica, el plan de Castro consiste en la creación de mercados para el capital extranjero[4], la restauración de las zonas coloniales de varias ciudades y la construcción de hoteles y lugares de veraneo[5] para atraer el turismo. En la foto de La Habana, Cuba, ¿puede usted identificar algunos edificios restaurados? ¿Y edificios modernos?

[4]foreign   [5]beach resorts

La República Dominicana

¿Sabía usted?

- En 1496 los españoles fundaron Santo Domingo, la primera ciudad de origen europeo en América.
- Los franceses establecieron una colonia (Haití) al oeste de la colonia española.
- Después de años de guerra —¡contra los españoles, los franceses y los haitianos!— la República Dominicana se independizó en 1865.
- En 1927, después de una ocupación estadounidense, el general Rafael Trujillo tomó el poder.
- Su dictadura fue totalitaria y terminó con su asesinato en 1965.
- Hoy la República Dominicana es una democracia.

> **¡A ESTUDIAR!**
> ¿Sabía usted que la primera universidad del continente americano se estableció en Santo Domingo en 1538?

La República Dominicana tiene muchas atracciones turísticas. Además de[6] las construcciones coloniales, tiene 300 millas de playas y numerosos campos de golf. ¿Qué le impresiona a usted de esta escena? ¿Sabe usted bucear[7]?

La República Dominicana tiene las construcciones coloniales más antiguas del continente. Esta catedral es la primera del Nuevo Mundo. ¿En qué ciudad capital está situada?

[6]*Besides*   [7]*skin-dive*

¿Qué descubrimos?

Identifique el país o los países de las Antillas Mayores correspondiente(s) a cada descripción:
Cuba, Puerto Rico, la República Dominicana

1. Comparte «La Española» con otra nación.
2. Está relacionado políticamente con los EEUU.
3. Su principal producto es la caña de azúcar.
4. Su gobierno no es democrático.
5. Es famosa por sus beisbolistas.
6. La primena catedral del Nuevo Mundo está situada en su ciudad capital.
7. Tiene dos banderas y dos himnos nacionales.

Puerto Rico

¿Sabía usted?

- Los habitantes indígenas de la isla eran los taínos, quienes llamaban a la isla «Borinquén».
- Cristóbal Colón descubrió Puerto Rico y el español Juan Ponce de León comenzó su colonización en 1508.
- En 1898, después de la guerra entre España y los Estados Unidos, Puerto Rico se convirtió en una colonia estadounidense.
- Desde esa época, la isla depende culturalmente del mundo hispano, pero económica y políticamente de los EEUU.
- En 1948, el nombre y la categoría oficial de Puerto Rico se convierte en «El Estado Libre Asociado de Puerto Rico».
- Los puertorriqueños son ciudadanos[8] estadounidenses, su moneda es el dólar y tienen las mismas leyes federales que el resto de los EEUU.
- Los puertorriqueños tienen dos himnos nacionales, dos banderas[9] y las fiestas nacionales estadounidenses y puertorriqueñas, pero el idioma oficial es el español.

La fortaleza El Morro en San Juan, Puerto Rico, fue construida para defender San Juan de los piratas, de los ingleses y de los franceses. ¿Quiénes la construyeron?

La belleza de sus playas y la rica herencia colonial de Puerto Rico, principalmente en ciudades como San Juan y Ponce, han contribuido a la expansión del turismo en la isla. Esta foto muestra la zona colonial de Ponce. ¿Le gustan a usted los colores de los edificios? ¿Qué países representan las dos banderas que se ven en la distancia?

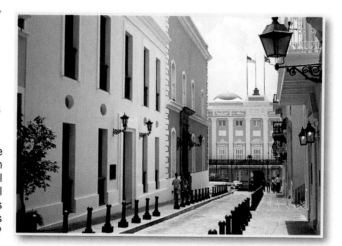

[8]*citizens* [9]*flags*

Adivinanzas

- En parejas, identifiquen cada una de las siguientes referencias: «**La Española**», **Fidel Castro, Santo Domingo, el general Rafael Trujillo, los taínos, Cristóbal Colón, Juan Ponce de León, El Morro.**
- Luego, cada pareja escribe una descripción de una de las referencias y se la entrega (*turns it in*) a la profesora/al profesor.
- La clase forma dos equipos. Por turnos, cada equipo escucha y luego identifica cada descripción. Deben incluir el nombre del país en su identificación. Cada respuesta correcta vale dos puntos. ¿Cuál de los equipos ganó?

ENCUENTRO CULTURAL
Artes literarias:
La poesía afrocubana—Cuba

READING STRATEGIES
Using Title and Format to Understand Content

1. *Pay attention to the poem's title: It will give you a clue as to what the poem is about and how it is meant to be read.*
2. *First, skim the poem paying attention to the repetitions of both verses and words.*
3. *On your second reading, focus on (a) the rhythm of each line created by the stress on certain syllables and (b) the description of the snake. It is a good idea to read the lines straight through and, while reading, tap out the rhythm as if you were playing bongo drums.*

The rhythm is key to understanding this poem. After students are familiar with the text, have them tap out the rhythm of each line. Another option is to assign different sections of the poem to different groups of students. The instructor acts as the orchestra director!

Sensemayá* (Canto para matar una culebra[1])

de Nicolás Guillén

¡Mayombe-bombe-mayombé!**
¡Mayombe-bombe-mayombé!
¡Mayombe-bombe-mayombé!

La culebra tiene los ojos de vidrio[2];
  la culebra viene y se enreda[3] en un palo[4];
   con sus ojos de vidrio, en un palo;
   con sus ojos de vidrio.

    La culebra camina sin patas[5];
    la culebra se esconde[6] en la yerba[7];
    ¡caminando, se esconde en la yerba!
    ¡Caminando sin patas!

    ¡Mayombe-bombe-mayombé!
    ¡Mayombe-bombe-mayombé!
    ¡Mayombe-bombe-mayombé!

---

[1]*Incantation to kill a snake*   [2]*glass*
[3]*slithers*   [4]*tree*   [5]*legs*   [6]*hides itself*   [7]*grass*

---

*Sensemayá is a goddess represented by a snake in some Afrocuban religions.
**The Mayombé are an African (Yoruba) religious sect.

Nicolás Guillén (1902–1989) poeta cubano, es conocido por su poesía afrocubana. Su estilo es rítmico, con temas derivados de la mitología del pueblo afroantillano. La poesía de Guillén adopta un nuevo estilo literario que revela la magnitud de la contribución africana a la cultura cubana y latinoamericana.

Tú le das con el hacha[8] y se muere[9].
¡Dale[10] ya!
¡No le des con el pie, que te muerde[11];
no le des con el pie, que se va!

Sensemayá, la culebra,
sensemayá;
sensemayá, con sus ojos,
sensemayá;
sensemayá, con su lengua,
sensemayá;
sensemayá, con su boca,
sensemayá.

La culebra muerta no puede comer;
la culebra muerta no puede silbar[12];
no puede caminar,
no puede correr.
La culebra muerta no puede mirar;
la culebra muerta no puede beber;
no puede respirar,
no puede morder[13].

¡Mayombe-bombe-mayombé!
Sensemayá, la culebra...
¡Mayombe-bombe-mayombé!
Sensemayá, no se mueve...
¡Mayombe-bombe-mayombé!
Sensemayá, la culebra...
¡Mayombe-bombe-mayombé!
¡Sensemayá, se murió[14]!

---

[8]*ax*   [9]*it dies*   [10]*Hit it!*   [11]*bites*   [12]*to whistle*   [13]*to bite*   [14]*died*

Preguntas

1. ¿Qué características interesantes tiene la culebra?
2. ¿Qué hace la culebra?
3. ¿Cómo es posible matar la culebra?
4. ¿Qué peligro (*danger*) representa la culebra para los humanos?
5. ¿Qué no puede hacer la culebra muerta?
6. ¿En su opinión, es el canto una de las causas de la muerte de la culebra?

Las estaciones

el invierno
el otoño
la primavera
el verano

El tiempo

¿Qué tiempo hace?
Hace buen/mal tiempo.
Hace (mucho) frío.
Hace (mucho) calor.
Hace fresco.
Hace sol.
Hace viento.
Llueve.
Está lloviendo.
   llover (ue)
   la lluvia
nevar (ie)
   Nieva.
   Está nevando.
Hay nieve.
   la nieve
Está (muy) nublado.
Hay nubes

Adverbios

(casi) siempre
a veces
nunca

Sustantivos

El cuerpo

la boca
el brazo
la cabeza
la cara
el cuello
el cuerpo
el dedo
   el dedo del pie
el diente
la espalda
el estómago
la garganta
el hombro
los labios
la lengua
la mano
la nariz
el ojo
la oreja
el pecho
el pelo
el pie
la pierna
las uñas

Los deportes

el baloncesto
el básquetbol
el béisbol
el ejercicio
el equipo
el fútbol
el fútbol americano
el golf
el partido
la pelota
el tenis
el vólibol

Los síntomas físicos

el dolor de cabeza
el dolor de estómago
el dolor de garganta
la fiebre
la gripe
el resfriado
la tos

Verbos y expresiones verbales

abrazar
amar
bailar
besar
buscar
caminar
cantar
conducir
conocer
correr
dar
deber
decir (i)
descansar
esquiar
fumar
ganar
hacer
   hacer ejercicio
jugar (ue)
   jugar al + *sport*
limpiar
llamar
manejar
mirar
nadar
oír
perder (ie)
pintar
poner
practicar
preparar
salir (de)
tocar
traducir
traer
venir (ie)
ver
   ver la tele(visión)
levantar pesas
tener calor
tener frío
tener ganas de...
tener que...
tomar el sol

I. La *a* personal. Escriba oraciones completas usando la **a** personal cuando sea necesario.

1. Busco... (mi amigo, la casa, el médico)
2. Conozco... (la señorita Méndez, el señor Lorca, la ciudad de Nueva York)

II. Verbos con la forma de *yo* irregular en el presente. ¿Qué hacen los «estudiantes perfectos»?

MODELO: tener interés en la clase (Juan, yo)
   Juan tiene interés en la clase.
   Yo tengo interés en la clase.

1. venir a clase todos los días (tú, yo)
2. decir «hola» al entrar en la clase (nosotros, yo)
3. conocer bien al profesor (usted, yo)
4. saber todo el vocabulario (nosotros, yo)
5. hacer preguntas en clase (ustedes, yo)
6. traducir las oraciones (Ana, yo)
7. traer la tarea a clase (ellas, yo)
8. no salir de clase temprano (tú, yo)

III. ¿Qué tiempo hace? Indique qué tiempo hace en las siguientes estaciones. Hay más de una respuesta posible.

MODELO: verano/Miami
   Hace mucho calor. (Hace mucho sol.)

1. otoño/Vermont
2. invierno/Alaska
3. primavera/Washington, D.C.
4. agosto/Tejas

IV. El presente progresivo. Indique lo que está pasando en este momento. Siga el modelo.

MODELO: Llueve.
   Está lloviendo.

1. Nieva.
2. El niño duerme.
3. Leo una novela.
4. Vemos la tele.
5. Mis hermanos preparan la cena.

V. *Hacer* en expresiones de tiempo. Conteste las preguntas según el modelo.

MODELO: ¿Cuánto tiempo hace que vives aquí? (un año)
   Hace un año que vivo aquí.

1. ¿Cuánto tiempo hace que trabajas aquí? (dos semanas)
2. ¿Cuánto tiempo hace que juegas al tenis? (media hora)
3. ¿Cuánto tiempo hace que conoces a tu mejor amigo/a? (un año)

VI. Repaso general del Capítulo 5. Conteste con oraciones completas.

1. En la clase de español, ¿a quién conoce usted muy bien?
2. ¿Qué tiene que hacer usted mañana?
3. ¿Qué tiene ganas de hacer ahora?
4. ¿Cuál es su estación favorita? ¿Por qué?
5. En el invierno, ¿tiene usted resfriados frecuentemente? ¿Qué síntomas tiene usted cuando tiene gripe o un resfriado horrible?
6. ¿Qué está haciendo usted en este momento?
7. ¿Cuánto tiempo hace que usted estudia español usando este (*this*) libro de texto?

Answers to the **Autoprueba y repaso** are found in **Apéndice 2.**

CAPÍTULO 6

La arquitectura futurista del Museo Guggenheim en Bilbao
(ciudad en el norte de España) refleja la vitalidad de la vida
cultural de este país.

¡Vamos al centro!

Goals for communication

- To talk about places and things in the city
- To carry out transactions at the bank and post office
- To talk about actions in the past
- To refer to persons and things
- To make affirmative and negative statements

Cultural focus

- The plaza, heart of the Hispanic city
- Contemporary Spain

Structures

1. El pretérito
2. Verbos con cambios en la raíz en el pretérito
3. Pronombres de complemento directo
4. Palabras afirmativas y negativas

Pronunciation

La consonante **r** y la combinación **rr**

Presentation of *Bien dicho*, pp. 176–177.

Vocabulary from previous chapters can be quickly and effectively recycled via the transparencies.

Transparency #23 Use the transparency of the opener drawings for Chapter 6 to visually present vocabulary dealing with the city. Each vocabulary item can be repeated chorally.

To review the city vocabulary on a subsequent day, ask individual students (as they enter class) to draw on the board a "part" of the city, for example, skyscraper, bus, etc. The entire class can then identify and describe the city. If you add characters to the city, students can invent a story.

¡Bien dicho!

¡Vamos al centro!

2. el edificio
1. BANCO CENTRAL
3. el almacén
SEARS
11. el restaurante, el café
5. pizzería
4. entrar (en)
8. CALLE 3
El Buen Pie
La Perla
El Mesón
9. la zapatería
10. la joyería
AVE CALI
13. esperar
7. la avenida
12. la parada de autobús
6. el autobús
14. TAXI
15. METRO Plaza
16. la plaza

1. bank   2. building   3. department store   4. to enter, go into   5. pizza shop   6. bus   7. avenue   8. street (f.)
9. shoe store   10. jewelry shop   11. restaurant, café   12. bus stop   13. to wait for   14. taxi (m.)   15. metro,
subway   16. plaza, town square

17. el rascacielos
32. la catedral
22. MUSEO DE ARTE COLONIAL
30. OFICINA DE CORREOS
31. el parque
AVE. SUR
18. CINE COLÓN
"TITANIC" HOY
19. la película
29. el buzón
20. hacer cola
hacer fila
21. la gente
23. la estatua
27. el quiosco
25. el periódico
28. las revistas
24. el banco
26. ir en bicicleta

17. skyscraper   18. movie theater, cinema (m.)   19. film   20. to get (stand) in line   21. people   22. museum
23. statue   24. bench   25. newspaper   26. to ride a bicycle   27. newsstand   28. magazines   29. mailbox
30. post office   31. park   32. cathedral

Práctica y comunicación

Assign *Exercise A* as written homework to be completed prior to class. Move quickly and efficiently through the questions found in *Exercise A*, calling on students individually, or, for short answers, soliciting responses from the entire class. Refer to *transparency #23*.

A. En la ciudad. Conteste según los dibujos en las páginas 176–177.

1. ¿Cómo se llama el banco?
2. ¿Cuántas personas entran en el almacén? ¿En qué avenida está el almacén?
3. ¿Cuántas personas salen de la pizzería?
4. ¿Qué tipo de tienda es El Buen Pie? ¿Y La Perla?
5. ¿En qué calle está el restaurante/café El Mesón? ¿Qué están haciendo las personas que están allí? ¿Quién trae las bebidas?
6. ¿Quién está esperando el autobús en la parada?
7. ¿Qué busca el hombre?
8. ¿Cómo se llama la parada del metro?
9. En el Cine Colón, ¿por qué hace cola la gente?
10. ¿Qué tipo de arte podemos ver en el museo?
11. ¿Qué edificios están en la Avenida Sur?
12. ¿Qué hay enfrente de la oficina de correos?
13. ¿Qué venden en el quiosco?
14. ¿Qué lee el hombre que está sentado (*seated*) en el banco?
15. ¿A quién le gusta ir en bicicleta?
16. ¿Qué hay en el centro de la plaza? ¿Y quién persigue (*chases*) al perro por la plaza?
17. ¿Qué tipo de edificio es el edificio muy, muy alto que se ve a la distancia?
18. ¿Cuál es el edificio al final de la Avenida Sur, donde se puede asistir a misa (*mass*)?

 Bien dicho
En la ciudad

You may want to let your students know that in the Hispanic world, the word bar implies more than a place to drink alcoholic beverages—it is also a place to order food and other types of refreshments. Like U.S. bars, it is also a place to socialize and listen to music.

¿Qué más hay en el **centro** de la ciudad?	*center, downtown*
el **bar**	*bar*
el **centro comercial**	*shopping mall*
la **tienda (de ropa)**	*store (clothing store)*
el **teatro**	*theater*
la **entrada**	*ticket (movie, theater)*
la **iglesia**	*church*
el **lugar**	*place*
mejor/peor	*better, best/worse, worst*
abrir/cerrar (ie)	*to open/close*
empezar (ie)/terminar	*to begin/finish*
invitar	*to invite*
pasar	*to happen, pass, spend (time)*
visitar	*to visit*
volver (ue), regresar	*to return, go back*
ir de compras	*to go shopping*
pensar (ie) + *infinitivo*	*to intend (plan) to do something*
para + *infinitivo*	*to (in order to) do something*

¡Un momento, por favor!

- **Invitar** and **empezar**, as well as **aprender**, which you learned in Chapter 2, require the preposition **a** when used with an infinitive.

    Ellos me **invitan a cenar** con frecuencia.
    Él **empieza a trabajar** en el restaurante hoy.
    Él quiere **aprender a cocinar**.

- **Ir de compras** and **pensar** + *infinitive* are expressions that can be used to talk about shopping and what you plan to do.

    Voy de compras los sábados.   *I go shopping on Saturdays.*
    Pienso ir al centro comercial.   *I intend to go to the mall.*

B. ¿Adónde vamos? ¿A qué lugares vamos...?

Exercise B previews **para** meaning *in order to* while practicing the city vocabulary.

1. para encontrar una gran variedad de tiendas y almacenes
2. para tomar cerveza, vino o un refresco
3. para descansar en el centro de la ciudad
4. para ver una película
5. para participar en ceremonias religiosas
6. para ver el arte de pintores famosos
7. para ver una obra de Shakespeare
8. para comprar revistas y periódicos
9. para depositar dinero ($)
10. para comprar estampillas
11. para esperar el autobús
12. para comprar ropa/zapatos/joyas/libros/pizza/helado

Un paso más: En parejas, identifiquen varios lugares que ustedes visitan con frecuencia. Determinen para qué (*for what purpose*) van a estos lugares.

MODELO: **Voy al cine con frecuencia para ver películas de ciencia ficción.**

C. Preguntas personales. En parejas, háganse las siguientes preguntas y contéstenlas.

Exercise C #2: **Mejor/peor** are presented as active vocabulary in this chapter because of their high frequency usage. Comparisons are presented formally in Chapter 8.

1. ¿Piensas cenar en un restaurante este fin de semana? ¿Qué más piensas hacer?
2. Si quieres cenar en un restaurante, ¿a quién invitas?
3. En tu opinión, ¿cuáles son los mejores restaurantes de esta ciudad? ¿Y los peores?
4. Cuando estás en una ciudad grande, ¿qué lugares te gusta visitar?
5. ¿Prefieres visitar un museo de arte moderno o un museo de arte tradicional?
6. ¿Te gusta ir de compras a los centros comerciales? ¿A qué centro comercial vas con más frecuencia? ¿A qué hora abre? ¿Y a qué hora cierra?
7. ¿Prefieres ir de compras a los almacenes grandes o a las tiendas pequeñas?
8. De noche, ¿prefieres ir a un concierto de «rock» o a un concierto de música clásica? ¿A qué hora empiezan los conciertos normalmente? ¿Y a qué hora terminan? ¿Cuánto cuestan las entradas?
9. ¿Prefieres ir al cine o ver un vídeo en tu casa?
10. ¿Qué tipo de películas prefieres? ¿De ciencia ficción? ¿Románticas? ¿Cómicas? ¿De terror? ¿Cuáles son tus películas favoritas?

Conversación

Una ciudad fascinante

Inés, Manuel y Linda van a un café en la plaza después de ir al cine. Inés habla con sus amigos de sus vacaciones en Nueva York.

The *Conversaciones* are recorded on the *Dicho y hecho* instructor's CD/tape. You may wish to introduce the *Conversación* by playing it for the class.

Have students practice this conversation in groups of 3, playing the roles of **Manuel**, **Linda**, and **Inés**. Encourage students to read expressively! Have one of the groups perform in front of the class.

MANUEL: Chicas, ¿les gustó° la película?
did you like

LINDA: ¡A mí me gustó mucho! Las películas filmadas en Nueva York siempre me impresionan.

INÉS: Tienes razón. Nueva York es una ciudad única.

MANUEL: Inés, tú visitaste Nueva York el verano pasado, ¿no? ¿Te gustó?

INÉS: Es una ciudad fascinante pero muy diferente de Madrid o México.

LINDA: ¿De verdad?° ¿Por qué?
Really?

INÉS: Bueno, allá no hay plazas como ésta, pero hay parques enormes. También hay barrios° étnicos como el barrio chino, el barrio italiano, el barrio puertorriqueño y el barrio ruso. ¡Es como estar en pequeñas ciudades dentro de una gran ciudad!
neighborhoods

LINDA: ¿Y cómo es el centro de la ciudad?

INÉS: En Manhattan las calles van de este a oeste y las avenidas de norte a sur. Es muy fácil encontrar° cualquier lugar; además° el metro es muy eficiente.
to find / in addition

MANUEL: ¿Fuiste° al teatro o a algún museo?
Did you go

INÉS: ¡Claro! Vi° una obra° en Broadway y visité el Museo Metropolitano. Su colección de arte es realmente impresionante. Tienen hasta° una réplica de un templo egipcio. También visité el edificio Empire State y las Torres Gemelas°.
I saw / play
even
Twin

LINDA: ¿Y las tiendas? ¡Lo que más me interesa de una ciudad son sus tiendas! ¿Fuiste al famoso almacén Macy's en la Calle 34?

MANUEL: ¿Fuiste a alguna discoteca?

INÉS: No pude° ir de compras porque se me terminó el dinero°. ¡Todo es muy caro! Pero sí fui a una discoteca...
I could not / my money ran out

LINDA: ¿Y viste° gente interesante?
did you see

INÉS: Bueno, sí... ¡pero la gente más increíble que he visto° en mi vida la vi en el metro de regreso a mi hotel!
I have seen

¿Qué pasa?

1. ¿Por qué dice Inés que visitar Nueva York es como visitar varias ciudades en una?
2. ¿Cuál es una de las diferencias entre Nueva York y Madrid o México?
3. ¿Qué lugares famosos visitó Inés?
4. ¿Fue de compras a Macy's?
5. ¿En dónde vio Inés la gente más increíble?
6. ¿Cómo piensan ustedes que es una estación de metro en Nueva York? ¿Es posible imaginar cómo es la gente que Inés vio en el metro?

Estructuras

1. *Talking about actions in the past:* **El pretérito**

The preterit tense is used to talk about completed past actions and past actions within a specific time frame (yesterday, for four years, etc.)

Hablé con mis amigos.	*I spoke with my friends.*
Anoche pasé dos horas con	*Last night I spent two hours*
mis amigos.	*with my friends.*

The preterit tense in Spanish corresponds to two English forms, one used primarily with questions and the other with statements.

| ¿Cuándo **volviste**? | *When **did** you **return**?* |
| **Volví** a la una. | *I **returned** at one.* |

La formación de verbos regulares en el pretérito

To form the preterit tense of regular **-ar**, **-er**, and **-ir** verbs, drop the **-ar**, **-er**, or **-ir** from the infinitive and add the endings below.

	cerrar *to close*	**volver** *to return*	**abrir** *to open*
(yo)	cerr**é**	volv**í**	abr**í**
(tú)	cerr**aste**	volv**iste**	abr**iste**
(Ud., él, ella)	cerr**ó**	volv**ió**	abr**ió**
(nosotros/as)	cerr**amos**	volv**imos**	abr**imos**
(vosotros/as)	cerr**asteis**	volv**isteis**	abr**isteis**
(Uds., ellos, ellas)	cerr**aron**	volv**ieron**	abr**ieron**

- Note that the **-er/-ir** verb endings are identical in the preterit.

- The **nosotros** forms of **-ar** and **-ir** verbs in the *preterit* and in the *present* are the same. The context usually clarifies the meaning.

- Verbs ending in **-ar** and **-er** with stem changes in the present tense (for example, **cerrar** and **volver** in the chart) do *not* have stem changes in the preterit. (Verbs ending in **-ir** with stem changes in the preterit will be studied on page 188.)

- Notice in the chart that regular verbs in the preterit carry an accent in the **yo** and in the **Ud./él/ella** forms. The preterit forms of **ver**, however, do not use a written accent.

  ver: **vi, viste, vio, vimos, visteis, vieron**

spelling changes

Verbos con cambios ortográficos° en el pretérito

Verbs ending in **-gar**, **-car**, and **-zar** have spelling changes only in the **yo** form of the preterit.

To focus on the spelling changes, have students write out several forms as they are dictated, for example, **jugué al tenis, jugó al vólibol**, etc. One student writing at the board can provide a point of comparison to ensure correct spelling of forms.

| **-gar** | **g > gu** | jugar: | yo **jugué**, tú jugaste,... |
| | | llegar: | yo **llegué**, tú llegaste,... |

-car	**c > qu**	tocar:	yo **toqué**, tú tocaste,...
		buscar:	yo **busqué**, tú buscaste,...
		sacar:	yo **saqué**, tú sacaste,...

-zar	**z > c**	abrazar:	yo **abracé**, tú abrazaste,...
		almorzar:	yo **almorcé**, tú almorzaste,...
		empezar:	yo **empecé**, tú empezaste,...

The verbs **leer** (*to read*) and **oír** (*to hear*) change the **i** of the third-person singular and plural endings to **y** (**-ió** > **-yo**; **-ieron** > **-yeron**).

| **i > y** | leer: | leí, leíste, **leyó**, leímos, leísteis, **leyeron** |
| | oír: | oí, oíste, **oyó**, oímos, oísteis, **oyeron** |

Verbos irregulares

The verb **dar** is an **-ar** verb that uses **-ir** endings (minus the accent) in the preterit.

| dar: | **di, diste, dio, dimos, disteis, dieron** |

The verbs **ser** (*to be*) and **ir** (*to go*) have identical but irregular preterit endings; the context clarifies which verb is used.

| ser/ir: | **fui, fuiste, fue, fuimos, fuisteis fueron** |

| (ir) | **Fueron** a una discoteca muy famosa. | ***They went*** to a famous discotheque. |
| (ser) | **Fue** una noche extraordinaria. | ***It was*** an extraordinary night. |

Bien dicho
Para comunicar una serie de acciones

primero	*first*	**después**	*afterwards*
luego, entonces	*then*	**más tarde**	*later*

Práctica y comunicación

D. Ayer (*Yesterday*). Ponga las actividades en orden cronológico según su horario de ayer. (Imagine que usted participó en todas las actividades.) Apunte los números: 1, 2, 3,...

_____ Estudié.

_____ Cené.

_____ Fui al centro estudiantil para hablar con mis amigos/as.

_____ Asistí a mis clases.

_____ Desayuné.

_____ Miré la televisión.

_____ Escribí unos mensajes por correo electrónico.

_____ Almorcé.

Ahora, lea la serie, en orden cronológico, a un/a compañero/a de clase. Incluya las palabras de la lista *Para comunicar una serie de acciones* para hacer la transición entre una acción y otra (**Primero,... Luego,...**). Al final, un/a estudiante lee su lista a la clase.

E. Las actividades de Javier. Según los dibujos, describa lo que Javier hizo (*did*) y lo que él y su hermano menor hicieron (*did*) ayer. Use las palabras de la lista *Para comunicar una serie de acciones* y el tiempo pretérito.

MODELO: **Primero, Javier terminó su trabajo escrito.**

Javier *terminar*...

Exercise D is a "recognition" exercise, allowing students to become familiar with the yo forms of the preterit tense. In addition, they practice using connectors such as primero, luego, etc.

Transparency #24 Use the transparency to complete this exercise. In Exercise E, students practice the third-person singular and plural forms of the preterit through visuals.

...vier *comer*...

beber...

Javier y su hermano menor *jugar*...

Los dos *ir*... *ver*...

Los dos *cenar*...

Javier *volver*...

¡Vamos al centro!

ciento ochenta y tres **183**

Bien dicho ¿Cuándo?

EN EL PASADO...		EN EL FUTURO...	
anoche	*last night*	la **semana**	*next week*
ayer	*yesterday*	**que viene**	
anteayer	*the day before*	la **próxima**	*next week*
	yesterday	**semana**	
la **semana pasada**	*last week*	el **verano/año**	*next*
el **fin de semana**	*last weekend*	**que viene**	*summer/year*
pasado		el **próximo**	*next*
el **viernes... pasado**	*last Friday . . .*	**verano/año**	*summer/year*
el **mes/año pasado**	*last month/year*		
ya	*already*		

In order to complete the follow-up portion of *Exercise F*, students must keep track of their common affirmative answers. Thus, they will be able to respond using the **nosotros** form.

F.   Lo que pasó anoche, ayer y el fin de semana pasado. En parejas, háganse las preguntas. Si ambos (*both*) responden que **sí** a la pregunta, apunten el número de la pregunta.

1. ¿Ya empezaste a estudiar para la próxima prueba de español? ¿Y tú?
2. ¿Comiste en la cafetería anoche?
3. ¿Viste la tele anoche?
4. ¿Leíste el periódico?
5. ¿Fuiste a todas tus clases ayer?
6. ¿Hablaste con uno de tus profesores ayer o anteayer?
7. ¿Fuiste al banco o al supermercado ayer o anteayer?
8. ¿Visitaste a tu familia el fin de semana pasado?
9. ¿Cenaste en un restaurante el fin de semana pasado? (¿En qué restaurante?)
10. ¿Fuiste de compras el fin de semana pasado? (¿Adónde?)
11. ¿Saliste con tus amigos? (¿Adónde fueron?)
12. ¿Viste una película o un vídeo? (¿Cuál?)

Háblele a otra pareja o a la clase de dos o tres actividades que usted y su compañero/a de clase hicieron (*did*). Use la forma **nosotros** del verbo.

MODELO: **...y yo vimos la tele anoche y fuimos a todas nuestras clases ayer.**

If you are running short of time, *Exercise G* may be completed orally, with students working in pairs. Writing gives added reinforcement. The verbs are listed to discourage students from using irregular or stem-changing verbs in the preterit that they have not previously studied.

Exercise G recycles the **ir** + **a** + *infinitive* structure, and heightens the students' awareness of the differences between past and future time.

G.   Una vida muy activa. Complete las oraciones para indicar lo que ocurrió (pretérito) y lo que va a ocurrir (**ir** + **a** + *infinitivo*). Seleccione verbos de la siguiente lista: **tomar, estudiar (para), escribir, leer, ir, visitar, comprar, trabajar, hablar, comer, bailar, ver,** etc. Escriba sus respuestas. Tiene cinco minutos.

En el pasado...

1. La semana pasada, (yo) ... y ...; mis amigos/as ... y...
2. El verano pasado, (yo) ... y ...; mis amigos/as y yo ... y...

En el futuro...

3. La semana que viene, (yo) **voy a** ... y ...; mis amigos/as...
4. El próximo verano, (yo) ... y ...; mi familia...

En parejas, léanse las oraciones.

H. Las películas de Disney. ¿Les gustan a ustedes las películas de dibujos animados? Contesten las preguntas.

Exercise H provides a break from grammar-related activities. It focuses upon well-known movies, and in the background, uses some preterit verbs.

1. ¿En qué año se estrenaron (*premiered*) las siguientes películas? ¿Y cuántos millones de dólares ganaron?
   ¿La bella y la bestia? **Se estrenó en mil novecientos... La película ganó...**
   ¿Aladino? ¿El rey león? ¿Pocahontas? ¿El jorobado de Notre Dame?

2. ¿Qué película fue la más popular según la recaudación (*box office receipts*) en millones de dólares?

3. ¿Qué álbum vendió el mayor (*highest*) número de copias? ¿Cuántas copias vendieron?

4. ¿Qué canciones ganaron el Oscar?

5. ¿Cuáles de las películas de Disney son sus favoritas? Otros títulos incluyen: *Cenicienta (Cinderella), Blancanieves (Snow White), La dama y el vagabundo, 101 Dálmatas.*

©Disney Enterprises, Inc.

LA BELLA Y LA BESTIA (91)
Recaudación en E.U.: 146 millones de dólares.
Album: Tres millones de copias vendidas.
Canción "Beauty and the Beast", ganadora del Oscar.

ALADINO (92)
Recaudación en E.U.: 217 millones de dólares.
Album: Tres millones de copias vendidas.
Canción "A Whole New World", ganadora del Oscar.

EL REY LEON (94)
Recaudación en E.U.: 313 millones de dólares.
Album: Más de 10 millones de copias vendidas.
Canción: "Can You Feel the Love Tonight", ganadora del Oscar.

POCAHONTAS (95)
Recaudación en E.U.: 142 millones de dólares.
Album: Más de tres millones de copias vendidas.
Canción: "Colors of the Wind", ganadora del Oscar.

EL JOROBADO DE NOTRE DAME (96)
Recaudación en E.U.: 100 millones de dólares.
Album: Más de 1 millón de copias vendidas.
Canción: "Someday".

Bien dicho En la oficina de correos

1. la tarjeta postal

2. la carta

3. la dirección
4. el sobre

enviar por correo	*to mail*
mandar, enviar	*to send*
recibir	*to receive*
contestar	*to answer*

5. la estampilla,
el sello

6. el paquete

Exercise I recycles the
preterit tense within the
context of the new
vocabulary. After students complete
the exercise, ask two students to
quickly review it in front of the class.

I.   La historia de una carta. En parejas, describan la historia de una carta personal desde que (*from the time*) ustedes la escribieron hasta que (*until*) su amigo/a la recibió y la leyó. Completen las oraciones. Túrnense (*Take turns*).

MODELO: (yo) *escribir* una...
   Escribí una carta.

1. (yo) *escribir* la dirección en el...
2. *ir* a la oficina de...
3. *comprar* un... de 45 centavos.
4. *buscar* el... (*mailbox*)
5. *enviar* la...
6. mi amigo/a *recibir*..., *abrir*... y *leer*...
7. ella/él me *contestar* inmediatamente

J.   Preguntas personales. En parejas, háganse las preguntas y contéstenlas.

1. ¿Prefieres mandar y recibir mensajes por correo electrónico o cartas por correo regular?
2. ¿Sabes cuánto cuesta un sello para enviar una carta dentro de (*within*) los Estados Unidos? ¿Y para mandar una carta a México? ¿Europa?
3. ¿De quién recibes cartas o mensajes con frecuencia? ¿Por correo o por correo electrónico?
4. ¿Cuántos mensajes recibes cada (*each*) día por correo electrónico? ¿Respondes inmediatamente?
5. ¿Recibiste paquetes la semana pasada o el mes pasado? (¿De quién?) ¿Recibes paquetes con frecuencia?
6. ¿Mandaste tarjetas postales el verano pasado? (¿A quién?) (¿De dónde?)
7. ¿Recibiste tarjetas postales el verano pasado? (¿De quién?) (¿De dónde?)
8. ¿Tienes una colección de estampillas? (¿De qué países?)

Noticias culturales

LA PLAZA

La plaza es el corazón° de las ciudades y los pueblos hispanos. Normalmente ocupa el centro de la parte más vieja de la ciudad o del pueblo. Originalmente la plaza era° el centro político, religioso, social y comercial de una población. En ella se instalaban° los mercados y se celebraban los festivales y las ceremonias más importantes.

Una plaza típica está rodeada° por una iglesia, edificios públicos, cafés, tiendas y bares. Generalmente en el centro de una plaza hay un monumento histórico o religioso, y en muchas ocasiones también hay fuentes° y jardines. Hoy en día las plazas todavía° tienen mucha importancia para los habitantes de una comunidad. Durante el día la gente camina, conversa, toma refrescos, lee o juega cartas o dominó. En las noches los jóvenes se reúnen para conversar y para hacer planes para ir al cine o bailar. La Plaza Mayor de Salamanca está considerada como una de las más bellas del mundo hispano. Otras plazas famosas son la Plaza Mayor en Madrid y la Plaza del Zócalo en México, D.F.

heart

was
were installed

surrounded

fountains / still

Prior to class (utilizing students that arrive early) ask pairs of students to draw "scenes" from this *Noticias*, drawing from the descriptions in the second paragraph. Use these illustrations to present the information. Students, after reading the *Noticias*, can talk about the content via the illustrations.

¿Qué hay de nuevo?

1. Generalmente, la plaza principal se encuentra en...
2. Es común encontrar... en una plaza típica.
3. Los monumentos en el centro de las plazas son ... y a veces también hay...
4. Durante el día la gente utiliza las plazas para...
5. Los jóvenes visitan la plaza para...
6. Una de las plazas más famosas es...

¿Qué hacen estas personas en la plaza? La Plaza Mayor de Salamanca, España.

Conexiones y contrastes

1. ¿Cuál es el lugar público más importante de su ciudad o pueblo? ¿Qué pasa allí? ¿Está en la parte vieja o en la parte nueva de la ciudad?
2. ¿Es la función social de las plazas comparable a la de los centros comeriales en los EEUU? ¿Cómo son similares? ¿Y diferentes?

2. *Expressing additional actions in the past:* Verbos con cambios en la raíz en el pretérito

Introduce the preterit stem-changing verbs by writing model verbs on the board or on a transparency. Emphasize visually where stem changes occur.

Practice and reinforce the stem-changing verbs by doing a few rapid verb substitution drills. Make sure you place the verb in a context.

As part of your presentation, or on a subsequent day, reinforce the stem-changing verbs through a mime activity. Have students act out the following actions: **dormir, morir** (select an extroverted student for this one), **servir la comida** (a waiter or waitress in a restaurant), and **repetir las palabras del vocabulario** (two students, one gives the vocabulary words, the other repeats them). First the class identifies what each student is doing, using the present progressive. Highlight the stem change in the *-ing* form. After the actions cease, the students indicate what each classmate did, using the preterit stem-changing verb.

Formación

Verbs ending in **-ir** that are stem-changing in the present tense (**o > ue, e > ie, e > i**) also change in the preterit[1]. The change in the preterit (**o > u** and **e > i**) is different from the change in the present and occurs only in the third person singular (**usted/él/ella**) and third person plural (**ustedes/ellos/ellas**) forms. This same change also occurs in the present participle (**-ando/-iendo form**). Note the pattern of change in the following model verbs.

dormir o > u		pedir e > i	
dormí	dormimos	pedí	pedimos
dormiste	dormisteis	pediste	pedisteis
d**u**rmió	d**u**rmieron	p**i**dió	p**i**dieron

Verbos con cambios en la raíz en el pretérito

dormir (ue, u)	*to sleep*	Sandra **durmió** en la casa de su amiga.
morir (ue, u)	*to die*	Su perro **murió** en un accidente.
preferir (ie, i)	*to prefer*	Las chicas **prefirieron** no hablar del incidente.
pedir (i, i)	*to ask for, request, order*	Sandra **pidió** un taxi para ir a un restaurante.
		Las dos chicas **pidieron** una paella de mariscos.
servir (i, i)	*to serve*	¿Qué más **sirvieron** en el restaurante?
repetir (i, i)	*to repeat*	El camarero **repitió** la lista de postres.

Study Hints

First, review the present tense stem-changing verbs presented on p. 111. Then practice the preterit tense conjugation of each of the verbs in the list.

¡Un momento, por favor!

When verbs in a list show two stem changes in parentheses, the first (**ue**, for example) refers to a stem change in the present tense; the second (**u**, for example) refers to a stem change in the preterit tense and in the *-ing* form. Observe the change in the *-ing* forms below:

d**u**rmiendo   m**u**riendo   prefiriendo
p**i**diendo   repitiendo   sirviendo

¡Shhhhhh! Los niños están **durmiendo**.

---

[1]Verbs ending in **-ar** and **-ir** do not have stem changes in the preterit tense.

Práctica y comunicación

K. Las actividades de Natalia. Relacione las actividades (del n⁰ 1 al 5) con las actividades correspondientes en el cuadro (*chart*). Lea las dos oraciones.

1. Para prepararse para el examen, Natalia escuchó el casete del Capítulo 6.
2. Ella estudió casi toda la noche.
3. Después del examen, compró un periódico para leer las noticias (*news*).
4. Por la noche, ella y dos de sus amigas cenaron en un restaurante.
5. El camarero sirvió tres postres diferentes esa noche.

> a. Leyó que tres personas murieron en un accidente.
> b. Todas pidieron pasta con camarones y ensalada.
> c. Repitió las palabras del vocabulario.
> d. Ellas prefirieron la torta de chocolate.
> e. No durmió mucho.

Exercise K is a "recognition" exercise, providing a quick warm-up. Students become familiar with the stem-changing verbs (plus *leer*, which also carries a third-person change) through passive usage. Allow students to complete the exercise on their own first, then review it as a class.

L. Opciones. En parejas, describan los dibujos. Usen las palabras indicadas. Cambien los verbos al pretérito.

MODELO: **Ayer Carmen y Natalia fueron al laboratorio, escucharon las cintas y repitieron los verbos.**

Transparency #26 The transparency can be used either to present the exercise initially or for review after students, working in pairs, have completed it.

Ayer, Carmen y Natalia *ir* ... *escuchar* ... *repetir* ...

Esteban y Camila *ir...* Él/Ella *pedir...*

Juanito y Elena *ir...* y *pedir...*

Octavio y Pepita *ir...* Él/Ella *preferir...*

Anoche, Alfonso/sus amigos (*no*) *dormir...*

Durante las vacaciones, la planta del profesor/las plantas de la profesora (*no*) *morir...*

M. Comer y dormir: las necesidades de la vida. Camine por la clase y hágales cada serie de preguntas a tres estudiantes diferentes. Apunte el nombre de la persona y sus respuestas en el cuaderno.

1. La última vez (*last time*) que comiste en la cafetería...
   ¿Qué sirvieron? ¿Qué comidas te gustaron más? ¿Qué comidas no te gustaron?

2. La última vez que cenaste en un restaurante...
   ¿En qué restaurante cenaste? ¿Qué pediste? ¿Qué comidas preferiste? ¿Cuánto costó la cena? ($ dólares)

3. Tus hábitos de dormir...
   ¿Hasta (*Until*) qué hora de la mañana dormiste el sábado pasado? ¿Y el domingo? ¿Cuántas horas dormiste anoche? ¿Cuántas horas debes o prefieres dormir cada (*each*) noche?

En parejas, cada estudiante da una sinopsis de la información que tiene apuntada en el cuaderno. Luego, la profesora/el profesor les pide información acerca de algunos estudiantes.

MODELO: ¿Quién tiene información acerca de...?
   La última vez que... comió en la cafetería, sirvieron...
   Le gustó/gustaron..., pero no le gustó/gustaron...

Bien dicho
El dinero y el banco

¿Qué podemos hacer con el **dinero**?	*money*
ganar/gastar	*to earn/to spend (money)*
depositar/retirar	*to deposit/to take out, withdraw*
perder (ie)/encontrar (ue)	*to lose/to find*
ahorrar	*to save (money)*
cambiar	*to change, to exchange*
contar (ue)	*to count, to tell (narrate)*
invertir (ie, i)	*to invest*
pagar	*to pay (for)*
la **cuenta**	*the bill, the check*

FORMAS DE PAGO/DE RECIBIR DINERO:

el **cheque**	*check*
el **cheque de viajero**	*traveler's check*
firmar (un cheque)	*to sign (a check)*
cobrar	*to cash, to charge*
endosar	*to endorse (a check)*
la **tarjeta de crédito**	*credit card*
el **efectivo**	*cash*
el **cambio**	*change, small change, exchange*
la **moneda**	*currency, money, coin*
el **cajero automático**	*ATM machine*

Práctica y comunicación _____

N. Preguntas sobre las finanzas. A ver cómo gastan ustedes su dinero y controlan sus finanzas personales. Contesten las preguntas en parejas. Para hacerle la misma (*same*) pregunta a su compañero/a, después de cada pregunta, diga **¿Y tú?**

1. ¿Trabajaste el verano pasado? ¿Dónde? ¿Y tú?
2. ¿Ganaste mucho o poco dinero?
3. ¿Ahorraste un poco para este año académico?
4. Por lo general, ¿gastas mucho dinero cada mes? (¿En qué?)
5. ¿Pagaste tu cuenta de teléfono el mes pasado? (¿Cuánto fue?)
6. ¿Cuántas veces por mes retiras dinero del banco? ¿Usas el cajero automático?
7. ¿Recibes cheques o efectivo de tus padres?
8. ¿Tienes tarjeta de crédito? (¿Qué tipo?) (¿Quién paga la cuenta de tu tarjeta de crédito?)
9. Cuando vas de compras, ¿pagas con tarjeta de crédito, con cheque o en efectivo?
10. ¿Inviertes dinero? (¿En qué compañías?)

Ñ. Una visita al banco. En grupos de cuatro, describan la escena según el dibujo. Mencionen lo que está pasando, lo que pasó y/o lo que va a pasar. Un/a estudiante sirve de secretario/a y apunta las ideas. ¡Usen la imaginación! Tienen cinco minutos. ¿Qué grupo puede escribir la descripción más completa?

Transparency #27 After students have completed this exercise, project the transparency of the drawing and have the designated secretary or secretaries with the most complete description (highest number of sentences) present their group's descriptions to the class. In addition, you may want to ask if a group has the funniest description, or the most unique description. If so, they can also give a presentation.

Palabras útiles:
Se escapa = *escapes*;
recoger = *to pick up*,
suelo = *floor*

Ahora, el grupo con la descripción más completa debe leerla en voz alta. Los otros grupos escuchan y añaden (*add*) sus ideas a la descripción.

O. Cambiando dinero. Ustedes salen del aeropuerto de Miami con destino a varios países hispanos. Cada persona debe cambiar cheques de viajero a la moneda nacional del país que decida visitar. En parejas, uno/a hace el papel (*plays the role*) del/de la turista, y el otro/la otra de cajero/a (*teller*) en una casa de cambio.

MODELO: CAJERO/A: **Buenos días, señor/señorita... ¿Desea usted cambiar dinero?**

TURISTA: **Sí, por favor...**

Hablen de: (a) la moneda nacional que usted necesita, (b) a cuánto está el cambio y (c) cuánto dinero quiere cambiar.

Cambio/dólar EEUU		$
España	Euro	1.04
México	Peso	9.49
Costa Rica	Colón	302.00
Panamá	Balboa	1.00
Colombia	Peso	1987.25
Venezuela	Bolívar	671.90
Ecuador	Dólar EEUU	1.00
Perú	Nuevo sol	3.484
Argentina	Peso	.999
Chile	Peso	505.25

3. *Referring to persons and things without repeating the name:* Pronombres de complemento directo

A direct object identifies the person or thing that directly receives the action of the verb and answers the question *Who?* or *What?* The direct object pronoun is used to avoid repeating the name of a person or thing that has already been mentioned.

| (Who?) | Vi **a Laurie**. | *I saw **Laurie**.* |
| | **La** vi en el centro. | *I saw **her** downtown.* |

Laurie is the direct object noun; *her* is the direct object pronoun.

| (What?) | Laurie compró **las entradas**. | *Laurie bought **the tickets**.* |
| | **Las** compró ayer. | *She bought **them** yesterday.* |

The tickets are the direct object noun; *them* is the direct object pronoun.

The following are direct object pronouns. Study their usage in the example sentences.

me	*me*	¿Por qué no **me** esperaste?
te	*you*	**Te** esperé media hora.
lo	*him, you (m.), it (m.)*	Aquí viene el autobús. ¿**Lo** ves?
la	*her, you (f.), it (f.)*	Aquí viene Carmen. Debemos esperar**la**.

nos	*us*	Laurie **nos** llamó anoche.
os	*you*	¿**Os** llamó?
los	*them (m.), you (m.)*	¿Tienes los cheques? ¿Vas a cambiar**los**?
las	*them (f.), you (f.)*	¿Tienes las direcciones? Estoy buscándo**las**.

Write the direct object pronouns on the board or transparency. Present a few example sentences and questions: Pedro me llamó. ¿Te llamó? Pedro lo llamó (point to a male student). Pedro la llamó (point to a female student), etc. Illustrate through example sentences how a direct object pronoun replaces a direct object noun: for example, **Pedro conoce a María** (use your students' actual names) > **Pedro la conoce; Gastó todo el dinero** > **Lo gastó**.

To illustrate visually the position of direct object pronouns, before class write on separate sheets of paper the following words: **no, te, llamo, quiero, llamar, estoy,** and **llamando**. Have 3 students stand in front of the class. Give them **llamo, te,** and **no** out of sequence. With the help of the class, have them try to place themselves in the correct word order. Remove **llamo**, and substitute with **quiero** and **llamar**. Again the class helps in arranging students (and words) in correct order. (**No te quiero llamar/No quiero llamarte.**) Complete the demonstration with **estoy** and **llamando**. NOTE: Have on hand a large red magic marker to write in the accent once the pronoun is attached.

- Direct object pronouns must agree with the nouns they replace or refer to:

¿Compraste **la tarjeta postal**?	*Did you buy **the postcard**?*
Sí, **la** compré.	*Yes, I bought **it**.*
¿Perdiste **las estampillas**?	*Did you lose **the stamps**?*
Sí, **las** perdí.	*Yes, I lost **them**.*

- In Spanish, the direct object pronoun is placed immediately before a conjugated verb.

Lo compré.	*I bought **it**.*

- Direct object pronouns may, however, be attached to infinitives and the present participle (*-ing* form), or be used before the conjugated verb.

Voy a invitar**la**. *o* **La** voy a invitar.	*I am going to invite **her**.*
Estoy llamándo**la**[2]. *o* **La** estoy llamando.	*I am calling **her**.*

Práctica y comunicación

Exercise P provides a quick warm-up with "recognition" of the new structure within the context of the chapter theme.

P. En los Estados Unidos. ¿Conoce usted los Estados Unidos? Indique si usted vio o visitó los lugares mencionados en su último viaje (*last trip*) o si usted quiere verlos o visitarlos.

1.	La Estatua de la Libertad en Nueva York:	La vi.	Quiero verla.
2.	El rascacielos Empire State en Nueva York:	Lo vi.	Quiero verlo.
3.	Los Monumentos a Lincoln y a Jefferson en Washington, D.C.:	Los visité.	Quiero visitarlos.
4.	El Museo Smithsonian en Washington, D.C.:	Lo visité.	Quiero visitarlo.
5.	El Parque Nacional Yosemite en California:	Lo visité.	Quiero visitarlo.
6.	Las Montañas Rocosas de Colorado:	Las visité.	Quiero visitarlas.
7.	El Gran Cañón de Arizona:	Lo visité.	Quiero visitarlo.

Compare sus respuestas con las respuestas de un/a compañero/a de clase. Cuenten el número de lugares que ya visitaron. ¿Quién tiene el mayor número?

---

[2]When a pronoun is attached to the present participle (*-ing* form), a written accent mark is added to preserve the original stress pattern. Find the third vowel from the end of the word, then place the accent on that vowel.

Q. ¿Quiere usted conocerlos? Indique si usted quiere conocer o no quiere conocer a estas personalidades famosas.

Substitute the names of other personalities who may be "hot" or famous at the moment.

MODELO: ¿Quiere usted conocer a...?   Jennifer López
Sí, quiero conocerla. *o* **No, no quiero conocerla.** *o*
No sé quién es.

¿Quiere usted conocer a...?

1. Antonio Banderas

2. Bill Gates

3. Gwyneth Paltrow

4. Ricky Martin

5. Jimmy Smits y Edward James Olmos

6. Whoopi Goldberg y Oprah Winfrey

7. Bill y Hillary Clinton

8. Ally McBeal

9. Fidel Castro

10. Dr. Jack Kevorkian

11. ¿...?

R. Las preguntas de una persona organizada. Imaginen que están de vacaciones en Barcelona, España. Háganse las preguntas para averiguar si ya hicieron ciertas cosas. Contesten las preguntas sustituyendo el pronombre (*pronoun*) por el nombre. Trabajen en parejas.

Students should alternate asking and answering questions.

MODELO: ¿Encontraste *el cajero automático*?
Sí, ya lo encontré. *o* **No, no lo encontré.**

1. ¿Cambiaste *los cheques de viajero*?

2. ¿Pagaste *la cuenta del hotel*?

3. ¿Encontraste *la oficina de correos*?

4. ¿Compraste *los sellos*?

5. ¿Enviaste *las tarjetas postales*?

6. ¿Vas a comprar *las entradas para el concierto*?

7. ¿Vas a hacer *las reservaciones en el restaurante*?

Encourage students to be expressive, to act out the direction lines, and to have fun while they are learning. Review the exercise with the class (to ensure correct answers) prior to the final "dramatic" presentation.

S. La telenovela «Un día de la vida». Completen el diálogo entre Aurora y Anselmo, personajes famosos de la telenovela «Un día de la vida». Usen los pronombres **me**, **te** o **lo**. Trabajen en parejas. Luego, léanlo dramáticamente.

ANSELMO: Mi amor, estás muy triste. ¿Qué pasa?... ____ amas, ¿verdad?

AURORA: ____ amo con todo mi corazón (*heart*), pero tengo que ser muy franca. También adoro a Rafael, y sé que él ____ adora a mí.

ANSELMO: Pero yo también ____ adoro. Eres el amor de mi vida. ____ necesitas, ¿verdad?

AURORA: Claro que ____ necesito, pero no puedo imaginar mi vida sin Rafael. También ____ necesito a él. ____ extraño (*miss*) mucho.

ANSELMO: Pero hace dos semanas que ____ estás esperando, y él no vuelve. Tú sabes que yo siempre estoy aquí y que ____ quiero.

sobs   AURORA: *(Ella solloza°.)* Pero él es único. Yo no ____ quiero a ti como ____ quiero a él.

ANSELMO: *(También solloza.)* Tengo que reconocer (*admit*) que también ____ quiero. Yo también ____ extraño.

AURORA: Nunca vamos a encontrar otro perro como él.

Frente a la clase, una pareja lee el diálogo con **mucha** expresión.

This activity may be assigned for homework or completed in class. Students can share cards in class and vote on the best one.

T. El Día de San Valentín. Diseñe (*Design*) una tarjeta del Día de San Valentín. Escríbasela a una persona muy especial en su vida o a la persona de sus sueños (*dreams*). Indique lo que más le gusta de esa persona, cuánto lo/la ama, etc.

4. Making affirmative and negative statements: Palabras afirmativas y negativas

You have previously used some affirmative and negative words in Spanish: **siempre**, **a veces**, **nunca**. Here are some additional affirmative and negative words.

Words used to make affirmative and negative statements

algo	*something*
alguien	*someone, somebody*
algún (alguno/a/os/as)	*some, any*
también	*also*
o ... o	*either . . . or*
nada	*nothing, not anything*
nadie	*no one, nobody*
ningún (ninguno/a)[3]	*no, none, not one*
tampoco	*neither, not either*
ni ... ni	*neither . . . nor*

How to use affirmative and negative expressions

● To express a negative idea in Spanish using the above expressions, a "double negative" construction is often used.

no + verb + negative word
or
no, no + verb + negative word

¿Compraste **algo** en la tienda?	*Did you buy **something** at the store?*
Hoy **no** compré **nada**.	*I did**n't** buy **anything** today.*
¿Hay **alguien** en el taxi?	*Is there **someone** in the taxi?*
No, **no** hay **nadie**.	*No, there is **no one**.*

● However, some negative words can precede the verb, thereby eliminating the use of **no**.

negative word + verb

Nunca uso el metro.	*I **never** use the metro.*
Yo **tampoco**.	*Me **neither**.*
¿**Alguien** va al centro?	*Is **someone** going downtown?*
No, nadie va.	*No, no one* is going.*

---

[3]The plural forms **ningunos/as** are very seldom used. ¿Tienes **algunas revistas en español**? No, no tengo **ninguna (revista en español)**.

You may wish to write each affirmative word on a sheet of paper with its negative counterpart written on the other side. Another option is to write the words on the board or transparency in two columns, affirmative and negative. Present the words in pairs, with examples. For initial practice, cover the negative side. Highlight each affirmative word, having students provide the negative word that corresponds to it. Reverse the procedure.

Visually reinforce the concept of the double negative construction in the following manner. Before class, write on separate sheets of paper the words **compré, algo, no,** and **nada**. Distribute them to 4 students in class. Have the 2 students with the words **compré** and **algo** stand in front of the class. A third student, carrying the word **no**, adds him/herself to the sentence, causing a fourth student carrying the word **nada** to replace the **algo** student. Repeat the procedure with the words **vi, a, alguien, no,** and **nadie**.

- **Alguien** and **nadie**, when they are objects of the verb, are preceded by the "personal **a**."

  ¿Viste **a alguien** corriendo por el parque? No, no vi **a nadie**.

- Just as **uno** shortens to **un**, the adjectives **alguno** and **ninguno** become **algún** and **ningún** before a masculine singular noun.

¿Vas a visitar Madrid **algún** día?	*Are you going to visit Madrid **some** day?*
¿**Algunos** estudiantes van?	*Are **some** students going?*
Ningún estudiante va.	*No student is going. **Not a single** student is going.*
Ninguno/a va.	*None is going.*
De todas las chicas, **ninguna** fue.	*Of all the girls, **none** went.*

Práctica y comunicación

Exercise U provides "recognition" of the affirmative and negative words in the first part, and active use of the expressions in the follow-up. Use the transparency of the chapter opener (*transparency #23*) to complete this exercise. If you do not have an overhead projector available, have students look at the illustration in their textbooks. They can then write **cierto** or **falso** on a sheet of notebook paper by the appropriate number reference.

U. En el centro de la ciudad. Refiérase al dibujo de la ciudad en las páginas 176–177. Diga si las declaraciones son ciertas o falsas. Apunte su respuesta. (**cierto/falso**).

1. En este momento, *nadie* espera el autobús.
2. *Alguien* está entrando en la zapatería.
3. *O* el Buen Pie *o* La Perla venden suéteres.
4. Las personas en el restaurante esperan las bebidas y la comida. No hay *nada* en las mesas.
5. *Nadie* hace fila para ver la película.
6. *Algunas* personas salen del museo.
7. El hombre que está enfrente de la oficina de correos pone *algo* en el buzón.
8. El hombre en el quiosco vende chocolates y *también* vende helado.
9. El perro *siempre* se escapa del niño.
10. Hay *alguien* en el parque frente a la catedral.
11. *Algunos* de los edificios son modernos.
12. *Ningún* edificio es colonial.

En parejas, cambien la información de las oraciones **falsas** para indicar la información correcta.

MODELO: 1. En este momento, **alguien (una mujer)** espera el autobús.

The class reviews the exercise first, prior to practicing in pairs in the follow-up.

V. Dos profesores. La profesora Falcón es muy positiva. Su colega, el profesor Morrón, siempre es negativo. Él contradice (*contradicts*) todo lo que ella dice. Usted hace el papel del profesor Marrón.

MODELO: Algunos estudiantes estudiaron mucho para el examen.
       Ningún estudiante estudió mucho para el examen.

1. Mis estudiantes casi *siempre* estudian para los exámenes.
2. *Alguien* sacó 100 en el último examen.
3. *Algunas secciones* de mi examen *fueron fáciles*.
4. Los estudiantes aprendieron *algo* en la clase y les gustó.
5. La clase fue buena y *también* fue divertida.

En parejas, lean las declaraciones y presenten las contradicciones.

W. Buscando información. En parejas, háganse las preguntas y contéstenlas en oraciones completas. Escuchen bien las respuestas.

1. ¿Estudiaste con alguien anoche? (¿Con quién?) ¿Y tú?
2. ¿Hablaste con alguien por teléfono anoche? (¿Con quién?)
3. ¿Viste algo divertido en la tele anoche? (¿Qué?)
4. ¿Oíste algo interesante en la radio anoche o esta mañana? (¿Qué?)
5. ¿Compraste algo en el centro comercial la semana pasada? (¿Qué?)
6. ¿Saliste con alguien interesante el fin de semana pasado? (¿Con quién?)

Presente a la clase dos declaraciones acerca de su compañero/a de clase.

MODELO: **... no estudió con nadie anoche, pero habló con alguien por teléfono. Habló con su hermana.**

Palabra útil:
gratis = *free*

En parejas, contesten las preguntas presentadas en el aviso. Luego hablen de los servicios de Internet que ustedes usan.

Así se dice

La pronunciación de *r* y *rr*

r If not used at the beginning of a word, the single **r** approximates the sound of *tt* as in *Betty likes butter better* or *dd* as in *Eddy*.

   zapatería   joyería   parada

rr The double **r** has a trilled sound as in mimicking a motorcycle; initial **r** has the same sound.

   correo   ahorrar   cerrar   rascacielos   restaurante

   Repita las líneas que siguen. Luego, léalas rápidamente.

   > Erre con erre cigarro,
   > Erre con erre barril.
   > Rápido corren los carros,
   > Carros del ferrocarril°.

With both the sample words and the verse, have students repeat after you, followed by practice in pairs. Have several students read the verse to the class, with the class deciding who has the best "rr" pronunciation.

railroad

Dicho y hecho

Conversando

This conversational activity complements the *Panorama cultural* on Spain that follows and allows students to converse in an unstructured manner as they make their plans for the day.

Un día en Madrid, capital de España

Imaginen que están en Madrid por un día. En grupos de tres, estudien las opciones presentadas en la «Guía de la ciudad» (p. 201). Formulen un plan de actividades para la **mañana**, la **tarde** y la **noche**. Hablen de por qué quieren/prefieren ir a los lugares que escogen (*you choose*). Usen las palabras **primero**, **luego**, **después**, **más tarde**, etc. para conectar sus ideas. Al final, algunos grupos presentan su plan a la clase.

¡A escuchar!

The listening passage for this and all *¡A escuchar!* sections is recorded on both the instructor and student tape or CD that accompanies each text.

Un día fabuloso en Barcelona

Marta habla con su amiga Inés. Es la primera visita de Inés a Barcelona. Las dos se sientan en un café en la Plaza Real. Escuche la conversación. Luego, conteste las dos primeras preguntas.

1. ¿Cómo fue el día de Inés? _____ muy activo _____ muy tranquilo
2. ¿Visita ella la ciudad de Barcelona con su amiga Marta?
   _____ sí _____ no

Ahora, escuche la conversación otra vez y complete las oraciones.

3. La Sagrada Familia es una _____
4. El arquitecto de la Sagrada Familia, Gaudí, no terminó su obra (*work*) porque _____
5. Inés visitó otra obra de Gaudí, el _____ Güell.
6. Inés tomó un _____ al Barrio Gótico y visitó el _____ de Picasso.
7. La sorpresa (*surprise*) de Marta es que _____ dos _____ para la Ópera del Liceo.

De mi escritorio

Mi visita a la ciudad de...

Escriba una breve descripción de su visita a la ciudad de... (La visita puede ser real o imaginaria.) Incluya:

- cuándo fue (fecha, etc.) y con quién fue
- cómo fue (en coche/tren/avión [*airplane*])
- los lugares que visitó
- dónde comió (¿Qué comió?)
- el lugar o la atracción que más le gustó/los lugares o las atracciones que más le gustaron
- si tomó fotos (¿De quién?) o mandó tarjetas postales (¿A quién?)
- cuándo regresó a casa

Study Hints
See what you have learned! Turn to pp. 206–207 to review the active vocabulary and take the self-test for this chapter.

TERRAZA
Gta. de Atocha

MUSEO DEL PRADO   Uno de los más famosos museos de arte del mundo. Presenta las pinturas más importantes de las escuelas italiana, flamenca, holandesa, veneciana, inglesa y española de los siglos XII al XIX. Si quiere ver arte contemporáneo y vanguardista, visite el **MUSEO NACIONAL CENTRO DE ARTE REINA SOFÍA.** Aquí se encuentra *Guernica*, el famoso cuadro de Picasso.

BÁVARO: TERRAZA   Situado al lado del Jardín Botánico; la terraza más veterana de Madrid; buena música, excelente coctelería.

TEATRO LOPE DE VEGA
Esta noche: «El hombre de la Mancha», musical; Ballet y orquesta de la ópera de Kiev.

RESTAURANTE AL-AMAN II
Auténtico restaurante marroquí; exquisito cus cus; también hay platos vegetarianos y deliciosos postres típicos. Si desea una exquisitas paella, cene el la **ARROCERÍA PUERTA DE ATOCHA.** ¡Sirve 14 clases de arroz! El **RESTAURANTE REDONDELA** ofrece las mejores carnes y mariscos de la gastronomía gallega.

PLAZA MAYOR
La antigua Plaza Mayor es el lugar ideal para comprar recuerdos, tomar un aperitivo en un bar o dar un paseo. Día y noche hay gente en la plaza.

PARQUE DEL RETIRO
Está situado en el centro de la ciudad, y es el más popular de los parques madrileños. Tiene 119 hectáreas y 15.000 árboles. Es muy divertido ir en barcas en el lago.

PARQUE DE ATRACCIONES
Abierto todos los días desde las 12:00. Las mejores atracciones: Los Rápidos, Los Fiordos, el Flume Ride, el Top Spin, el Star Láser.

PANORAMA CULTURAL

España contemporánea: herencia y modernidad

[www.wiley.com/college/dicho/panorama]

Use *transparency #28* (map) to review the map questions with the class.

Preguntas sobre el mapa

1. ¿Cuál es la capital de España?
2. ¿Cuáles son dos ciudades importantes en la costa este?
3. ¿Cuáles son tres ciudades importantes en el sur de España (no en la costa)?
4. ¿Cómo se llaman las montañas que están entre España y Francia?
5. ¿Cómo se llaman las islas que están en el Mar Mediterráneo?
6. ¿Qué otro país forma parte de la península ibérica?
7. ¿Cómo se llama el estrecho que separa España de Marruecos?

ADIÓS A DOS GENIOS

¿Sabe usted que Miguel de Cervantes (el autor de *Don Quijote*) y William Shakespeare, los escritores más importantes de España e Inglaterra, murieron exactamente el mismo día del mismo año: el 23 de abril de 1616?

¿Sabía usted?

▶ El español es sólo uno de los idiomas oficiales de España: muchos españoles también hablan gallego, vasco o catalán.

▶ Las playas, montañas y numerosos lugares históricos hacen de España uno de los destinos turísticos más populares de Europa.

▶ Las aceitunas, el aceite de oliva y las naranjas de Valencia son famosos en todo el mundo.

Herencia y modernidad

En España podemos visitar el pasado y al mismo tiempo vivir las innovaciones del presente.

Durante la celebración en 1992 del quinto centenario[1] del primer viaje de Colón a América, España fue el centro de atención del mundo. Ese año los Juegos Olímpicos se celebraron en Barcelona y la Exposición Universal fue en Sevilla. Estos eventos generaron nuevas industrias y una nueva imagen nacional. Según la foto de las ceremonias de apertura de los Juegos Olímpicos en Barcelona, ¿cuántas personas piensa usted que hay en el estadio?

Los trenes de alta velocidad AVE se inauguraron en 1992 para comunicar Madrid con la Exposición Universal en Sevilla. ¿Prefiere usted ir en un tren de alta velocidad o en un tren regular? ¿Por qué?

¿Qué aspectos de esta foto de la Exposición Universal en Sevilla le interesan a usted más? ¿Los edificios? ¿El transporte? ¿Piensa usted que esta foto representa la imagen de las ciudades del futuro?

En la España contemporánea se crea una vigorosa cultura que combina la herencia de un pasado brillante con las nuevas posibilidades del futuro. La arquitectura futurista del Museo Guggenheim en Bilbao, España, refleja la vitalidad de la vida cultural de España. ¿Le gusta este tipo de arquitectura, o prefiere la tradicional?

---

[1] *500th anniversary*

Las diferentes regiones de España constituyen diferentes zonas culturales con sus propios bailes, comidas, vestidos[2] típicos y formas de hablar. El baile flamenco es típico de Andalucía, región en el sur de España. ¿Hay bailes típicos en la región donde usted vive?

¡GRACIAS TÍO!

¿Sabe usted que Picasso fue abandonado cuando nació (*was born*) porque pensaban que estaba muerto (*dead*)? Su tío lo salvó.

La influencia del arquitecto Gaudí y de los artistas Pablo Picasso, Joan Miró y Salvador Dalí son evidentes en la vida diaria[3] de los españoles. La pintura, la arquitectura y el diseño contemporáneos reflejan sus contribuciones. En este cuadro, *Still Life* de Salvador Dalí, ¿qué cosas puede usted identificar? ¿Le gusta a usted el arte contemporáneo?

UN SUPERESCRITOR

¿Sabe usted que Lope de Vega, un escritor español del siglo XVII, escribió mas de 1.500 obras de teatro?

En España las películas de Pedro Almodóvar y otros directores españoles continúan atrayendo[4] al público. Considere esta escena de la película «Mujeres al borde de un ataque de nervios» de Pedro Almodóvar. ¿Qué cosas indican que esta mujer está al borde de un ataque de nervios?

¿Qué descubrimos?

1. ¿En qué se basa la economía de España?
2. ¿Qué eventos importantes ocurrieron en España en los años 80 y 90? ¿Qué efectos positivos ocurrieron como resultado de estos eventos?
3. ¿Cuáles son algunos ejemplos de la variedad lingüística de España?
4. ¿Cuál es un baile regional típico de España?
5. ¿Cuáles son algunos ejemplos contemporáneos de la rica cultura de España?

---

[2]*attire*   [3]*daily life*   [4]*attracting*

ENCUENTRO CULTURAL

Artes decorativas: Los azulejos[1] de España

Los azulejos de cerámica adornan los castillos y palacios de España desde hace muchos siglos. La palabra azulejo viene de *'al zuleiq'*, que en árabe quiere decir *pequeña piedra pulida*[2]. Precisamente, la presencia musulmana[3] de origen árabe dio comienzo a la tradición de los azulejos en España.

Es importante recordar que la religión musulmana no permite la representación de figuras humanas o animales; por eso, los azulejos árabes sólo utilizan formas geométricas. El palacio de la Alhambra en Granada y la Gran Mezquita[4] en Córdoba contienen los ejemplos más espectaculares de este arte decorativo. Los diseños más recientes también contienen imágenes religiosas, describen una historia o imitan tapices[5] y pinturas.

Los azulejos están decorados con colores vivos y se utilizan para decorar exteriores e interiores de iglesias, restaurantes y hasta estaciones de metro.

Azulejo decorativo en el palacio de la Alhambra. Granada, España.

España produce azulejos para uso doméstico y para exportación. Hoy todavía existen muchos artesanos que producen azulejos tradicionales, hechos a mano, pero gran parte de la producción de azulejos en España utiliza técnicas industriales.

Plaza de España. Sevilla, España.

Preguntas

1. ¿Cuál de estos ejemplos viene de la tradición árabe? ¿Por qué? ¿Dónde se encuentra este azulejo?
2. ¿Qué ejemplo representa un diseño más reciente? ¿Por qué?
3. Observe con atención la foto a la izquierda (*left*). ¿Cómo se llama la plaza? ¿Piensa usted que los azulejos son artesanales o industriales?
4. ¿Hay azulejos en su casa/apartamento? ¿En dónde? ¿Son decorativos o simplemente prácticos?
5. ¿Existen edificios o lugares públicos decorados con azulejos en su ciudad o pueblo? Describa uno.

---

[1]*Ceramic tiles* [2]*polished* [3]*Muslim* [4]*Mosque* [5]*tapestries*

Sustantivos

En la ciudad

el almacén
el autobús
la avenida
el banco
el bar
la bicicleta
el café
la calle
la catedral
el centro comercial
el cine
el edificio
la entrada
la estatua
la gente
la iglesia
la joyería
el lugar
el metro
el museo
la parada de autobús
el parque
la película
el periódico
la pizzería
la plaza
el quiosco
el rascacielos
el restaurante
la revista
la sinagoga
el taxi
el teatro
la tienda (de ropa)
la zapatería

En el banco

el cajero automático
el cambio
la cuenta
el cheque
el cheque de viajero
el dinero
el efectivo
la moneda
la tarjeta de crédito

En la oficina de correos

el buzón
la carta
la dirección
la estampilla
el paquete
el sello
el sobre
la tarjeta postal

Verbos y expresiones verbales

abrir
ahorrar
cambiar
cerrar (ie)
cobrar
contar (ue)
contestar
depositar
empezar (ie) (a)
encontrar (ue)
entrar (en)
enviar
  enviar por correo
esperar
firmar
ganar
gastar
invertir (ie, i)
invitar (a)
mandar
morir (ue, u)
pagar
pasar
recibir
repetir (i, i)
retirar
sacar
terminar
visitar
volver (ue)
hacer cola/fila
ir de compras
ir en bicicleta
pensar (ie) + infinitivo

Adverbios y expresiones adverbiales

anoche
ayer
anteayer
la semana pasada
el fin de semana pasado
el... pasado (lunes, martes, etc.)
el mes pasado
el año pasado
ya
el año/verano que viene
el próximo año/verano
la semana que viene
la próxima semana
primero
luego
entonces
después
más tarde

Preposición

para + infinitivo

Palabras afirmativas y negativas

algo
alguien
algún
alguno/a/os/as
nada
nadie
ni... ni
ningún
ninguno/a
o... o
también
tampoco

I. El pretérito: verbos regulares. Diga usted lo que hicieron las personas ayer en el banco.

MODELO: yo/ir al banco ayer
          Fui al banco ayer.

1. yo/empezar a trabajar a las nueve
2. muchas personas/abrir cuentas
3. mi prima/cobrar un cheque
4. tú/cambiar cheques de viajero
5. nosotros/firmar los cheques
6. yo/sacar fotocopias para un cliente
7. ustedes/pagar la cuenta
8. yo/ver a muchos clientes nuevos en el banco
9. yo/trabajar en el banco todo el día

II. El pretérito: verbos con cambios en la raíz. Hoy, usted es la profesora/el profesor. Hágale preguntas a Ana, y luego a Carlos y a Felipe.

MODELO: repetir las direcciones
          Ana, ¿repitió usted las direcciones?
          Carlos y Felipe, ¿repitieron ustedes las
          direcciones?

1. pedir las entradas
2. preferir la ópera o el ballet
3. dormir bien después de volver del centro

III. Pronombres de complemento directo.
A. El tío Antonio va a Cancún de vacaciones. Va a llevar a muchos amigos y parientes. Indique usted a quién va a llevar.

MODELO: Elena quiere ir.
          Antonio va a llevarla.

1. Yo quiero ir. **Antonio...**
2. Nosotros queremos ir.
3. Ustedes quieren ir.
4. Mis hermanas quieren ir.
5. Mis hermanos quieren ir.
6. Pepita quiere ir.
7. Tú quieres ir.

B. Usted y su hermano van a la oficina de correos. Conteste las preguntas de su hermano según el modelo.

MODELO: ¿Encontraste el paquete?
          Sí, lo encontré.

1. ¿Encontraste las estampillas?
2. ¿Firmaste las cartas?
3. ¿Cambiaste la dirección?
4. ¿Recibiste los paquetes?

C. Conteste las preguntas con un pronombre de complemento directo.

MODELO: ¿Quiere usted conocer al presidente?
          Sí, quiero conocerlo/Sí, lo quiero conocer.
          o **No, no quiero conocerlo/No, no lo**
          quiero conocer.

1. ¿Quiere usted ver a sus amigos/as hoy?
2. ¿Va a llamar a sus padres esta noche?
3. ¿Necesita depositar dinero?
4. ¿Quiere usted abrir una cuenta bancaria ahora?

IV. Palabras afirmativas y negativas. Conteste con oraciones negativas.

MODELO: ¿Compró usted algo en el almacén ayer?
          No, no compré nada.

1. ¿Pidió usted algo en la pizzería?
2. ¿Alguien encontró sus cheques de viajero?
3. ¿Hay algunos taxis esperando en la avenida?

V. Repaso general del Capítulo 6. Conteste con oraciones completas.

1. ¿A qué hora abren los bancos? ¿Y los almacenes?
2. ¿Gastó usted mucho dinero en el centro comercial el mes pasado? (¿Qué compró?)
3. Ayer usted fue a un café con sus amigos. ¿Qué pidieron ustedes?
4. ¿Fueron usted y sus amigos al centro el sábado por la noche? ¿Para qué?
5. ¿Vieron ustedes la película «Titanic»? (¿Les gustó?)
6. ¿Cuántas horas durmió usted anoche?
7. ¿Duerme usted ocho horas casi siempre o casi nunca? (¿Por qué?)

_____

Answers to the **Autoprueba y repaso** are found in **Apéndice 2**.

CAPÍTULO 7

Me gusta este cinturón. ¿Qué te parece? De compras en
Caracas, Venezuela.

¿Qué hay en tu guardarropa?

Goals for communication

- To talk about and purchase clothing
- To point out things and people
- To indicate and emphasize possession
- To talk about actions in the past
- To indicate to or for whom something is done
- To make comparisons

Cultural focus

- Traditional dress
- Argentina and Chile

Structures

1. Los demostrativos
2. Posesión con **de**
3. Los adjetivos y pronombres posesivos
4. Otros verbos irregulares en el pretérito
5. Los pronombres de complemento indirecto
6. **Hacer** para expresar *ago*

Presentation of *Bien dicho*, pp. 210–211

Vocabulary from previous chapters can be quickly and effectively recycled via the transparencies.

Transparency #29 Use the transparency of the opener drawings for Chapter 7 to visually present vocabulary dealing with clothing. Each vocabulary item can be repeated chorally.

To further practice this vocabulary on a subsequent day, divide the class into groups of 5 or 6. One student states what article of clothing he/she is taking on a trip: Llevo mi chaqueta. The next student repeats the sentence and adds another item: Llevo mi chaqueta y mis pantalones. Follow the same pattern adding other items as long as possible! This type of practice develops retention skills.

¡Bien dicho!

¿Qué hay en tu guardarropa?

LA MODA

1. ROPA PARA MUJERES

2. la cadena
3. la blusa de algodón
4. el cinturón
5. la falda
6. las botas
7. el suéter de lana
8. la ropa interior
9. el regalo
10. la bolsa, el bolso
11. llevar
12. el impermeable
13. el paraguas
14. los aretes, los pendientes
15. el collar
16. la pulsera
17. el anillo
18. el vestido
19. las medias
20. las pantimedias
21. los zapatos
22. las s
23. de b
24. el som

1. clothing, clothes 2. chain 3. cotton blouse 4. belt 5. skirt 6. boots 7. wool sweater 8. underwear
9. gift 10. purse, bag 11. to wear, carry, take 12. raincoat 13. umbrella 14. earrings 15. necklace
16. bracelet 17. ring 18. dress 19. stockings, hose, socks (in some Latin American countries) 20. panty hose
21. shoes 22. sandals 23. bathing suit 24. hat

210

EL MODELO
ROPA PARA HOMBRES

camiseta

30. la camisa

31. la gorra

34. la corbata

35. el traje

36. el abrigo

32. la chaqueta de cuero

37. los guantes

29. los pantalones

lones

38. la cartera, la billetera

39. el reloj

s tines

s zapatos nis

33. los jeans, los vaqueros (Esp.)

25. T-shirt, undershirt 26. shorts 27. socks 28. tennis shoes 29. pants 30. shirt 31. cap 32. leather jacket
33. jeans 34. tie 35. suit 36. coat 37. gloves 38. wallet 39. watch

Práctica y comunicación ━━━━━━━

Assign *Exercise A* as written homework to be completed prior to class. Move quickly and efficiently through the questions found in *Exercise A*, calling on students individually or, for short-answer questions, soliciting responses from the entire class. Refer to *transparency #29*.

A. En la tienda de ropa. Conteste en español según los dibujos en las páginas 210–211.

1. Linda va de compras a la tienda La Moda. Está lloviendo. ¿Qué tipo de abrigo lleva ella? ¿Qué más lleva ella?
2. ¿Qué lleva el maniquí (*mannequin*) de pelo rubio?
3. ¿Le gusta a usted el suéter de lana de la tienda?
4. ¿Qué más hay en el escaparate (*shop window*)?
5. ¿Qué ropa lleva el otro maniquí? ¿Qué joyas lleva?
6. Si Linda quiere ir a la playa, ¿qué puede comprar en la tienda?
7. Manuel va de compras a la tienda El Modelo. ¿Qué tipo de pantalones lleva él? ¿Qué más lleva él?
8. ¿Qué lleva el maniquí de pelo negro?
9. ¿Qué ropa lleva el otro maniquí?
10. El padre de Manuel va a Buenos Aires en el invierno. ¿Qué debe comprar Manuel para su padre?
11. Manuel va a la Florida para las vacaciones de primavera. ¿Qué debe comprar en la tienda?
12. ¿Qué puede comprar Manuel en la tienda para guardar (*keep*) el dinero? ¿Y para saber la hora?

¿Hora de comer? Pues nada le hará más la boca agua que un reloj Swatch en forma de pimiento, tocineta o pepino. ¿Le gusta?

VERDUHRA

GUHRKE

¿TIENE HAMBRE?
¡No se coma el reloj!

BONJUHR

¿Cuál de estos relojes prefiere usted? ¿Por qué?

las **gafas**, los **anteojos (de sol)**	*(sun)glasses*
las (los)[1] **lentes de contacto**	*contact lenses*
la **talla**	*size*
la **cosa**	*thing*
las **joyas**	*jewelry, jewels*
de **oro/plata**	*gold/silver*
el **precio**	*price*
costar (ue)	*cost*
barato(a)/caro(a)	*inexpensive/expensive*
limpio(a)/sucio(a)	*clean/dirty*
corto(a)/largo(a)	*short/long*
de **manga corta/larga**	*short-sleeved/long-sleeved*

B. ¡Qué caro es! Lea los precios de los siguientes artículos. En su opinión, ¿son caros o baratos?

Exercise B recycles numbers within the context of clothing.

MODELO: La camisa cuesta $65.
          Es cara.

1.   El impermeable cuesta $30.
2.   La bolsa cuesta $98.
3.   El traje cuesta $59.
4.   La cartera cuesta $80.
5.   Los zapatos cuestan $15.
6.   Los jeans cuestan $100.
7.   La corbata cuesta $5.
8.   El collar de perlas cuesta $900.
9.   El anillo de oro con un diamante grande cuesta $500.

C. Un gran contraste. En parejas, describan la ropa que lleva Esteban, comparándola con la ropa que lleva Octavio. Usen las siguientes palabras: **sucio, limpio, nuevo, viejo, largo, corto, caro, barato**, etc. (*Watch out for adjective agreement and the correct use of* **ser** *and* **estar**.)

Esteban   Octavio

---

[1]**Lentes** can be masculine or feminine, depending on the region of the Hispanic world.

For exercises where students work in pairs, be sure that students change partners. Spot-check for accuracy select questions, such as #6 which presents two verbs within the question.

D. Tú y yo. En parejas, háganse preguntas y contéstenlas. Cambien el verbo a la forma de **tú**, tiempo presente.

MODELO: *¿preferir* ropa de algodón o de poliéster?

ESTUDIANTE 1: **¿Prefieres ropa de algodón o de poliéster?**

ESTUDIANTE 2: **Prefiero ropa de algodón. ¿Y tú?**

1. *¿preferir* faldas largas o faldas cortas?
2. *¿preferir* suéteres de lana o de algodón?
3. *¿preferir* llevar zapatos, sandalias o botas?
4. *¿llevar* impermeable cuando llueve?
5. *¿llevar* botas cuando nieva?
6. *¿llevar* gafas de sol cuando *manejar*?
7. *¿llevar* lentes de contacto o gafas? (¿Cuánto tiempo hace que los/las llevas?)
8. *¿ir* de compras frecuentemente? ¿Adónde *preferir* ir de compras?
9. *¿comprar* regalos con frecuencia? (¿Para quién?) (¿Qué tipo de regalos?)
10. ¿Qué talla (pequeña, mediana, grande o extra grande) de camiseta *comprar* normalmente?
11. *¿comprar* ropa interior en «Victoria's Secret»?

Write the three destinations on the board. As students suggest items for each list, write them on the board (or assign three students to write on the board, one for each destination).

E. ¿Qué vamos a llevar? ¿Qué ropa y accesorios quieren llevar ustedes a los lugares indicados? Vamos a escribir una lista en la pizarra.

1. Vamos a la Patagonia en el sur de Argentina (cerca de Antártida) en el invierno. Hace mucho frío.
2. Vamos a visitar las bellas playas de la República Dominicana en el verano. Hace mucho calor.
3. Somos representantes de los Estados Unidos y tenemos una invitación oficial para visitar Las Cortes del gobierno (*Congress*) en Madrid, España.

In the *Un paso más*, direct objects are <u>recycled</u>.

Un paso más: Un/a estudiante selecciona un artículo de ropa o accesorio de la lista y le pregunta a su compañero/a de clase si va a llevarlo a uno de los tres lugares. Él/Ella contesta según el lugar. Sigan el modelo.

MODELO: ESTUDIANTE 1: **¿Vas a llevar las gafas de sol a la República Dominicana?**

ESTUDIANTE 2: **Sí, voy a llevarlas.**

ESTUDIANTE 1: **¿Vas a llevar el traje de baño a la Patagonia?**

ESTUDIANTE 2: **No, no voy a llevarlo.**

Bien dicho Los colores

To reinforce the identification of colors, bring a set of magic markers, crayons, or other "colorful" items to class. Have students identify the color of each item.

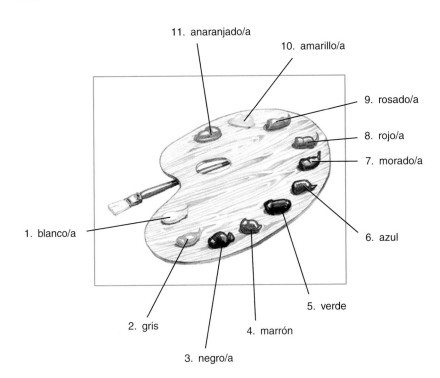

11. anaranjado/a
10. amarillo/a
9. rosado/a
8. rojo/a
7. morado/a
1. blanco/a
6. azul
5. verde
2. gris
4. marrón
3. negro/a

¿Cuáles son sus colores favoritos?
¿Qué colores no le gustan a usted?

¡Un momento, por favor!

- All the colors above are adjectives. Those that end in **-o** change to reflect both gender and number: **blanco, blanca, blancos, blancas**. Those that end in **-e** (**verde**) or a consonant (**gris, marrón, azul**) have two forms, singular and plural: **verde, verdes**.

  Sus pantalones son **grises** y su corbata es **roja**.

- Some colors have alternate names that are noun forms, and thus *do not change* to agree in gender and number. They are often preceded by the word **color**, or the word is implied.

  Examples: **color café; (color) violeta; (color) rosa; (color) naranja.**

To complete *Exercise F*, students should refer to the chapter-opener drawing.

If you wish to make this a class activity, use *transparency #29*. It may also be used for review purposes after students complete their work in pairs. Watch out for adjective agreement, as students often miss this point in using colors.

F. ¿De qué color es? En parejas, determinen el color de la ropa según los dibujos en las páginas 210–211.

MODELO: **La blusa es blanca.**

G. El color perfecto para cada ocasión. Lea las descripciones que siguen. Determine qué color mejor representa su personalidad. (Se puede mencionar colores que no están en las descripciones.) Luego, en grupos de cuatro, contesten las siguientes preguntas.

1. ¿Qué color representa mejor tu personalidad?
2. ¿Qué color representa energía? ¿Calma? ¿Misterio?
3. ¿Qué colores se[2] llevan con frecuencia cuando hace mucho calor? ¿Y cuando hace frío?
4. ¿Qué colores asocias con una persona que frecuentemente está contenta? ¿Y con una persona que está triste?

Palabras utiles: **alegre** = *happy*; **boda** = *wedding*; **viajar** = *to travel*

el color perfecto para cada ocasión

- ROJO. Ideal para buscar trabajo. Se relaciona con el éxito; refleja energía, excitación y pasión. • NARANJA. Para comunicar mensajes. Te dota de vibras positivas, vitalidad y buen humor. • AMARILLO. Para un evento alegre (una boda). Es el color del sol y sugiere calidez y optimismo. • VERDE. Es el color del dinero, llévalo cuando estés en una campaña para reunir fondos. • AZUL. Ideal para viajar en auto con los niños porque transmite serenidad y calma. • MORADO. Para fiestas: sugiere que eres misteriosa y creativa.

H. Un gran desfile de moda (*A great fashion show*). Ocho estudiantes hacen un desfile de moda. Los otros estudiantes describen la ropa que llevan. Al final, determinan quién o quiénes está/n a la moda (*fashionably dressed*).

---

[2]Remember that the word **se**, placed before the verb, slightly, alters the meaning of the verb. Here, **se llevan** = *are worn*; **llevan** = *they, you* (plural) *wear*.

Conversación

En la tienda de ropa

Natalia y Camila van de compras y pasean por la calle mirando los escaparates de varias tiendas. Están buscando un regalo para Rubén.

The *Conversaciones* are recorded on the *Dicho y hecho* instructor's CD/tape. You may wish to introduce the *Conversación* by playing it for the class.

CAMILA: ¡Mira, Natalia, un almacén nuevo! ¿Por qué no entramos? Allí podemos comprar el regalo de cumpleaños para Rubén.

NATALIA: Está bien, vamos. Pero yo no sé qué comprar. ¿Tienes alguna idea?

CAMILA: No sé... ¿Qué tal un suéter y una gorra de lana?

NATALIA: No, a Rubén no le gustan los suéteres; prefiere las camisetas negras. Además él nunca lleva gorras. Dice que dan mucho calor. ¿Sabes que ni siquiera° en invierno lleva calcetines?

not even

Have students practice this conversation in groups of 3, playing the roles of **Natalia**, **Camila**, and el dependiente/la dependienta. The latter student should also read the introduction and the direction lines. Have one of the groups perform in front of the class.

CAMILA: Es verdad, él adora sus sandalias. ¡Ya sé! Podemos comprarle una camisa de algodón y una corbata.

NATALIA: ¡Camila, por favor! No me puedo imaginar a Rubén con corbata. Él siempre lleva camisetas y dice que detesta las corbatas porque no tienen ninguna función práctica.

CAMILA: Esto es difícil. Vamos a ver... Necesitamos algo práctico, algo que corresponda a la personalidad de Rubén... ¡Ya! ¡Tengo la solución!

NATALIA: A ver°, ¿qué?

CAMILA: Pues, ¡unas gafas de sol! ¿Qué te parece?°

Let's see
What do you think?

NATALIA: Es una excelente idea. Rubén perdió sus gafas favoritas en la playa la semana pasada. ¿Hablamos con el dependiente?

CAMILA: Sí, vamos al departamento de ropa para caballeros.

(Van hasta la sección 'Caballeros'.)

DEPENDIENTE: Buenos días. ¿En qué puedo servirles?

CAMILA: Buenos días. Necesitamos unas gafas de sol de buena calidad.

DEPENDIENTE: Tienen ustedes suerte°. Tenemos una selección muy buena y muchas ofertas°.

luck
offers, sale items

(Van hasta un mostrador° lleno de gafas.)

display case

NATALIA: Mira, Camila. Esas gafas son muy similares a las de Rubén. (*Al dependiente.*) Señor, ¿están en oferta esas gafas?

DEPENDIENTE: Sí, (*Saca las gafas del mostrador*). Estas gafas están hechas de plástico reciclado y el precio es excelente. ¡Ah!, y además traen esta camiseta de regalo.

CAMILA: A ver, ¿y qué dice la camiseta?

DEPENDIENTE: Dice: «Plasti-gafas: reciclamos para ver mejor el futuro».

CAMILA Y NATALIA: (*Se miran y dicen juntas.*) ¡Es el regalo perfecto! ¿Dónde pagamos?

¿Qué hay de nuevo?

1. ¿Qué hacen Natalia y Camila?
2. ¿Cuál es la primera idea de Camila para el regalo de Rubén?
3. ¿Por qué no es buena idea comprarle una corbata a Rubén?
4. ¿Qué piensa Natalia acerca de la idea de comprar las gafas de sol?
5. ¿Por qué dice el dependiente que las chicas tienen suerte?
6. ¿Piensa usted que Natalia y Camila están contentas al final? ¿Por qué?

Present the demonstratives by writing each series with a magic marker on a stiff piece of paper. Illustrate the demonstratives by pointing to students in the class, saying: este hombre, ese hombre, aquel hombre, etc.

For visual reinforcement: obtain from students three examples of a masculine singular item (e.g., 3 sweaters), three feminine singular items (3 purses), three masculine plural items (3 shoes), and three feminine plural items (3 jackets). Place each series of items progressively farther from students to illustrate the relationship between position and the different demonstratives. Now have the students identify the position of the objects by use of the demonstrative adjectives.

1. Pointing out things and persons: Los demostrativos

Adjetivos demostrativos

Demonstrative adjectives are used to point out specific objects or persons. Like all adjectives, demonstrative adjectives agree in gender and number with the word they describe. The demonstrative adjective you use depends upon how close you are to the item you are pointing out.

here (**aquí**) close to speaker		there (**allí**) at a short distance		way over there (**allá**) at a great distance	
this	**este** chico **esta** chica	that	**ese** chico **esa** chica	that	**aquel** chico **aquella** chica
these	**estos** chicos **estas** chicas	those	**esos** chicos **esas** chicas	those	**aquellos** chicos **aquellas** chicas

Me gusta **este** suéter. — *I like **this** sweater.*
¿Te gusta **esa** corbata azul? — *Do you like **that** blue tie?*
Vamos a comprar **esos** zapatos. — *We are going to buy **those** shoes.*
Aquella tienda tiene lo que buscamos. — ***That** store has what we are looking for.*

Pronombres demostrativos

A demonstrative adjective becomes a demonstrative pronoun (*this one, that one, those,* etc.) with the addition of a written accent on the stressed vowel. There is no difference in pronunciation. A demonstrative pronoun is used *instead of a noun*, usually to avoid repetition and redundancy, while the demonstrative adjective is used *with the noun*. Compare the demonstrative adjectives and pronouns in the sentences that follow.

Voy a comprar **esta** camisa y **ésa**. — *I am going to buy **this** shirt*
     adjective   *pronoun* — *and **that one**.*
¿Te gustan **estos** pantalones? — *Do you like **these** pants?*
     adjective
No. Prefiero **ésos**. — *No. I prefer **those**.*
     pronoun

a.

Mirando las fotos, ¿puede usted
identificar la ropa de la región
andina? ¿La pollera panameña?
¿El huipil? Describa la ropa que se
ve en cada foto.

b.

c.

4. *Expressing additional actions in the past:*
Otros verbos irregulares en el pretérito

In Chapter 6 you learned how to form the preterit of regular verbs, stem-changing verbs (**o > u**, **e > i**), and the irregular verbs **ser**, **ir**, and **dar** in order to talk about completed actions in the past. The verbs that follow are also irregular in the preterit.

STEM + IRREGULAR ENDINGS: **-e, iste, -o, -imos, -isteis, -ieron**

infinitive	stem	preterit form
estar	**estuv-**	estuve, estuviste, estuvo, estuvimos, estuvisteis, estuvieron
tener	**tuv-**	tuve, tuviste, tuvo,...
poder	**pud-**	pude, pudiste, pudo,...
poner	**pus-**	puse, pusiste, puso,...
saber	**sup-**	supe, supiste, supo,...
hacer	**hic-**	hice, hiciste, hizo,...
venir	**vin-**	vine, viniste, vino,...
querer	**quis-**	quise, quisiste, quiso,...

Note that the **él, ella, usted** form of **hacer** is **hizo**.

STEM + IRREGULAR ENDINGS: **-e, iste, -o, -imos, -isteis, -eron**

traer	**traj-**	traje, trajiste, trajo, trajimos, trajisteis, trajeron
decir	**dij-**	dije, dijiste, dijo,...
traducir	**traduj-**	traduje, tradujiste, tradujo,...
conducir	**conduj-**	conduje, condujiste, condujo,...

Notice the difference in the **ellos, ellas, ustedes** endings (**-ieron** and **-eron**) between the two groups of verbs above. Verbs whose stems end in **j** add **-eron** instead of **-ieron**.

Observe the use of the irregular preterit forms in the sample sentences.

¿Qué **hiciste** anoche?	*What **did** you **do** last night?*
No **tuve** que trabajar.	*I **didn't have** to work.*
Algunos amigos **vinieron** a visitarme.	*Some friends **came** to visit me.*
Rubén **trajo** su guitarra.	*Ruben **brought** his guitar.*

In the preterit, the verbs **saber**, **querer**, and **poder** convey a slightly different meaning than in the present.

Review with students the original meaning of each verb (saber = *to know*, etc.) and contrast with the change of meaning in the preterit.

saber	**Supe** hacerlo.	**I found out (figured out)** how to do it.
querer	**Quise** hablar con ella.	**I tried** to speak with her.
no querer	**Ella no quiso** hablar conmigo.	**She refused** to speak with me.
poder	**Pude** terminar el proyecto.	**I succeeded** (after much effort) in finishing the project.
no poder	**No pude** encontrar al profesor.	**I failed** (after trying) to find the professor.

Práctica y comunicación

Ñ. Nuestras actividades. ¿Quiénes participaron en las siguientes actividades? Respondan en oraciones completas.

Exercise Ñ begins with "recognition" of the new verbs through questions directed to the total class. For each question, elicit responses from various students, to allow them to become familiar with the yo form of the new verbs (plus ir recycled). In the question/answer follow-up, students use the tú form of the verb. When they report back to the class, nosotros is highlighted, along with other options.

1. Ayer o anteayer, ¿quiénes *hicieron* ejercicio en el gimnasio? **Yo hice.../Yo no hice...**
2. Ayer o anteayer, ¿quiénes *fueron* de compras? (¿Qué compraron?)
3. Anoche, ¿quiénes *tuvieron* que estudiar mucho? (¿Para qué clases?)
4. Anoche, ¿quiénes *pudieron* hacer la tarea para todas las clases?
5. Esta mañana, ¿quiénes *condujeron* a la universidad (o a este edificio)?
6. Esta mañana, ¿quiénes *estuvieron* en el centro estudiantil por un rato (*a little while*)? (¿Para qué?)
7. ¿Quiénes *trajeron* comida y/o una bebida a clase hoy? (¿*Trajeron* comida para toda la clase?)

Ahora, en parejas, háganse preguntas similares a las preguntas de la nº 1 a la 7. Usen la forma de **tú** del verbo en la pregunta. (**¿Hiciste ejercicio en el gimnasio ayer?**) Al final, díganle a la clase algo que los/las dos hicieron (o no hicieron) y una diferencia entre sus actividades.

MODELO: **Anoche ... y yo tuvimos que estudiar mucho.**
Ayer ... no hizo ejercicio en el gimnasio. Tampoco yo.
Ayer ... pudo hacer la tarea, pero yo no pude hacerla.

O. Dos amigos conversan. En el apartamento de Ana, ella y Juan conversan. Completen la conversación. Usen la forma correcta del verbo en el pretérito y las palabras necesarias para indicar las actividades de Ana y Juan. Trabajen en parejas.

Students create their own dialogue by filling in the blanks and completing the sections marked with three periods (...) with activities of their choice.

JUAN: ¿Qué (*hacer*) _____ anoche?

ANA: (*Tener*) _____ que ... y ... ¿Y tú?

JUAN: ¡(*Estar*) _____ en ... cuatro horas!

ANA: Pues, yo (*querer*) _____ ... anoche, pero no (*poder*) _____ porque unos amigos míos (*venir*) _____ aquí a las 9:00 de la noche. (*Traer*) _____ ... y ... ¡Lo pasamos muy bien! Esta noche voy a tener que ... ¡Ay de mí!

JUAN: ¡No llores (*whine*)! ¿Nunca (*escuchar*) _____ (*tú*) decir: «No dejes para mañana lo que puedes hacer hoy?»

Have students practice the conversation several times. Then have one or two pairs present their conversation to the class.

¿Qué hay en tu guardarropa?

P. Una fiesta para el cumpleaños de Carmen. Según los dibujos, describa lo que pasó antes de y durante la fiesta. ¿Qué pasó primero? ¿Y después?

MODELO: **Para el cumpleaños de Carmen, Inés y Camila compraron algunos regalos.**

Inés y Camila
comprar...

Inés y Camila *hacer*...

Ellas *poner*... *llevarlos*...

Manuel *traer*...

En la fiesta, Carmen *abrir*...
y todos *comer*

A medianoche,
Camila e Inés *tener que*...

Q. El fin de semana pasado y el verano pasado. Camine por la clase con su cuaderno. Hágales cada pregunta a cuatro personas diferentes. Escriba el nombre de cada persona y su respuesta en el cuaderno. Cada respuesta debe incluir *dos* actividades. Preguntas: **¿Qué hiciste el fin de semana pasado? ¿Qué hiciste el verano pasado?**

Ahora, en grupos de cuatro, hablen de la información que tienen.

MODELO: **El fin de semana pasado, ... fue a una fiesta y bailó mucho.**

Al final, cada grupo determina cuál es la actividad más interesante y menos común de todas las actividades de su grupo. Se la presenta a la clase. ¿Qué estudiante tuvo la experiencia más interesante el fin de semana pasado y/o el verano pasado? La clase decide.

Un paso más: Escriba cuatro oraciones describiendo lo que usted hizo el fin de semana pasado o el verano pasado. Luego, lea sus oraciones a un/a compañero/a de clase.

Exercise Q recycles regular preterit verbs along with the new irregular verbs.

If you prefer that students stay in their seats vs. move about the classroom, divide students in groups of 4 from the outset. The follow-up is completed in groups of 4.

5. *Indicating to whom or for whom something is done:*
Pronombres de complemento indirecto

Study Hints
Review the direct objects in Chapter 6, p. 193.

An indirect object identifies **the person to or for whom** something is done. Thus, this person receives the action of the verb *indirectly*. In English, the *to* or *for* may be stated or implied. (Ask the questions *To whom?* or *For whom?* to identify the indirect object.)

| To whom? | *I gave the ring **to her**./I gave **her** the ring.* |
| For whom? | *I bought a necklace **for her**./I bought **her** a necklace.* |

In contrast, remember that the direct object indicates **who** or **what** *directly receives* the action of the verb. (Ask the questions *Who?* or *What?* to identify the direct object.)

| Who? | *I saw **her** yesterday.* |
| What? | *Did you see **her ring**? She bought it at Tiffany's.* |

Los pronombres de complemento indirecto

Introduce indirect objects by writing pronouns on the board or on a transparency, and providing example sentences.

Review direct object pronouns. Highlight the differences in form between the third-person direct and indirect objects. Illustrate the differences in concept—the action being received directly versus indirectly—through example sentences. **Vi a Laura. Cuando** *la* **vi,** *le* **di el libro.**

The indirect object pronouns are the same forms that you used with the verb **gustar** to indicate *to whom* something is pleasing.

A Carlos **le** gustó mucho el regalo.   *Carlos liked the gift very much.*

me	*me (to/for me)*	**Me** dio un reloj.
te	*you*	¿**Te** dio un anillo también?
le	*you*	Quiero dar**le** un regalo a usted.
	him	Quiero dar**le** un regalo a él.
	her	Quiero dar**le** un regalo a ella.
nos	*us*	**Nos** compraron chocolates.
os	*you*	¿**Os** trajeron algo?
les	*you*	**Les** mandaron un paquete a ustedes.
	them	**Les** mandaron un paquete a ellas/ellos.

Translate the sentences above to English and note the position of the object pronouns in each sentence. For example: *José gave me a watch (gave a watch to me)*.

- The indirect object pronoun, like the direct object pronoun, is placed immediately before a conjugated verb but may be attached to infinitives and to the present participle.

    Me dijeron que esa tienda es muy buena.
    ¿Vas a comprar**me** esa cartera?
    Estoy preguntándo**le** el precio.

- It is common to use an indirect object *noun in conjunction with* the third-person pronouns **le** and **les**.

    Les escribí **a mis primos**.   *I wrote **to my cousins**.*
    También **le** escribí **a Mónica**.   *I wrote **to Monica** too.*

- **Le** and **les** are often clarified with the preposition **a** + *pronoun*.

    Le escribí **a ella** anoche.   *I wrote **to her** last night.*

- For emphasis it is common to use the forms **a mí, a ti, a usted, a él, a ella, a nosotros/as, a vosotros/as, a ustedes, a ellos, a ellas** with the indirect object.

    Sancho **me** mandó el paquete   *Sancho sent the package **to me**.*
    a mí.   *(not to someone else)*

Verbos que frecuentemente se usan con los pronombres de complemento indirecto

Indirect objects are frequently used with the following verbs, as one generally gives, sends, shows, lends, etc. things *to someone*.

dar	*to give*
regalar	*to give (as a gift)*
mandar, enviar	*to send*
mostrar (ue)	*to show*
prestar	*to lend*
devolver (ue)	*to return (something)*
pedir (i, i)	*to ask for, request*
preguntar/contestar	*to ask/answer*
escribir	*to write*
decir (i)	*to say, tell*
contar (ue)	*to tell, narrate (a story or incident)*
explicar	*to explain*

To present and practice these verbs, write on the board or on a transparency short phrases which use the verbs in a context: for example, **dar un anillo, mandar un paquete**, etc. Add a recipient: for example, **a Mónica**. Students can then practice the new verbs using the **yo** form of the verb in the preterit with the indirect object **le**—**Le di un anillo a Mónica**, etc.

Be sure to highlight the difference between **devolver**, presented here, and **volver**, presented in Chapter 6.

Práctica y comunicación ━━━━━━

R. ¿Qué hice yo o qué voy a hacer? Lea cada declaración. Luego, diga lo que usted hizo o lo que va a hacer en cada situación. Seleccione la respuesta del cuadro que mejor corresponda.

In *Exercise R* students become familiar with the use of the indirect objects and the new verbs through a "recognition" activity. The exercise may be completed by the total class, or by students working in pairs.

1. Mi abuela siempre quiere saber lo que estoy haciendo en la universidad.
2. Es el cumpleaños de mi madre.
3. Fui de compras ayer y me compré unos pantalones, una chaqueta y zapatos.
4. Mi amiga Natalia no tiene transporte y necesita ir al centro.
5. Quiero ir al restaurante Cuba-Cuba esta noche, pero no sé dónde está.
6. Mi compañero/a de cuarto quiso saber lo que pasó anoche.
7. Carmen no entendió el Panorama cultural.
8. Camila siempre tiene problemas con las matemáticas.
9. Rubén va a tocar en un concierto este fin de semana.

a. Voy a prestarle mi carro.
b. Le di una de mis calculadoras.
c. Le voy a pedir la dirección a la profesora.
d. Le conté toda la historia (*story*).
e. Le mostré mis cosas nuevas a mi amigo/a.
f. Voy a escribirle una carta larga.
g. Le mandé un regalo.
h. Voy a devolverle la guitarra que me prestó.
i. Le expliqué algunas de las ideas más importantes.

The direct object pronoun lo is recycled to contrast with the indirect object pronoun le.

S. El regalo de cumpleaños de Linda. Complete las oraciones. Use el pronombre **lo** (directo) o **le** (indirecto) según la situación.

1. Manuel _____ dio un regalo a Linda para su cumpleaños.
2. _____ compró un suéter muy bonito. (Me dijo que _____ compró en una tienda muy elegante.)
3. Linda _____ abrió inmediatamente y _____ dio las gracias a Manuel.
4. ¡Es evidente que _____ gustó mucho el suéter!

If time allows, ask students to first write out their answers. As a follow-up, they share their answers with a classmate or with the class.

T. Mis personas favoritas. Dígale a un/a compañero/a de clase lo que hace su mejor amigo/a o lo que hacen algunos de sus parientes favoritos. Combine la información presentada en las columnas A, B y C. Use el tiempo *presente*. Trabajen en parejas.

MODELO: **Mi mejor amigo/a con frecuencia me manda mensajes por correo electrónico.**

A. ¿QUIÉN?	B. ¿CUÁNDO?	C. ¿QUÉ?
mi mejor amigo/a	a veces	darme...
mi madre/padre	con frecuencia	regalarme...
mi hermano/hermana	(casi) siempre	enviarme...
mi tío/tía	(casi) nunca	mandarme...
mi abuelo/abuela		escribirme...
mi primo/prima		preguntarme si (*if*)...
		hablarme de...
		prestarme...

Luego, algunos estudiantes presentan ejemplos a la clase.

Walk about the classroom as students complete this exercise. Listen for correct responses. Spot-check a few of the questions after students have completed their work in pairs.

Exercise U recycles the present tense in contrast to the preterit (regular and irregular verbs).

U. Preguntas personales. En parejas, háganse las preguntas y contéstenlas.

MODELO: ¿Les mandas tarjetas de cumpleaños a tus padres?
Sí, les mando tarjetas de cumpleaños. *o* **No, no les mando tarjetas de cumpleaños.**

Generalmente...
1. ¿Le pides dinero a tu padre/madre/tío/tía?
2. ¿Les muestras tus notas a tus padres/amigos?
3. ¿Les mandas mensajes a tus amigos por correo electrónico? (Cuando ellos te mandan mensajes, ¿respondes inmediatamente?)
4. ¿Le prestas ropa a tu compañero/a de cuarto o a tu mejor amigo/a? ¿Por qué sí o por qué no?
5. ¿Le cuentas todos los detalles de tu vida social a tu mejor amigo/a? ¿Por qué sí o por qué no?

En el pasado...
6. ¿Les enviaste tarjetas postales a tus amigos y amigas el verano pasado? (¿De dónde?)
7. ¿Le regalaste algo a tu novio/a o mejor amigo/a para su cumpleaños? (¿Qué le regalaste?)
8. Al entrar en el aula hoy, ¿le dijiste «Buenos días» o «Buenas tardes» a la profesora/al profesor?
9. ¿Le preguntaste a la profesora/al profesor si hay tarea para mañana? (¿Qué dijo?)

6. Indicating an action that took place some time ago: **Hacer** para expresar *ago*

¿Cuándo compraste esa ropa?

Hace treinta años. ¿Por qué?

Study Hints

Review in Chapter 5, p. 162, the **hace** + *time* construction used to indicate that an action has been going on for a period of time and still is.

To indicate an action that took place some time *ago*, use **hace** + *the amount of time* (hours, days, weeks, months, years). The *verb* that indicates the action is most commonly in the *preterit tense*.

Ago = **hace** + *time*

hace diez minutos/una hora	*ten minutes/one hour ago*
hace dos semanas/meses/años	*two weeks/months/years ago*

The *ago* construction is most commonly used to answer two types of questions:

(specific)	**¿Cuánto (tiempo) hace que hablaste con María?**
	How long ago did you speak with Maria?
(general)	**¿Cuándo hablaste con María?**
	When did you speak with Maria?

When answering a question with the *ago* construction, the verb is often omitted.

Hace dos horas.   *Two hours ago.*

When making statements about how long ago something took place, there are two possible word orders.

Preterit + **hace** + *time*	**Hablé con María hace dos horas.**
Hace + *time* + **que** + *preterit*	**Hace dos horas que hablé con María.**
	I spoke with Maria two hours ago.

This presentation concentrates primarily on the *ago* = **hace** + *time* construction rather than on the more complex formula of **hace** + *time* + **que** + *preterit*. First-year students thus first master a construction frequently used in answering questions.

To present the *ago* construction, write a question on the board such as, ¿Cuándo terminaste toda la tarea para la clase de español? Illustrate the concept by providing multiple answers: (La terminé) ayer/anoche/el fin de semana pasado/hace una hora. Or, ¿Cuándo llegaste a la universidad por primera vez? Again, with multiple answers: (Llegué) en septiembre/hace dos meses/hace tres años, etc.

You may wish to review the **hace** + *time* + *present* tense construction studied in Chapter 5 and then highlight the contrast between the action completed *some time ago* and the action that is still in progress.

Práctica y comunicación

When models indicate two options (*Exercises V* and *W*), the instructor may wish to indicate her/his preference in word order to the students.

V. ¿Cuánto tiempo hace? En parejas, háganse las preguntas y contéstenlas para indicar cuánto tiempo hace (horas, días, semanas, meses, años) que ustedes participaron en la actividad. Escuche bien las respuestas de su compañero/a.

MODELO: ¿Cuándo empezaste a usar lentes de contacto?
Hace tres años. *o* **No uso lentes de contacto.**

1. ¿Cuándo aprendiste a manejar?

2. ¿Cuándo llegaste a la universidad?

3. ¿Cuándo empezaste a estudiar español?

4. ¿Cuándo conociste a tu mejor amigo/a o novio/a?
   (¿Cómo se llama?)

5. ¿Cuándo fue la última vez (*the last time*) que visitaste a tus abuelos/padres/tíos?

6. ¿Cuándo fue la última vez que limpiaste tu cuarto?

7. ¿Cuándo fue la última vez que fuiste de compras?
   (¿Adónde fuiste de compras?) (¿Qué compraste?)

Un paso más: Dígale a la clase algo acerca de su compañero/a de clase.

MODELO: **... empezó a estudiar español hace tres años.** *o*
Hace tres años que ... empezó a estudiar español.

W. Actividades memorables. Primero, haga una lista de tres cosas interesantes que usted hizo hace tiempo (*some time ago*).

MODELO: **Visité Alaska.**
Fui a un concierto de Ricky Martin.
Esquié en las montañas de Colorado.

Luego, en parejas, háganse preguntas para averiguar cuánto tiempo hace que hicieron las actividades de la lista.

MODELO: ESTUDIANTE 1: **¿Cuándo visitaste Alaska?**

ESTUDIANTE 2: **Hace cinco años.** *o* **Visité Alaska hace cinco años.**

For the role-play activity on page 235, you may want to assign students to their partners in the following way: If you have 20 students in the class, count off 1–10 and 1–10. Students then become partners with the person that was assigned the same number. At the end of this activity, you may want to have 2 students present their conversation in front of the class.

Dígale a la clase cuánto tiempo hace que su compañero/a hizo la actividad más interesante de la lista.

MODELO: **... visitó Alaska hace cinco años.** *o*
Hace cinco años que ... visitó Alaska.

Dicho y hecho

Conversando

En la tienda de ropa

Imaginen que uno/a de ustedes es el dependiente/la dependienta de un almacén. El otro/La otra va de compras y busca dos regalos: uno para el Día de la Madre y otro para el cumpleaños de un/a amigo/a especial. En la conversación:

- se saludan (*greet each other*) y el/la cliente indica lo que busca
- el dependiente/la dependienta indica lo que tiene (**este, ese, ...**)
- el/la cliente indica sus preferencias y pregunta acerca de los precios
- el/la cliente compra los regalos
- se despiden (*say good-bye*)

¡A escuchar! 🎧 The listening passage for this and all *¡A escuchar!* sections is recorded on both the instructor and student tape or CD that accompanies each text.

Desfile de modas: Temporada (*season*) otoño–invierno

Escuche la descripción del desfile de modas. Preste atención a los tres tipos de ropa que se presentan y a los colores que predominan. Luego, conteste las tres primeras preguntas.

1. ¿Qué tipo de ropa presentan primero?

   _____ ropa para la mujer profesional   _____ ropa informal   _____ ropa para reuniones de cóctel

2. ¿Qué tipo de colores son populares en la ropa de Ana Sastre? (Hay más de una opción.)

   _____ blanco, negro y gris   _____ rojo, amarillo y azul   _____ verde pistacho

3. ¿Llevan las modelos muchas joyas?   _____ sí _____ no

Escuche otra vez. Apunte el nombre de la prenda (*piece of clothing*) o accesorio que combine bien con la ropa o los accesorios indicados.

4. Los pantalones de cuero negro combinan con _____.

5. Las chaquetas de lana de cachemira combinan con _____.

6. Los zapatos de piel de cocodrilo combinan con _____.

7. Los vestidos cortos de seda (*silk*) combinan con _____.

De mi escritorio

Mi guardarropa

Escriba una descripción de su ropa. Incluya:

- cuál es su ropa favorita y cómo expresa su personalidad
- cuándo/hace cuánto tiempo la compró
- sus accesorios favoritos y por qué le gustan
- la ropa o los accesorios que alguien le regaló a usted

Audioscript:

Buenas noches, señoras y señores. Tenemos el placer de presentar la nueva colección de la joven diseñadora argentina Ana Sastre. En primer lugar presentamos la ropa más informal. Como pueden ver, las modelos llevan pantalones de cuero negro, camisas blancas de algodón y cómodos ponchos. [*Se oyen aplausos*] ¡Qué linda se ve la ropa, ¿verdad? ... El segundo grupo de modelos nos presenta la ropa de la mujer profesional. Ella puede elegir chaquetas de lana de cachemira (el color verde pistacho está muy de moda) para combinar con pantalones o faldas siempre en tonos grises. Para los accesorios, Ana Sastre recomienda zapatos confortables de piel de cocodrilo y medias transparentes. [*Se oyen aplausos*] Es una combinación verdaderamente profesional, pero muy chic a la vez, ¿no les parece?... Y ahora, lo más esperado de la noche... para esas divertidas reuniones de cóctel... la tendencia de temporada es el vestido corto de color oscuro, de seda, combinado con medias extravagantes y zapatos muy, muy altos. Los collares y las pulseras están totalmente prohibidos. [*Se oyen aplausos*] ... ¡Una presentación increíble! ¡Seguro que Ana Sastre va a tener gran éxito con esta colección tan imaginativa!... Muchas gracias por venir, señoras y señores, esperamos verlos de nuevo la próxima primavera.

Study Hints
See what you have learned! Turn to pp. 242–243 to review the active vocabulary and take the self-test for this chapter.

Argentina y Chile

[www.wiley.com/college/dicho/panorama]

Use *transparency #31* (map) to review the map questions with the class.

Preguntas sobre el mapa

1. ¿Cuál es la capital de Argentina?
2. ¿Con qué países tiene frontera[1] Agentina?
3. ¿Cuál es la capital de Chile?
4. ¿Cómo se llama el desierto que está en el norte de Chile?
5. ¿Cómo se llama la cordillera (*mountain range*) que pasa por Chile y Argentina?

Dos colosos del Cono Sur

La cordillera de los Andes es la frontera natural entre Chile y Argentina. Chile y Argentina son los países con mayor influencia europea en Latinoamérica, tanto en su cultura como en la composición de su población.

---

[1]*boundary*

PARAGUAY

CHILE

OCÉANO

PACÍFICO

Desierto de Atacama

CORDILLERA DE LOS ANDES

Río Paraná

•San Miguel de Tucumán

•Córdoba

Lago Rincón del Bonete

URUGUAY

Valparaíso•
Santiago ⊗

Pico Aconcagua

Buenos Aires ⊗
La Plata

Montevideo

ARGENTINA

OCÉANO

ATLÁNTICO

Concepción •

ANDES DE PATAGONIA

0   150   300 Millas
0   150   300 Kilómetros

Nacionalidades:
chileno(a)
argentino(a)

ISLAS MALVINAS

Argentina

Argentina es el país hispano más grande del mundo. Tiene varias regiones distintas. Al norte encontramos las planicies[2] del río Paraná (vea el mapa), donde está la jungla; al sur está La Patagonia, una llanura[3] rica en petróleo.

A pesar de la gran extensión de su territorio, la vida argentina se centra en su capital, Buenos Aires, llamada el París de las Américas. La Avenida 9 de Julio, una de las más anchas[4] del mundo, y el obelisco, que conmemora la fundación de la ciudad, son símbolos famosos de la ciudad. ¿Cuántos carriles[5] tiene esta avenida? ¿Cuánto tiempo piensa usted que se demora en[6] cruzarla?

En esta fascinante ciudad de elegantes tiendas, restaurantes y una intensa vida nocturna, las artes son muy importantes. En Buenos Aires nació el tango, el sofisticado baile que todo el mundo asocia con Argentina. El espectacular Teatro Colón de la capital presenta todo tipo de conciertos, óperas, recitales y «shows». Atrae músicos y artistas del mundo entero. ¿Cuántas gradas[7] hay en el teatro?

¡EVITA, EVITA!
¿Conoce usted la obra musical Evita y la cancion «Don't Cry for Me, Argentina»? Pues, el tema de este musical es Eva Perón, esposa del dictador Juan Perón (1895–1974).

¿Sabía usted?

▷ Los primeros exploradores, entre ellos Magallanes, llegaron a Argentina en el siglo XVI.

▷ En 1536 Pedro de Mendoza fundó Buenos Aires, pero los colonos abandonaron la ciudad a causa de los ataques persistentes de los indios. Buenos Aires se fundó otra vez en 1580.

▷ Los héroes nacionales José de San Martín y Manuel Belgrano comandaron la guerra de independencia que hizo de Argentina un país independiente en 1816.

▷ En la primera parte del siglo XX se alternaron gobiernos civiles y militares hasta 1946, cuando Juan Perón asumió la presidencia.

▷ Perón fue presidente hasta 1955, cuando los militares lo obligaron a abandonar el poder.

▷ Después de una serie de dictaduras militares, Argentina volvió a un sistema democrático en los años ochenta.

---
[2]*flatlands*   [3]*plain*   [4]*wide*   [5]*lanes*   [6]*it take*   [7]*tiers*

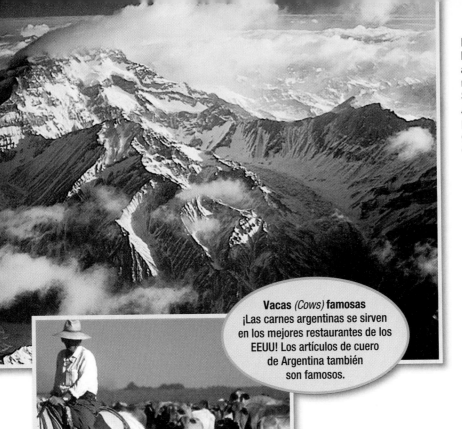

Los Andes están en el lado oeste del país y es aquí donde está el pico más alto de Sudamérica, el Aconcagua, de 22.835 pies de altura. ¿Le gustaría a usted escalar[8] esta montaña?

Vacas *(Cows)* **famosas**
¡Las carnes argentinas se sirven en los mejores restaurantes de los EEUU! Los artículos de cuero de Argentina también son famosos.

La pampa ocupa la zona central del país, una vasta llanura dedicada en gran parte a la ganadería[9]. La pampa es la tierra del gaucho[10] argentino—el prototipo del hombre valiente y solitario que no quiere atarse[11] ni a nadie ni a nada y que prácticamente vive sobre su caballo[12]. Estos gauchos están marcando[13] una vaca. ¿Le gustaría a usted ser gaucho? ¿Le gustan los caballos? ¿Y la vida solitaria?

¿Se habla español-inglés?
Jorge Luis Borges, autor argentino y gigante de la literatura latinoamericana, decía que su casa era tan bilingüe que no sabía hasta que tenía 12 o 13 años que el inglés y el español eran idiomas diferentes.

---

[8]*to climb* [9]*cattle-raising* [10]*cowboy* [11]*tie himself* [12]*horse* [13]*branding*

Chile

Chile tiene una configuración geográfica única: es una larga faja[14] de tierra que va desde los Andes en el este hasta el Océano Pacífico en el oeste. El país tiene 2.880 millas de largo y solamente 265 millas de ancho. ¡Es posible esquiar en el mar por la mañana y esquiar en la nieve por la tarde!

¡A esquiar! La superficie esquiable más grande del hemisferio Sur está al este de Santiago: «Los Tres Valles de los Andes» tiene 10.000 hectáreas y montañas que sobrepasan los 5.000 m. (16.400 pies) de altura.

Al norte de Chile está el desierto de Atacama, ¡el lugar más seco del mundo! En esta región hay muchas minas de cobre[15], un metal que Chile exporta a varias partes del mundo. ¿Le gustan a usted los desiertos? ¿Por qué?

Los 1.100 km de la Carretera Austral cruzan los lugares más atractivos del sur de Chile, con sus montañas, parques nacionales, fiordos, termas[16], ríos y lagos, ideales para la pesca[17] deportiva. El Parque Nacional Torres del Paine (vea la foto) es uno de los más espectaculares del país. ¿Le gustaría visitar esta región? ¿Hay glaciares en alguna región de su país? ¿Dónde?

¿Sabía usted?

▶ Antes de la conquista, los mapuches (araucanos) y otros grupos indígenas vivían en Chile.

▶ La primera colonia española fue establecida por Pedro de Valdivia en Santiago en 1541.

▶ Chile se independizó de España en 1818 gracias a los famosos generales José de San Martín y Bernardo O'Higgins.

▶ En 1970 los chilenos eligieron[18] al primer presidente socialista del continente, Salvador Allende, pero con un golpe de estado[19] en 1973 Augusto Pinochet estableció una dictadura militar.

▶ En 1989 hubo elecciones libres otra vez.

[14]*strip* [15]*copper* [16]*hot-water springs* [17]*fishing* [18]*elected* [19]*coup d'état*

El centro de Chile es una zona fértil de clima moderado donde vive la mayoría de la población. En esta zona está la capital, Santiago, una ciudad cosmopolita, moderna y con aspecto europeo. Según la foto de uno de los mercados populares en Santiago, ¿cómo se manifiesta la abundancia agrícola de la zona central de Chile? ¿Sabe usted qué productos agrícolas exporta Chile?

¡Qué uvas!

¿Sabía usted que muchas de las uvas que compramos en los supermercados son de Chile? Los vinos chilenos también son famosos.

¿Qué descubrimos?

¿A qué país se refiere cada una de las siguientes oraciones?

1. Su capital se llama «el París de las Américas».
2. Se puede esquiar en el mar y en las montañas el mismo día.
3. En este país está la pampa, la tierra del legendario gaucho.
4. La zona central de este país produce muchas frutas y legumbres.
5. En este país podemos visitar el Aconcagua, el pico más alto de Sudamérica.

¿Oda a una cebolla?

Pablo Neruda, recipiente chileno del Premio Nobel (1971) es famoso por sus poemas de amor (vistos en la película «Il postino»). Pero también elogió el diario vivir en sus *Odas elementales*: «Oda a una cebolla,» «Oda a una alcachofa (*artichoke*),» «Oda al limón,» «Oda a la sal,» «Oda al tomate» y «Oda al vino.»

Adivinanzas

▶ En parejas, identifiquen cada una de las siguientes referencias: **Santiago, Buenos Aires, la Patagonia, San Martín, Salvador Allende, Juan Perón, Evita Perón, Gabriela Mistral, Pablo Neruda, Jorge Luis Borges, los mapuches, el gaucho.**

▶ Luego, cada pareja escribe una descripción de una de las referencias y se la entrega a la profesora/al profesor.

▶ La clase forma dos equipos. Por turnos, cada equipo escucha y luego identifica cada descripción. Cada respuesta correcta vale dos puntos. ¿Cuál de los equipos ganó?

Premios y pesos

Además de recibir el Premio Nobel en 1945, Gabriela Mistral también tiene el honor de ser la primera mujer famosa de su país cuya imagen adornó un peso chileno.

ENCUENTRO CULTURAL
Artes literarias:
La literatura infantil–Argentina

READING STRATEGIES
Anticipating Content through Illustrations

Before you read, examine the accompanying illustrations to familiarize yourself with any vocabulary items you might not know. Based on the pictures, can you predict the content of this song? As you read, identify the stanza that corresponds to each illustration.

Preguntas

1. ¿Quiénes forman la familia Polillal? ¿Dónde viven?
2. Según la canción, ¿cuál es la comida favorita de las polillas?
3. ¿Quién es la enemiga mortal de la familia Polillal? ¿Puede usted describirla?
4. ¿Qué plan tienen las polillas para defenderse de su enemiga?
5. ¿Quién decide evitar (*avoid*) el conflicto? ¿Por qué?
6. ¿Qué deciden hacer las polillas al final de la canción?
7. ¿Es usted una persona que evita los conflictos?

La escritora y poeta argentina **María Elena Walsh** (1930–   ) ha creado un mundo fantástico, lleno de alegría e imaginación. Miles de niños argentinos de varias generaciones han crecido cantando sus populares canciones. «La familia Polillal» es una selección del conocido álbum *Canciones para mirar*.

La familia Polillal
de María Elena Walsh

La polilla[1] come lana
de la noche a la mañana.
Muerde[2] y come, y come
y muerde lana roja,
lana verde.

el ropero

Sentadita en el ropero,
con su plato y su babero,
come lana de color
con cuchillo y tenedor.

el cuchillo   el tenedor
el babero

Sus hijitos comelones
tienen cuna[3] de botones.
Su marido don Polillo
balconea en un bolsillo.

el hijito   don Polillo

el bolsillo

el botón

De repente se avecina[4]
la señora Naftalina[5].
Muy oronda[6] la verán
toda envuelta[7] en celofán.

La familia Polillal
la espía por un ojal
y le apunta[8] con la aguja
a la naftalina bruja[9].

NAFTALINA

la señora Naftalina

Pero don Polillo ordena:
«No la maten[10],
me da pena.
Vámonos a otros roperos
a llenarlos de agujeros[11]».

Y se van todos de viaje,
con muchísimo
equipaje: las hilachas[12]
de una blusa y un
paquete de pelusa[13]...

el ojal

la aguja

[1]*moth*   [2]*It bites*   [3]*cradle*   [4]*approaches*   [5]*Moth ball*
[6]*jolly*   [7]*wrapped*   [8]*aims*   [9]*witch*   [10]*Don't kill her*
[11]*holes*   [12]*loose threads*   [13]*lint*

el equipaje

se van de viaje

Adjetivos

barato/a
caro/a
corto/a
largo/a
limpio/a
sucio/a
amarillo/a
anaranjado/a
azul
blanco/a
gris
marrón
morado/a
negro/a
rojo/a
rosado/a
verde

Sustantivos

La ropa

el abrigo
la blusa
las botas
los calcetines
la camisa
la camiseta
la chaqueta
el cinturón
la corbata
la falda
la gorra
los guantes
el impermeable
los jeans
las medias
los pantalones
   los pantalones cortos
la ropa interior
las sandalias
el sombrero
el suéter
el traje
   el traje de baño
los vaqueros
el vestido
los zapatos
   los zapatos de tenis
el algodón
el cuero
la lana

Las joyas

el anillo
los aretes
la cadena
el collar
los pendientes
la pulsera
el reloj
   de oro/plata

Otras palabras útiles

los anteojos
la bolsa
el bolso
la cartera
la cosa
las gafas
   las gafas de sol
las (los) lentes de contacto
la manga
el paraguas
el precio
el regalo
la talla
la tienda

Verbos y expresiones verbales

devolver (ue)
explicar
llevar
mostrar (ue)
preguntar
prestar
regalar

AUTOPRUEBA Y REPASO 7

I. Los demostrativos.

A. Indique lo que usted va a comprar. Use los adjetivos demostrativos.

MODELO: Voy a comprar el suéter. (aquí)
Voy a comprar este suéter.

1. Voy a comprar la corbata roja. (aquí)
2. Voy a comprar los zapatos de cuero. (allí)
3. Voy a comprar las camisetas blancas. (allí)
4. Voy a comprar el reloj «Rolex». (allí)

B. Indique cuánto cuestan las cosas. Use los pronombres demostrativos.

MODELO: los calcetines: $5 / $3 / $1
Estos calcetines cuestan cinco dólares, ésos cuestan tres dólares y aquéllos cuestan un dólar.

1. las gafas: $38 / $22 / $19
2. los jeans: $75 / $63 / $34
3. el traje: $345 / $230 / $150
4. la casa: $2.000.000 / $1.000.000 / $500.000

II. Los posesivos.

A. Usted y sus amigos tienen su ropa en la residencia estudiantil. Indique de quién es la ropa.

MODELO: yo: calcetines, impermeable, chaqueta
Los calcetines son míos. El impermeable es mío. La chaqueta es mía.

1. yo: abrigo, botas, guantes, gorra
2. nosotros: ropa interior, jeans, corbatas
3. tú: blusa, vestido, camiseta, medias
4. Ana y Elena: ropa de verano, faldas, trajes de baño

B. Indique con quiénes van las personas a la fiesta. Siga el modelo.

MODELO: yo/un amigo
Voy con un amigo mío.

1. mi primo/unos amigos
2. Viviana/un amigo
3. mi hermana y yo/un amigo
4. yo/unos amigos

III. El pretérito: los verbos irregulares. Diga quién hizo las siguientes cosas.

MODELO: *hacer* la torta para la fiesta (yo)
Hice la torta para la fiesta.

1. *traer* las decoraciones (Natalia y Linda)
2. *poner* las flores en la mesa (nosotros)
3. *querer* venir pero no *poder* (Javier)
4. *venir* (casi todos los estudiantes)
5. *estar* en la fiesta por cuatro horas (tú)
6. *tener que* salir temprano (yo)

IV. Pronombres de complemento indirecto. El tío Pedro nos regaló muchas cosas interesantes para la Navidad. Indique a quiénes les regaló las cosas indicadas.

MODELO: yo/unas gafas de sol
Él me regaló unas gafas de sol.

1. nosotros/un televisor pequeño
2. mi hermano/una mochila nueva
3. mis hermanas/joyas
4. mi madre/un abrigo de lana
5. yo/una chaqueta de cuero

V. *Hacer* para expresar *ago.* Conteste las preguntas de su amigo/a para indicar cuándo fue la última vez que usted hizo lo siguiente. Use la construcción *ago.*

MODELO: ¿Cuándo hablaste con tus tíos? (una semana)
Hablé con ellos hace una semana.

1. ¿Cuándo fuiste a la playa? (cinco años)
2. ¿Cuándo visitaste a tus abuelos? (seis meses)
3. ¿Cuándo hiciste ejercicio en el gimnasio? (tres semanas)

VI. Repaso general del Capítulo 7. Conteste con oraciones completas.

1. ¿Qué ropa llevan las mujeres a un restaurante elegante? ¿Y los hombres?
2. ¿Qué ropa debe usted llevar a Alaska? ¿Y a la Florida?
3. ¿Fue usted de compras ayer? (¿Adónde?) (¿Qué compró?)
4. ¿Qué hizo usted anoche?
5. ¿Condujo usted a la universidad esta mañana?
6. ¿De quién es el coche que usted maneja?
7. ¿Qué trajo usted a clase hoy/ayer/anteayer?
8. ¿Le dio usted la tarea para hoy a la profesora/al profesor?
9. ¿Cuándo empezó usted a estudiar el vocabulario de este capítulo? ¿Hace muchos días?

Answers to the **Autoprueba y repaso** are found in **Apéndice 2.**

En Costa Rica hay 850 especies de pájaros. ¿De qué colores son las plumas (*feathers*) de este quetzal?

La naturaleza y el medio ambiente

Goals for communication

- To talk about nature and the environment
- To express likes, dislikes, and interests
- To talk about and describe places, persons, and actions in the past
- To make comparisons

Cultural focus

- National parks in the Hispanic world
- Costa Rica and Panamá

Structures

1. Verbos similares a **gustar**
2. Los pronombres de complemento directo e indirecto
3. El imperfecto
4. Comparaciones de igualdad
5. Comparaciones de desigualdad y los superlativos

Presentation of *Bien dicho*, pp. 246–247

Vocabulary from previous chapters can be quickly and effectively recycled via the transparencies.

Transparency #32 Use the transparency of the opener drawings for Chapter 8 to visually present vocabulary dealing with the countryside. Each vocabulary item can be repeated chorally.

¡Bien dicho!

La naturaleza y el medio ambiente

1. el cielo
2. la nube
3. el sol
4. los pájaros
5. el volcán
8. la cascada, la catarata
9. la tienda de campaña, la carpa
7. el valle
6. el bosque
10. acampar
11. el fuego
12. el río
13. el caballo
14. montar a caballo
15. las flores
16. la choza
20. la selva
17. las gallinas
18. el cerdo
19. la serpiente, la culebra

1. sky 2. cloud 3. sun 4. birds 5. volcano 6. forest 7. valley 8. waterfall 9. tent 10. to camp 11. fire
12. river 13. horse 14. to ride horseback 15. flowers 16. hut 17. chickens 18. pig 19. snake 20. jungle

246

21. la tormenta
22. el relámpago
23. la luna
24. las estrellas
25. la colina
26. el desierto
27. la granja
28. el pueblo
29. el árbol
30. las vacas
31. la hierba
32. la tierra
33. el bote
34. pescar
35. el pez (los peces)
36. el lago
37. la isla

21. storm   22. lightning   23. moon   24. stars   25. hill   26. desert   27. farm   28. town, village   29. tree
30. cows   31. grass   32. land, earth   33. boat (small)   34. to fish   35. fish   36. lake   37. island

Práctica y comunicación

A. El campo y la naturaleza. Busque en los dibujos (páginas 246–247) todas las palabras que se asocian con las siguientes referencias.

MODELO: el cielo   **las nubes, los pájaros...**

1. el cielo
2. los animales
3. las plantas/la tierra
4. las montañas
5. el agua
6. acampar
7. pescar

Un paso más: Defina en español las siguientes palabras: **la choza, el pueblo, la granja, la selva, el desierto.**

Solamente una impresora Canon lleva los colores a estas profundidades.

Canon
CANON LATIN AMERICA, INC.
COLOR BUBBLE JET PRINTER

¿Alguien tiene una impresora a color como (*like*) esta impresora Canon? En parejas, identifiquen los colores de los peces[1], de la estrella de mar y del cangrejo (*crab*). **Ese pez/Esos peces...**

---

[1]The words **pez/peces** refer to fish that are alive; **pescado** refers to a fish that is prepared for eating.

Bien dicho La naturaleza y expresiones útiles

la **naturaleza**	*nature*
ir de/estar de vacaciones	*to go on/be on vacation*
hacer un viaje	*to take a trip*
en barco/crucero	*by boat, ship/cruise ship*
viajar	*to travel*
dar un paseo/una caminata	*to take a walk/hike*
escalar una montaña	*to climb a mountain*
pasarlo bien	*to have a good time*
por	*for, down, by, along, through*

Transparency #33 Introduce additional vocabulary via the transparency or through student drawings on the board.

1. ocean 2. sea 3. wave 4. to surf 5. sand 6. to be afraid 7. spider
8. fly 9. mosquito 10. insects 11. animal

¡Un momento, por favor!

You have been using two words in Spanish to mean *for*: **por** and **para**. You will study their uses in Chapter 9. One use of **por** translates as *down, by, along, through.*

> Ella caminó **por** la calle y **por** el parque.
> *She walked **down/along** the street and **through/by** the park.*

Exercise B recycles **gustar** + *actions* within the context of the new vocabulary.

Conduct an inventory of student likes and dislikes with some of the more unique activities; for example, #3, 5, 8, 11, 14.

B. Sus gustos. En parejas, lean las actividades que siguen e indiquen su gusto personal de manera afirmativa o negativa.

Me gusta.../No me gusta...

1. pescar
2. nadar en los ríos
   (¿y en los lagos?)
   (¿y en el mar?)
3. montar a caballo
4. jugar en las olas
5. hacer *surf*
6. tomar el sol
7. contemplar la naturaleza
8. construir castillos en la arena
9. dar caminatas en las montañas
10. acampar

Me gusta la idea de.../No me gusta la idea de...

11. caminar solo/a por la selva amazónica
12. ver un volcán activo
13. hacer un viaje en crucero
14. viajar a la luna
15. ir de vacaciones a una isla tropical
16. escalar la montaña Everest

DICHOS
El árbol se conoce por sus frutos.
Más vale pájaro en mano que cien volando.
En boca cerrada no entran moscas.
¿Conoce usted los equivalentes en inglés de estos dichos?

Have students practice this conversation in groups of 5, playing the roles of **Pepita, Natalia, Rubén, Octavio,** and **Javier.** As Rubén has lines only at the end of the conversation, he can read the introduction and direction lines. Have one group perform in front of the class.

Conversación

🎧 The *Conversaciones* are recorded on the *Dicho y hecho* instructor's CD/tape. You may wish to introduce the *Conversación* by playing it for the class.

Aventuras en un parque ecológico

Estos amigos están acampando en un parque ecológico en Costa Rica. Es de noche y Pepita y Natalia se están preparando para escalar un volcán.

PEPITA: Este parque ecológico es el lugar más hermoso del planeta. Es maravilloso respirar aire puro.

garbage NATALIA: Sí, aquí no hay basura° ni contaminación, sólo bosque y animales.

(Llegan Octavio y Javier.)

PEPITA: ¡Hola, chicos! ¿Dónde está Rubén?

OCTAVIO: Fue al pueblo. Esta noche hay una reunión para organizar una manifestación en contra de la desforestación.

he forgot PEPITA: ...y se le olvidó° que esta noche Natalia y yo vamos a escalar el volcán. ¿Ustedes quieren ir con nosotras?

JAVIER: ¿Ahora? ¿En la noche? ¡No!

darkness NATALIA: ¿Por qué no? La actividad volcánica es más impresionante en la oscuridad° de la noche.

JAVIER: El año pasado Octavio y yo estuvimos aquí como voluntarios. Una noche, decidimos explorar el bosque y escalar una montaña. ¡Tuvimos una experiencia muy extraña!

PEPITA: ¿De verdad? ¿Qué pasó?

There was OCTAVIO: Primero, comenzó a llover fuerte. Hubo° una tormenta con
as we climbed down / noise relámpagos. Luego, al bajar° de la montaña, oímos un ruido°
extraño. Corrimos hacia el lago y un animal muy grande nos
followed siguió° hasta nuestra tienda de campaña.

NATALIA: ¿Un puma? ¿Un jaguar?

JAVIER: No, una vaca.

PEPITA: ¿Una vaca? ¡Qué miedosos!

OCTAVIO: Bueno, entonces si no tienen miedo y quieren ir al bosque ahora, pueden ir solas.

NATALIA: Pues nosotras somos chicas muy valientes; no tenemos miedo.

PEPITA: Así es, y vamos al volcán. *(Se escucha un ruido.)* ¿Qué fue eso?

mud *(Aparece Rubén, totalmente cubierto de lodo°.)*

screaming TODOS: *(Se van corriendo, gritando°, con miedo.)* ¡Es un monstruo! ¡Qué
Help! horror! ¡Auxilio!°

RUBÉN: ¿Adónde van? Soy yo, Rubén. Tuve un pequeño accidente. Me
I fell caí° en el lodo del camino... ¡Qué amigos tan extraños tengo!

¿Qué hay de nuevo?

1. ¿Qué piensa Pepita del parque ecológico?
2. ¿Adónde fue Rubén? ¿Qué se le olvidó a Rubén?
3. ¿Por qué no quieren Octavio y Javier acompañar a las chicas?
4. ¿Qué tipo de animal siguió a los muchachos?
5. ¿Por qué son Pepita y Natalia más valientes que los chicos?
6. ¿Quién es el «monstruo»? ¿Por qué piensa Rubén que sus amigos son extraños?
7. Generalmente, ¿con quién va usted a acampar? ¿Cuál es su lugar favorito para acampar?

Estructuras

1. *Expressing likes, dislikes, and interests:*
Verbos similares a gustar

Write a list of the indirect object pronouns on the board and review **gustar**. Present the new verbs through expressive or dramatic demonstrations of their meaning, highlighting how these verbs function like **gustar**.

You will recall that in Chapter 4 you learned to use **gustar** to express likes and dislikes.

gusta + verb	**Me gusta nadar.**
gusta + singular noun	**Me gusta el agua verde-azul del Caribe.**
gustan + plural noun	**Me gustan las playas de Costa Rica.**

The following verbs allow you to express additional and varying degrees of likes, dislikes, and interests.

encantar	*to like a lot, to love*	**Me encanta** esquiar en el lago.
fascinar	*to be fascinating to, to fascinate*	**¿Te fascinan** las tormentas?
molestar	*to be annoying to, to bother*	**Le molesta** el calor.
interesar	*to be interesting to, to interest*	**Nos interesan** los reptiles.
importar	*to be important to, to matter*	No **les importa** si llueve.

All of the previous verbs function like **gustar**—they are used with indirect object pronouns (**me, te, le, nos, os, les**) and with the third-person singular or plural form of the verb.

Study Hints
Review **gustar** on page 126.

Práctica y comunicación

Encourage students to be very expressive (through intonation and facial expressions) in their use of these verbs, as they can reflect strong degrees of feeling (equivalent to: I just LOVE your new blouse!). Remind them that people of the Hispanic world are commonly very expressive in their speech and body language. Write the four expressions on the board for easy reference.

In both *Exercises C* and *D*, the *Un paso más* sections allow for personal expression on the part of the student.

C. Sus gustos. Exprese su reacción a las cosas y actividades indicadas usando una de las cuatro opciones:

me molesta/n   me fascina/n   me encanta/n   (no) me gusta/n

MODELO: las arañas
Me molestan/No me gustan las arañas. *o*
Me fascinan/encantan/gustan las arañas.

1. las serpientes
2. los mosquitos
3. los gatos
4. los perros
5. el océano
6. navegar en barco cuando hay muchas olas en el mar
7. las tormentas con relámpagos
8. las películas románticas (¿y de ciencia ficción?) (¿y de terror?)
9. mi compañero/a de cuarto/apartamento

Un paso más: Hágale la siguiente pregunta a un/a compañero/a de clase: **En el mundo de la naturaleza, ¿qué cosas te fascinan?** Luego algunos estudiantes presentan información a la clase.

MODELO: **A ... le fascinan los volcanes activos.**

D. Sus intereses. Indique si a usted **le interesan** o **no le interesan** las siguientes cosas.

MODELO: la² historia
Me interesa (mucho/un poco) la historia. *o*
No me interesa la historia.

1. la religión
2. la filosofía
3. la música clásica ("country") ("rock") ("jazz")
4. las ciencias
5. la psicología
6. las matemáticas
7. el español
8. el béisbol
9. la idea de hacer un viaje de un año por todo el mundo
10. la idea de explorar las profundidades del océano

Un paso más: Hágale las siguientes preguntas a un/a compañero/a de clase: **De todas tus clases este semestre, ¿cuál te interesa más?** Luego, algunos estudiantes presentan información a la clase.

MODELO: **A ... le interesa más la clase de biología.**

---

²When referring to a general category, for example, history, Spanish uses the definite article: **la historia** = *history* (in general).

Capítulo 8

E. Sus valores (*values*). Camine por la clase, haciendo las preguntas para averiguar qué cosas **les importan** o **no les importan** a sus compañeros/as de clase. Apunten el nombre de la persona en la columna *sí* o *no* según la respuesta.

If students prefer not to write in their textbooks, they should record answers in a notebook, numbering from 1 to 7.

The follow-up allows students to compare responses in groups and practice the third-person construction le/les importa...

As a concluding activity, ask students in groups to discuss the movies they have seen recently and their reactions to them using **gustar**, **encantar**, and **interesar** in the preterit. Have the groups report back to the class.

SONDEO		
¿Te importa o no te importa...?	*sí*	*no*
1. sacar buenas notas	_____	_____
2. tener un coche caro	_____	_____
3. ganar mucho dinero	_____	_____
4. ser miembro/a de una «fraternidad» o «soroidad»	_____	_____
5. tener ropa muy de moda	_____	_____
6. tener un esposo rico o una esposa rica	_____	_____
7. preservar la naturaleza	_____	_____

En grupos de tres, comparen sus respuestas. ¿Qué **les importa** o **no les importa** a sus compañeros/as de clase? (**A Lee le importa sacar buenas notas. A Beth también le importa...**) Al final, presenten sus conclusiones a la clase.

¿Qué se debe hacer para conservar regiones como ésta?

2. *Answering Who?, What?, To whom?, and For whom?:*
Los pronombres de complemento directo e indirecto

Review the direct and indirect object pronouns listed below.

> *Direct objects:* **me, te, lo, la, nos, os, los, las**
> *Indirect objects:* **me, te, le, nos, os, les**

● When a verb takes both an indirect and a direct object pronoun, the indirect object pronoun always comes first: **indirect + direct (ID)**.

La profesora **me lo** prestó.   *The professor lent it to me.*

● Direct and indirect object pronouns used in combination follow the same rules for placement as single object pronouns (before conjugated verbs or attached to infinitives and the *-ing* form). In a negative statement, **no** precedes both objects.

Pedro **no me lo** explicó.   *Peter did not explain it to me.*
Carlos va a explicár**melo**[3]. *or*   *Charles is going to explain it*
Carlos **me lo** va a explicar.   *to me.*

Carlos está explicándo**melo**. *or*   *Charles is explaining it to me.*
Carlos **me lo** está explicando.

● When both the indirect and direct object pronouns refer to the third person and they are used together, the indirect object pronoun **le** or **les** changes to **se**.

$$
\textbf{le (or) les} + \begin{cases} \text{lo} & \text{se} \;\; \text{lo} \\ \text{la} & \text{se} \;\; \text{la} \\ \text{los} & = \text{se} \;\; \text{los} \\ \text{las} & \text{se} \;\; \text{las} \end{cases}
$$

¿**Le** diste **la foto** a Linda?   *Did you give the photo to Linda?*
Sí, **se la** di.   *Yes, I gave it to her.*

---

[3]Note that when two pronouns are added to the infinitive or present participle, a written accent is added to preserve the original stress pattern. Va a **mostrármelo**. Está **mostrándoselo**.

Práctica y comunicación ──────

F. Octavio vuelve a Costa Rica. Octavio fue a Costa Rica otra vez y les trajo varios regalos a sus amigas. Estudie los dibujos para ver qué regalos trajo y para quién.

Natalia/la camiseta

Pepita/el póster

Carmen e Inés/las toallas para la playa

Camila y Linda/los collares y pendientes

Según los dibujos, ¿quién dice lo siguiente? ¿Y de qué habla? Preste atención a los pronombres de complemento directo e indirecto.

1. ¡Impresionante! Octavio me lo regaló. **Pepita lo dice. Habla del...**
2. ¡Nos encantan! Octavio nos las regaló. **...e ... lo dicen. Hablan de...**
3. ¡Qué bonitos son! Octavio nos los regaló.
4. ¡Me encanta! Octavio me la regaló.

Ahora, diga qué regalo Octavio le dio a cada persona. Luego repita la oración sustituyendo el objeto por un pronombre.

MODELO: Octavio le dio la camiseta a Natalia.
          Octavio se la dio a Natalia.

Transparency #34 Use the transparency to complete this exercise. In the first part of *Exercise F*, the students hear and see the direct and indirect objects in combination for "recognition" only. The visuals allow them to associate the direct object pronoun with the noun in the illustration, e.g, the **lo** in **Me lo regaló** relates to the poster. The follow-up is important for practicing the **se lo/la/los/las** combination.

G. ¿Son generosos o no? En parejas, háganse preguntas y contéstenlas.

This exercise practices the **te lo/la/los/las** combination.

MODELO: *¿prestarme* tu computadora?
          ¿Me prestas tu computadora?
          Sí, te la presto. *o* **No, prefiero no prestártela.**

1. *¿prestarme* tu calculadora?
   tu tarjeta de crédito
   tu bicicleta
   tu paraguas
   tu coche
   cincuenta dólares

2. *¿explicarme* la tarea?
   los verbos irregulares
   la gramática
   el ejercicio del cuaderno
   las palabras que no entiendo

3. *¿darme* esa chaqueta?
   ese reloj/ese anillo
   esa cadena/esa pulsera
   ese suéter
   tu tarjeta de crédito
   diez dólares

4. *¿mostrarme* tu tarea?
   tu reloj
   tu anillo
   las fotos de tu cartera
   la revista que compraste

H. Estudiantes generosos. Cada estudiante le da a un/a compañero/a de clase un artículo (reloj, tarjeta de crédito, cartera, bolígrafo, etc.). Cada estudiante pone el artículo encima de (*on top of*) su pupitre. Conteste las preguntas del profesor/de la profesora.

MODELO: Susana, ¿quién le dio a usted esa chaqueta?
Carlos me la dio.

Ahora, usando los mismos artículos, los estudiantes caminan por la clase, haciéndoles preguntas a cinco o seis estudiantes diferentes.

MODELO: ESTUDIANTE 1: **..., ¿quién te dio ese reloj?**

ESTUDIANTE 2: **... me lo dio.**

Ahora, devuélvanle el artículo a su compañero/a de clase, por favor.

Un paso más: Escriba una lista de dos o tres cosas que una persona generosa en realidad le dio a usted (un regalo de cumpleaños, etc.). Refiérase a la lista de un/a compañero/a de clase y pregúntele quién le dio el artículo.

MODELO: ESTUDIANTE 1: **¿Quien te dio...?**

ESTUDIANTE 2: **... me lo (la/los/las) dio.**

I. Un/a estudiante desafortunado/a. Un/a estudiante se sienta frente a la clase. Aparentemente perdió todas sus cosas en un robo. Ustedes, siendo generosos, quieren darle algunas cosas. ¿Hay voluntarios?

MODELO: ¿Quién quiere darle algo?
ESTUDIANTE GENEROSO/A: **Quiero darle mi libro de español.**

Ahora, ya que (*Nombre de estudiante*) tiene tantas cosas, contesten las preguntas para indicar quiénes se las dieron. Respondan según el modelo.

MODELO: ¿Quién le dio este libro de español a ...?
ESTUDIANTE GENEROSO/A: **Yo se lo di.**
¿Verdad, clase?
CLASE: **Sí, ... se lo dio.**

¿Qué productos se reciclan en su universidad? ¿Vidrio (*Glass*)? ¿Aluminio? ¿Plástico? ¿Papel? ¿Qué productos recicla usted?

Recicle... ¡Es la Ley!

Ayude a reducir la basura de Nueva York.
Reduzca, Reuse, Recicle.

Bien dicho El medio ambiente°

Environment

la **fábrica**	*the factory*
la **basura**	*garbage, trash*
la **capa de ozono**	*ozone layer*
los **rayos ultravioleta del sol**	*the ultraviolet sun rays*
la **madera**	*wood*
el **peligro**	*danger*
peligroso/a	*dangerous*
causar	*to cause*
conservar/desperdiciar	*to save, conserve/to waste*
construir/destruir	*to construct, build/to destroy*
contaminar	*to pollute, contaminate*
la **contaminación**	*pollution*
contaminado/a	*polluted, contaminated*
cortar/plantar	*to cut/to plant*
desaparecer	*to disappear*
enseñar (+ **a** + *infinitivo*)	*to teach (how to do something)*
proteger	*to protect*
protestar	*to protest*
reciclar	*to recycle*
resolver (ue)	*to resolve*
respirar	*to breathe*
matar	*to kill*
a causa de	*because of (something)*

Cognados: el **aire**, el **cáncer**, la **construcción**/la **destrucción**, la **desforestación**, la **electricidad**, la **gasolina**, el **planeta**, el **problema**

This list has many cognates. To introduce the vocabulary, call out the cognates (with student texts closed) to see how many words the students can identify. Then focus on the words that are not cognates. Call attention to the verbs in the *¡Un momento, por favor!* section. Have students practice these verbs in the present and in the preterit.

You may want to give an example for **enseñar** + **a** + *infinitive*: Mi tío me enseñó a manejar, etc.

Point out the differences between **matar/morir** and **a causa de/porque**.

¡Un momento, por favor!

- **Construir** and **destruir** change the **i** to **y** in all forms of the present tense except **nosotros** and **vosotros**: construyo, construyes, construye, construimos, construís, construyen. In the preterit, the **i** changes to **y** only in the third-person singular and plural forms: construyó, construyeron.

- **Proteger** changes the **g** to **j** in the **yo** form of the present tense: prote**j**o, proteges,...

- **Desaparecer** is like **conocer**. The **c** changes to **zc** in the **yo** form of the present tense: desapare**zc**o, desapareces,...

J.   Las causas de los problemas. En parejas, hablen de las causas de los siguientes problemas. Decidan cuál es **la causa** principal o cuáles son **las causas** principales de cada problema.

1.   La contaminación del aire: (a) las fábricas, (b) los coches, (c) la lluvia ácida.
2.   La contaminación de los ríos/mares: (a) las fábricas, (b) los cruceros, (c) los tanqueros (barcos) que transportan petróleo.
3.   La desforestación de la selva Amazonas: (a) las compañías internacionales de madera/construcción, (b) la agricultura, (c) la construcción de pueblos/fábricas/carreteras (*highways*).
4.   La destrucción de la capa de ozono: (a) la industria química, (b) los aerosoles y refrigerantes, (c) las erupciones volcánicas.

K.   Nuestro mundo: problemas. ¿Cuáles son los resultados negativos de los siguientes problemas? En grupos de tres o cuatro, identifíquenlos. Completen las oraciones con varias opciones. Escriban sus respuestas. Refiéranse a la lista de vocabulario (p. 257). Tienen ocho minutos.

1.   A causa de la desforestación...
2.   A causa de la destrucción de la capa de ozono...
3.   A causa de la contaminación del aire y del agua (ríos, lagos, mares)...

Un paso más: En los mismos grupos, estudien las siguientes fotos e indiquen las diferencias entre las dos. Prepárense para presentar sus conclusiones a la clase.

Vista aérea de un derrame de crudo (*oil spill*) en la costa.

Parque Nacional Torres del Paine, Chile.

L.   Nuestro mundo: soluciones. En parejas, hagan una lista de todas las posibles opciones para resolver los problemas de nuestro mundo/planeta y prevenir la destrucción del medio ambiente. Tienen cinco minutos. ¿Qué grupo tiene la lista más larga? Léansela a la clase. Los otros grupos también añaden (*add*) sus ideas.

LOS PARQUES NACIONALES DEL MUNDO HISPANO

La protección del medio ambiente no es una idea nueva en el mundo hispano: la creación de muchos parques nacionales y reservas en estos países ocurrió en la primera mitad° del siglo XX. Los parques y reservas más conocidos están en Costa Rica: en el «bosque de nubes» de la reserva de Monteverde se protegen los quetzales (pájaros sagrados° para los mayas), y cada verano miles de tortugas° ponen sus huevos° en las playas del parque nacional Tortuguero.

Otros países también tienen parques espectaculares. México combina las reservas naturales con monumentos arqueológicos: un ejemplo es Xcaret en Yucatán. Allí es posible admirar ruinas mayas entre la flora y fauna de la región.

En las selvas del interior de Venezuela están los tepuyes, altas mesetas° rodeadas de nubes y vegetación tropical. En las Islas Galápagos de Ecuador, podemos ver de cerca las aves y los reptiles que inspiraron la teoría de la evolución de Darwin. Torres del Paine, en sur de Chile, es famoso por sus montañas de granito, impresionantes costas y gigantescos glaciares. Este parque de 450.000 acres protege a los guanacos (animales parecidos a las llamas) y los ñandús (similares al avestruz°). Hoy, los países hispanos continúan creando parques y reservas para reflejar el aumento de la conciencia ecológica y el interés por el ecoturismo de sus habitantes.

high plateaus

half

sacred

turtles
lay their eggs

ostrich

¿Qué hay de nuevo?
1. ¿Es la protección del medio ambiente una preocupación nueva en el mundo hispano?
2. ¿Cuándo fueron creados algunos de los parques y reservas en territorios hispanos?
3. ¿Puede usted nombrar un parque o reserva costarricense? ¿Qué animal podemos encontrar allí?
4. ¿Cuál es la atracción especial de las Islas Galápagos? ¿Y de Xcaret en Yucatán?

Conexiones y contrastes
1. ¿Existe un parque nacional o reserva en el estado/país donde usted o su familia vive? ¿Hay alguna especie protegida en este parque o reserva?
2. En su opinión, ¿cuál es el parque o reserva natural más conocido de su país? ¿Puede usted mencionar algunas de sus atracciones?
3. ¿Qué efectos negativos tiene el turismo en los parques nacionales? ¿Existen soluciones para este tipo de problemas?

3. *Describing in the past:* El imperfecto

> Era medianoche y hacía mucho viento. Esperábamos el fantasma... Pero Julia, ¿qué pasa?

Spanish has two simple past tenses: the preterit and the imperfect. You have already learned to talk about completed past actions and past actions within a specific time frame (*yesterday, last night,* etc.) by using the preterit.

The imperfect tense is used primarily (1) to describe in the past (background, weather, ongoing conditions, places, persons, things) and (2) to indicate that past actions were in progress, ongoing, or habitual.

(1) **Hacía sol. El mar estaba muy tranquilo.**
   It was sunny. The sea was very tranquil.

(2) **El niño jugaba en la arena mientras su hermana tomaba el sol.**
   The child (m.) was playing in the sand while his sister was sunbathing.

Formación de los verbos regulares en el imperfecto

To form the imperfect tense of regular **-ar, -er,** and **-ir** verbs, drop the **-ar, -er,** or **-ir** from the infinitive and add the endings indicated below. Note that the **-er/-ir** forms are identical.

	viaj<u>ar</u> *to travel*	**hacer** *to do, make*	**salir** *to leave, go out*
(yo)	viaj**aba**	hac**ía**	sal**ía**
(tú)	viaj**abas**	hac**ías**	sal**ías**
(Ud., él, ella)	viaj**aba**	hac**ía**	sal**ía**
(nosotros/as)	viaj**ábamos**	hac**íamos**	sal**íamos**
(vosotros/as)	viaj**abais**	hac**íais**	sal**íais**
(Uds., ellos, ellas)	viaj**aban**	hac**ían**	sal**ían**

The imperfect tense corresponds to four English forms:

Mientras ella **escalaba**[4] la montaña, empezó a nevar.

*While she **was climbing** the mountain, it began to snow.*

Escalaba esa montaña una vez al año.

*She **used to climb/would climb/climbed** that mountain once a year.*

---

[4]It is also possible to express ongoing actions by using the imperfect of **estar** plus the present participle: **Estaba escalando la montaña**. This usage focuses on the actual moment that someone was doing something.

Introduce the imperfect by describing a poster or magazine picture of your choice (or the scene in *transparency #32*) in the imperfect tense. Focus on descriptions and actions in progress. Then write model verbs on the board. Familiarize students with the imperfect verb forms and their correct pronunciation by quickly giving subject pronouns for which students provide corresponding verb forms. Add an appropriate word or words to the verb for context.

Highlight the uses of the imperfect tense and the corresponding English translations. Tell students that the contrast between the preterit and the imperfect will be studied in detail in Chapter 9.

Los verbos irregulares en el imperfecto

There are only three irregular verbs in the imperfect tense.

ser	*to be*	ir	*to go*	ver	*to see*
era	éramos	iba	íbamos	veía	veíamos
eras	erais	ibas	ibais	veías	veíais
era	eran	iba	iban	veía	veían

Había y hubo

Había (imperfect) and **hubo** (preterit), like **hay**, denote existence, but in the past. *They are always used in the singular form.* **Había** is used to describe past events that were ongoing, usual, or repetitive. **Hubo** presents events that occurred only once in the past, and usually within a specific time reference.

Había tres botes en el lago.   ***There were*** *three boats in the lake.*

Hubo un accidente a las 3:00 de la tarde.   ***There was*** *an accident at 3:00 P.M.*

Práctica y comunicación

M. Durante la época de mis abuelos. Por lo general, ¿cómo era el mundo hace muchos años, cuando nuestros abuelos eran jóvenes? ¿Hacían o no hacían las siguientes cosas? Apunten sus opiniones (*sí/no*).

Generalmente...

1. Protegían los bosques.

2. Reciclaban el papel.

3. Desperdiciaban la electricidad.

4. Conservaban el agua.

5. Hablaban de la destrucción de la capa de ozono.

6. Respiraban aire puro (no contaminado).

7. Destruían las selvas.

8. Contaminaban los ríos.

Refiéranse a las declaraciones con la respuesta *no*. En parejas, lean cada declaración negativa para confirmar lo que *antes no hacían* nuestros abuelos. Luego, digan (en contraste) lo que nosotros *sí hacemos ahora*. Usen los pronombres directos para evitar (*avoid*) la repetición.

MODELO: **Antes ellos *no* reciclaban el papel. Ahora *sí* lo reciclamos.**

Exercise M is a "recognition" exercise. Jotting down the *yes/no* answers is necessary for the completion of the follow-up. In the follow-up, students immediately contrast the use of the imperfect with that of the present tense within the context of ecology. Direct objects are recycled.

N. Una bella escena de la naturaleza. En grupos de tres, describan la escena del campo y la naturaleza que muestra el dibujo en las páginas 246–247. Usen el tiempo imperfecto.

Primero, describan el fondo (*background*) y el tiempo (*weather*).

MODELO: **Había nubes en el cielo. Hacía sol. ...**

Luego, describan las acciones en progreso (de personas y animales).

MODELO: **Una mujer montaba a caballo. ...**

Ñ. Tú y yo, cuando estábamos en la escuela secundaria... En parejas, háganse preguntas y contéstenlas.

MODELO: *En la escuela secundaria...* ¿*ser* un buen (una buena) estudiante?
¿Eras un buen (una buena) estudiante?
Sí, era un buen (una buena) estudiante. *o* **No, no era un buen (una buena) estudiante.**

En la escuela secundaria...

1. ¿*ser* tímido/a? ¿*ser* perezoso/a? ¿*ser* trabajador/a?
2. ¿*estudiar* mucho?
3. ¿*salir* mucho con tus amigos?
4. ¿*ir* a muchas fiestas?
5. ¿*fumar*?
6. ¿*tener* un/a novio/a? (¿Cómo se llamaba?) (¿Adónde iban cuando salían?)
7. ¿*ir* de compras con frecuencia? (¿Adónde?)
8. ¿*hablar* mucho por teléfono? (¿Con quién?)
9. ¿*ver* mucho la televisión? (¿Qué programas?)
10. ¿*leer* muchas revistas? (¿Cuáles?)
11. ¿*escuchar* la radio? (¿Qué tipo de música o programas?)
12. ¿*jugar* al tenis? ¿Y a otros deportes?
13. ¿*tocar* un instrumento musical? (¿Cuál?)
14. ¿*trabajar*? (¿Dónde?)

Un paso más: Escriba dos oraciones. *Primera oración*: ¿Cómo era y qué hacía su compañero/a de clase cuando estaba en la escuela secundaria? *Segunda oración*: ¿Cómo era y qué hacía usted? En grupos de cuatro, lean las oraciones.

O. Las etapas (*stages*) **de la vida**. En grupos de tres o cuatro estudiantes, describan algunas actividades que ustedes **hacían** en las siguientes etapas de la vida. También incluyan lo que **les gustaba/no les gustaba**, lo que **les encantaba**, etc. Un/a secretario/a apunta las ideas del grupo. Pasen no más de tres minutos en cada categoría.

MODELO: Cuando éramos bebés, nosotros...
dormíamos mucho, tomábamos mucha leche,...

1. Cuando teníamos de 4 a 6 años...
2. Cuando teníamos de 10 a 12 años...
3. Cuando teníamos de 15 a 17 años...

Luego, algunos grupos presentan sus ideas a la clase.

4. Comparing equal qualities or quantities: Comparaciones de igualdad

Introduce equal comparisons by writing formulas on the board or on a transparency.

Use students from the class to illustrate each of the equal comparisons, for example: Juan es tan alto como Miguel, María tiene tantas amigas como Marta, and José estudia tanto como Pablo.

- The following constructions are used to make comparisons of equal *quality* and *quantity*.

> **tan** + *quality (adjective or adverb)* + **como** = *as…as*

Esta playa es **tan** bonita **como** ésa.
adjective
*This beach is **as** pretty **as** that one.*

Yo puedo correr **tan** rápido **como** tú.
adverb
*I can run **as** fast **as** you.*

> **tanto/a/os/as** + *quantity of things/persons (noun)* + **como** = *as much (many)…as*   Note that **tanto** changes to agree with the noun.

Hay **tantas** flores y **tantos** árboles
noun   noun
en este jardín **como** en ése.
*There are **as many** flowers and **as many** trees in this garden **as** in that one.*

- When equal *actions* are compared, **tanto como** is used.

> *action compared* + **tanto como** = *as much as*

Pagaron **tanto como** nosotros por el viaje.
*They paid **as much as** we did for the trip.*

¡Un momento, por favor!

Tanto/a/os/as has the additional meaning of *so much* or *so many*.
¡Hay **tanta** basura aquí!   *There is so much garbage here!*

Práctica y comunicación

Transparency #35 Use the transparency to complete *Exercise P.* This exercise recycles descriptive adjectives.

P. Son muy similares. Haga comparaciones de igualdad, refiriéndose a los dibujos.

MODELO: **Octavio es tan inteligente como Javier.**

Octavio/Javier
ser/tan... como...

Javier/su amigo
ser/tan... como...

Camila/su hermana
ser/tan... como...

el ogro/su amigo
ser/tan... como...

Alfonso/el profesor
tener/tanto... como

Linda/Inés
tener/tantas... como

Natalia/Rubén
... tanto como...

Pepita/Esteban
... tanto como...

Equal comparisons will be further practiced in combination with unequal comparisons (to follow).

Q. Mis compañeros/as de clase y yo. Haga comparaciones de igualdad entre usted y otros/as estudiantes de la clase, o usted y personas de su familia. Tiene cinco minutos. Escriba su comparación. Incluya:

1. características personales (3 comparaciones) **Yo soy tan... como...**
2. cosas que tienen (1 comparación) **Yo tengo tanto/a/os/as... como...**
3. actividades en que participan (1 comparación) **Yo... tanto como...**

Luego, presente sus comparaciones a la clase o a un/a compañero/a.

5. Comparing unequal qualities or quantities: Comparaciones de desigualdad y los superlativos

Introduce unequal comparisons by writing formulas and irregular comparative forms on the board or on a transparency. Use students in the class to illustrate unequal comparisons, e.g., **Mónica es más alta que la profesora.** For the more adventuresome, another option is to have two students arm wrestle to determine who is stronger.

To highlight and reinforce the use of **de** as *than* before numbers, ask certain students if they have more than two dollars, more than five dollars, etc. until it is determined how much they have.

Reconfirm that **mejor** and **peor** are irregular forms that do not use **más** or **menos**. Remind students that **mayor** and **menor** are likewise irregular in form. These four expressions have been presented previously as active vocabulary.

If you prefer to practice the unequal comparisons prior to presenting the superlatives, pass directly to *Exercises R* and *S*, then return to the superlatives for presentation and practice (*Exercise T*). All forms are practiced in *Exercises U* and *V*.

Las comparaciones de desigualdad

● The following constructions are used to compare the *qualities* or *quantities* of persons or things that are *not equal*.

$$\left. \begin{array}{l} \textbf{más } (\textit{more}) \\ \textbf{menos } (\textit{less, fewer}) \end{array} \right\} \;+\; \text{adjective/adverb/noun} \;+\; \textbf{que } (\textit{than})$$

Esta playa es **más** limpia **que** ésa.
adjective

This beach is **cleaner than** that one.

Ella nada **más** rápido **que** él.
adverb

She swims **faster than** he does.

Hay **menos** personas en esta
noun
sección de la playa **que** en ésa.

There are **fewer** people in this section of the beach **than** in that one.

● To compare unequal *actions,* use the following construction:

$$\text{verb} + \textbf{más/menos que}$$

Ella come **más que** tú.

She eats **more than** you do.

¡Un momento, por favor!

Than is translated as **que** except before a number; in such a case, **de** is used.

Cobraban **más de** $25 dólares por la entrada.

They were charging more than $25 for the ticket.

- Some Spanish adjectives and adverbs have irregular comparative forms. These forms do not use **más** or **menos**.

adjective		adverb		comparative	
bueno/a	good	**bien**	well	**mejor**	better
malo/a	bad	**mal**	badly	**peor**	worse
joven	young			**menor**	younger
viejo/a	old			**mayor**	older (age referring to a person)

Este campamento es **bueno**.   *This campsite is **good**.*
Ése es **mejor que** éste.   *That one is **better than** this one.*

Los campamentos aquí son **malos**.   *The campsites here are **bad**.*
Al otro lado de la montaña son **peores**.   *On the other side of the mountain they are **worse**.*

Los superlativos

Write sample sentences illustrating the superlative on the board. Have three students of varying heights come to the front of the class. Illustrate by stating: **Juan es alto. Miguel es más alto que Juan. Tomás es el más alto de los tres.**

The superlative form of the adjective is used when persons or things are singled out as being the *most..., least..., best..., worst..., tallest...,* etc.

- The superlative of the regular comparatives is formed by using:

> **el/la/los/las** + noun + **más/menos** + adjective + **de** (*in*)

El Aconcagua es **el** pico **más** alto **de** este hemisferio.   *Aconcagua is **the highest** peak **in** this hemisphere.*

- The superlative of the irregular comparatives **mejor/peor/mayor/menor** is formed by using:

> **el, la, los, las** + { **mejor(es)/peor(es)** **mayor(es)/menor(es)** } + noun + **de** (*in*)

Costa Rica tiene **las mejores** reservas naturales y **los mejores** parques nacionales **del** mundo.   *Costa Rica has **the best** nature reserves and **the best** national parks **in the** world.*

Práctica y comunicación

R. ¿De acuerdo (*In agreement*)**?** Indique si usted está de acuerdo (*if you agree*) con las siguientes generalizaciones. Si no está de acuerdo, indique su opinión.

A "recognition" exercise. Invent some of your own "fun" comparisons to see how students react.

MODELO: El español es más difícil que el inglés.
¡Sí! El español es más difícil que el inglés. *o* **¡No! El español no es más difícil que el inglés. Es más fácil.** *o* **El español es tan difícil/fácil como el inglés.**

1. La clase de español es más divertida que la clase de matemáticas.
2. Las mujeres de esta clase son más inteligentes que los hombres.
3. Los hombres de esta clase trabajan más que las mujeres.
4. Las mujeres, en general, gastan menos dinero que los hombres.
5. Los hombres hispanos bailan mejor que los hombres norteamericanos.
6. Los coches estadounidenses son mejores que los japoneses.
7. El dinero es más importante que el amor.
8. Conservar la naturaleza es más importante que el progreso económico.
9. Reciclar el papel es más importante que reciclar el vidrio (*glass*). ¿Por qué?

S. El continente americano. En parejas, estudien la información y hagan **comparaciones** entre los siguientes ríos, montañas, etc. Cuando sea posible, también digan **por qué** uno es más largo, alto, etc. que otro. Lean los números.

In *Exercises S* and *T*, students learn about the geography of the world in Spanish, thus making connections across disciplines! Numbers are recycled.

1. *largo* El río Amazonas, Brasil: 3.900 millas/6.280 kilómetros; El río Misisipí, EEUU: 2.350 millas/3.780 kilómetros.

    El río ... es más largo que... Es más largo porque tiene una extension de...

2. *alto* Mount McKinley, Alaska: 20.320 pies/6.096 metros de altura; El Pico Aconcagua, Argentina/Chile: 22.841 pies/6.852 metros de altura.

3. *especies de pájaros* América del Norte: 700 especies; Costa Rica: 850 especies.

4. *número de volcanes* Ecuador: 17; Hawai: 10

5. *volumen de agua* Las cataratas del Niágara, EEUU/Canadá: 50.000>202.000 p^3 (pies cúbicos) por segundo; las cataratas del Iguazú Argentina/Chile/Paraguay/Brasil: 62.000>450.000 p^3 por segundo.

T. La geografía del mundo: ¿Cuánto sabe usted? ¿Saben ustedes algo de la geografía del mundo? Lean las descripciones e identifiquen el país o la región que corresponda a cada descripción. Trabajen en parejas.

1. El Everest es la montaña más alta del mundo (29.028 pies/8.848 metros de altura).
2. El Sáhara es el desierto más grande del mundo (área: 3.500.000 millas cuadradas/ 9.065.000 kilómetros cuadrados/km^2).
3. El Nilo es el río más largo del mundo (4.180 millas/6.690 kilómetros).
4. El Salto Ángel es la cascada más alta del mundo (3.281 pies/979 metros).
5. El Titicaca es el lago navegable más alto del mundo (12.506 pies de altura/3.751 metros).
6. El lago Superior es el lago de agua dulce más grande del mundo (área: 31.820 millas cuadradas/82.414 km^2).

a. Frontera: Bolivia/Perú
b. Venezuela
c. Himalayas, frontera: Tíbet/Nepal
d. Michigan, EEUU
e. El norte de África
f. África, frontera: Tanganyika/Ruanda hasta el Mediterráneo

U. ¿Cuál es el mejor? Trabajen en grupos de tres. Cada grupo va a trabajar con una de las siguientes categorías. En sus grupos, escojan tres revistas, películas, etc. que van a comparar. Luego, hagan las comparaciones usando los comparativos de igualdad y de desigualdad y los superlativos. Después, algunos grupos presentan sus comparaciones a la clase.

MODELO: coches: el Ford, el Honda, el Mercedes-Benz
El Ford es mejor/peor que el Honda. *o* **El Ford es tan bueno como el Honda.**
El Mercedes es el mejor/el más caro de los tres.

1. revistas nacionales
2. películas recientes
3. programas de televisión
4. actores/actrices
5. cantantes/grupos musicales
6. restaurantes en la ciudad
7. equipos de fútbol americano profesional (u otro deporte)

Ahora, algunos grupos presentan sus comparaciones a la clase. ¿Están los otros estudiantes de acuerdo con las conclusiones de cada grupo?

V. Un anuncio comercial. En parejas, preparen un anuncio comercial de 30 segundos para la televisión. Comparen tres productos similares. Usen los comparativos y los superlativos. Presenten sus anuncios a la clase. ¿Quién presentó el mejor?

Dicho y hecho

Conversando

Una expedición a Venezuela

Formen grupos de 5 o 6. Háganse preguntas y hagan comparaciones para determinar quién es **la mejor** persona del grupo para participar en la expedición. (La expedición va a una región muy remota para buscar tesoros [*treasures*] arqueológicos.)

- *ser*: fuerte, buen/a líder, trabajador/a, aventurero/a, flexible, muy inteligente (**¿Eres fuerte? ¿Eres más fuerte que/tan fuerte como...?**)
- *saber algo de*: la selva, la antropología, la medicina/los primeros auxilios (*first aid*) (**¿Sabes algo de la selva? ¿Sabes más que/tanto como...?**)
- *encantar*: acampar, dar caminatas largas, escalar montañas, explorar regiones desconocidas (**¿Te encanta...?**)
- *molestar*: los insectos, las serpientes, las pirañas (**¿Te molestan...?**)

Finalmente, el grupo vota por el/la estudiante que va a participar. Él/Ella se presenta a la clase y le dice a la clase por qué fue seleccionado/a.

¡A escuchar!

The listening passage for this and all *¡A escuchar!* sections is recorded on both the instructor and student tape or CD that accompanies each text.

¡Vamos a Costa Rica!

El Instituto Costarricense de Turismo lo/la invita a descubrir Costa Rica y a gozar de (*enjoy*) una experiencia fascinante. Escuche el siguiente anuncio. Luego, identifique los tres siguientes lugares.

1. Seleccione la descripción correcta para cada lugar.
   a. Manuel Antonio _____
   b. Monteverde _____
   c. Arenal _____

   | volcán |
   | bosque de nubes |
   | playa |

Escuche el anuncio otra vez y conteste las preguntas para indicar sus preferencias.

2. ¿Qué desea usted ver en Monteverde? _____
3. ¿Qué quiere usted hacer en Manuel Antonio? _____
4. ¿Qué puede usted hacer en Arenal? _____

De mi escritorio

La vida campestre de hace muchos años

Describa una familia imaginaria que vivía en el campo hace 40 o 50 años, cuando la vida era más tranquila. Use el tiempo imperfecto en su descripción. Incluya:

- Cómo era la familia, los años que tenían los niños, si otros parientes (abuelos, etc.) también vivían en la casa/granja
- Una descripción de la tierra, lo que cultivaban, los animales que tenían
- Lo que hacían los padres/niños/abuelos habitualmente
- Cómo era el medio ambiente en esa época (*era*)

Audioscript for ¡A escuchar!:

Imagine exuberantes bosques tropicales, flora y fauna exóticas, playas de arena fina, volcanes impresionantes y un ambiente amistoso. Hoy le presentamos tres de las innumerables atracciones de nuestro país.

Primero, venga a las playas Manuel Antonio donde usted puede descansar a la sombra de las palmeras o nadar en el agua verde-azul. También puede caminar por los senderos misteriosos de este parque nacional para apreciar la naturaleza, los animales de la selva o las vistas panorámicas del mar.

De allí, viaje hacia el noreste para visitar Monteverde, ... ¡uno de los bosques de nubes mejor conservados del mundo! Usted quedará fascinado por la gran variedad de árboles, flores, pájaros y mariposas tropicales, rodeados por los rítmicos sonidos de la naturaleza.

A poca distancia queda el impresionante y activo volcán Arenal. Suba al volcán por la noche para ver de cerca la actividad volcánica y oír el rugido de las erupciones. O, si prefiere, nade en las calientes aguas termales, procedentes del volcán.

Costa Rica lo tiene todo. ¡Venga a visitarnos!

Study Hints
See what you have learned! Turn to pp. 274–275 to review the active vocabulary and take the self-test for this chapter.

Costa Rica y Panamá

[www.wiley.com/college/dicho/panorama]

Use *transparency #36* (map) to review the map questions with the class.

¡Nobel, Nobel!

Oscar Arias Sánchez fue presidente de Costa Rica entre 1986 y 1990 y ganó el Premio Nobel de la Paz en 1987. El título de su tesis doctoral (1974) fue: «Who rules Costa Rica?»

¡NADAR ES MÁS BARATO!

El precio más alto pagado por cruzar el canal de Panamá fue de $141.244,97 por el crucero *Crown Princess*. El más bajo lo pagó Richard Halliburton, un hombre que cruzó el canal nadando en 1928 y sólo pagó 36 centavos.

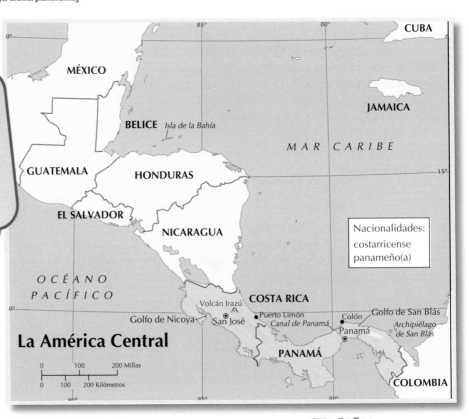

Nacionalidades:
costarricense
panameño(a)

La América Central

¡SILENCIO, POR FAVOR!

El animal que produce el sonido (*sound*) más alto y horrible es el mono (*monkey*) **alouatta** de la América Central. El ruido que produce este mono se puede oír a 10 millas de distancia y se dice que es como los sonidos que producen un perro y un burro amplificados mil veces.

Preguntas sobre el mapa

1. ¿Cuál es la capital de Costa Rica? ¿Cómo se llama uno de los volcanes que está cerca de la capital? ¿Y el puerto que está en la costa del mar Caribe?

2. ¿Cuál es la capital de Panamá? ¿Con qué países tiene frontera? ¿Cómo se llaman las islas que están al norte de Panamá, en el mar Caribe?

Costa Rica

La capital de Costa Rica, San José, está en la meseta central. Es una ciudad diversa, con hermosos parques y lugares históricos. Pero la verdadera atracción de Costa Rica está en su geografía, su fauna y su flora. Costa Rica se distingue por sus playas, ríos, cascadas, volcanes y montañas con abundante vegetación.

Costa Rica es uno de los países latinoamericanos con más conciencia ecológica; se protege más del 25% de su territorio. Existen más de 15 reservas y parques nacionales que protegen una biodiversidad sorprendente: 14.000 especies de plantas y árboles, 1.000 especies de mariposas[1], 850 especies de pájaros. Costa Rica tiene hoy una imagen turística única, basada en la conciencia ecológica. ¿Qué le impresiona más a usted. de esta foto de Monteverde, «Bosque de Nubes»?

¿Sabía usted?

▶ Colón descubrió Costa Rica en 1502.
▶ En 1821 Costa Rica se independizó de España y se unió a la Federación Centroamericana.
▶ En 1848 se convirtió en una república independiente.
▶ Costa Rica es una democracia pacífica; el país no tiene ejército[2].
▶ El nivel de analfabetismo[3] es de los más bajos de Latinoamérica—sólo 5%.
▶ La economía y el nivel de vida están entre los mejores de América Central.
▶ La mayor parte de la población es descendiente de españoles y no existen grandes comunidades indígenas.

Los volcanes son característicos del país. A unos 30 kilómetros de San José y de Cartago (la capital original), hay cuatro volcanes. Dos de ellos, el Poás y el Irazú, a veces son activos. Desde el Irazú (con 3.432 m de altura) se pueden ver las costas del Caribe y el Pacífico al mismo tiempo. Considere la foto del Irazú. ¿Por qué es tan impresionante el cráter?

Las playas de Costa Rica atraen a turistas de todo el mundo. Hay excelentes playas en la costa caribeña, por ejemplo, cerca de Puerto Limón, en el Golfo de Nicoya y en el Pacífico. La foto presenta unas de las más famosas del Pacífico—las playas del Parque Nacional Manuel Antonio. ¿Le gustaría a usted visitar estas playas? ¿Por qué?

---

[1]*butterflies*   [2]*army*   [3]*illiteracy*

Panamá

Por su clima tropical, en Panamá es posible jugar al golf y al tenis, y practicar deportes acuáticos todo el año. Panamá también tiene algunas de las más accesibles y espectaculares selvas tropicales del mundo. Al igual que su vecino[4] Costa Rica, Panamá ha establecido varios parques nacionales para proteger su diversidad ecológica.

Panamá es un puente entre América del Norte y América del Sur. Gracias al tránsito de barcos (15.000 al año) por el canal, Panamá es importante para el comercio mundial y la banca internacional. La Zona del Canal, libre de impuestos[5], es un paraíso para las transacciones comerciales.

La capital, Panamá, está en la parte del canal que termina en el Pacífico. En su zona colonial se conservan edificios de arquitectura francesa, italiana y española, que contrastan con la zona moderna con sus rascacielos, centros comerciales, hoteles y bancos.

En la Zona del Canal se pueden ver cruzar barcos de todas partes del mundo por las esclusas[6] que controlan el nivel del agua. ¿Qué océanos une este canal?

A 10 km de la capital moderna está la primera capital, Panamá la Vieja, fundada en 1516. En 1671 el pirata Henry Morgan la atacó y la destruyó. Hoy sólo quedan[7] las ruinas de la catedral y de varios otros edificios.

¿Sabía usted?

▶ Colón llegó a Panamá en 1502.

▶ En el siglo XVI llegaron otros españoles para explorar y abrir rutas comerciales entre el Viejo y el Nuevo Mundo.

▶ Todas las expediciones españolas a Sudamérica pasaron por Panamá. ¡Panamá debió resistir los ataques de los piratas!

▶ La construcción del Canal resultó en la participación activa de los EEUU en la vida política del país desde 1902 hasta el 31 de diciembre de 1999, el día límite para entregarle[8] a Panamá el Canal.

La población de Panamá es variada e incluye comunidades indígenas, europeas, africanas y asiáticas. En Panamá existen cuatro grupos indígenas importantes. Estos grupos son famosos por sus artesanías[9]. Considere la foto de la niña kuna de las islas de San Blas, Panamá. Describa su vestido.

¿Qué descubrimos?

1. ¿Cómo sabe usted que la paz y la educación son dos de las prioridades de los costarricenses?

2. ¿Qué caracteriza la conciencia ecológica de Costa Rica?

3. ¿Cuáles son algunas de las atracciones turísticas de Costa Rica?

4. ¿Qué hicieron los españoles al llegar a Panamá en el siglo XVI?

5. ¿Qué pasó con Panamá la Vieja?

6. En Panamá, ¿por qué dicen que la Zona del Canal es un paraíso comercial?

7. ¿Qué diferencias existen entre la población de Costa Rica y la de Panamá?

[4]neighbor [5]taxes [6]locks [7]remain [8]hand over
[9]crafts

ENCUENTRO CULTURAL
Artes populares: Las molas

Por lo general, todas las regiones de un país tienen artesanías[1] típicas. Por ejemplo, las mujeres indígenas de la tribu kuna que viven en las islas de San Blas, en Panamá, son famosas en todo el mundo por sus *molas*.

Las molas son una forma de arte textil[2]. Consisten en una base de tela[3] de algodón negro y varias capas[4] de tela de colores brillantes cosidas[5] una sobre la otra. Las capas de tela se cortan[6] y se unen con una puntada[7] especial para crear ilustraciones detalladas[8]. Hace muchos siglos las kunas pintaban diseños geométricos muy complejos en su piel[9] pero el comercio textil cambió la tradición: ahora el medio de expresión es la mola y no la piel.

Los diseños geométricos todavía son los más populares. La flora y la fauna de la región también son elementos comunes tanto como las escenas que ilustran tradiciones, supersticiones y la vida diaria de la tribu. Las imágenes más abstractas tienen origen en los sueños[10] y la fantasía de los kuna. Hoy, las imágenes en revistas y anuncios publicitarios inspiran nuevas ideas para las molas.

Lo interesante es que no hay dos molas idénticas; por eso, muchos museos importantes a nivel mundial incluyen molas en sus colecciones de arte. Observe estas molas y piense en las siguientes preguntas.

Mola con la ímagen de un dragón.

Mola con las banderas de Panamá y los EEUU.

---

[1]*crafts* [2]*textile* [3]*cloth* [4]*layers* [5]*sewn* [6]*are cut*
[7]*stitch* [8]*detailed* [9]*skin* [10]*dreams*

Preguntas

1. ¿Qué figuras aparecen en estas molas?
2. ¿Cuál de estas molas puede representar mejor la superstición? ¿Y la política?
3. En su opinión, ¿por qué hay dos banderas en la mola? ¿Qué relación existe entre Panamá y los EEUU?
4. ¿Cuál de las molas es su favorita? ¿Prefiere usted esta mola por sus colores o por el tema?
5. ¿Tiene usted ropa con la que pueda representar su opinión o su personalidad?
6. ¿Tiene usted ropa o accesorios que puedan considerarse arte? ¿Cuáles son?

Adjetivos

contaminado/a
peligroso/a

Sustantivos

El campo, la naturaleza y otras palabras útiles

el árbol
la arena
el bosque
el bote
la carpa
la cascada
la catarata
la choza
el cielo
la colina
el crucero
el desierto
la estrella
la flor
el fuego
la granja
la hierba
la isla
el lago
la luna
el mar
la nube
el océano
la ola
el pueblo
el relámpago
el río
la selva
el sol
la tienda de campaña
la tierra
la tormenta
el valle
el volcán

Los animales y los insectos

la araña
el caballo
el cerdo
la gallina
el gato
la mosca
el mosquito
el pájaro
el pez (los peces)
la serpiente
la vaca

El medio ambiente

el aire
la basura
el cáncer
la capa de ozono
la construcción
la contaminación
la desforestación
la destrucción
la electricidad
la fábrica
la gasolina
la madera
el mundo
el peligro
el planeta
el problema
los rayos ultravioleta del sol

Verbos y expresiones verbales

acampar
causar
conservar
construir
contaminar
cortar
desaparecer
desperdiciar
destruir
encantar
enseñar
explicar
fascinar
importar
interesar
matar
molestar
pescar
plantar
proteger
protestar
reciclar
regalar
resolver
respirar
viajar
dar una caminata
dar un paseo
escalar una montaña
estar de vacaciones
ir de vacaciones
hacer *surf*
hacer un viaje
montar a caballo
pasarlo bien/mal
tener miedo

Palabras y expresiones útiles

a causa de
por

I. Verbos similares a *gustar*. Indique los gustos en cada caso. Primero, es necesario determinar quién habla, y luego, escribir la oración desde su punto de vista (*point of view*).

MODELO: Veo el océano. (encantar)
Me encanta el océano.

1. Vemos los relámpagos. (fascinar)
2. Oyen los mosquitos. (molestar)
3. Está leyendo un libro de biología. (interesar)
4. Voy a pescar. (encantar)
5. Para Pablo, la familia es su prioridad. (importar)

II. Pronombres de complemento directo e indirecto en combinación. Un amigo le hace muchas preguntas. Conteste, usando dos complementos del verbo.

MODELO: ¿Le mostraste los insectos a Andrés?
Sí, se los mostré.

1. ¿Le diste las flores a tu madre?
2. ¿Les explicaste el peligro de las drogas a los niños?
3. ¿Le mandaste el periódico a Felipe?
4. ¿Me devolviste el dinero que te presté?
5. ¿Puedes prestarnos cincuenta dólares?

III. El imperfecto. Diga lo que las personas hacían para proteger el medio ambiente.

MODELO: yo/reciclar el papel
Reciclaba el papel.

1. yo/ahorrar la gasolina
2. nosotros/no desperdiciar el agua
3. tú/proteger los animales del bosque
4. ellos/plantar árboles
5. Rubén/escribirles a los representantes del Congreso
6. mis amigos/ser muy responsables cuando acampaban

IV. Las comparaciones de igualdad. Haga comparaciones de igualdad según los modelos.

MODELO: la clase de biología/la clase de antropología (difícil)
La clase de biología es tan difícil como la clase de antropología.

1. los hombres de esta universidad/las mujeres de esta universidad (inteligentes)

2. los profesores/los estudiantes (divertidos)
3. reciclar el papel/reciclar el aluminio (importante)

MODELO: los Gutiérrez/los Gómez (hijas)
Los Gutiérrez tienen tantas hijas como los Gómez.

4. los Gutiérrez/los Gómez (dinero)
5. los Gutiérrez/los Gómez (ropa)
6. los Gutiérrez/los Gómez (problemas)

V. Las comparaciones de desigualdad y los superlativos. Haga comparaciones de desigualdad según el modelo.

MODELO: El volcán Cotopaxi es activo.
(el volcán Popocatépetl/el volcán Arenal)
El volcán Popocatépetl es más activo que el volcán Cotopaxi.
El volcán Arenal es el más activo de los tres.

1. El lago Titicaca es grande. (el lago Michigan/el lago Superior)
2. Las playas de Chile son bonitas. (las playas de México/las playas de Costa Rica)
3. La carne que produce Texas es buena. (la carne que produce Wisconsin/la carne que produce Argentina)

VI. Repaso general del Capítulo 8. Conteste con oraciones completas.

1. ¿Qué animales/insectos/reptiles le fascinan o le interesan a usted más? ¿Cuáles le molestan?
2. ¿Qué aspectos de la naturaleza le encantan a usted?
3. ¿Adónde iba usted de vacaciones cuando era niño/a?
4. ¿Qué hacía cuando visitaba la casa de sus abuelos u otros parientes?
5. ¿Es usted tan generoso/a, más generoso/a o menos generoso/a que su mejor amigo/a?
6. ¿Tiene usted tantos problemas, más problemas o menos problemas que su mejor amigo/a?
7. En su opinión, ¿cuál es la clase más interesante de la universidad?

Answers to the **Autoprueba y repaso** are found in **Apéndice 2**.

CAPÍTULO 9

Mi casa es tu casa. ¡Pasa! San Miguel de Allende, México.

Casas y otras cosas

Goals for communication

- To talk about a house or an apartment and its contents
- To talk about and describe persons, things, and actions in the past
- To point out where persons and things are and when actions take place
- To state destination, purpose, cause, and motive

Cultural focus

- The patio in Hispanic houses—a private park
- Mexico: A history thousands of years old

Structures

1. El pretérito y el imperfecto
2. Preposiciones de lugar y otras preposiciones útiles
3. Pronombres preposicionales
4. **Para** y **por**

Presentation of *Bien dicho*, pp. 278–279

Vocabulary from previous chapters can be quickly and effectively <u>recycled</u> via the transparencies. Students enjoy a "refresher course" on food, clothing, etc. enhanced by their ability to describe the scenes more fully now that they have advanced in their language acquisition.

Transparency #37 Use the transparency of the opener drawing for Chapter 9 to visually present vocabulary dealing with the home. Each vocabulary item can be repeated chorally.

¡Bien dicho!

Casas y otras cosas

1. el techo
2. el dormitorio, la recámara
9. la pared
3. las cortinas
8. el espejo
7. el teléfono
4. el ropero, el armario
5. la cama
6. la cómoda
23. e piso
10. el cuadro
18. la lámpara
20. la
11. el estéreo
12. el sillón
13. la chimenea
14. la alfombra
17. el sofá
15. el suelo, el piso
19. e piso
16. la sala

1. roof 2. bedroom 3. curtains 4. closet 5. bed 6. bureau 7. telephone 8. mirror 9. wall 10. picture,
painting 11. stereo 12. easy chair 13. fireplace, chimney 14. rug, carpet 15. floor 16. living room 17. sofa
18. lamp 19. first floor, story 20. stairs 21. to go down 22. to go up 23. second floor, story 24. bathroom

278

24. el baño
30. la ducha
26. la toalla
25. el lavabo
28. el jabón
27. la bañera
29. el inodoro

31. el estante
34. el póster
32. la radiograbadora con CD
33. el cubo de la basura

35. las copas
39. el fregadero
36. el plato
40. el lavaplatos
41. el horno de microondas
42. la estufa
43. el horno
44. el refrigerador
45. el garaje
37. el comedor
38. la cocina

25. sink (bathroom) 26. towel 27. bathtub 28. soap 29. toilet 30. shower 31. bookshelf, shelf
32. radio/tape/CD player 33. trash can 34. poster 35. goblets 36. plate 37. dining room 38. kitchen
39. sink (kitchen) 40. dishwasher 41. microwave oven 42. stove 43. oven 44. refrigerator 45. garage

Práctica y comunicación

Assign *Exercise A* as written homework to be completed prior to class.

Move quickly and efficiently through the questions found in *Exercise A*, calling on students individually or, for short-answer questions, soliciting responses from the entire class. Refer to *transparency #37*.

A. En casa. Conteste según los dibujos en las páginas 278–279.

Los abuelos, tíos y primos visitan a la familia y pronto van a cenar. Estamos en el segundo piso, en el dormitorio[1].

1. Ana ya tiene más de un año. ¿Qué está aprendiendo a hacer?
2. En ese dormitorio, ¿dónde podemos guardar (*keep*) los trajes y vestidos?
3. ¿Y dónde podemos guardar la ropa interior, los calcetines, etc.?
4. ¿Qué hay en la pared? ¿Y en la ventana?

Estamos en el primer piso, en la sala...

5. ¿Dónde está sentado (*seated*) el abuelo? ¿Qué está haciendo?
6. El tío Antonio, Tere y Ricardo están haciendo un rompecabezas (*puzzle*). ¿Dónde están sentados Antonio y Tere?
7. El gato no duerme encima del (*on top of*) sofá. ¿Dónde duerme? ¿Por qué le gusta estar cerca de (*near*) la chimenea?
8. ¿Qué hay en la pared? ¿Qué más hay en la sala?
9. Para subir al segundo piso o bajar al primer piso, ¿qué usamos?

Estamos en el segundo piso, en el baño...

10. ¿Dónde está Juanito? ¿Hay un problema aquí? ¿Cuál es? ¿Qué cosas se ven en el baño?

...y en el cuarto de Elena...

11. ¿Qué está haciendo Elena?
12. ¿Qué cosas guarda ella en su estante?
13. ¿Dónde pone la basura?
14. ¿Qué tiene en la pared?

Estamos en el primer piso, en el comedor...

15. ¿Qué pone la tía Elisa en la mesa?
16. ¿Qué hay en el estante?

...y en la cocina

17. La madre preparó los burritos. ¿Dónde los pone? ¿Y quién preparó los postres?
18. ¿Qué aparatos hay en la cocina?

---

[1]Remember that **dormitorio** = *bedroom* and **residencia estudiantil** = *dorm*.

Bien dicho En el hogar

el **hogar**	*home*
el **vecino**, la **vecina**	*neighbor*
la **sala familiar**	*family room*
el **sótano**	*basement*
el **jardín**	*garden, yard*
los **muebles**	*furniture*
la **lavadora**/la **secadora**	*washer/dryer*
lavar/secar	*to wash/to dry*
alquilar	*to rent*
ayudar (a)	*to help*
guardar	*to keep*
encender (ie), prender	*to turn on*
la **luz**, la **radio**, etc.	*the light, radio,* etc.
apagar	*to turn off*
sonar (ue)	*to ring*

Introduce "setting the table" through drawings on the board. Another option is to bring the objects to class.

6. el vaso
7. la taza
2. el tenedor
1. la servilleta
5. la cuchara
3. el plato
4. el cuchillo

¡Un momento, por favor!

Like **invitar**, **empezar**, and **aprender**, which you learned earlier, **ayudar** requires the preposition **a** when used with an *infinitive*.

> Mi amigo me **ayudó a limpiar** el apartamento.
> **Empezamos a limpiar**lo temprano por la mañana.
> Después, lo **invité a almorzar**.

B. Preguntas personales. En parejas, háganse las preguntas y contéstenlas.

1. Donde vives ahora (o donde vive tu familia), ¿te gustan los vecinos? ¿Quién es tu vecino/a favorito/a? ¿Por qué?
2. ¿Tiene tu casa/apartamento chimenea? ¿Sala familiar? ¿Garaje? ¿Sótano? ¿Jardín?
3. ¿Cuántas recámaras hay en tu casa/apartamento? ¿Cuántos baños? ¿Cuántos pisos?
4. En tu casa, ¿cuál es tu cuarto favorito? ¿Por qué?
5. ¿Qué muebles hay en tu recámara? ¿Y qué hay en las paredes?
6. En tu cuarto, ¿tienes un lugar especial para guardar tus cosas «secretas»? (¿Dónde las guardas?) (¿Qué tipo de cosas guardas?)
7. ¿Tienes estéreo? ¿Radiograbadora con CD? ¿Una colección de discos compactos? ¿De qué tipo de música?
8. Cuando estás solo/a en tu recámara, ¿prendes el estéreo? ¿Siempre apagas el estéreo al salir de tu recámara? ¿Y la luz?
9. ¿Tienes una videograbadora? ¿Y una colección de vídeos? ¿Cuáles son tus vídeos favoritos? ¿Prefieres alquilar o comprar los vídeos? ¿Por qué?
10. Después de terminar tus estudios universitarios, ¿piensas alquilar un apartamento o comprar una casa? ¿Dónde?

After students complete their work, spot-check a few of the questions that might be of greater interest to the class, for example: #4, 7, 9.

Un paso más: Escriba cuatro oraciones describiendo la casa donde usted vivía cuando era niño/a. Use el tiempo imperfecto. Luego, léale la descripción a un/a compañero/a de clase.

The *Un paso más* provides written reinforcement of the vocabulary and recycles the imperfect tense (description) in the context of the chapter theme.

C. ¿Para qué sirve? Catorce estudiantes reciben una palabra de la siguiente lista. Cada estudiante le dice a la clase para qué sirve el objeto. **(Sirve para...)** La clase adivina (*guesses*) cuál es el objeto.

1. la cómoda
2. el estante
3. la estufa
4. el fregadero
5. el garaje
6. el tenedor
7. la cuchara
8. el cuchillo
9. el vaso
10. la taza
11. la copa
12. la servilleta
13. la lavadora
14. la secadora

 Bien dicho Los quehaceres domésticos°

hacer la cama
pasar la aspiradora

poner la mesa
quitar la mesa

lavar los platos
secar los platos

sacar la basura
cortar el césped²

D. Las rutinas. Según los dibujos, describa la rutina de los estudiantes (lo que hacían habitualmente). Use el tiempo imperfecto.

1. Alfonso ... y Javier...
2. Carmen ... y Natalia...
3. Linda ... y Manuel...
4. Esteban ... y Pepita...

Un paso más: Cuando usted era más joven, ¿qué cosas hacía para ayudar a la familia?

---

²Whereas **hierba** (Chapter 8) refers to *grass* in general, **césped** (or **pasto**) is often used to refer to *lawn*.

E. ¿Quién lo hace? ¿Quién debe hacerlo? En parejas, hablen de quién hace o quién debe hacer los quehaceres domésticos. Usen las preguntas como motivo de conversación. Refiéranse a los quehaceres indicados en los dibujos y/u otros quehaceres (por ejemplo: **lavar el carro/la ropa, hacer las compras en el supermercado, preparar la comida, limpiar los baños,** etc.).

1. ¿Quién de tu familia normalmente hace los quehaceres domésticos mencionados?
2. Cuando estás en casa, ¿cuáles haces tú con mayor frecuencia? ¿Y cuáles haces en tu residencia estudiantil o apartamento?
3. ¿En cuáles deben participar más los hombres? ¿Y las mujeres?
4. ¿Con cuáles deben ayudar los niños?

F. Vamos a mudarnos (*move*). Imaginen que ustedes son hombres/mujeres de negocios que van a mudarse a la ciudad de Panamá por dos años y deciden buscar apartamento. En parejas, hablen de los apartamentos «Golf View» descritos en el periódico «El Panamá América».

- Hagan una lista de los aspectos positivos del diseño del apartamento. ¿Hay algo negativo?
- Evalúen el acceso a los lugares de recreo.
- Discutan el precio [B = balboa = moneda panameña = US $1.00]

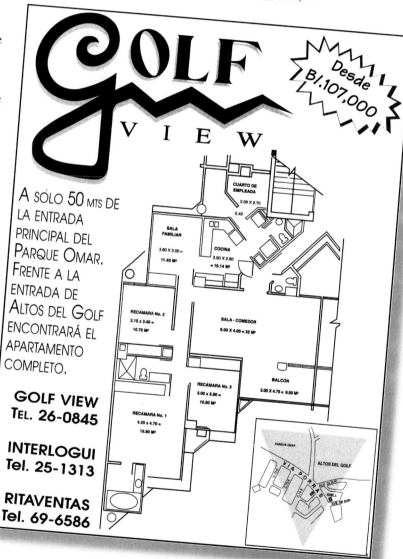

doscientos ochenta y tres **283**

Casas y otras cosas

Conversación

Buscando el apartamento ideal

The *Conversaciones* are recorded on the *Dicho y hecho* instructor's CD/tape. You may wish to introduce the *Conversación* by playing it for the class. Have students practice this conversation in groups of three, playing the roles of **Manuel**, **Inés**, and **Linda**. Have one group perform in front of the class.

Inés y Linda van a compartir un apartamento el próximo año académico. Después de buscar apartamento todo el día, las chicas se encuentran con Manuel en un café.

MANUEL: ¿Qué tal? ¿Encontraron un apartamento apropiado?

INÉS: Bueno, vimos muchos apartamentos, pero no encontramos exactamente lo que buscábamos.

MANUEL: ¿Y cómo eran los apartamentos que vieron?

LINDA: Uno tenía dos dormitorios, pero sólo un baño; otro tenía una cocina muy pequeña.

INÉS: Y no encontramos nada cerca de la universidad.

LINDA: Uno que vimos cerca del parque tenía sala, comedor, pero no tenía alfombra...

Besides

INÉS: Además°, tenía muy pocas ventanas; no había suficiente luz.

LINDA: ¡Ay, Manuel! ¡Nunca vamos a encontrar nuestro apartamento ideal!

MANUEL: ¿Y cómo es su apartamento ideal? ¿Qué es lo que buscan?

INÉS: El apartamento que queremos tiene dos recámaras grandes, dos baños completos, una sala y un comedor grandes con alfombra, ¡y con muchas ventanas!

LINDA: Sí, y también tiene una cocina equipada con horno de microondas y lavaplatos.

INÉS: ¡Ah! Y el alquiler debe ser barato. Sólo queremos pagar 300 dólares mensuales.

I suppose

MANUEL: Supongo° que también quieren aire acondicionado central, ¿no?

INÉS Y LINDA: ¡Claro que sí!

MANUEL: Pues... ¡Buena suerte! Van a necesitarla.

¿Qué hay de nuevo?

1. ¿Qué hicieron Inés y Linda hoy?
2. ¿Por qué no les gustaron los apartamentos que vieron?
3. ¿Cómo es el apartamento que quieren?
4. ¿Cuánto quieren pagar Inés y Linda?
5. ¿Por qué les dice Manuel «Buena suerte» a las chicas?
6. ¿Dónde vive usted? ¿Cómo es el lugar donde vive? ¿Es el lugar ideal? Explique.

Estructuras

1. Talking about and describing persons, things, and actions in the past: El pretérito y el imperfecto

Cuando yo era joven, caminaba diez kilómetros a la escuela, trabajaba por la noche y luego....

¿Y qué hiciste tú ayer?

¿Ayer? Comí y dormí. Nada más.

Although both the preterit and the imperfect tenses refer to the past, they convey different meanings. Study the contrasts in the chart that follows.

Imperfect	Preterit
1. Expresses a *past action* that was occurring or was *in progress*, with no emphasis on the beginning or end of the action. El gato **dormía** frente a la chimenea. *The cat was sleeping in front of the fireplace.*	1. Expresses a *single, past action*, generally quickly completed, or a *series of completed actions* in the past. Juanito **hizo** la cama. Luego **desayunó** y **salió** para la escuela. *Juanito made the bed. Then he had breakfast and left for school.*
2. Expresses a past action that was *repeated* over an indefinite period of time. Mi abuela **siempre preparaba** la comida. *My grandmother **always prepared** the food.* **Hacía** galletas **todos los sábados**. *She **made** (used to make) cookies **every Saturday**.*	2. Expresses a past action within a *specific time frame* or a past action with a *specific beginning or end*. Mi abuela **preparó** una comida deliciosa **anoche**. *My grandmother **prepared** a delicious dinner **last night**.* **Empezó** a prepararla **a las 4:00**. *She **began** to prepare it **at four o'clock**.* Ella **vivió** con nosotros **por diez años**. *She **lived** with us **for ten years**.*

(The chart continues on page 286.)

Casas y otras cosas

doscientos ochenta y cinco   **285**

Imperfect	Preterit
3. Describes *physical characteristics* or *background* (including ongoing *weather* conditions), often setting the scene for other actions or events to take place.	3. Indicates an *interrupting action* or event. Note that this action or event interrupts a scene described in the imperfect.

La casa **era** vieja y muy grande.
The house was old and very large.

Esa noche **había** luna y **hacía** frío.
That night the moon was out and it was cold.

Dormíamos cuando de repente **oímos** algo extraño en el sótano.

*We were sleeping peacefully when we **heard** something strange in the basement.*

Imperfect	Preterit
4. Describes *conditions* or mental or emotional states or attitudes in the past.	4. Indicates a sudden, unexpected *change of condition* or attitude.

El niño **estaba** contento.
The child was happy.

No **tenía miedo** de las tormentas.
He wasn't afraid of storms.

Tuvo miedo cuando **vio** los relámpagos.
*He **got scared** when he **saw** the lightning.*

5. Indicates what *time it was* and *dates* and *age* in the past.

Eran las 12:00 de la noche.
Era el 31 de octubre.
Tenía 99 años.

Point out the conceptual difference between telling time in the past (imperfect) and indicating at what time a specific action occurred (preterit).

When determining whether to use the preterit or the imperfect, keep in mind the following tips:

- When expressing past actions or events, the time reference may help you determine which tense to use. The following words or expressions serve as a general guideline.

Many of the words in this chart are not new to the students. Highlight the new words or expressions: **muchas veces, una vez, cada, mientras, de repente, por fin.**

Imperfect	Preterit
muchas veces *many times, often*	**una vez** *once, one time*
todos los días	**ayer**
cada verano *each, every . . .*	**el verano pasado**
con frecuencia	**anoche**
siempre/generalmente	**hace diez años**
mientras *while*	**de repente** *suddenly*
	por fin *finally*

Cada verano **íbamos** a la playa, pero el verano pasado **fuimos** a las montañas.

*Each summer we **would go** to the beach, but last summer we **went** to the mountains.*

- Use the imperfect when your focus is on the middle of the action, and the preterit when your focus is on the beginning and/or end.

Los niños **jugaban** en el jardín cuando **empezó** a llover.	*The children **were playing** in the garden when it **began** to rain.*

As you learned in Chapter 7, some verbs have a slightly different meaning when used in the preterit (see p. 227). However, in the imperfect this change in meaning does not occur.

VERBO	IMPERFECTO	PRETÉRITO
conocer	*to know*	*to meet* (first time)
saber	*to know*	*to find out*
querer	*to want*	*to try*
no querer	*to not want*	*to refuse*
poder	*to be able*	*to succeed in*
no poder	*to not be able*	*to fail*

Yo no **conocía** a nadie aquí pero ayer **conocí** a una persona interesante.	*I **didn't know** anyone here but yesterday **I met** an interesting person.*
Quería ir a Vermont con mis amigos.	*I **wanted** to go to Vermont with my friends.*
Cuando fui, no **quise** esquiar porque hacía mucho frío.	*When I went, **I refused** to ski because it was very cold.*

Práctica y comunicación ════════

G. De repente... Los estudiantes tienen una vida muy interesante. Lea la descripción de lo que pasaba y luego busque la acción correspondiente en el cuadro para expresar lo que **de repente** ocurrió.

1. Los estudiantes trabajaban en las computadoras cuando de repente...
2. Ellos lo estaban pasando muy, muy bien en la fiesta cuando de repente...
3. Nadaban tranquilamente en el océano cuando de repente...
4. Caminaban por la selva amazónica cuando de repente...
5. Escalaban el pico Aconcagua cuando de repente...
6. Hacían un viaje en Jeep por el desierto de Atacama cuando por fin...

a.	...un policía llegó.
b.	...vieron una anaconda.
c.	...un virus entró en el sistema.
d.	...empezó a nevar.
e.	...encontraron un oasis.
f.	...¡vieron la aleta (*fin*) de un tiburón (*shark*)!

Study Hints
Review the preterit tense of regular, stem-changing, and irregular verbs in Chapters 6 and 7 (pp. 181–182, 188, and 226), and the imperfect tense in Chapter 8 (pp. 260–261).

A "recognition" exercise. Give students a moment to find the answers. Then have students read expressively as they combine the elements of the sentence. Highlight concept #1 (imperfect) and #3 (preterit) from the preterit vs. imperfect chart on pp. 285–286.

Exercise H contrasts habitual or repeated actions (casi **todos los días**) with a completed action within a specific time frame (**un día**).

Divide the class into two equal sides. Have a student first from one side, then from the other, respond. Make a game of it by having the sides work as two teams.

H. La abuelita necesitaba un cambio de rutina. Indique lo que la abuelita hacía todos los días y diga lo que hizo un día para cambiar su rutina.

MODELO: casi todos los días... *caminar* por el parque
Casi todos los días caminaba por el parque.
Pero un día,... por la avenida principal de la ciudad.
Pero un día, caminó por la avenida principal de la ciudad.

Casi todos los días...

1. *manejar* su viejo Ford
2. *leer* su revista favorita, *Buenhogar*
3. *comer* en casa
4. *preparar* una ensalada de frutas
5. *llamar* a su hija a las nueve de la mañana

pero un día,...

su nuevo Jaguar
la revista *Cosmopolitan* en español
en Pizza Hut
una torta de crema y chocolate
¡a las seis de la mañana!

Transparency #39 Use the transparency to complete this exercise. It contrasts an ongoing action (imperfect) with an action that interrupts (preterit).

I. ¡Siempre hay interrupciones! Según los dibujos, indique lo que hacían los estudiantes cuando algo o alguien los interrumpió.

MODELO: **El profesor Marín-Vivar navegaba por Internet cuando Carmen entró en el laboratorio.**

El profesor Marín-Vivar/*navegar*...
Carmen/*entrar*...

Pepita/*pasar*...
Camila/*llamarla*

Esteban/*dormir*...
el teléfono/*sonar*

Inés/*tocar*...
Rubén/*entrar*

Alfonso/*tocar*... cantar...
Inés/*salir*...

J. Mi gato Rodolfo. Rodolfo se escapó de la casa y desapareció hace meses. ¡Qué triste! Describa al gato Rodolfo y las cosas que hacía o hizo. Use el pretérito o el imperfecto según las indicaciones.

MODELO: *tener* el pelo blanco y negro
Tenía el pelo blanco y negro.

1. *tener* ojos verdes
2. *ser* gordo y bonito
3. *ser* muy especial
4. *poder* entender español
5. normalmente *dormir* en el sótano
6. una noche *dormir* en la cama con nosotros
7. muchas veces *subir* a los árboles
8. una vez no *poder* bajar
9. con frecuencia *beber* agua de la bañera
10. una vez *tomar* agua del inodoro
11. todas las mañanas *ir* a la cocina
12. todas las mañanas *beber* leche caliente
13. siempre *tomar* la siesta en el sillón
14. un día se *comer* el jamón de nuestros sándwiches
15. ¡*tener* que salir de la casa corriendo!
16. en el jardín *ver* un perro enorme y ¡*tener* miedo!
17. ¡*volver* a la casa rápidamente!
18. *vivir* con nosotros quince años ¡Qué gato más divertido!

You may wish to complete this exercise with the whole class or have students first work in groups to complete the "story" about Rodolfo. If a student asks about the se in #14, explain that the addition of the pronoun se with comer implies that Rodolfo *ate up ALL the ham.*

K. Un testigo (*A witness*). Una noche en que ustedes no dormían bien, oyeron un ruido (*noise*) en la casa de su vecino. ¡Ustedes miraron por la ventana y vieron un robo! En parejas, narren la historia (*story*). Cambien los verbos al pretérito o al imperfecto según las indicaciones.

Students first work in pairs, then give volunteer answers to the class.

1. *Son* las dos de la mañana.
2. *Hace* viento.
3. *Hay* luna.
4. La casa de los vecinos *es* grande y vieja.
5. El perro viejo *duerme*.
6. De repente, un hombre *entra* por la ventana.
7. El hombre *es* alto y flaco.
8. *Lleva* un sombrero negro.
9. Inmediatamente *llamamos* a la policía.
10. El hombre *pasa* diez minutos en la casa.
11. Luego, *sale* con una bolsa grande.
12. El hombre *ve* el auto de la policía.
13. Los policías, en voz alta, *dicen*, «¡Alto!» (*Stop!*) pero...
14. ...el hombre *corre* en dirección contraria y...
15. ...*desaparece* en la noche.

Ahora, cuéntenle la historia a su profesor/a.

L. Una aventura fantástica. En grupos de cuatro estudiantes, escriban una aventura fantástica/extraordinaria/imaginaria en la vida de ustedes. Usen el pretérito y el imperfecto.

Temas:
1. una noche en la ciudad de Nueva York (u otra ciudad)
2. un viaje por el desierto de Atacama (Chile)
3. una excursión a los picos más altos de los Andes (Perú)
4. un viaje a una selva remota e inaccesible (Venezuela)
5. una semana acampando en un parque nacional (Costa Rica)
6. vacaciones en una isla tropical muy aislada (el Caribe)

Incluyan:
- referencia a la fecha/el día/la hora y el lugar donde estaban
- descripción del tiempo, del lugar, de las personas
- descripción de lo que pasaba en ese lugar (acciones en progreso, etc.)
- lo que pasó
- final del cuento

Un día durante las vacaciones de primavera en la playa...

M. Cuentos (*Stories*) **del momento.** Divídanse en grupos de cinco o seis estudiantes. Formen círculos. La persona más baja del grupo empieza el primer cuento con una oración descriptiva. Luego, él/ella indica quién debe continuar la historia. El/La estudiante nº 2 inventa otra oración para continuar la historia, etc. Comiencen con el imperfecto (descripciones y acciones en progreso) y luego cambien al pretérito (acciones completas, serie de acciones). Después, sigan al segundo cuento, y luego al tercero.

Cuento 1: Un sábado por la noche, en una fiesta en la universidad...

Cuento 2: Un día durante las vacaciones de primavera en la playa de Daytona...

Cuento 3: Un sábado en la vida de los Simpsons...

Noticias culturales

EL PATIO DE LAS CASAS HISPANAS: UN PARQUE PRIVADO

Uno de los elementos más representativos de muchas viviendas hispanas es el patio. Casi todas las casas —aun las más pequeñas— tienen un patio rodeado de° paredes altas. El diseño tradicional del patio hispano es una mezcla° de influencias romanas y árabes. En estas dos culturas la vida privada era muy importante y las casas eran cerradas a la calle. La luz y el aire entraban en los cuartos por las ventanas, puertas y balcones que rodeaban un patio central.

surrounded by
mixture

Hoy, las casas hispanas de estilo colonial tienen este tipo de patio central, con una fuente° y plantas, pero en las casas más modernas, a veces el patio está detrás de° la casa. En otras casas el patio también incluye los jardines que rodean la vivienda y, en estos casos, las paredes del patio no permiten ver la casa desde la calle. A diferencia de los *decks* tan populares en los EEUU, los patios hispanos no tienen pisos de madera; frecuentemente el suelo está cubierto de cerámica o piedra°.

fountain
behind

stone

El patio es un espacio fundamental en la vivienda hispana porque tiene varias funciones importantes. El patio es un lugar privado al aire libre°. Es un lugar cómodo° para tomar un poco de sol, recibir visitas o dar una pequeña fiesta.

open air / comfortable

¿Qué hay de nuevo?
1. ¿Por qué dicen que el patio es un elemento representativo de las viviendas hispanas?
2. ¿Qué influencias culturales se manifiestan en el diseño de los patios hispanos?
3. ¿Cómo es el patio de una vivienda hispana tradicional?
4. ¿Dónde está el patio en las casas más modernas?
5. ¿Qué diferencia existe entre un *deck* y un patio?
6. ¿Cómo utilizan los hispanos el patio? Dé (*Give*) dos ejemplos.

Conexiones y contrastes
1. ¿Tiene su casa un patio o un *deck*? ¿Qué hace usted allí?
2. ¿Piensa usted que el patio o el *deck* de su casa es un área suficientemente privada? Descríbalo.
3. ¿Quiere usted vivir en una casa rodeada de paredes altas? Explique por qué sí o por qué no.

Un patio tradicional hispano. Colombia. Describa este patio. ¿Qué actividades son posibles en esta parte de la casa?

2. *Indicating where and when:*
Preposiciones de lugar y otras preposiciones útiles

Las preposiciones

Prepositions are words that express a relationship between nouns or pronouns and other words in a sentence. You have already learned some prepositions such as: **a** (*to, at*), **en** (*in, on, at*), **de** (*from, of, about*), **con** (*with*), and **sin** (*without*). Below you will find additional prepositions that will help you describe location, time, and other relationships.

PREPOSICIONES DE LUGAR	
cerca de/lejos de	*near/far from*
dentro de/fuera de	*inside/outside*
debajo de/encima de	*beneath, under/on top of, above*
detrás de/delante de	*behind/in front of*
enfrente de	*in front of, opposite*
frente a	*in front of, opposite, facing*
al lado de	*beside*
sobre, en	*on*
entre	*between, among*

OTRAS PREPOSICIONES ÚTILES	
acerca de, sobre	*about* (content)
antes de/después de	*before/after* (time)
durante	*during*
en vez de	*instead of*
al + *infinitive*	*upon* + (doing something)

Preposiciones con infinitivos

In Spanish, a verb following a preposition is always in the infinitive (**-ar**, **-er**, **-ir**) form. In contrast, English uses the *-ing* form.

Highlight the contrasts between the Spanish use of the infinitive after a preposition versus the English use of the *-ing* form.

Al entrar en la cocina, vimos los platos sucios.

Upon entering the kitchen, we saw the dirty dishes.

Después de lavar los platos, podemos ir al cine.

After washing the dishes, we can go to the movies.

The prepositions commonly used with infinitives are: **antes de, después de, en vez de, al, para,** and **sin**.

Práctica y comunicación ━━━━━━━

N. Una rima. Toda la clase, en coro, repite la rima. Dramaticen cada preposición, indicando con las manos la posición de cada preposición o dirección.

Have students stand and act out each portion of this rhyme. Repeat it on subsequent days, until students have it memorized. They will never forget the prepositions!

A la izquierda°
a la derecha°
delante
detrás
cerca
lejos
y algo más.
Abajo°
arriba°
enfrente
encima
y ahora muchachos/as,
se acaba° la rima.

left
right

Down
up

ends

Ñ. En la casa. Según los dibujos en las páginas 278–279, indique si las siguientes oraciones son correctas. Apunte *sí* o *no*.

1. La ropa está *fuera del* ropero. _____
2. El teléfono está *encima del* armario. _____
3. El gato está *enfrente de* la chimenea. _____
4. El gato está *debajo de* la alfombra. _____
5. El estéreo está *delante del* sillón. _____
6. La toalla está *al lado del* lavabo. _____
7. El perro está *fuera de* la casa. _____
8. La basura está *dentro del* cubo de la basura. _____
9. La cocina está *lejos del* comedor. _____
10. La madre está *frente al* horno. _____
11. La escalera está *entre* la sala y el comedor. _____

Si ustedes respondieron que *no* a una declaración, cámbienla para indicar la información correcta. Trabajen en parejas.

Project *transparency #37* of the chapter-opener drawing to complete this "recognition" exercise. Students hear the description and jot down *yes/no* answers. If you do not have an overhead projector, have students look at the chapter-opener illustration on pages 278–279 as you read each sentence. Students number from 1–11 on a sheet of notebook paper and jot down their *yes/no* answers.

The answers are necessary for completion of the "active" portion of the exercise that follows.

MODELO: **La ropa no está *fuera del* ropero; está *dentro del* ropero.**

O. La invasión de los gatos. ¡A la profesora Falcón le encantan los gatos! Mientras está en la universidad, sus 17 gatos lo pasan muy bien jugando en la sala familiar. En grupos de cuatro, identifiquen dónde están los gatos usando la preposición apropiada. Un/a secretario/a apunta la información. ¿Qué grupo puede identificar dónde está el mayor número de gatos? Tienen cinco minutos.

MODELO: **Un gato está encima del sofá. Otro está...**

Ofelia   Sofía   Maya

P. Expresión personal. Completen las ideas en parejas indicando **actividades** que son apropiadas para ustedes.

MODELO: Fui al examen **sin**...
  Fui al examen sin estudiar.

1. Ayer, después de clase, fui al gimnasio **para**...
2. Generalmente, después de clase, vuelvo a mi cuarto **para**...
3. Esta noche voy a estudiar **antes de**...
4. Cuando estaba en la escuela secundaria, a veces miraba la televisión **en vez de**...
5. Ahora, no puedo vivir **sin**...
6. Sé que debo pensar **antes de**...
7. Nunca, nunca manejo **después de**...

Los aztecas eran buenos guerreros[4] y agricultores. La vida familiar era muy importante: los aztecas adoraban a sus hijos. La educación tenía mucha importancia; comenzaba en casa y continuaba en la escuela hasta los quince años. Después, los que debían ser sacerdotes[5] o jefes[6] iban a instituciones especiales y los que debían servir las necesidades y tradiciones del pueblo iban a otras.

¿Hablas náhuatl? La lengua de los aztecas era el náhuatl. Hoy todavía se habla en algunos estados de México.

El pueblo azteca era muy religioso y su religión requería sacrificios humanos para honrar a sus dioses[7] y para asegurar[8] la continuación del mundo. Las víctimas eran jóvenes prisioneros de guerra— fuertes y valientes. Los sacrificios eran públicos, con la presencia del emperador, músicos, bailarines y sacerdotes que ofrecían el corazón[9] de las víctimas a los dioses. ¿Qué está pasando en la escena representada en este dibujo azteca del siglo XVI? Descríbala.
(Palabra útil: **sacar** = *to take out*)

Cada sacrificio era programado de acuerdo con un elaborado sistema de fechas. Por eso, para los aztecas el concepto del tiempo era muy importante. Tenían un calendario ritual y otro solar, llamado la Piedra del Sol. Hoy, la Piedra del Sol está en el Museo de Antropología en México, D.F. ¿Ve usted el sol en este calendario? ¿Qué le impresiona a usted más de este calendario?

1800	1820	1840	1860	1880
1810 El padre Hidalgo, héroe nacional de México, proclamó el «Grito de Dolores[10]» que inició la rebelión contra España.	**1821** México obtuvo su independencia de España.	**1848** Después de una guerra desastrosa con los EEUU, México perdió los territorios del Río Grande (Nevada, California, Utah, Arizona, Nuevo México y parte de Colorado).	**1864** Una invasión francesa dio origen al imperio del hapsburgo Maximiliano que duró tres años.	**1876** Después de perder las elecciones de 1876, Porfirio Díaz derrocó[11] el gobierno y comenzó una dictadura que duró 44 años.

[4]*warriors*   [5]*priests*   [6]*chiefs*   [7]*gods*   [8]*to ensure*   [9]*heart*   [10]*(battle) cry in Dolores*   [11]*overthrew*

Cuando Hernán Cortés llegó a México en 1519, el imperio azteca era inmensamente extenso, sofisticado y rico. En sólo dos años, los españoles conquistaron a los aztecas (1521) y controlaron sus territorios. Después de la conquista española, el imperio azteca desapareció, pero su influencia cultural es parte integral de la identidad mexicana moderna. Vea el dibujo del encuentro de dos civilizaciones. ¿Puede usted identificar a Hernán Cortés? ¿Y al emperador de los aztecas, Moctezuma?

PAPÁ, ¡NO LO HAGO MÁS!
Los niños aztecas rebeldes tenían que dormir en la tierra húmeda.

1900	1925	1950	1975	2000

1910
Empezó la Revolución Mexicana. Terminó en 1917. Uno de los propósitos de la revolución fue la redistribución de las tierras entre los campesinos[12].

1917
Se firmó la constitución mexicana.

1929
Nació el Partido Nacional Revolucionario que sigue en poder hasta hoy día. Cambió de nombre en 1938 al Partido Revolucionario Institucional (PRI).

1993
A causa de las malas condiciones en que vivían, los Zapatistas un grupo indígena guerrillero, se rebeló y tomó el poder por la fuerza en Chiapas.

1994
México firmó el Tratado de Libre Comercio (NAFTA) con los EEUU y Canadá.

---

[12]*peasants*

¿Qué descubrimos?

1. ¿Cuáles son cuatro culturas importantes del México precolombino?
2. ¿Cuándo llegó Hernán Cortés a México?
3. ¿Qué pasó en 1521? ¿Y en 1821?
4. ¿Cuál fue el resultado de la guerra que ocurrió en 1848?
5. ¿Cómo era Tenochtitlán?
6. ¿Qué aspectos de la vida diaria eran importantes para los aztecas?
7. ¿Quiénes eran las víctimas de los sacrificios a los dioses aztecas?
8. ¿Qué idioma hablaban los aztecas?

Adivinanzas

▶ En parejas, identifiquen cada una de las siguientes referencias: **Hernán Cortés, el padre Hidalgo, Porfirio Díaz, 1910, PRI, NAFTA, los Zapatistas, Tenochtitlán, la Piedra del Sol, náhuatl, la ceremonia del fuego nuevo.**
▶ Luego, cada pareja escribe una descripción de una de las referencias y se la entrega a la profesora/al profesor.
▶ La clase forma dos equipos. Por turnos, cada equipo escucha y luego identifica cada descripción. Cada respuesta correcta vale dos puntos. ¿Cuál de los equipos ganó?

ENCUENTRO CULTURAL
Artes literarias: La poesía moderna—México

Octavio Paz (1914–1998) fue un escritor mexicano y el ganador del Premio Nobel de Literatura en 1990. Sus poemas y ensayos constituyen la parte más famosa de su producción. Desde joven dividió su actividad intelectual entre la literatura y la historia. Sus poemas muestran la influencia de estas dos disciplinas. Con sus escritos, Paz intentó combatir la injusticia social y presentar una imagen de México que integraba la gloria del pasado azteca y maya. Sus temas preferidos eran: la sociedad, la naturaleza, la historia, el amor, la vida y la muerte.

Serpiente[1] labrada[2] sobre un muro[3]

El muro al sol respira, vibra, ondula[4],
trozo[5] de cielo vivo y tatuado[6]:
el hombre bebe sol, es agua, es tierra.
Y sobre tanta vida la serpiente
que lleva una cabeza entre las fauces[7]:
los dioses[8] beben sangre, comen hombres.

Preguntas

1. Según el poema, ¿qué similitudes hay entre el muro y una serpiente?
2. ¿Cuáles son las frases en el poema que se refieren al sacrificio humano?
3. ¿Qué frases indican que «el hombre» es parte de la naturaleza?
4. ¿Quiénes construyeron el muro que describe Paz?
5. ¿Dónde piensa usted que está el muro?

---

[1]Quetzalcoatl, the feathered serpent, was one of the principal deities of the ancient peoples of Mexico.　[2]*carved*　[3]*wall*
[4]*ondulates*　[5]*piece*　[6]*tattooed*　[7]*jaws*　[8]*god*s

Adverbios y expresiones adverbiales

cada
de repente
mientras
por fin
una vez/muchas veces

Preposiciones

acerca de
al (+ *infinitivo*)
al lado de
antes de
cerca de
debajo de
delante de
dentro de
después de
detrás de
durante
en vez de
encima de
enfrente de
entre
frente a
fuera de
lejos de
para
por
sobre

Sustantivos

Las partes de la casa

el baño
la chimenea
la cocina
el comedor
el dormitorio
la escalera
el garaje
el jardín
la pared
el primer piso
la recámara
la sala
la sala familiar
el segundo piso
el sótano
el suelo
el techo

Las cosas en la casa/el apartamento

la alfombra
el armario
la cama
la cómoda
las cortinas
el cuadro
el cubo de la basura
el estante
el estéreo
la lámpara
la lavadora
la luz
los muebles
el póster
la radio
la radiograbadora
el ropero
la secadora
el sillón
el sofá
el teléfono

En el baño

la bañera	el jabón
la ducha	el lavabo
el espejo	la toalla
el inodoro	

En la mesa y en la cocina

la copa
la cuchara
el cuchillo
la estufa
el fregadero
el horno (de microondas)
el lavaplatos
el plato
el refrigerador
la servilleta
la taza
el tenedor
el vaso

Otras palabras útiles

el hogar
la vecina
el vecino

Verbos y expresiones verbales

alquilar
apagar
ayudar
bajar
encender (ie)
guardar
lavar
prender
secar
sonar (ue)
subir
cortar el césped
hacer la cama
pasar la aspiradora
poner la mesa
quitar la mesa
sacar la basura

I. ¿Pretérito o imperfecto?

A. Exprese, según las indicaciones, lo que usted hizo o hacía en el pasado. Use el pretérito o el imperfecto.

MODELO: (hacer un viaje) El verano pasado...
El verano pasado hice un viaje.

1. (alquilar un apartamento) El año pasado...
2. (invitar a mis amigos al apartamento) Con frecuencia...
3. (limpiar la sala) Todos los sábados...
4. (lavar las cortinas) Una vez...
5. (visitar a mis vecinos) Los fines de semana...
6. (abrir las ventanas) Todas las mañanas...
7. (bajar al sótano) Ayer...
8. (ver un insecto enorme en la cocina) Un día...

B. Narre la siguiente historia en el pasado, usando el pretérito o el imperfecto según el contexto.

MODELO: (ser) primavera
Era primavera.

1. (Ser) las dos de la tarde.
2. (Hacer) sol.
3. Mónica (llevar) jeans y una camiseta blanca.
4. Ella (salir) de su apartamento y (decidir) ir al parque.
5. Mientras (caminar) por el parque, (ver) un gato hambriento.
6. (Llevarlo) a su apartamento.
7. (Darle) leche y comida.
8. Después, (ir) al veterinario con el gato.
9. El veterinario (examinarlo) y (decir) que el gato (estar) un poco enfermo.
10. Mónica (darle) de comer y el gato (vivir) felizmente con ella por muchos años.

II. Preposiciones

A. Para indicar sus preferencias, cambie las oraciones usando la preposición de significado contrario.

MODELO: No quiero estar *cerca de* la estufa.
Quiero estar lejos de la estufa.

1. No quiero comer *antes de* ver el vídeo.
2. No quiero poner los libros *debajo de* la mesa.
3. No quiero poner la planta *delante del* sofá.
4. No quiero estar *dentro de* la casa.

B. Complete con una actividad apropiada.

MODELO: Fui al cine en vez de _____.
Fui al cine en vez de estudiar.

1. Al _____ en el teatro, vimos a nuestros amigos.
2. Nunca podemos mirar una película sin _____ palomitas (*popcorn*).
3. Después de la película, fuimos a un restaurante para _____.
4. Antes de _____ a casa, decidimos ir al centro.

III. Por y para.

III. ***Por y para.*** Indique lo que usted hizo el verano pasado. Complete las oraciones con la forma de **yo** del verbo en el pretérito y **por** o **para**. Siga el modelo.

MODELO: durante el verano *trabajar*/el Banco Nacional
Durante el verano trabajé para el Banco Nacional.

1. *trabajar*/poder ir a México
2. *salir*/México el 6 de agosto
3. *estar* allí/un mes
4. *viajar*/todo el país
5. *comprar* un libro de arte/mi madre
6. *comprarlo*/noventa pesos
7. mi madre *decirme*: «Gracias/el libro»

IV. Repaso general del Capítulo 9.

IV. **Repaso general del Capítulo 9.** Conteste con oraciones completas.

1. Usted vio el apartamento perfecto ayer. ¿Cómo era? (Use la imaginación.)
2. ¿Qué hacía usted casi todos los fines de semana cuando estaba en la escuela secundaria?
3. ¿Qué hizo usted anoche después de comer?
4. ¿Qué hacían todos los estudiantes cuando la profesora/el profesor entró en la clase?
5. ¿Van los estudiantes al centro estudiantil con frecuencia? ¿Para qué?

_____

Answers to the **Autoprueba y repaso** are found in **Apéndice 2**.

CAPÍTULO 10

Un momento especial en la vida diaria. Sevilla, España.

La vida diaria

Goals for communication

- To talk about daily routines
- To make telephone calls
- To describe actions
- To say what has happened
- To describe sequences of actions in the past

Cultural focus

- Festivals in the Hispanic world
- Spain and its history—a fusion of cultures

Structures

1. Los verbos reflexivos
2. Los adverbios
3. El presente perfecto
4. El pasado perfecto

Presentation of *Bien dicho*, pp. 310–311

Vocabulary from previous chapters can be quickly and effectively recycled via the transparencies.

Transparency #42 Use the transparency of the opener drawings for Chapter 10 to visually present vocabulary dealing with daily life and life in the dormitory. Each vocabulary item can be repeated chorally.

Practice the construction tener sueño, reminding students of the tener expressions studied in previous chapters (tener hambre, sed, frío, calor y miedo).

¡Bien dicho!

La vida diaria

1. quitarse
2. tener sueño
3. acostarse (ue)
4. el despertador
5. despartarse (ie)
6. levantarse
7. bañarse
8. lavarse
9. el secador de pelo
10. secarse
11. las tijeras
12. cortarse
13. el peine
14. peinarse
15. el cepillo
16. cepillarse el pelo
17. maquillarse
18. el maquillaj
19. sentarse (ie)
20. estar sentado/a
21. estar de pie
22. divertirse (ie, i)
23. reírse (i, i) (d

1. to take off (clothes, etc.) 2. to be sleepy 3. to go to bed 4. alarm clock 5. to wake up 6. to get up 7. to take a bath, bathe 8. to wash oneself 9. hairdryer 10. to dry oneself 11. scissors 12. to cut one's (hair, nails, finger, etc.) 13. comb 14. to comb one's hair 15. brush 16. to brush one's hair 17. to put on makeup 18. makeup 19. to sit down 20. to be seated 21. to be standing 22. to have a good time 23. to laugh (at)

24. preocuparse (por)
25. dormirse (ue, u)
26. ponerse
27. vestirse (i, i)
28. el champú
29. ducharse
30. el desodorante
31. el papel higiénico
32. la máquina de afeitar
33. afeitarse
34. la navaja
35. la crema de afeitar
36. el cepillo de dientes
37. la pasta de dientes
38. cepillarse los dientes
39. el ruido
40. quejarse (de)
¡Me molesta el ruido!
41. quedarse
42. despedirse (i, i) (de)
43. irse

24. to worry (about)   25. to go to sleep   26. to put on (shoes, clothes, etc.)   27. to get dressed   28. shampoo
29. to take a shower   30. deodorant   31. toilet paper   32. electric shaver   33. to shave (oneself)   34. razor
35. shaving cream   36. toothbrush   37. toothpaste   38. to brush one's teeth   39. noise
40. to complain (about)   41. to stay, remain   42. to say good-bye (to)   43. to go (away), leave, depart

Práctica y comunicación ━━━━━━

Assign *Exercise A* as written homework to be completed prior to class.

Complete *Exercise A* by soliciting responses from the whole class and from individual students. Refer to *transparency #42*.

A. En la residencia estudiantil. Son las nueve de la noche en la residencia estudiantil. Indique lo que hacen los estudiantes. Conteste según los dibujos en las páginas 310–311.

1. La chica que está cerca de la ventana tiene sueño y quiere dormir. ¿Se quita[1] o se pone el suéter? **Se...**
    La otra chica en el cuarto también tiene sueño. ¿Va a acostarse o va a levantarse? **Va a...**

2. En el otro cuarto, la chica tomó una siesta. ¿Suena el teléfono o suena el despertador? ¿Debe despertarse o debe dormirse? **Debe...** ¿Debe levantarse o debe acostarse?

3. Una chica está en la bañera. ¿Se lava el pelo o se baña? ¿Qué usa Camila para secarse el pelo? **Usa...** ¿Qué usa Natalia para cortarse el pelo? La chica que está enfrente del lavabo, ¿se lava la cara o se lava las manos?

4. ¿Qué usa Pepita para peinarse? ¿Qué usa la amiga de Pepita para cepillarse el pelo? Inés se maquilla. ¿Piensa usted que ella va a estudiar o salir esta noche?

5. ¿Dónde se sentaron la profesora Falcón y su amigo? El profesor Marín-Vivar, ¿está de pie o está sentado? ¿Y su esposa, Nancy?

6. Los estudiantes que están en la fiesta, ¿lo están pasando mal o se divierten? ¿Qué están haciendo Linda y Manuel? Carmen y su amiga, ¿están tristes o se ríen?

7. Esteban está estudiando para un examen de cálculo. ¿Se preocupa mucho por el examen o se divierte? El compañero de cuarto de Esteban, ¿se preocupa por los exámenes? ¿Va a dormirse?

8. En el otro cuarto, los chicos van a salir. El chico que está sentado en la cama, ¿se pone o se quita los zapatos? El otro chico, ¿se quita la ropa o se viste?

9. El chico que se ducha, ¿qué usa para lavarse el pelo? ¿Qué se pone Alfonso? ¿Qué se ve cerca de la ventana? **Se ve...**

10. ¿Qué usa Octavio para afeitarse? ¿Y el otro chico? El chico que va a cepillarse los dientes, ¿qué pone en su cepillo de dientes?

11. ¿De qué se queja la chica que está cerca de la banda?

12. Javier y su amiga, Marlena, ¿saludan a Rubén o se despiden de él? ¿Ellos se quedan en la fiesta o se van? ¿Y Rubén?

---

[1]Most of the verbs presented thus far in this chapter use the pronoun **se** in the third person. You will formally study these verbs beginning in the first *Estructura* section of this chapter. For now, just follow the model and the verb forms in the questions.

B. Nuestras actividades diarias. De las actividades presentadas en los dibujos (páginas 310–311), ¿cuál o cuáles asocia usted con los objetos indicados?

MODELO: el despertador
sonar, despertarse, levantarse

1. la cama
2. la bañera
3. el pelo
4. las tijeras
5. el lavabo

6. el peine
7. el cepillo
8. el maquillaje
9. la ropa

10. el sillón
11. el jabón
12. el desodorante
13. la navaja

Bien dicho Condiciones

cansarse	*to get tired*	**enojarse**	*to get angry*
sentirse (ie, i) bien/mal	*to feel good/bad*	**aburrirse**	*to get bored*
enfermarse	*to get sick*		

Palabras útiles:
las **caries** = *cavities*
el **sarro** = *tartar*
mal aliento = *bad breath*

Protege tu boca aún cuando no te estás cepillando.

¡La nueva COLGATE TOTAL, con su avanzada fórmula de acción prolongada sigue trabajando después de cepillarte y te ayuda a proteger tu boca contra las caries, el sarro, la placa, la gingivitis y el mal aliento, hasta por doce horas! Colgate Total es una pasta tan avanzada que sigue trabajando entre cepilladas mientras te diviertes, mientras trabajas y hasta cuando duermes. ¡Hora tras hora tras hora!

Visite nuestro website http://www.colgate.com

NEW HELPS PREVENT CAVITIES · GINGIVITIS · PLAQUE

Colgate Total

ANTICAVITY FLUORIDE AND ANTIGINGIVITIS TOOTHPASTE

LONG LASTING FRESH BREATH PROTECTION · FIGHTS TARTAR

La cepillada tan avanzada que trabaja entre cepilladas.

¿Contra qué protege Colgate? ¿Cuándo sigue (*continues*) trabajando? ¿Qué marca (*brand*) de pasta de dientes usa? ¿Por qué la usa?

Exercise C highlights the contrast between estar + *adjective* to express resultant condition (recycled from Chapter 3) and the use of the reflexive (están cansados vs. se cansan). Note that the students do not have to actively produce the reflexive at this point.

C. La vida estudiantil. Estudien el *Bien dicho* en la página 313 y luego describan la vida estudiantil de su universidad. En parejas, lean la primera oración y completen la segunda con varias opciones.

1. Parece que (*It seems that*) los estudiantes de la clase están cansados hoy. Los estudiantes se cansan cuando...
2. Varios estudiantes están enfermos hoy. A veces los estudiantes se enferman porque...
3. Algunos estudiantes están muy bien hoy. Por lo general, los estudiantes se sienten bien cuando...
4. Parece que nuestro/a profesor/a está enojado/a con nosotros hoy. A veces el profesor/la profesora se enoja cuando nosotros...
5. Parece que algunos estudiantes están preocupados. Posiblemente, los estudiantes se preocupan por...
6. Algunos estudiantes no están contentos con la universidad. A veces los estudiantes se quejan de...
7. Algunos estudiantes están aburridos. Los estudiantes se aburren cuando...

Ahora, díganle a la profesora/al profesor algo de la vida estudiantil.

MODELO: **Los estudiantes se cansan cuando estudian mucho, duermen poco y van a muchas fiestas.**

Conversación

La guerra del baño

The *Conversaciones* are recorded on the *Dicho y hecho* instructor's CD/tape. You may wish to introduce the *Conversación* by playing it for the class.

Alfonso está esperando para usar el baño. Como casi todas las mañanas, su hermana Clara está dentro y tarda mucho en salir.

ALFONSO: (*¡Pum!, ¡pum!, ¡pum!, dando con la mano en la puerta.*) ¿Qué estás haciendo, Clara? Hace media hora que quiero usar el baño. ¿Sabes que entraste a las seis y media y ya son las ocho menos cuarto?... (*Silencio.*) ¿No me oyes? (*Gritando°.*) ¿Puedes salir del baño y escucharme, por favor?

Yelling

CLARA: ¿Qué pasa? ¿Quieres ducharte?

ALFONSO: No. Quiero peinarme.

CLARA: ¡Peinarte! ¿No tienes un espejo en tu cuarto?

right ALFONSO: Sí, pero vivo en esta casa y también tengo derecho° a usar el baño.

CLARA: Voy a salir en un minuto. Solamente tengo que secarme el pelo, cepillarme los dientes, peinarme, ponerme la ropa...

Enough! ALFONSO: ¡Basta!° ¡Ya no puedo esperar más. Tengo que salir ahora para no llegar tarde a la universidad.

CLARA: Lo siento. Vas a tener que levantarte más temprano si quieres entrar al baño antes que yo.

As students practice this conversation in pairs, encourage them to be very dramatic and to follow stage directions. After students practice the conversation, have a competition between pairs of students to see who can win an Oscar for the best performance.

¿Qué hay de nuevo?

1. ¿Por qué está enojado Alfonso?
2. ¿Qué necesita hacer Alfonso en el baño?
3. ¿Qué más tiene que hacer Clara?
4. ¿Puede Alfonso esperar? ¿Por qué?
5. ¿Qué tiene que hacer Alfonso para entrar al baño antes que Clara?

1. *Talking about daily routines and emotions or conditions:*
   Los verbos reflexivos

Los usos de los verbos reflexivos

Some verbs use the reflexive pronouns
(**me**, **te**, **se**, **nos**, **os**, **se**) to show that the
person is doing the action to her/himself. This *pronoun + verb* combination
often describes daily routine or personal care. Study the following pairs of
sentences and the change in meaning created by the addition of the
reflexive pronoun.

Carlos **baña** a su hermanito.	*Carlos is bathing his little brother.*
Carlos **se baña**.	*Carlos is bathing (himself).*
Debemos **vestir** a los niños.	*We ought to dress the children.*
Debemos **vestirnos**.	*We ought to get dressed.*

Other verbs use the reflexive pronouns to describe changes in emotional,
psychological, or physical status: **preocuparse, enojarse, enfermarse,
sentirse bien/mal,** etc. In English, these verbs are often rendered as *to
become* or *to get worried, angry, sick*, etc.

Me enojo cuando mi hermano lleva mi ropa.	*I get angry when my brother wears my clothes.*

La formación de los verbos reflexivos

Note that in the reflexive construction (the combination of reflexive
pronoun and verb), the reflexive pronoun and the subject of the verb refer
to the same person.

(yo)	**me** visto	(nosotros/as)	**nos** vestimos
(tú)	**te** vistes	(vosotros/as)	**os** vestís
(Ud., él, ella)	**se** viste	(Uds., ellos, ellas)	**se** visten

As with direct and indirect object pronouns, reflexive pronouns are either
placed immediately before the conjugated verb or may be attached to the
infinitive and the present participle.

Tengo que peinar**me**.	*I have to comb my hair.*
Me tengo que peinar.	
Linda está lavándo**se** el pelo.	*Linda is washing her hair.*
Linda **se** está lavando el pelo.	

Illustrate the difference between reflexive and nonreflexive verbs by bringing to class a knife (plastic), a bar of soap, a comb, a blow dryer, etc. Give a demonstration of cutting meat versus cutting yourself, washing a piece of clothing versus washing your hands, combing/drying a student's hair versus combing/drying your own, etc. How realistic you are is up to you!

To contrast the reflexive pronouns with pronouns previously studied, before class write on the board in vertical columns *subject, direct object, indirect object*, and in large letters, *reflexive*. Then have the class supply the pronouns.

Review the position of object pronouns by giving examples. Before class, write on separate sheets of paper the following words: debo, bañar, me, estoy, bañando, and bañé. Give to students standing in front of the class a set of words out of sequence (bañé, me), having them try to place themselves in the correct order. Then work with the infinitive and the *-ing* constructions.

Practice the reflexive construction by giving the students subject pronouns and having students provide the corresponding reflexive pronoun and verb form. Practice several verbs in the present, preterit, and the imperfect, thus continuously recycling these tenses. Highlight verbs that are stem-changing in the present and in the preterit.

¡Un momento, por favor!

Because the reference to possession is clear through the use of the reflexive verb, use the definite article, not the possessive adjective, to refer to a part of the body or article of clothing.

¿Te cortaste **las** uñas?	*Did you cut **your** nails?*
Voy a cepillarme **los** dientes.	*I'm going to brush **my** teeth.*

Práctica y comunicación

The first portion of this exercise is for "recognition" of the reflexive verbs. The instructor makes the statements, and the students jot down *yes/no* answers, which they will use in the follow-up activity. The latter <u>recycles</u> <u>también/tampoco</u>. When students give feedback to the total class, they begin active use by practicing the nosotros form.

D. Lo que hago generalmente. Escuche las declaraciones. Apunte *sí* o *no* según sus hábitos.

Generalmente...

1. Me despierto inmediatamente cuando suena el despertador.
2. Me levanto antes de las 7:30 de la mañana.
3. Me acuesto después de la medianoche.
4. Me lavo el pelo todos los días.
5. Me cepillo los dientes tres veces al día.
6. Me ducho o me baño por la mañana.
7. Me afeito con una navaja.
8. Me seco el pelo con un secador.
9. Me quejo de la comida de la cafetería.
10. Me preocupo por mis notas.

Ahora, en parejas, comparen sus respuestas.

MODELO:　ESTUDIANTE 1: **No me despierto inmediatamente cuando suena el despertador.**

ESTUDIANTE 2: **Yo tampoco me despierto...**

ESTUDIANTE 1: **Me levanto antes de las 7:30.**

ESTUDIANTE 2: **Yo también me levanto...**

Si tienen respuestas similares, díganselas a la clase.

MODELO:　**...y yo generalmente nos acostamos después de la medianoche.**

Students now start working with the verbs on their own. As they verbalize each action, students are to dramatize each action as well. This process, along with the add-on chain, facilitates retention. If the chain breaks, students start over!

E. Todas las mañanas—una cadena (*chain*). Formen grupos de cinco. Digan lo que hacen todas las mañanas y a la vez (*at the same time*) dramaticen la acción. Sigan el modelo, usando los verbos a continuación: **despertarse (ie), ducharse, lavarse el pelo, secarse el pelo, peinarse, vestirse (i), desayunar** (no reflexivo), **cepillarse los dientes, salir** (no reflexivo).

MODELO:　ESTUDIANTE 1: **Me despierto a las 8:00.**

ESTUDIANTE 2: **Me despierto a las 8:00 y me ducho.**

ESTUDIANTE 3: **Me despierto a las 8:00, me ducho y me lavo el pelo. ...**

Repitan el ejercicio. Háganlo más rápido, con los libros cerrados.

F. Consejos (*Advice*). Un/a estudiante indica en qué condición está o qué problema tiene. Su compañero/a de clase le da consejos, diciéndole lo que debe hacer.

Exercise F highlights the **tú** form and the use of the reflexive verb in infinitive form.

MODELO: ESTUDIANTE 1: **Tengo sueño.**

ESTUDIANTE 2: **Debes acostarte/tomar una siesta...**

1. Tengo que salir en 30 minutos. **Debes...**
2. Tengo frío.
3. Tengo calor.
4. No puedo levantarme por la mañana.
5. ¡Ay! Comí espaguetis con mucho ajo ¡y tengo bróculi entre los dientes!
6. Hace dos horas que estoy de pie.
7. Tengo el pelo muy largo. No me gusta.

G. Actrices y actores. Siete estudiantes, frente a la clase, dramatizan las siguientes actividades. Luego, la clase determina el orden de las actividades según la rutina normal de cada mañana. ¿Qué hacen primero? ¿Y después?

Assign each of the listed activities to seven different students. The verbs come to life through student dramatization. The first part of the exercise focuses on the meaning of each verb; the second and third recycle the -*ing* form and then the preterit.

1. bañarse
2. vestirse
3. despertarse
4. peinarse
5. afeitarse
6. cepillarse los dientes
7. secarse

Luego, la clase indica lo que **está haciendo** cada actriz/actor.

MODELO: **Joe está despertándose...**

Al final, la clase indica lo que cada actriz/actor **hizo.**

MODELO: **Joe se despertó...**

H. Anoche y esta mañana. Escriba una lista de **tres** cosas que usted hizo **anoche** (incluso a qué hora se acostó) y **cuatro** cosas que usted hizo **esta mañana** (incluso a qué hora se levantó). Use el tiempo pretérito, verbos reflexivos y verbos no reflexivos. Ponga su firma en el papel. Tiene cinco minutos.

In this exercise, mixing reflexive and nonreflexive verbs serves an important function—it keeps students from contracting the illness known as "reflexivitis."

MODELO: **Anoche, estudié mucho...**

Dé su lista a la profesora/al profesor. Ella/Él se la da a otro/a estudiante, quien hace las correcciones si hay errores. Ahora, en parejas, digan lo que la persona que escribió la lista hizo anoche y esta mañana. Luego un/a estudiante lee la lista de su amigo/a a la clase.

MODELO: **Anoche, Pedro estudió mucho**, ... y... **Esta mañana,...**

Finalmente, devuelvan los papeles, por favor.

I. Antes y ahora. Manuel se graduó hace tres meses. Diga cómo era la vida de Manuel **antes** y cómo es **ahora**. Use el imperfecto y luego el presente.

MODELO: **Antes, Manuel se levantaba a las 9:30.**
Ahora, se levanta a las 6:00.

levantarse

afeitarse

ir

jugar   levantar

acostarse

Un paso más: En parejas hablen de los cambios entre su vida **antes** de venir a la universidad y **ahora**.

J. Preguntas personales. En parejas, háganse las preguntas y contéstenlas.

Move about the classroom listening to students' responses. The exercise includes verbs in both the present and the preterit tenses. Check for accuracy as students move from tense to tense. Spot-check a few of the questions (#2, 3, 6, etc.) for accuracy.

1. ¿Cómo te sientes hoy? ¿Tienes sueño?
2. ¿A qué hora te levantas normalmente los días de clase? ¿A qué hora te levantaste esta mañana?
3. ¿A qué hora te acostaste anoche?
4. Normalmente, ¿cuántas veces al día te cepillas los dientes? ¿Qué marca de pasta de dientes prefieres?
5. ¿Prefieres bañarte por la mañana o por la noche?
6. ¿Te lavaste el pelo esta mañana? ¿Te pusiste ropa limpia?
7. ¿Dónde te cortas el pelo? ¿Cuánto cuesta?
8. ¿Estás contento/a en la universidad? ¿A veces te quejas? (¿De qué?) ¿A veces te preocupas? (¿Por qué?) ¿Te cansas frecuentemente? (¿Por qué?) ¿Te enfermas frecuentemente?
9. ¿Te diviertes mucho los fines de semana? (¿Cómo?) ¿Te ríes[2] mucho cuando estás con tus amigos/as? (¿De qué se ríen?)

 Bien dicho acabar de

acabar de + *infinitive*	*to have just (completed an action)*
¿Qué acabas de hacer?	*What have you just done?*
Acabo de vestirme.	*I have just gotten dressed.*

K. ¿Qué acaban de hacer? Digan lo que cada persona **acaba de** hacer. Trabajen en parejas.

Review answers after students complete their work in pairs. Get student feedback after the follow-up portion of the exercise is completed.

MODELO: Antes, el pelo de Rubén estaba muy largo. Ahora está corto.
      Acaba de cortarse el pelo. *o* **Acaba de cortárselo.**

1. Antes, el profesor Marín-Vivar tenía una barba (*beard*). Ahora no la tiene. **Acaba de...**
2. Antes, Esteban llevaba zapatos muy viejos y sucios. Ahora, lleva zapatos nuevos. **Acaba de...**
3. Hace una hora, Javier y su hermano menor jugaban al tenis. Ahora están listos (*ready*) para salir. **Acaban de...**
4. Antes, Natalia tenía frío. Ahora, no. **Acaba de...**
5. Antes, teníamos hambre. Ahora nos sentimos bien. **Acabamos de...**
6. Antes, yo estaba muy cansado/a. Ahora, tengo mucha energía. **Acabo de...**

Y ahora, en parejas, háganse la siguiente pregunta: **¿Qué acabas de hacer?**

---

[2]The verb **reír** is conjugated as follows: (present) **río, ríes, ríe, reímos, reís, ríen**; (preterit) **reí, reíste, rio, reímos, reísteis, rieron.**

2. *Describing how actions take place:* Los adverbios

An adverb tells *how, how much, when, why,* or *where* an action takes place. Some adverbs that you already know are: **ahora, hoy, mañana, tarde, bien, mal, aquí, allí, muy, a veces, nunca,** and **siempre.**

How?	Me siento **muy bien.**
When?	**A veces,** desayuno en la cafetería.

Formación de los adverbios

You may have observed through usage in this and past chapters that a number of adverbs end in **-mente;** for example, **normalmente** and **generalmente.** Such adverbs are formed by adding **-mente** (equivalent to the English *-ly*) to an adjective. The suffix **-mente** is added directly to adjectives ending in **-e** or a consonant.

posible > **posiblemente**
personal > **personalmente**

The suffix **-mente** is added to the feminine singular form of adjectives that end in **-o/-a.**

rápido > rápida > **rápidamente**
tranquilo > tranquila > **tranquilamente**

Algunos adverbios comunes

constantemente	*constantly*
desafortunadamente	*unfortunately*
fácilmente	*easily*
frecuentemente	*frequently*
generalmente	*generally*
inmediatamente	*immediately*
lentamente	*slowly*
normalmente	*normally*
personalmente	*personally*
posiblemente	*possibly*
probablemente	*probably*
rápidamente	*rapidly*
recientemente	*recently*

Práctica y comunicación

L.   ¿Cómo o cuándo? Complete las oraciones. Seleccione el adverbio que mejor corresponda a la situación.

lentamente	fácilmente	fuertemente
inmediatamente	rápidamente	frecuentemente

1. Por la mañana, cuando me despierto tarde, me visto...

2. Cuando veo a mi novio/a, lo/la abrazo...

3. Cuando estoy muy cansado/a y tengo que caminar una larga distancia, camino...

4. Cuando mis amigos/as me mandan mensajes por correo electrónico, les contesto...

5. Practico el piano todos los días. Puedo tocar las sonatas de Beethoven...

6. Cuando era niño/a, mi familia iba a la playa...

M. Lo que hacen normalmente. En grupos de tres, indiquen algunas actividades que hacen las siguientes personas. Cambien los adjetivos a adverbios y ¡usen la imaginación!

MODELO: los profesores (general)
Los profesores generalmente hablan mucho y se preocupan por sus estudiantes.

1. mi padre o madre (probable)

2. los estudiantes (frecuente)

3. mi compañero/a de cuarto o mi amigo/a (desafortunado)

4. mi novio/a o amigo/a (normal)

5. mi hermano/a (constante)

Luego, presenten algunos ejemplos a la clase.

You may wish to have students complete this "recognition" exercise individually prior to reviewing it with the whole class. Whenever possible, dramatize each statement letting your voice (and speed of speech) illustrate each adverb. If students read the statement, they should do the same. For example: rápidamente vs. len ta men te.

After several minutes of student brainstorming, have several groups of students volunteer some responses for each of the categories.

Noticias culturales

LOS DÍAS FESTIVOS

En los países hispanos, los días festivos son de dos tipos: religiosos o cívicos. Las celebraciones religiosas se basan en las tradiciones de la religión católica. Las fiestas cívicas celebran hechos° históricos. Cada país tiene un calendario festivo diferente, pero hay muchas fiestas que todos los hispanos celebran por igual.

La fiesta religiosa hispana más popular es la Semana Santa. Durante esta semana, mucha gente participa en procesiones por las calles. Los participantes llevan figuras de Cristo o de la Virgen María y hay música y representaciones de escenas bíblicas. La celebración termina con bailes y fuegos artificiales° frente a las iglesias.

Otras festividades religiosas celebran el santo patrón de una ciudad o de un país. Durante la fiesta de San Fermín, los habitantes de Pamplona (España) sueltan° toros furiosos en las calles. Y la gente se divierte corriendo detrás (¡o delante!) de ellos. En México, en las fiestas de la Virgen de Guadalupe (patrona del país) miles de peregrinos° caminan días y días desde sus pueblos hasta el altar de la Virgen en la ciudad de México.

Las festividades cívicas son especialmente importantes en Latinoamérica. El Día de la Independencia es una de las fechas más importantes. Generalmente, esta celebración consiste en grandes desfiles°. En algunas comunidades desfilan las reinas de belleza de la zona, la armada nacional y los estudiantes de las escuelas y colegios. Numerosas banderas decoran las ciudades y la gente se divierte hasta muy tarde en las ferias y bailes.

set free, let loose

events, facts

pilgrims

parades

fireworks

Semana Santa en Sevilla, España.

¿Qué están haciendo estos jóvenes durante las fiestas de San Fermín? Pamplona, España.

Desfile cívico en el Zócalo de la ciudad de México. ¿Qué dice el mensaje?

¿Qué hay de nuevo?

Indique la fiesta (Semana Santa, San Fermín, la Virgen de Guadalupe, Día de la Independencia) que corresponde a la descripción.

1. Los toros y la gente corren por las calles.
2. Hay desfiles con reinas de belleza.
3. Las procesiones llevan figuras de Cristo.
4. Muchos peregrinos caminan desde sus pueblos hasta la capital.
5. Las ciudades están decoradas con banderas; hay ferias y bailes.
6. Se celebra al santo patrón de la ciudad.
7. Es la fiesta religiosa más popular de los países hispanos.

Conexiones y contrastes

¿Cuáles son algunas festividades famosas en su país? ¿Y en la región donde usted vive? ¿Cómo se celebran?

Bien dicho Las llamadas telefónicas

la **llamada (telefónica)**	*(telephone) call*
de **larga distancia**	*long-distance*
a **cobro revertido**	*collect call*
la **línea (está ocupada)**	*the line (is busy)*
la **operadora**/el **operador**	*operator*
el **código de área**	*area code*
el **contestador automático**	*answering machine*
el **mensaje**	*message*
dejar un mensaje	*to leave a message*
el **teléfono celular/móvil**	*cell/portable phone*
la **guía telefónica**	*phone book*
la **tarjeta telefónica**	*calling card*
¿Diga?, Dígame, Bueno, Aló	*Hello*

 ## Práctica y comunicación

N. Preguntas personales. Contesten las preguntas en parejas.

1. ¿Haces muchas llamadas de larga distancia? (¿A quién?)
2. ¿Tu cuenta de teléfono es muy cara? ¿Aproximadamente cuánto pagas cada mes?
3. ¿A veces haces llamadas a cobro revertido? (¿A quién?) (¿Por qué?)
4. ¿Quién te llama con mucha frecuencia? ¿A quién llamas tú?
5. ¿Tienes un contestador automático? (¿Recibes muchos mensajes?) (¿De quién?) ¿Cuál es la ventaja (*advantage*) principal de tener un contestador automático?
6. ¿Tienes tarjeta telefónica? (¿De qué compañía?) (¿Cuándo la usas?)
7. ¿Por qué son prácticos los teléfonos celulares? ¿Tienes un teléfono celular? (¿Cuándo lo usas?) (¿Cuánto pagas por mes por el uso del teléfono?)
8. Según la foto, ¿qué está haciendo la mujer? ¿Ves a muchas personas usando sus teléfonos celulares y a la vez haciendo otras cosas? (¿Qué cosas?) ¿Es buena o mala idea? ¿Por qué?

Many of your students will want to respond to #5 by saying they have voice mail. While there is no single equivalent in Spanish, here are two of the current names for this service: **buzón de voz, servicio contestador.**

Ñ. Llamadas telefónicas. Con un/a compañero/a de clase, dramatice una conversación telefónica:

- para averiguar (*find out*) la tarea para la clase de español
- para hacer planes para este fin de semana

Ahora, con otro/a compañero/a de clase, tenga una conversación telefónica entre usted y el operador/la operadora:

- para decirle que el número que usted está marcando está ocupado y que usted tiene una emergencia
- para hacer una llamada de larga distancia a cobro revertido a su familia en los Estados Unidos

If you want to simulate a more realistic telephone conversation for this activity, have students sit back to back. Thus, students hear and understand each other without the benefit of seeing each other's faces, just as they do on the phone. Consider having students switch partners for the second conversation.

3. *Saying what has happened:* El presente perfecto

Introduce the present perfect tense by writing a model verb on the board or on a transparency. Illustrate how the regular past participles are formed. Practice by providing a series of infinitives which the students change to the past participle.

Highlight and contrast the translation of the present perfect tense (*I have . . .*) and the expression acabo de... (*I have just . . .*), which was just presented.

The present perfect combines the present tense of **haber** and a past participle. The present perfect corresponds to the English *have/has* + action.

¿**Has visitado** el museo?	*Have you visited the museum?*
Carlos **ha ido** tres veces.	*Carlos has gone three times.*

Formación del presente perfecto

The present perfect is formed with the present tense form of **haber** (*to have*) and the past participle of a verb.

present tense of **haber** + past participle				
(yo)	he		I have	
(tú)	has		you have	
(Ud., él, ella)	ha	+ **llamado**	you/he/she has	+ *called*
(nosotros/as)	hemos	+ **salido**	we have	+ *left*
(vosotros/as)	habéis		you have	
(Uds., ellos, ellas)	han		you/they have	

Formación de los participios pasados

To form the regular past participle in Spanish, add **-ado** to the stem of **-ar** verbs and **-ido** to the stem of **-er** and **-ir** verbs.

llamar	llam-	+ **ado**	=	**llamado**
comer	com-	+ **ido**	=	**comido**
vivir	viv-	+ **ido**	=	**vivido**

The verbs listed below have irregular past participles.

abrir	**abierto**	*opened, open*
decir	**dicho**	*said, told*
escribir	**escrito**	*written*
hacer	**hecho**	*done*
morir	**muerto**	*died, dead*
romper	**roto**	*broken*
poner	**puesto**	*put, placed*
ver	**visto**	*seen*
volver	**vuelto**	*returned*
devolver	**devuelto**	*returned*
resolver	**resuelto**	*resolved*

Direct object, indirect object, and reflexive pronouns precede the conjugated form of **haber**.

Lo he hecho.	*I have done it.*
Le he escrito varias veces.	*I have written (to) him several times.*
Nos hemos divertido mucho.	*We have had a good time.*

Usos del presente perfecto

● The present perfect describes actions that have happened, the consequences of which are still felt in the present.

¿Has comido? ¿Quieres almorzar conmigo?
Have you eaten? Do you want to have lunch with me?
He terminado el proyecto. Ahora, voy a jugar al tenis.
I have finished the project. Now, I am going to play tennis.

● Adverbs such as **recientemente** and **ya** (*already*) may accompany the present perfect to describe actions that have recently been completed.

He visto muchas buenas películas **recientemente**.
Ya hemos comprado las entradas.

The past participle may also be used as an adjective with **estar** and with nouns to show a condition. As an adjective, it has different forms to agree in gender and number with the noun it describes. You have used this construction in previous chapters.

La puerta está **cerrada**.	*The door is closed.*
Duermo con las ventanas **abiertas**.	*I sleep with the windows open.*
Mis amigos están **sentados** en el sofá.	*My friends are seated on the sofa.*

Remember, however, that the past participle used with **haber** (the present perfect) does *not* change; it always ends in **-o**.

María **ha cerrado** la puerta y **ha abierto** las ventanas.	*Maria has closed the door and has opened the windows.*

DICHOS   **Sobre gustos° no hay nada escrito.**   *tastes*
             Del dicho al hecho hay largo trecho°.   *distance*
             Dicho° y hecho.   *No sooner said . . .*

¿Cuál de estos refranes es el título de su libro de español? ¿Cuál se refiere a las personas que hablan mucho pero no hacen nada? ¿Cuál se refiere a las preferencias individuales?

Práctica y comunicación

O. ¿Qué han hecho? Lea cada declaración. ¿Qué **han hecho** las personas para resolver los problemas que tenían? Busque la solución que mejor corresponda.

1. Ya no tengo hambre.

2. Ya no tenemos sueño.

3. Los niños ya no tienen sed.

4. Inés ya no tiene frío.

5. El profesor ya no tiene calor.

6. Esteban ya no tiene miedo.

> a. Han bebido toda la limonada.
> b. Se ha puesto un suéter de lana.
> c. He comido un sándwich de pollo.
> d. Se ha quitado la corbata y la chaqueta.
> e. Se ha ido la serpiente.
> f. Hemos dormido doce horas.

This "recognition" exercise allows students to use reflexive and nonreflexive verbs in the present perfect. **Tener** expressions are recycled.

P. Compañeros/as de apartamento. Usted y su compañero/a de apartamento esperan la visita de unos amigos muy especiales. ¿Qué han hecho ustedes para prepararse para la visita?

MODELO: lavar la ropa
Hemos lavado la ropa.

1. pasar la aspiradora
2. hacer las camas
3. lavar los platos
4. sacar la basura
5. ir al supermercado

6. comprar los ingredientes para la cena
7. empezar a preparar la comida
8. poner la mesa
9. bañarse
10. vestirse

Q. ¿Qué hay de nuevo? Imagine que usted estudió en España el semestre pasado y al volver a la universidad descubre que han ocurrido muchas cosas.

MODELO: **Octavio se ha roto la pierna.**

Octavio/romperse

Esteban/sacar

Rubén/cortarse

el profesor Marín-Vivar/
afeitarse la barba

Javier/ganar

Linda/aprender a...

Camila/pintar

R. Usted tiene preguntas. Escriba tres preguntas dirigidas a la persona con quien usted comparte (*share*) un apartamento/una habitación para averiguar si ha hecho ciertas cosas. Luego, escriba tres preguntas dirigidas a su hijo o hija. (Imagine que usted es su madre/padre.)

MODELO: **¿Has...?**   **¿Te has...?**

Luego, en parejas, háganse las preguntas y contéstenlas.

This brief, in-class writing activity focuses on asking questions using reflexive and nonreflexive verbs in the present perfect. Prior to students asking each other their questions in pairs, ask students to read a few of their questions to the class. In this way, the instructor can see if the students are on the right track.

S. ¿Qué ha pasado recientemente? Camine por la clase, haciéndoles preguntas a sus amigos/as para averiguar lo que **han hecho recientemente**. Apunte el nombre de cada estudiante que responde afirmativamente a una pregunta. ¿Cuántas respuestas afirmativas puede usted descubrir en cinco minutos? (Incluya a la profesora/al profesor en la actividad.)

Prior to students beginning this exercise, highlight the irregular past participles (signaled by *) and write on the board example questions for verbs that are accompanied by a pronoun (#8, 11, 13).

Insist that students ask questions and answer in complete sentences. It is important that you move about the classroom along with the students, listening for potential problems and, of course, participating in the activity.

If students prefer not to write in their textbooks, they can number from 1–13 on a piece of notebook paper and write student names by each number.

Upon completion you may wish to ask questions to determine who has or has not done certain activities: for example, ¿Quién de esta clase ha viajado fuera del país? ¿Adónde?

MODELO: *ir* a la biblioteca
      USTED: **¿Has ido a la biblioteca recientemente?**
      JUAN: **No, no he ido a la biblioteca recientemente.**
        (*Usted le hace la pregunta a otro/a estudiante.*)...
      ALICIA: **Sí, he ido a la biblioteca recientemente.**
        (*Usted apunta el nombre de Alicia.*)

Recientemente...

Nombres   [¡Ojo! * = *participio pasado irregular*]

_____   1. *comer* una pizza

_____   2. *beber* cerveza

_____   3. *leer* una novela (¿Cuál?)

_____   4. *ver** una película buena (¿Cuál?)

_____   5. *ir* a un concierto de rock (¿Cuál?)

_____   6. *sacar* una «A» en un examen

_____   7. *escribir** un trabajo (¿Para qué clase?)

_____   8. *decirle** una mentira (*lie*) a alguien

_____   9. *viajar* fuera del país (¿Adónde?)

_____ 10. *limpiar* tu cuarto

_____ 11. *quejarte* de algo (¿De qué?)

_____ 12. *hacer** una llamada de larga distancia a alguien (¿A quién?)

_____ 13. *divertirte* mucho (¿Dónde?)

Ahora, según las firmas que tienen, díganle a la clase algo que un/a estudiante de la clase ha hecho. ¿Quién tiene el mayor número de firmas?

T. Aventuras interesantes. Escriba tres cosas interesantes que usted ha hecho recientemente—lugares adonde ha viajado/ido, cosas que ha visto, etc. Luego, en parejas, comparen sus aventuras. Finalmente, díganle a la clase la aventura más interesante de su compañero/a de clase.

Bien dicho ¡Ya no!

dejar de + *infinitive*	*to stop (doing something)*
demasiado	*too, too much* (adv.)
demasiado/a/os/as	*too much/too many* (adj.)

Comí **demasiado**. Comí **demasiados** tacos.

U. ¡Increíble! ¿Qué han dejado de hacer? Al volver de un viaje, usted descubre que muchas cosas han cambiado. Primero, diga lo que hacían las personas antes. Luego, indique lo que han dejado de hacer.

MODELO: **Antes el ogro comía demasiadas papas fritas.
Ahora ha dejado de comerlas.**

el ogro/papas fritas

Carmen/postres

Esteban/cerveza

El vagabundo/fumar

Y ahora, indique algo que usted **hacía** antes, pero que **ha dejado de hacer**.

MODELO: **Antes yo tomaba demasiado café, pero he dejado de tomarlo.**

4. *Describing what had happened:* El pasado perfecto

Write a model verb on the board or on a transparency. Point out to the students that they already know **haber** in the past tense through their study of the imperfect.

According to the progress of your class and/or available time, you may choose to present the past perfect for recognition only.

The past perfect is a past tense that describes an action that had already occurred prior to another event in the past.

The past perfect is formed with the imperfect tense of **haber** and the past participle of a verb. It corresponds to the English *had eaten, had spoken*, etc.

imperfect tense of **haber** *+ past participle*				
(yo)	**había**		*I had*	
(tú)	**habías**		*you had*	
(Ud., él, ella)	**había**	+ **llamado**	*you/he/she had*	+ *called*
(nosotros/as)	**habíamos**	+ **salido**	*we had*	+ *left*
(vosotros/as)	**habíais**		*you had*	
(Uds., ellos, ellas)	**habían**		*you/they had*	

Antes de salir, **había limpiado** el apartamento y **había hecho** las camas.

*Before leaving he **had cleaned** the apartment and **had made** the beds.*

As in the present perfect tense, direct object, indirect object, or reflexive pronouns are always placed *before* the conjugated form of **haber**.

Los niños ya **se habían duchado**.

*The children **had** already **taken a shower**.*

Práctica y comunicación

V. Antes de venir a esta universidad. En parejas, háganse las preguntas y contéstenlas para averiguar si lo siguiente ya **había ocurrido** o **no había ocurrido** antes de su llegada a esta universidad.

MODELO: Antes de venir a esta universidad, ¿habías tomado clases en otra universidad?
Sí, había tomado clases en otra universidad. _o_ **No, no había tomado clases en otra universidad.**

Antes de venir a esta universidad...

1. ¿Habías tomado clases de lenguas? (¿Qué lenguas?) ¿Y clases de psicología? ¿Y clases de fotografía?
2. ¿Habías visitado el campus de esta universidad?
3. ¿Tienes compañero/a de cuarto? (¿Lo/La habías conocido antes de llegar a la universidad?)
4. ¿Habías conocido a algunos de los profesores?
5. ¿Habías aprendido a navegar por Internet?
6. ¿Habías vivido solo/a (separado/a de tu familia)?

W. ¡Los abuelos llegan! Antes de la llegada de los abuelos, ¿qué habían hecho los miembros de la familia? En grupos de tres, completen las oraciones con tantas actividades como sea posible. Tienen cuatro minutos.

Cuando llegaron mis abuelos...

1. Mi madre ya había...
2. Mi padre...
3. Mis hermanos/as...
4. Yo...

¿Qué grupo tiene el mayor número de actividades? Léanlas a la clase.

USTED NECESITA APRENDER OTRO IDIOMA

para mejorar sus notas escolares,
para ser más eficiente en su trabajo
o para comprender a gente de otros países.

CENTRO DE IDIOMAS SOLANO

Cursos de verano: inglés, francés, alemán.
Horarios flexibles: mañana, tarde, noche.
Salas con aire acondicionado.
Pague la matrícula en cuotas semanales.

Llámenos al 255 61 81 en San José.

¿Habías tomado clases de lenguas antes de venir a esta universidad? ¿Qué lenguas?

Dicho y hecho

► Conversando

Cinco conversaciones

Conversen en parejas por tres minutos acerca de los siguientes temas. Cambien de pareja con cada tema. Hablen de:

- lo que les gusta y no les gusta de la rutina diaria en la universidad
- la vida universitaria comparada con la vida en la escuela secundaria
- sus pasatiempos favoritos/actividades favoritas en la universidad y las cosas interesantes que han hecho durante el semestre
- los grupos o las organizaciones en las cuales ustedes participan
- las ventajas y desventajas de tener «fraternidades» o «sororidades»

► ¡A escuchar! 🎧 The listening passage for this and all *¡A escuchar!* sections is recorded on both the instructor and student tape or CD that accompanies each text.

¿Hubo un huracán?

Hace mucho tiempo que suena el teléfono en la habitación de Esteban; por fin lo contesta. Su amigo Manuel lo llama. Escuche la conversación. Luego, conteste las tres primeras preguntas.

1. ¿Qué hacía Esteban cuando el teléfono sonó? _____ estudiaba _____ dormía
2. ¿Se canceló el examen de sociología? _____ sí _____ no
3. ¿Esteban había estudiado mucho para el examen? _____ sí _____ no

Ahora, escuche la conversación otra vez y conteste las preguntas (del nº 4 al 7).

4. ¿A qué hora se acostó Esteban? **A las...**
5. ¿A qué hora llamó Manuel?...
6. ¿Qué causó la inundación (*flooding*) de los edificios?...
7. ¿Qué pasa en la universidad como resultado del huracán?...

► De mi escritorio

This writing activity has students writing a dialogue in pairs. Assign it for homework, or use it as an in-class writing activity. After the instructor reviews the dialogues, the best renditions can be presented in front of the class.

¡Llegan en cinco minutos!

En parejas, escriban un diálogo entre dos amigos/as que viven en un apartamento pequeño que tiene sólo un baño. Ustedes son los amigos/as. Sus novios/as vienen de visita en 45 minutos y ustedes han hecho muy poco para prepararse para la visita. Incluyan:

- las cosas que ya han hecho para prepararse para la visita
- lo que tienen que/deben hacer y quién va a hacerlo
- quién va a bañarse primero,...

MODELO: AMIGO 1: **¡Ay de mí! ¡... y ... llegan en 45 minutos!**

          AMIGO 2: ...

The conversations may be completed by students working in pairs or by switching partners each time. The latter can be done very effectively through a "circle chat." Seat half the class in an inner circle, and the other half in an outer circle. Students face each other. Give a time limit for each topic. When time is up, the outer circle moves clockwise. The inner circle does not move. Thus, students change partners five times, once for each topic.

Audioscript:

ESTEBAN: Huh, Ah, ¿A...A...Aló?

MANUEL: Pero, ¿eres tú, Esteban? ¿Estás bien?

ESTEBAN: ... um hmmm...

MANUEL: ¿Te he despertado? ¿Cómo puedes estar todavía durmiendo? ¡Ha pasado algo increíble!... Tienes que levantarte y vestirte... Te voy a buscar en 15 minutos...

ESTEBAN: Espera, espera... es que anoche me acosté a las cinco de la mañana estudiando para el examen de sociología... Estoy muerto, necesito dormir un poco más...

MANUEL: No me entiendes Esteban, la hora del examen ya pasó...

ESTEBAN: Pero, ¿cómo? ¿Qué hora es?

MANUEL: Son las once y el examen era a las diez...

ESTEBAN: ¡Ay, Dios mío! Me he perdido el examen. ¡Y nunca había estudiado tanto para un examen! ¿Fue fácil?

MANUEL: ¡Cálmate! No hemos podido hacer el examen. Anoche, como estabas tan concentrado estudiando, ¿no te diste cuenta de que hubo un huracán? ¡La lluvia era tan fuerte que ha inundado todos los edificios de la universidad! ¡No tenemos clase el resto de la semana! Ahora tienes que ducharte y te paso a buscar en 10 minutos. ¡Quiero enseñarte lo que ha hecho el huracán!

1500 a.C.	500 a.C.	1 d.C.	500 d.C.	1000
	1100 a.C.	218 a.C.	507 d.C.	711
Los primeros habitantes de la Península Ibérica pertenecieron a tribus iberas y celtas.	Llegaron los fenicios, los griegos y los cartagineses.	Llegaron los romanos y rápidamente conquistaron la península.	Los visigodos, de origen germánico, invadieron la Península Ibérica.	Los árabes del norte de África invadieron la Península Ibérica.

Escultura prerromana: La Dama de Elche.

¡Oh, Roma! ¿En qué año llegaron los romanos? Conquistaron la península rápidamente y establecieron allí su forma de gobierno y sus leyes. Entre las contribuciones más importantes de los romanos está su lengua, el latín, que dio origen al español. Además, los romanos dejaron muchas obras de ingeniería y arquitectura, como acueductos y carreteras y, finalmente, introdujeron el cristianismo. En su opinión, ¿cuántos años hace que se construyó el acueducto romano de la foto? Las Ferrenas, España.

¡SOL, SOL, SOL!
Carlos I de España dijo: «En mis tierras nunca se pone (*sets*) el sol». ¿Por qué cree usted que dijo esto el rey? ¿Qué significa su famosa frase?

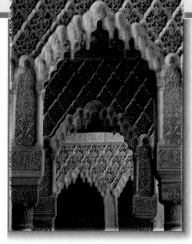

La España árabe Los árabes (moros) establecieron prósperas ciudades en la península y sobresalieron[1] por sus conocimientos en ciencias, filosofía, arte, literatura y agricultura. Hoy España conserva bellas muestras[2] de su arquitectura, como el palacio de la Alhambra en Granada. Considere la foto de una vista interior del palacio. ¿Son los diseños geométricos, o ve usted figuras de plantas o animales?

---
[1]*stood out*   [2]*samples*

Un mosaico de culturas

Muchas palabras del español son de culturas extranjeras[3] y antiguas. Por ejemplo, ¿sabe usted que la palabra *cerveza* es de los celtas y la palabra *azul* viene del árabe? El español refleja cada episodio importante de la historia de la península. Examine la cronología. ¿Puede usted nombrar[4] las civilizaciones o culturas que se establecieron en la Península Ibérica antes de 1492? ¿Cuántas hay? ¿Puede usted identificar dos períodos de gran expansión en la historia de España?

¡¿HABLAMOS ÁRABE?!
¿Sabe usted que aproximadamente 4.000 palabras del español vienen del árabe? Muchas palabras que comienzan con **al** son de origen árabe, como **álgebra, alcalde** (*mayor*), **almanaque** (*almanac*), **almendra** (*almond*) y otras palabras como **naranja** y **albaricoque** (*apricot*).

00	1300	1500	1700	1900

1492
Los reyes Fernando e Isabel conquistaron el último reino moro poniendo fin a la Reconquista de España. España comenzó la exploración del Nuevo Mundo.

1519
El gran imperio español prosperó bajo el reino de Carlos I con posesiones en Europa, el mar Mediterráneo, África, las Filipinas y América.

1808
El emperador Napoleón I invadió la Península Ibérica.

1898
España pierde sus últimas colonias en Asia y América—las Filipinas, Cuba y Puerto Rico.

La Reconquista Durante el período de dominio árabe (aproximadamente ocho siglos), los reinos[5] cristianos del norte, como Castilla, Navarra y Aragón, comenzaron a expulsar a los árabes hacia el sur y reconquistaron los territorios. El Cid —héroe español por excelencia— ayudó a recobrar tierras árabes para el rey[6] de Castilla. Como el reino de Castilla era el más poderoso[7] durante la Reconquista, hoy hablamos español (castellano) y no aragonés ni otra lengua del norte de la península. Describa la estatua del Cid que se encuentra en Burgos, España. (Palabras útiles: **la espada** = *sword*; **la capa** = *cape*)

La unificación y la era de la exploración La España cristiana se unificó con el matrimonio de los reyes católicos Isabel de Castilla y Fernando de Aragón. En 1492 los Reyes Católicos conquistaron el último reino moro (Granada) poniendo fin al dominio árabe en España. En ese año España también comenzó la exploración del Nuevo Mundo financiando el viaje de Cristóbal Colón. Vea el dibujo. ¿Puede usted identificar a Colón? ¿Y a Fernando e Isabel?

UN DEMONIO ADENTRO
Un indio de Cuba le dio un cigarro a un español, Rodrigo de Xerez. Como en Europa no se conocía el tabaco, cuando vieron a este señor echando humo (*blowing smoke*) por la boca, la Inquisición lo condenó a varios años de cárcel (*jail*) «por estar endemoniado».

---

[3]*foreign*   [4]*name*   [5]*kingdoms*   [6]*king*   [7]*powerful*

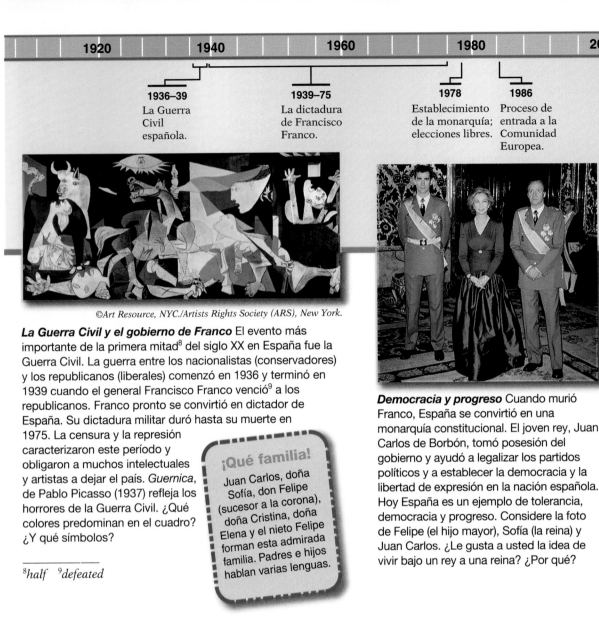

| 1920 | 1940 | 1960 | 1980 | 2000 |

1936–39
La Guerra Civil española.

1939–75
La dictadura de Francisco Franco.

1978
Establecimiento de la monarquía; elecciones libres.

1986
Proceso de entrada a la Comunidad Europea.

©*Art Resource, NYC./Artists Rights Society (ARS), New York.*

La Guerra Civil y el gobierno de Franco El evento más importante de la primera mitad[8] del siglo XX en España fue la Guerra Civil. La guerra entre los nacionalistas (conservadores) y los republicanos (liberales) comenzó en 1936 y terminó en 1939 cuando el general Francisco Franco venció[9] a los republicanos. Franco pronto se convirtió en dictador de España. Su dictadura militar duró hasta su muerte en 1975. La censura y la represión caracterizaron este período y obligaron a muchos intelectuales y artistas a dejar el país. *Guernica*, de Pablo Picasso (1937) refleja los horrores de la Guerra Civil. ¿Qué colores predominan en el cuadro? ¿Y qué símbolos?

_____
[8]*half* [9]*defeated*

¡Qué familia!
Juan Carlos, doña Sofía, don Felipe (sucesor a la corona), doña Cristina, doña Elena y el nieto Felipe forman esta admirada familia. Padres e hijos hablan varias lenguas.

Democracia y progreso Cuando murió Franco, España se convirtió en una monarquía constitucional. El joven rey, Juan Carlos de Borbón, tomó posesión del gobierno y ayudó a legalizar los partidos políticos y a establecer la democracia y la libertad de expresión en la nación española. Hoy España es un ejemplo de tolerancia, democracia y progreso. Considere la foto de Felipe (el hijo mayor), Sofía (la reina) y Juan Carlos. ¿Le gusta a usted la idea de vivir bajo un rey a una reina? ¿Por qué?

¿Qué descubrimos?

Determine el orden cronológico de los siguientes eventos de la historia de España. ¿Qué pasó primero? ¿Y después?

_____ a. Comienza la construcción del palacio de la Alhambra.

_____ b. España tiene posesiones en Europa, África, Filipinas y América.

_____ c. España financia los viajes de exploración de Colón.

_____ d. Hay una guerra civil en España.

_____ e. Los habitantes de la península comienzan a hablar latín.

_____ f. Se legalizan los partidos políticos y se establece la democracia.

Ahora, ¿qué civilización o personaje(s) se relacionan con cada uno de los eventos?

Las amistades y el amor

Goals for communication

- To talk about human relationships and the stages of life
- To express wishes and requests related to other people's actions
- To express emotional reactions and feelings about other people's actions
- To give orders and advice to friends and family

Cultural focus

- Making friends and keeping them: Visiting in Hispanic societies
- Colombia and Venezuela

Structures

1. Los verbos reflexivos para indicar una acción recíproca
2. El subjuntivo: Introducción
3. El subjuntivo con expresiones de influencia
4. El subjuntivo con expresiones de emoción
5. Los mandatos de **tú** afirmativos y negativos

Presentation of *Bien dicho*, pp. 342–343

Vocabulary from previous chapters can be quickly and effectively recycled via the transparencies.

Transparency #46 Use the transparency of the opener drawings for Chapter 11 to visually present the vocabulary and to review *Exercise A*.

Las amistades y el amor

1. la amistad
2. llevarse bien

Pepita Natalia

3. reunirse (con)

Marlena Javier
Esteban

4. encontrarse (ue) (con)

Carmen
Alfonso

LA AMENAZA
DEL FANTASMA

5. salir (con)
6. la cita

Inés
Octavio

13. los jóvenes

12. los niños

7. llorar 8. pensar (

9. extrañ

Camila

10. la vida
11. nacer

1. friendship   2. to get along well (**llevarse mal** = *to get along badly*)   3. to meet, get together   4. to meet up (with) (by chance)   5. to go out (with), date   6. date, appointment   7. to cry   8. to think about (someone or something) 9. to miss   10. life   11. to be born   12. children   13. young people

14. adults   15. elderly (n.)   16. death   17. love   18. to fall in love (with)   19. to be in love (with)   20. to get engaged (to)   21. to be engaged   22. wedding   23. to get married (to)   24. to be married to   25. husband
26. couple, husband and wife, partner   27. congratulations   28. newlyweds   29. honeymoon   30. to be pregnant
31. to give birth

Práctica y comunicación ▬▬▬▬

Assign *Exercise A* as written homework to be completed prior to class. Use *transparency #46* to review the exercise.

A. La vida, las amistades y el amor. Conteste las preguntas o complete las oraciones según los dibujos en las páginas 342–343.

1. Hace mucho tiempo que Pepita y Natalia son amigas. ¿Se llevan bien o mal?

2. ¿Con qué amigos y amigas se reúne Javier? ¿Qué están haciendo?

3. Carmen está caminando por el parque. ¿Con quién se encuentra? ¿Alfonso se despide de ella o la saluda?

4. Esta noche Octavio tiene una cita. ¿Con quién sale? ¿Adónde van?

5. ¿Camila piensa mucho en su ex-novio? ¿Lo extraña? Al mirar la foto de él, ¿cómo reacciona ella?

6. La primera vez que Manuel salió con Linda, se enamoró de ella. Es muy obvio que los dos están...

7. Un año más tarde, se comprometieron. Ahora,...

8. La profesora Falcón y Juan hacen buena pareja. Decidieron casarse. Es el día de su... ¿Qué dice el cura (*priest*)? ¿Están casados ya o están por casarse (*are they about to be married*)?

9. El viaje que hacen los recién casados es su... ¿Juan y la profesora van a las montañas o al mar? ¿Qué les dice el portero (*doorman*) del hotel?

10. ¿En qué condición está Nancy? ¿Para qué va al hospital?

11. ¿Cuáles son las etapas (*stages*) importantes de la vida? Primero, nosotros... y pasamos por la infancia. Luego, llegamos a ser (*we become*)..., y después adolescentes, y después... Cuando tenemos 20, 30 o 40 años y más, somos... Cuando llegamos a los 70, 80 o 90 años y más, ya somos... La etapa final es...

This activity is designed for the purpose of vocabulary comprehension within the context of the chapter theme.

B. Un sondeo (*A poll*). Levante la mano para indicar qué categorías le corresponden a usted en este momento. ¿Cuántas personas hay en cada categoría?

¿Quiénes...

1. ...salen con «alguien especial»?

2. ...están enamorados/as?

3. ...están comprometidos/as?

4. ...están casados/as?[1]

5. ...tienen hijos?

6. ...quieren tener muchos hijos?

7. ...piensan casarse en unos 5 años?

8. ...prefieren ser solteros/as (*single*)?

---

[1]The status **casado/a**, though commonly used with **estar**, may also be used with **ser** in the present tense. The fluctuation depends upon personal perceptions, for example, emphasis on *married* as part of the person's identity = **ser**.

C. Preguntas personales. En parejas, háganse las preguntas y contéstenlas.

At the conclusion of this exercise, encourage students to share with the class information that they have learned. Questions #2, 5, 9, and 10 will be particularly interesting.

1. ¿En qué piensas cuando estás completamente solo/a? **Pienso en...** ¿Con frecuencia piensas en tus amigos de la escuela secundaria?
2. Aquí en la universidad, ¿dónde te reúnes[2] con tus amigos los sábados por la noche?
3. ¿Siempre te llevas bien con todos/as tus amigos/as? ¿Te llevas bien o mal con tu compañero/a de cuarto o compañero/a de apartamento?
4. ¿Con quién o con quiénes te encuentras cuando vas al centro estudiantil?
5. ¿Sales con alguien ahora? (¿Cuánto tiempo hace que lo/la conoces?) (¿Estás enamorado/a de él/ella?) (¿Lo/La extrañas cuando no estás con él/ella?)
6. En la escuela secundaria, ¿estabas enamorado/a de alguien? (¿De quién?)
7. ¿Tienes amigos que están comprometidos?
8. ¿Piensas comprometerte dentro de un año? ¿Dos años? ¿Cinco años?
9. En tu opinión, ¿cuál es la edad ideal para casarse?
10. En tu opinión, ¿es buena o mala idea casarse inmediatamente después de graduarse? ¿Por qué sí o no?
11. ¿Piensas casarte? (¿Sabes adónde quieres ir para tu luna de miel?)

 Bien dicho **Las amistades y el amor**

el **amor a primera vista**	*love at first sight*
mi media naranja	*my better/other half*
soltero/a	*single*
viudo/a	*widower/widow*
cariñoso/a	*affectionate*
comprensivo/a	*understanding*
sincero/a	*honest, sincere*
juntos/as	*together*
ambos(as)/los (las) dos	*both*
romper (con)	*to break up (with)*
separarse (de)	*to separate (from)*
divorciarse	*to get divorced*
estar divorciado/a	*to be divorced*
acordarse de (ue)/recordar (ue)	*to remember*
olvidarse de/olvidar	*to forget*
comunicarse	*to communicate*
creer	*to think, believe*
cuidar	*to take care of, care for*
tener celos	*to be jealous*
estar listo/a	*to be ready*

---

[2]The verb **reunirse** is conjugated as follows in the present tense. Note the accent: **me reúno, te reúnes, se reúne, nos reunimos, os reunís, se reúnen.**

¡Un momento, por favor!

- Remember that **pensar en** means to think about something or someone.

  Con frecuencia **pienso en** mi familia.

- When seeking someone's opinion, use **pensar** + **de**.

  ¿Qué **piensas del** nuevo presidente?

- When responding to an opinion question, use **pensar** + **que** or **creer** + **que**.

  Pienso/Creo que es un hombre sincero.

Práctica y comunicación

Consider assigning each quote to a student. Students stand to read their quote very dramatically. The class then finds the description in the chart that corresponds to the person. On a subsequent day, give the students the descriptions in the chart and have them invent the quotes!

Answers for quick reference: 1. f, 2. c, 3. e, 4. b, 5. d, 6. a, 7. i, 8. h, 9. g

D. Declaraciones. Combine las declaraciones de las personas (del n° 1 al 9) con las descripciones o situaciones en el cuadro.

1. «Te amo con todo mi corazón.»
2. «Quiero verte. Hace mucho tiempo que no te veo.»
3. «¡Hola, Paco! ¡No sabía que eras miembro de este gimnasio!»
4. «¡Mi novio/a bailó con otro/a chico/a en la fiesta!»
5. «Lo siento mucho, pero amo a otro/a. Ya no puedo salir contigo.»
6. «Me gustan los abrazos.»
7. «Lo/La vi y en ese momento supe que era la persona perfecta para mí.»
8. «¡Ay! Lo siento. Estaba tan ocupado/a que ni pensé en la fecha.»
9. «Mira al bebito. ¡Qué precioso es!»

a. Es muy cariñoso/a.
b. Tiene celos.
c. Extraña a su novio/a.
d. Rompió con su novio/a.
e. Se encontró con su amigo/a.
f. Está enamorado/a.
g. ¡Dio a luz ayer!
h. Se olvidó del cumpleaños de su amigo/a.
i. Fue amor a primera vista.

Exercises E, F, and G are great fun for students and lead them through different stages of conversation relevant to the chapter theme.

As a follow up, have the secretaries report to the class the categories for which the majority of students responded affirmatively. They can also add interesting information about one or two of the students in the group.

E. Nuestras vidas personales. En grupos de tres o cuatro estudiantes, hagan un sondeo informal para ver cuántas personas del grupo responden afirmativamente a cada pregunta. Un/a secretario/a apunta los números e información interesante acerca del grupo.

1. ¿Quiénes creen en el amor a primera vista? ¿Por qué sí o por qué no?
2. ¿Quiénes buscan su media naranja? ¿Quiénes han encontrado a su media naranja?
3. ¿Quiénes han roto con alguien recientemente?
4. ¿Quiénes piensan que los novios deben vivir juntos antes de casarse? ¿Por qué sí o por qué no?
5. ¿Quiénes están listos/as para casarse? ¿Por qué sí o por qué no?
6. ¿A quiénes les gusta cuidar a los niños? ¿Quiénes están listos para tener hijos?
7. ¿Quiénes prefieren ser solteros en el futuro? ¿Por qué?
8. ¿Quiénes se acuerdan siempre de los cumpleaños de sus novios/as, amigos/as y padres?

F. Anuncios personales. En parejas, lean los siguientes anuncios personales. ¿Cuál, en su opinión, es el más interesante de los tres en la categoría **ellas**? ¿Por qué? ¿Y en la categoría **ellos**? ¿Por qué?

ELLAS

María Fernández. Viuda, 50 años, con mucha personalidad e independencia: toda una «señora Cosmo». Me encanta viajar y lo hago a menudo a Miami. Leo buenos libros y soy muy cariñosa. Cocino de maravilla y me encanta el mar. Busco un señor para pasar un buen rato, ir al teatro o a alguna isla del Caribe. Eso sí: ¡no me quiero casar! Dirección: Aptdo. Postal 777, Tegucigalpa, Honduras.

Angélica Gonzalo. Soltera, 20 años, secretaria. Busco un príncipe de buen carácter, divertido y comprensivo. Dirección: Aptos. De Fermán, Apto. C, 125 ms. Oeste Catedral. San José de Costa Rica.

Genovesa Vásquez. Maestra, casada, 33 años. Soy sagitaria, amistosa, alegre, expresiva, atractiva, hermosa, inteligente. Estoy atrapada en un matrimonio sin amor, me niegan el divorcio, me siento prisionera y necesito amor y amistad. ¡Busco un caballero valiente que me libere de esta cárcel! Dirección: 18 Av. A, 119, Zona 1, Guatemala, Guatemala.

ELLOS

Arturo Flores. Divorciado, 40 años, administrador de planta y estudiante de artes plásticas. Soy un hombre solitario, nacido en Perú y ciudadano de EEUU. Signo Leo, romántico y deportista. Serio, responsable, católico. No bebo ni fumo. Deseo tener amistades. Enviar foto. Dirección: 375 Forest Ave., Des Plaines, Illinois, EEUU.

Roberto R. Mendoza. Soltero, 33 años, dibujante comercial. Ardiente, apasionado, romántico. Dirección: San Antonio, Barrio Sta. María, Calle Atlántida No. 1180, San Salvador, El Salvador.

Ricardo A. L. Soltero, 29 años, inspector de control de calidad. Me gustaría que me escribieran chicas de 20 a 26 años con fines matrimoniales. Soy responsable, sincero, sin vicios, delgado, simpático, alegre. Si tú eres mi pareja, escríbeme. Dirección: Cerrado del Condor, 175 Bis., Sta. Cruz, Acayucán, México, D.F.

You may wish to assign the "personals" for homework. Have students read their personals to each other in groups of 5–6 students. Are most students looking for persons with the same qualities?

Un paso más: Ahora, escriba su propio anuncio personal. Incluya una descripción de sí mismo/a (años, personalidad, etc.) y las características que busca en otra persona. Refiérase al vocabulario *Bien dicho* en la pagina 345.

¿Cómo se llama la novia? ¿Y sus padres? ¿Cómo se llama el novio? ¿Y sus padres? ¿Cuál es la fecha de la boda? ¿Dónde se celebra? ¿De qué nacionalidad cree usted que es el novio? ¿Y la novia?

 G. ¿Por qué se divorcian? A veces las parejas se divorcian o se separan. Las razones del divorcio o de la separación pueden ser diferentes en cada caso (*each case*). En grupos de tres, estudien la siguiente lista de problemas y decidan cuáles son los **tres** problemas que ustedes consideren más serios. ¿Por qué?

Al final, presenten algunas de sus ideas a la clase.

- problemas de comunicación
- hay una tercera (*third*) persona
- ya no están enamorados
- problemas económicos
- tensión o estrés del trabajo
- desequilibrio de responsabilidades domésticas
- ¿otros problemas?

N. Prevenir el cáncer. La Liga Costarricense Contra el Cáncer nos da varias instrucciones para ayudar a prevenir el cáncer.

MÁS VALE...

Mantenga un comportamiento sexual sano y una adecuada higiene.

Evite un exceso de peso y coma frecuentemente fruta, cereales y legumbres.

No consuma tabaco y respete al no fumador.

Modere su consumo de bebidas alcohólicas.

Consulte al médico en caso de: Aparición de un bulto, llaga o herida que no cicatriza y cambio de color de un lunar o verruga.

Más del 75% de los diferentes tipos de CÁNCER son potencialmente evitables si nos alejamos de sus agentes causantes.

Protéjase durante la exposición al sol.

PREVENIR
QUE LAMENTAR...

1. ¿Qué recomienda la Liga que hagamos o no hagamos para prevenir el cáncer? **Recomienda que mantengamos...**
2. En parejas, decidan cuáles de las recomendaciones son más importantes para ustedes.

In this exercise, #1 is intended for total class participation; #2 is for students working in pairs, with a possible follow-up survey.

Ñ. Las preferencias de sus personas favoritas. ¿Quién tiene mucha influencia en su vida? Indique las preferencias de sus amigos/as, compañeros/as de cuarto y/o familia. Escriba tres o cuatro oraciones completas combinando los elementos de las columnas A y B. Las oraciones pueden ser *afirmativas* o *negativas*.

MODELO: **Mi mejor amigo/a me sugiere que no me corte el pelo.**

	A	**B**
Mi mejor amigo/a...	preferir insistir en	usar su tarjeta de crédito fumar
Mi compañero/a de cuarto...	recomendarme sugerirme	bajar la música de mi estéreo cortarme el pelo
Mi padre...	pedirme	limpiar mi cuarto
Mi madre...	querer decirme	sacar buenas notas escribirle/llamarlo(la)...

Un paso más: Hable con un/a compañero/a de clase acerca de las personas que tienen mucha influencia en su vida. ¿Qué más quieren/le recomiendan que usted haga o no haga?

O. ¿Qué desean estas personas? Indiquen los deseos de las siguientes personas. En grupos de cuatro, completen cada oración con varias actividades. Un/a secretario/a escribe las oraciones y al concluir puede compartirlas con la clase.

1. La profesora/El profesor de español nos recomienda que...

2. Quiero que mis amigos...

3. Le sugerimos a la profesora/al profesor que...

4. Mi compañero/a de cuarto insiste en que yo...

5. Prefiero que mi novio/a...

6. Les pido a mis hermanos/as menores que...

Noticias culturales

LAS VISITAS

En el mundo hispano, las visitas son indispensables para el cultivo de la amistad: son una manera evidente y expresiva de mostrar a nuestros amigos que disfrutamos de° conocerlos y de estar con ellos. Por esta razón, en la sociedad hispana las visitas tienen gran importancia como actos que expresan cariño y consideración, y su omisión es una grave falta social. Existen muchos tipos de visitas. Por ejemplo:

enjoy

En las *visitas de presentación* conocemos a otras personas y entablamos° amistad con ellas. Generalmente, las *visitas de felicitación* se hacen cada vez que ocurre algún evento feliz en la vida de un amigo: un cumpleaños, el nacimiento de un hijo, un nuevo empleo, un ascenso° o la feliz llegada de un viaje.

we strike up

promotion

Las *visitas de sentimiento* muestran que tomamos parte en el sufrimiento causado por una enfermedad o un evento desagradable. Las *visitas de duelo* se hacen en los dos primeros días después de la muerte de una persona. Las *visitas de pésame* toman lugar después del entierro° de la persona muerta.

burial

Antes de salir de viaje por un período de tiempo prolongado es aconsejable° hacer *visitas de despedida*. También es necesario hacer *visitas de agradecimiento* a las personas que nos han hecho servicios de alguna importancia. Cualquier otra visita sin motivo especial y sólo por el placer de ver a un/a amigo/a y disfrutar de su compañía es una *visita de amistad*.

advisable

¿Disfrutan estas personas de esta visita de amistad? ¿Qué hacen? Cali, Colombia.

¿Qué hay de nuevo?

¿Puede usted asociar los siguientes eventos con el tipo de visita que les corresponde?

felicitación, sentimiento, pésame, despedida, amistad

1. Usted visita a José en el hospital después de un accidente de motocicleta.
2. El abuelo de Sandra se murió la semana pasada; usted pasa a visitarla.
3. Cándida y Manuel la/lo visitan el día de su cumpleaños.
4. Karina pasa por su casa para tomar un café y conversar con usted.
5. Ana la/lo visita para decirle que se va a estudiar a Chile por un semestre.

Conexiones y contrastes

1. ¿Qué tipos de visita hace usted con más frecuencia?
2. ¿Cree usted que las visitas son importantes en la cultura moderna de su país? Explique.
3. ¿Cree usted que las visitas eran más importantes en la época de sus abuelos? Explique.

Estructura

4. *Expressing emotional reactions and feelings about other people's actions:* **El subjuntivo con expresiones de emoción**

Me alegro de que seamos amigos.

The subjunctive is also used when a speaker expresses emotional reactions and feelings (joy, hope, sorrow, etc.) about the actions or condition of another subject (whether person or thing).

Me alegro de que mi amigo me **visite**.	*I'm glad that my friend is visiting me.*
Esperamos que pueda quedarse unos días.	*We hope that he can stay a few days.*

The first clause, expressing the speaker's emotions/feelings, is in the indicative; the second clause, which expresses the actions or condition of another person or thing, is in the subjunctive.

expression of emotion	+ **que** +	action or condition of another subject
indicative		*subjunctive*

Some verbs expressing emotion are:

alegrarse (de)	*to be glad (about)*	**Me alegro de que estén** comprometidos.
esperar	*to hope, expect*	**Espero que se casen** este verano.
sentir (ie, i)	*to be sorry, regret*	**Siento que vivan** tan lejos.
temer/tener miedo	*to fear, be afraid*	**Tememos que** no **puedan** visitarnos.

If there is no change of subject after the expression of emotion, the infinitive is used, not **que** + *subjunctive*.

ONE SUBJECT	CHANGE OF SUBJECT
Siento no **poder** ir a la reunión.	Siento que ellos no **puedan** ir a la reunión.
I regret not being able to go to the meeting.	*I regret that they cannot go to the meeting.*

Práctica y comunicación

P. Reacciones favorables o desfavorables. Según cada situación, indique su reacción favorable o desfavorable. Use **Me alegro de que...** o **Siento que...**

Write Me alegro de que... and Siento que... on the board prior to beginning this exercise. Encourage students not to look at their textbooks, but rather to listen and respond. Use names of students from your class in #2 and 3.

MODELO: No hay examen hoy.
Me alegro de que no haya examen hoy.

1. Hace buen tiempo.
2. ... y ... están muy cansados/as.
3. ... tiene un resfriado horrible.
4. ¡El examen final es muy largo y difícil!
5. ¡Vamos a Puerto Rico para las vacaciones de primavera!
6. Hay una gran fiesta esta noche en el apartamento de...
7. Los amigos de mi compañero/a de apartamento fuman mucho.

Q. Reacciones y emociones. Describa las reacciones o emociones de las personas según las situaciones.

Transparency #48 Use the transparency to complete this exercise. You may want to review it quickly with the class as a whole, then have students complete it working in pairs. Another option is to have students first work in pairs, with a class follow-up.

MODELO: Juanito, Elena y el perro sienten que... **llueva.**

Juanito, Elena y el perro se alegran de que...

Nancy y el profesor Marín-Vivar sienten que...

Esteban se alegra de que...

Linda y Manuel esperan que Javier...

Pepita siente que Natalia...

Camila espera que su ex-novio... pero teme que...

R. Generaciones. Piensen en las diferentes etapas de la vida. En grupos de tres, completen las oraciones. ¡Ojo! En la primera oración de cada serie no se usa el subjuntivo. En la segunda, sí. (¿Por qué?)

MODELO: Los bebés necesitan **dormir mucho y tomar mucha leche.**
Los bebés necesitan que sus padres **les den de comer y los bañen.**

1. Los niños quieren...
Los niños quieren que sus padres...

2. Los jóvenes prefieren...
Los jóvenes prefieren que los adultos...

3. Los adultos esperan...
Los adultos esperan que los jóvenes...

4. Los ancianos temen...
Los ancianos temen que los jóvenes...

Ahora, presenten algunas de sus ideas a la clase.

S. El valor de la amistad. Lea el párrafo acerca de la amistad y estudie la foto. ¿Valora usted mucho a sus amigos/as? Según el artículo, ¿qué nos brindan (dan) nuestras amistades?

Luego, escriba tres o cuatro oraciones acerca de sus mejores amigos/as. Use las palabras que siguen para indicar sus reacciones/emociones/preocupaciones en cuanto a ellos/ellas: **alegrarse de, esperar, sentir, temer, preocuparse de + que...** Tienen cinco minutos.

MODELO: **Me alegro de que mi amiga Susana sea tan amable.**

Al final, lean sus oraciones a otro/a estudiante y/o a la clase.

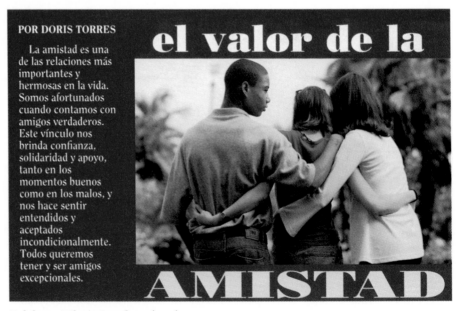

POR DORIS TORRES

La amistad es una de las relaciones más importantes y hermosas en la vida. Somos afortunados cuando contamos con amigos verdaderos. Este vínculo nos brinda confianza, solidaridad y apoyo, tanto en los momentos buenos como en los malos, y nos hace sentir entendidos y aceptados incondicionalmente. Todos queremos tener y ser amigos excepcionales.

el valor de la AMISTAD

Palabras útiles: **vínculo** = *bond*; **apoyo** = *support*

5. *Giving orders and advice to family and friends:* Los mandatos de **tú** afirmativos y negativos

To give orders or advice to persons whom you address informally as **tú** (friends, children, etc.), informal **tú** commands are used. Affirmative and negative **tú** command forms differ from each other.

El mandato de *tú* afirmativo

The regular affirmative **tú** command forms are identical to the third-person singular (**él, ella, usted**) form of the present indicative tense.

Present Tense	Affirmative tú Command	
Él **mira**.	**¡Mira!**	*Look!*
Ella **espera**.	**¡Espera!**	*Wait!*
Usted **vuelve**.	**¡Vuelve!**	*Come back!*
Él lo **abre**.	**¡Ábrelo!**	*Open it!*
Ella me lo **muestra**.	**¡Muéstramelo!**	*Show it to me!*

Some affirmative **tú** command forms are irregular:

poner	**pon**	**Pon** la tarjeta de crédito en tu cartera.
salir	**sal**	**Sal** para el centro a las cinco.
tener	**ten**	**Ten** paciencia. Siempre hay mucho tráfico.
venir	**ven**	**Ven** a la oficina inmediatamente.
hacer	**haz**	**Haz** las reservaciones en el restaurante.
ir	**ve**	**Ve** al teatro para comprar las entradas.
decir	**di**	**Di**me lo que piensas del plan.
ser	**sé**	**Sé** bueno, por favor.

In all affirmative **tú** commands, object and reflexive pronouns are attached to the end of the command form. In these cases, a written accent is added except when there is a combination of a one-syllable command form with one pronoun.

Cómpralo.	*Buy it.*	**Póntelo.**	*Put it on.*	(written accent)
Hazlo.	*Do it.*			(no accent)

The informal **tú** commands are presented in this chapter due to their direct tie to the chapter theme of love and friendships. **Usted** commands are to be found at the beginning of the next chapter.

Introduce the affirmative **tú** commands by writing key examples (regular and irregular) on the board or on a transparency. Illustrate by moving about the class ordering individual students to perform certain actions: **Cierra el libro, Levántate,** then, **Pon el libro en mi escritorio,** etc.

With the irregular affirmative **tú** commands visible, practice the **tú** commands by calling out a series of verbs or verb phrases for which the students provide the command form. Mix verbs that require the regular command form and the irregular. Examples: **estudiar, comer, salir, volver, venir aquí.**

Review the placement of object pronouns in general, highlighting the position of object pronouns in affirmative commands.

Mention that at times **tú** commands by themselves may sound harsh. Often softened phrases such as ¿Me puedes ayudar? would be used instead of ¡Ayúdame! Adding por favor is always in order.

El mandato de *tú* negativo

The negative **tú** command forms are equivalent to the **tú** form of the present subjunctive.

PRESENT SUBJUNCTIVE **(TÚ)**

Es bueno que la **esperes**.
Es importante que **salgas**
 con ella.

NEGATIVE **TÚ** COMMAND

No la **esperes**. *Don't wait for her.*
No salgas con ella. *Don't go out with her.*

In all negative commands, the object pronouns are placed before the verb. Contrast the placement of the pronouns in the following negative and affirmative commands.

NEGATIVE

¡**No** lo **comas**!
¡**No** los **compres**!
¡**No** lo **hagas**!
¡**No** te **vayas**!

AFFIRMATIVE

¡**Cóme**lo!
¡**Cómpra**los!
¡**Haz**lo!
¡**Ve**te!

¡Un momento, por favor!

Vosotros commands (the informal plural equivalent of **tú** commands) are frequently used in Spain. The affirmative **vosotros** command is formed by changing the final **r** of the infinitive to **d**: ¡**Comed**! ¡**Esperad**! ¡**Volved**! If the affirmative command form is reflexive, the **d** is dropped and the reflexive pronoun **os** is added: ¡**Acostaos**! The negative command form uses the equivalent subjunctive form: ¡**No comáis**! ¡**No esperéis**! ¡**No volváis**! ¡**No os acostéis**!

Práctica y comunicación

T. ¿Quién lo dice? Escuche los mandatos de **tú** afirmativos y negativos. Diga quién (probablemente) los dice según las personas indicadas en el cuadro. Hay más de una respuesta posible.

1. «Es una noche muy romántica. Bésame.»
2. «Ven aquí. Quiero leerte un cuento.»
3. «Ven conmigo al cine.»
4. «Estudia mucho para el examen. Va a ser difícil.»
5. «Muéstrame tus dibujos.»
6. «Lávate las manos. Péinate.»
7. «Dime que me amas con todo corazón.»
8. «Cuéntame lo que pasó en la fiesta.»
9. «¡No toques el horno! ¡Está caliente!»
10. «No hables con tu ex-novio. ¡Tengo celos de él!»
11. «No salgas con él/ella. No es buena gente.»
12. «No te rías de tu abuelita.»

a. La madre se lo dice a la niña.
b. Un amigo/Una amiga se lo dice a otro/a amigo/a.
c. El novio se lo dice a la novia.

U. Dos amigos/as. Dos amigos/as viven juntos/as. Para mantener una buena amistad, ¿qué deben o no deben hacer? ¿Qué mandatos se dan?

Exercise U has a singular focus: practicing the affirmative and negative tú command forms. The *Un paso más* allows students to "test the waters" on their own.

Mandatos afirmativos:

MODELO: *poner* la ropa en el ropero
Por favor, pon la ropa en el ropero. o Por favor, ponla en el ropero.

Por favor...

1. *hacer* la cama
2. *limpiar* el baño
3. *poner* los libros en el estante
4. *devolver* mis libros a la biblioteca
5. *comprarnos* comida porque no hay nada en el refrigerador
6. *prestarme* tu chaqueta
7. *divertirte* este fin de semana

Mandatos negativos:

MODELO: no *ponerte* mi ropa
No te pongas mi ropa.

Por favor...

1. no *prender* el televisor a medianoche
2. no *usar* mi computadora constantemente
3. no *invitar* a tus otros/as amigos/as al apartamento sin avisarme
4. no *poner* los pies en el sofá nuevo
5. no *hacer* llamadas telefónicas a las 2:00 de la mañana
6. no *olvidarte* de sacar la basura
7. no *preocuparte* demasiado porque vamos a resolver todos nuestros problemas

Un paso más: ¿Qué mandatos le da usted a la persona con quien comparte un apartamento o una habitación? Mencione dos: uno afirmativo y uno negativo.

> DICHO **No digas en secreto lo que no quieres oír en público.**
>
> **No les hagas a otros lo que no quieres que te hagan.**
> *Refiriéndose al primer dicho, ¿qué puede ocurrir si usted le dice algo en secreto a otra persona? Refiriéndose al segundo dicho, ¿cuál es el equivalente en inglés?*

V. El diablo y el ángel. Hay un conflicto en su conciencia entre lo que dice «el diablo» (**¡Hazlo!**) y lo que dice «el ángel» (**¡No lo hagas!**). Primero, escriban un mandato afirmativo (habla el diablo). Luego, cámbienlo a la forma negativa (habla el ángel). Trabajen en parejas. Tienen cinco minutos.

The written aspect of this exercise reinforces the differences between the affirmative and negative commands, and allows for some student creativity.

MODELO: *salir...*
    EL DIABLO: **¡Sal todas las noches!**
    EL ÁNGEL: **¡No salgas todas las noches!**

1. *beber...*
2. *comer...*
3. *fumar...*
4. *comprar...*
5. *besar...*
6. *ver...*
7. *ir...*

Ahora, presente algunos de sus mandatos a la clase.

Transparency #49 After students complete their work, project the transparency of the illustration. As students provide input, point out the area of the illustration that elicited the command.

If your students need more practice with the tú commands, have them form groups of four. Each group invents affirmative and negative commands directed to one of the following:

1) a un/a estudiante de un país hispano que acaba de llegar a la universidad

2) a un/a estudiante que va a su primera entrevista de trabajo

3) a su hermano/a menor, quien siempre es una gran molestia

4) a un chico tímido que está muy enamorado de una chica que no le presta atención

5) a un chico que va a visitar a los padres de su novia por primera vez.

One person from each group serves as secretary. Allow five minutes to complete the list of commands. Then have students present their ideas to the class.

After completing this activity, have the secretary of the group with the longest list of commands in each category share that group's commands with the rest of the class.

W. Nuestro amigo Esteban. Nuestro amigo Esteban es «un poco» desordenado. En grupos de cuatro, estudien el dibujo y díganle a Esteban lo que debe y no debe hacer. Usen mandatos de **tú** afirmativos y negativos según la situación. Luego, presenten sus mandatos a la clase.

Palabras útiles: **cajón** = *drawer* (*bureau*); **recoger** = *to gather, pick up*

Dicho y hecho

Conversando

After the completion of this conversation, consider asking students to share some of their ideas with the class.

Study Hints
See what you have learned! Turn to pp. 372–373 to review the active vocabulary and take the self-test for this chapter.

El matrimonio
En grupos de cuatro, hablen de los siguientes temas:

- ¿Por qué hay más divorcios hoy que hace 50 años?
- ¿Es importante en un matrimonio ser fiel (*faithful*)? ¿Debe la infidelidad resultar automáticamente en el divorcio?
- ¿Es mejor para los niños mantener la familia unida incluso si hay tensiones?
- ¿La custodia compartida (*joint*) es beneficiosa para los niños de un divorcio? ¿Por qué sí o por qué no?
- ¿Qué valores (*values*) son necesarios para asegurar un buen matrimonio?

¡A escuchar!

«Amalia»

En este episodio de la radionovela «Amalia, el corazón nunca se olvida», Luisa Fernanda habla con José Ricardo, su marido. Escuche el episodio para determinar qué problema tienen. Luego, conteste las tres primeras preguntas.

1. ¿José Ricardo estaba en la oficina cuando su esposa lo buscó? _____ sí _____ no

2. ¿Es Amalia cliente de José Ricardo? _____ sí _____ no

3. ¿José Ricardo conocía a Amalia antes de casarse con Luisa Fernanda? _____ sí _____ no

Ahora, escuche el episodio otra vez y conteste las tres preguntas que están a continuación.

4. ¿Dónde vio Luisa Fernanda a Amalia? ... y ...
5. ¿Qué noticia tiene Luisa Fernanda para su marido? ...
6. En su opinión, ¿qué va a pasar en el próximo episodio? ...

De mi escritorio

Cartas a los desesperados

Imagine que usted es Victoria, periodista que responde a los problemas de los lectores del periódico *El Investigador*. Escríbales una carta breve a dos de las siguientes tres personas, indicando sus reacciones y recomendaciones. (**Le recomiendo que..., Le sugiero que..., Espero que..., ...**)

Querida Victoria:

Tengo un novio magnífico. Se llama Luis y es el hombre más simpático y cariñoso del mundo. ¡Y siempre me trae flores y dulces! Hace dos años que salimos juntos. El problema es que conocí a Ronaldo el fin de semana pasado. ¡Qué guapo es! ¡Qué ojos tiene! Salimos a cenar, pero todavía no le he dicho nada a Luis. ¿Qué debo hacer?

«Confundida en Caracas»

Querida Victoria:

¡A mi madre no le gusta mi novio! Critica el tatuaje de serpiente que tiene en el brazo, los aretes que lleva en la nariz y en la oreja, su pelo largo ¡y su motocicleta! Él se siente muy incómodo en nuestra casa a causa de mamá. Pero lo adoro. ¿Cómo puedo resolver esta situación?

«Una enamorada en Valencia»

Querida Victoria:

Hace dos semanas me comprometí con mi novia y decidimos casarnos este verano. La semana pasada mi novia me dijo que su mejor amigo le había declarado el amor eterno y rompió nuestro compromiso. Yo estuve de acuerdo con ella, aunque fue una decisión muy difícil para mí. Esta mañana mi novia me llamó para pedirme que la perdone: quiere restablecer nuestra relación y nuestros planes de matrimonio. Yo la quiero mucho pero no quiero tener más sorpresas. ¿Debo darle otra oportunidad?

«Un indeciso en Maracaibo»

The listening passage for this and all *¡A escuchar!* passages is recorded on both the instructor and student tape or CD that accompanies each text.

Audioscript:

... y ahora les ofrecemos otro episodio más de su radionovela favorita, «Amalia, el corazón nunca se olvida.»

Luisa Fernanda está esperando impacientemente la llegada de su marido, José Ricardo. Por fin llega con una hora de retraso.

LF: Hola, mi amor. ¿Dónde has estado todo este tiempo?

JR: Perdona, cariño, se me olvidó decirte que tenía una reunión.

LF: ¡Qué extraño! Hoy fui al doctor y como terminé pronto decidí pasar por tu oficina... y me dijeron que ya habías salido.

JR: Ah, umm... sí, fui ... a ver a un cliente.

LF: Ah, ¿sí? Y ¿ese cliente tal vez es Amalia?

JR: ¡Luisa Fernanda, te puedo explicar!

LF: No me tienes que explicar nada. Me encontré con Amalia cuando ella salía de la consulta del doctor y luego los vi abrazándose muy cariñosamente en la cafetería al lado de tu oficina. Tú me dijiste antes de nuestra boda que ibas a romper para siempre con esa...

JR: No quiero que hables así de ella. Vino a verme porque tenía una noticia que darme. ¿Y tú? ¿Por qué fuiste al doctor?

LF: Me molesta que te preocupes por mi salud sólo para cambiar de tema. Pero como tú eres una de las partes interesadas, te lo diré: estoy embarazada.

JR: ¿Cómo? Pero...

LF: Y... dime, José Ricardo, ... ¿cuál era la noticia que Amalia tenía que contarte?

Le semana que viene continuará... «Amalia, el corazón nunca se olvida.»

Colombia y Venezuela

[www.wiley.com/college/dicho/panorama]

Use *transparency #50* (map) to review the map questions with the class.

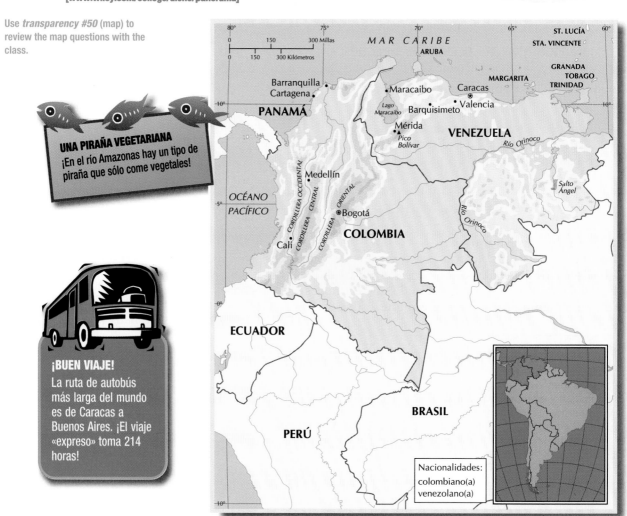

UNA PIRAÑA VEGETARIANA
¡En el río Amazonas hay un tipo de piraña que sólo come vegetales!

¡BUEN VIAJE!
La ruta de autobús más larga del mundo es de Caracas a Buenos Aires. ¡El viaje «expreso» toma 214 horas!

Nacionalidades:
colombiano(a)
venezolano(a)

Preguntas sobre el mapa

1. ¿En qué país es posible visitar las playas del Pacífico y también las del mar Caribe?
2. ¿Con qué países tiene frontera Colombia?
3. ¿Cuál es la capital de Colombia? ¿Cuáles son dos ciudades importantes en la costa?
4. ¿Cómo se llaman las tres cordilleras que cruzan el país?

5. ¿Cuál es el río principal que pasa por Venezuela y Colombia?
6. ¿Cuál es la capital de Venezuela? ¿Cuál es la ciudad que está cerca del famoso pico nevado Bolívar en los Andes de Venezuela? ¿Y la ciudad que está a orillas (*on the banks*) de un lago?

Colombia

Bogotá, la capital, está en un valle central. Tiene más de seis millones de habitantes y es una ciudad moderna, llena de rascacielos, tiendas de moda y grandes avenidas. Pero en esta ciudad también existen barrios[1] muy pobres que contrastan con el lujo[2] de muchas áreas. ¿Qué elementos interesantes hay en esta vista de Bogotá?

UNA IGLESIA SALADA
En Colombia hay una catedral de sal.

¿Qué producto recoge la joven colombiana? Colombia es el segundo productor de café del mundo, después de Brasil. Colombia también exporta flores y posee una reserva sustancial de petróleo.

El espíritu del pueblo colombiano se ve en su música, sus bailes y en sus diversiones populares. La cumbia y el vallenato son ritmos bailables de origen colombiano muy famosos en todo el mundo. Estos jóvenes bailan una cumbia. ¿Conoce usted los ritmos caribeños? ¿Le gusta a usted bailar?

¡Esmeraldas y oro!
Colombia es el principal productor de esmeraldas en el mundo y el primer productor de oro en Sudamérica.

¿Sabía usted?

▷ Los españoles llegaron a Colombia en 1500, en busca de El Dorado. Esta leyenda indicaba que en esta región existía muchísimo oro.

▷ En la época colonial, Colombia era parte de la Nueva Granada, que también incluía los territorios modernos de Panamá, Ecuador y Venezuela.

▷ Cuando la Nueva Granada se independizó de España (1810), Simón Bolívar, el líder de la independencia, creó la Federación de la Gran Colombia.

▷ Primero, Ecuador y Venezuela abandonaron la Federación y más tarde, con la ayuda de los EEUU, Panamá también se independizó.

▷ Actualmente, Colombia está pasando por una etapa muy difícil, tanto en su política nacional como en su lucha contra la guerrilla.

---

[1]*neighborhoods*   [2]*luxury*

Venezuela

Caracas está cerca de la costa y es una de las ciudades más cosmopolitas del continente. Los caraqueños son amantes del arte y tienen un admirable Museo de Bellas Artes y una magnífica Orquesta Sinfónica. Caracas también cuenta con uno de los servicios de metro más sofisticados del mundo. La vista de Caracas de la foto es muy impresionante, ¿verdad? Describa la foto.

El «oro negro» o petróleo es la mayor riqueza del país. La explotación de los grandes depósitos petrolíferos en el lago Maracaibo comenzó a principios del siglo XX. La industria petrolera generó mucha prosperidad en el país y su población se cuadruplicó. Considere la foto y el mapa. ¿Es grande o pequeño el lago Maracaibo?

El río Orinoco cruza los extensos llanos[3] venezolanos que ocupan un tercio[4] del país y son una importante zona ganadera[5]. En los llanos del sur están los tepuyes, misteriosas elevaciones en forma de mesa. Describa usted estos tepuyes de Venezuela.

En uno de los tepuyes está el Salto Ángel, ¡la cascada más alta del mundo! Describa usted la foto del famoso Salto Ángel.

¿Qué descubrimos?

¿Puede usted identificar a qué país (Colombia o Venezuela) se refiere cada oración?

1. Es el primer productor de esmeraldas del mundo.
2. Los indios guajiros vivían en chozas suspendidas en un lago.
3. La población se cuadruplicó gracias a la explotación del «oro negro».
4. Su capital tiene 6 millones de habitantes y está en un valle de la región central.
5. La cumbia y el vallenato son dos ritmos típicos.
6. La capital cuenta con un sofisticado sistema de transporte metropolitano.

¿Sabía usted?

▷ El nombre de este país significa «pequeña Venecia».
▷ Alonso de Ojeda, el primer explorador español de la zona, llamó así al país en 1500 porque los habitantes de la zona —los indios guajiros— vivían en chozas suspendidas sobre isletas en el lago Maracaibo.
▷ En Venezuela los españoles encontraron fabulosas riquezas en oro, plata y perlas, y establecieron prósperas colonias.

Adivinanzas

▷ En parejas, identifiquen cada una de las siguientes referencias: **Bogotá, El Dorado, la Nueva Granada, Simón Bolívar, Caracas, «pequeña Venecia», «oro negro», el río Orinoco, el pico Bolívar, tepuyes, el Salto Ángel.**
▷ Luego, cada pareja escribe una descripción de una de las referencias y se la entrega a la profesora/al profesor.
▷ La clase forma dos equipos. Por turnos, cada equipo escucha y luego identifica cada descripción. Cada respuesta correcta vale dos puntos. ¿Cuál de los equipos ganó?

---

[3]*plains* [4]*a third* [5]*cattle-raising*

ENCUENTRO CULTURAL
Artes literarias:
El minicuento—Colombia

La siguiente narración del escritor colombiano **Miguel Fernando Caro** es un ejemplo del minicuento o minificción, un género literario entre el cuento y el poema. El objetivo del minicuento es establecer una historia interesante y revelar una sorpresa con muy pocas palabras. Por eso, su composición es difícil y algunas personas dicen que es similar al *haikú* japonés. El minicuento es muy popular, especialmente en Colombia y Venezuela en donde existen revistas especializadas y se han publicado varias colecciones.

READING STRATEGIES
Noticing verb tenses
Focus on the verb endings and note the variety of verb tenses that the author uses throughout the story. How many different tenses can you identify? Are similar verb tenses grouped together? Interwoven? Is the tense at the beginning and the end of the story the same?

El amigo

de Miguel Fernando Caro

Todas las mañanas, cumpliendo[1] con la rutina de mi trabajo, paso por una casa en cuyo[2] balcón hay un viejo sentado en su silla de ruedas[3]. Siempre, al pasar junto a la casa, el viejo y yo nos saludamos batiendo[4] nuestras manos.

No sé cómo se llama ni él sabe mi nombre. Tal vez el vernos todos los días casi obligatoriamente nos haya hecho amigos.

Hoy no nos vimos y al pasar por su balcón me he sentido muy triste al pensar en lo que pudo haberle ocurrido; ya a su edad, y con la mala salud que aparentaba[5], despertar a un nuevo día era una sorpresa.

Esta mañana me he sentido muy alegre pues el viejo ha sido el primero en traer flores a mi tumba[6].

Preguntas

1. ¿Por dónde pasa el narrador cada día? ¿Quién está allí?
2. ¿Cómo se saludan los personajes de la historia?
3. ¿Qué relación existe entre los personajes de la historia? ¿Cree usted que se hablan? Explique.
4. ¿Por qué se siente triste el narrador? ¿Qué piensa el narrador que ha pasado? Y después, ¿por qué se siente alegre (contento)?
5. Según la información de la última línea, ¿quién muere primero?
6. ¿Qué demuestra la acción del viejo?
7. ¿Tiene usted una amistad como la de esta historia? ¿Qué sabe usted de esa persona?
8. En su experiencia, ¿es necesario saber mucho de una persona para establecer una buena amistad? Explique.

---

[1]*fulfilling* [2]*whose* [3]*wheelchair* [4]*waving* [5]*appeared to have* [6]*grave*

Adjetivos

ambos/as
cariñoso/a
comprensivo/a
juntos/as
los/las dos
sincero/a
soltero/a
viudo/a

Sustantivos

los adultos
la amistad
el amor
los ancianos
la boda
la cita
los jóvenes
la luna de miel
el marido
la muerte
los niños
la pareja
los recién casados
la vida

Verbos reflexivos

acordarse de (ue)
alegrarse (de)
casarse (con)
comprometerse (con)
comunicarse
divorciarse
enamorarse (de)
encontrarse (ue) (con)
olvidarse de
reunirse (con)
separarse (de)

Otros verbos y expresiones verbales

creer
cuidar
esperar
extrañar
insistir (en)
llorar
nacer
olvidar

pensar (ie) (en)
recomendar (ie)
recordar (ue)
romper (con)
salir (con)
sentir (ie, i)
sugerir (ie, i)
temer
dar a luz
estar casado/a
estar comprometido/a
estar divorciado/a
estar embarazada
estar listo/a
llevarse bien
ser fiel
tener celos

Expresiones útiles

el amor a primera vista
felicitaciones
mi media naranja

I. Los verbos reflexivos para indicar una acción recíproca. Imagine que usted está contándoles a sus amigos anécdotas de sus padres. Use el pretérito o el presente según la situación.

MODELO: mis padres/conocerse en la universidad
Se conocieron en la universidad.

1. mis padres/enamorarse inmediatamente
2. comprometerse seis meses más tarde
3. casarse en secreto dos meses más tarde
4. aún hoy, después de 25 años, amarse mucho

II. El subjuntivo—con expresiones de influencia. Sus amigos van a Puerto Rico. Indique lo que usted desea o recomienda que ellos hagan.

MODELO: (yo) *querer*/que Juanita *ir* de vacaciones a Puerto Rico
Quiero que Juanita vaya de vacaciones a Puerto Rico.

1. (yo) *sugerirte*/que (tú) *ir* a Puerto Rico durante el invierno
2. (yo) *preferir*/que mis amigos *viajar* en crucero
3. (yo) *querer*/que (ellos) *divertirse* mucho durante su visita a San Juan
4. (yo) *querer*/que (tú) *visitar* el bosque de nubes
5. (yo) *pedirles* a todos/que (ellos) *comprarme* un regalo
6. (yo) *recomendarles* a mis amigos/que (ellos) *quedarse* dos semanas

III. El subjuntivo—con expresiones de emoción. Sus amigos van de viaje a Sudamérica. Indique sus sentimientos acerca del viaje.

MODELO: *alegrarse* de/que mis amigos *ir* a Sudamérica
Me alegro de que mis amigos vayan a Sudamérica.

1. *esperar*/que ellos *viajar* a todos los países
2. *esperar*/que Linda *mandarme* fotos
3. *sentir*/que mis amigos *salir* mañana sin mí
4. *temer*/que ellos *gastar* todo su dinero
5. *alegrarse*/de que (tú) *poder* hacer el viaje
6. *esperar*/que (nosotros) *poder* hacer otro viaje en el futuro

IV. Los mandatos de *tú*, afirmativos y negativos.

A. La persona con quien usted comparte un apartamento le dice a usted que debe hacer las siguientes cosas.

MODELO: *volver* a casa pronto
Vuelve a casa pronto.

1. *limpiar* la cocina
2. *apagar* la radio
3. *hacer* la cama
4. *poner* la mesa
5. *devolver* los vídeos a la tienda
6. *ser* más optimista
7. *cortarte* el pelo
8. *acostarte* más temprano

B. La persona con quien usted comparte un apartamento le dice a usted que *no* debe hacer las siguientes cosas.

MODELO: *acostarte* tan tarde
No te acuestes tan tarde.

1. *comer* la comida que está en el refrigerador
2. *gastar* tanto dinero
3. *ir* a tantas fiestas
4. *salir* todas las noches
5. *ser* insolente
6. *levantarte* tan tarde
7. *preocuparte*
8. *ponerte* ropa sucia

V. Repaso general del Capítulo 11. Conteste con oraciones completas.

1. ¿Cuándo te reúnes con tus amigos/as? ¿Dónde se reúnen? ¿Qué hacen ustedes normalmente?
2. ¿Con quién te llevas muy bien?
3. Imagina que el novio y la novia estuvieron en una fiesta. ¿Qué hicieron? **Se...**
4. Es el lunes por la noche. ¿Qué quieres que hagan o no hagan tus amigos/as?
5. ¿Qué prefieres que *no* haga la persona con quien vives?
6. ¿Qué esperas que haga tu profesor/profesora de español?
7. ¿Qué mandatos le das a tu hermano/a menor? ¿Y a tu compañero/a de cuarto o mejor amigo/a?

Answers to the **Autoprueba y repaso** are found in **Apéndice 2**.

CAPÍTULO 12

Los aviones nos abren la puerta a aventuras por
todo el mundo. ¿Sabe usted hacer *surf*? Lago y
volcán Villarrica, Chile.

De viaje: En el avión y en el hotel

Goals for communication

- To carry out simple travel transactions
- To perform simple transactions at a hotel
- To give orders and instructions
- To express doubt, uncertainty, and disbelief
- To state recommendations, emotional reactions, and doubts through impersonal expressions
- To react to recent events

Cultural focus

- Hispanic airlines
- Perú, Ecuador, and Bolivia

Structures

1. Los mandatos de **usted** y **ustedes**
2. El subjuntivo con expresiones de duda e incredulidad
3. El subjuntivo con expresiones impersonales
4. El presente perfecto del subjuntivo

Presentation of *Bien dicho*, pp. 376–377

Vocabulary from previous chapters can be quickly and effectively recycled via the transparencies.

Transparency #51 Use the transparency of the opener drawings for Chapter 12 to visually present vocabulary dealing with the airport.

¡Bien dicho!

De viaje: En el avión y en el hotel

AeroSA
1. la línea aérea

3. VUELO	4. SALIDA	5. LLEGADA
#515 Lima	8:30	11:20

2. el horario

6. el boleto, el billete (Esp.)

11. despegar

13. la puerta ①

14. la tarjeta de embarque

12. aterrizar

10. el avión

7. facturar

8. el equipaje

9. la maleta

16. el asiento

15. la sala de espera

23. el piloto

17. la pasajera

22. el auxiliar de vuelo

19. el pasajero

18. el maletín

20. tener prisa

21. la azafata

1. airline 2. schedule 3. flight 4. departure 5. arrival 6. ticket 7. to check (baggage) 8. luggage
9. suitcase 10. airplane 11. to take off 12. to land 13. gate 14. boarding pass 15. waiting room 16. seat
17. passenger, *f.* 18. briefcase, carry-on bag 19. passenger, *m.* 20. to be in a hurry 21. flight attendant, *f.*
22. flight attendant, *m.* 23. pilot (la **pilota**, *f.*)

376

24. customs   25. baggage claim   26. hotel   27. airport   28. welcome   29. plant   30. main floor   31. elevator
32. laptop/personal computer   33. bellboy   34. to register   35. receptionist, *f.*   36. receptionist, *m.*   37. key
38. A double room, please.   39. guest, *m.*   40. guest, *f.*   41. front desk

Práctica y comunicación

Assign *Exercise A* for written homework to be completed prior to class.

Move quickly through the questions found in *Exercise A*, calling on students individually, or, for short-answer questions, soliciting responses from the entire class. Refer to *transparency #51*.

A. En el aeropuerto. Conteste las preguntas según los dibujos en las páginas 376–377.

1. ¿Cómo se llama la línea aérea?

2. ¿Cuál es el número del vuelo a Lima? ¿Qué otra información hay en el horario?

3. La profesora Falcón está hablando con la empleada de la línea aérea AeroSA. ¿Qué tiene la profesora en la mano?

4. ¿Qué hace el empleado con el equipaje de la profesora?

5. Carmen está detrás de la profesora. ¿Cuántas maletas lleva ella?

6. Juanito está mirando los aviones por la ventana. ¿Qué acaba de hacer el avión que está en el aire? ¿Y el que está en la tierra?

7. Pepita se va a Perú para estudiar por un semestre. Está en la puerta nº 1. ¿Qué tiene en la mano? ¿Qué está haciendo? ¿Cómo reacciona la madre de Pepita?

8. Hay varias personas en la sala de espera. ¿Qué lee la madre? Elena está sentada al lado de su madre. ¿Cómo está ella? ¿Qué está haciendo el abuelo? ¿Y el padre?

9. En la otra fila de asientos, ¿está sentado el niño? ¿Se preocupa su madre por él?

10. El pasajero y la pasajera no llevan maletas grandes. ¿Qué llevan? ¿Por qué (probablemente) tienen prisa?

11. ¿Quiénes son las personas que llevan uniforme?

12. Las personas en la puerta nº 2, ¿van a subirse al avión o ya se han bajado del avión? ¿Qué hacen las dos mujeres?

13. Éste es un aeropuerto internacional. ¿Dónde revisan los oficiales las maletas? ¿Dónde reclaman los pasajeros el equipaje?

14. El Hotel Aeropuerto tiene un letrero (*sign*) muy grande en la pared. ¿Qué dice?

15. En este hotel, ¿qué deben usar los huéspedes para subir de la planta baja[1] al segundo piso?

16. ¿Qué tipo de computadora usa la mujer que está sentada cerca del ascensor?

17. La mujer elegante que viaja con su perro Fifí va a quedarse en el hotel varios días. ¿Qué está haciendo? ¿Cuántas maletas tiene? ¿Quién va a llevar sus maletas a la habitación?

18. El tío Antonio y la tía Elisa también van a ser huéspedes en este hotel. ¿Qué le pide la tía Elisa al recepcionista? ¿Qué le da él a ella?

---

[1]Generally, **la planta baja** is the equivalent of our first floor, **el primer piso** is the second, and so on.

Bien dicho Para viajar

la **agencia de viajes**	*travel agency*
la **reservación**/la **reserva**	*reservation*
el **viaje de ida y vuelta**	*round-trip*
el **país**	*country*
la **demora**	*delay*
el **próximo**/la **próxima**	*the next*
el **pasillo**	*aisle (between rows of seats)*
la **ventanilla**	*window (airplane, train, car)*
confirmar	*to confirm*
conseguir (i, i)	*to get, obtain*
disfrutar (de)	*to enjoy (something)*
recoger	*to pick up, gather*
volar (ue)	*to fly*
sacar un pasaporte	*to get a passport*
subirse a.../**bajarse de...**	*to get on . . ./get off . . ., get out (of) . . .*
abrocharse el cinturón	*to fasten one's seatbelt*
hacer la maleta, empacar	*to pack*
la **cámara**	*camera*
sacar/tomar fotos	*to take photos*
el **rollo de película**	*roll of film*

B. Preguntas personales. En parejas, háganse las siguientes preguntas y contéstenlas.

In this, as in all paired activities, be sure that students work with different partners.

1. ¿A veces tienes miedo de volar? Por lo general, ¿disfrutas de tus viajes en avión? ¿Por qué sí o por qué no?

2. ¿Qué línea aérea prefieres?

3. ¿Conoces varios aeropuertos? ¿Cuáles son? ¿Qué aeropuerto te gusta menos? ¿Por qué?

4. ¿Has volado mucho? (¿A qué ciudades?)

5. ¿Tienes pasaporte? ¿A cuántos países has viajado? ¿Cuál es tu país favorito? ¿Por qué?

6. En el avión, ¿prefieres un asiento de pasillo o de ventanilla?

7. ¿Te gusta la comida de los aviones? ¿Qué bebida tomas normalmente en los vuelos? ¿Quién sirve la comida y las bebidas?

8. ¿Has tenido una demora larga en algún viaje? ¿Cuánto tiempo tuviste que esperar? ¿Te quejaste? ¿Qué hiciste?

9. En el futuro, ¿qué países del mundo o qué continentes quieres visitar? ¿Japón o China? ¿África? ¿Europa? ¿Sudamérica?

10. ¿Tienes interés en ser azafata o auxiliar de vuelo? ¿Piloto/a? ¿Agente de viajes?

11. Al viajar, ¿te gusta sacar fotos? (¿De qué?) ¿Te gusta mandar tarjetas postales? Generalmente, ¿a quién se las mandas?

Have the group with the longest/best list share their travel activities with the class. Or, have one group begin the series, with other groups contributing.

C. Un viaje en avión a Bolivia. Imaginen que ustedes volaron de Miami a La Paz, Bolivia. En grupos de tres, hagan una lista (en orden cronológico) de las cosas que hicieron desde que sacaron sus pasaportes hasta que recogieron el equipaje en La Paz al final del viaje. Tienen cinco minutos. ¿Qué grupo tiene la lista más larga? Léansela a la clase.

1. **Sacamos los pasaportes.**
2. ¿...?

After the students complete their work in pairs, spot-check a few of the questions and get input from students on #5.

D. Michael adora a Linda. En parejas, lean el artículo. Luego, contesten las preguntas.

1. ¿Cuál fue la avenida por donde pasó el avión? ¿En qué ciudad?
2. ¿Qué decía el letrero?
3. ¿Crees que Linda probablemente vio el letrero? ¿Por qué?
4. ¿Dónde aterrizó el avión?
5. ¿Qué opinas de esta manera de declarar el amor?

Palabras útiles: **se enteró** = *found out*; **peatones** = *pedestrians*

CHICAGO, (UPI).— Que Michael adora a Linda, lo sabía él y ahora lo sabe todo el mundo en el centro de Chicago, aunque no se sabe si Linda se enteró.

Los peatones de la avenida más importante de la ciudad, pudieron ver la declaración de los sentimientos de Michael a 90 metros de altura, cuando un pequeño avión sobrevoló la Avenida Michigan acarreando un largo letrero de 60 metros en el que se leía:

"Querida Linda, te adoro. Te amaré siempre. Michael".

El teniente policial John Campbell dijo que el avión hizo siete u ocho pases por la zona antes de dirigirse hacia el sur, para aterrizar en un pequeño aeropuerto a las afueras de la ciudad en University Park.

Bien dicho En el hotel *(continuación)*

la **habitación sencilla**	*single room*
la **cama doble**	*double bed*
la **cama sencilla**	*single bed*
el **baño privado**	*private bath*
el **aire acondicionado**	*air conditioning*
la **calefacción**	*heating*
la **camarera**	*maid* (hotel)
la **sábana**	*sheet*
la **manta**, la **cobija**	*blanket*
la **almohada**	*pillow*
el **servicio de habitación**	*room service*
la **piscina**	*swimming pool*
el **portero**	*doorman*
la **propina**	*tip*
dejar	*to leave* (object) *behind; to let, allow*

¡Un momento, por favor!

Study the difference between **salir** (*to leave, go out*) and **dejar** (*to leave an object behind*).

> **Salí** del hotel para cenar.   *I **left** the hotel to have dinner.*
>
> **Dejé** mi chaqueta en el vestíbulo.   *I **left** my jacket in the lobby.*

Remember that **dejar de** + *infinitive* means *to stop doing something*.

> **Dejé de fumar.**   ***I stopped smoking.***

E. ¿Qué dejaron en la habitación? Las siguientes personas están en un hotel. Indique lo que dejaron en sus habitaciones. Siga el modelo.

MODELO: **Alfonso salió de su habitación y dejó su cámara.**

Transparency #52 Use the transparency to complete this exercise, which contrasts salir and dejar.

Alfonso

Camila

Rubén

Elena y Juanito

yo

F. En el hotel. Imagine que usted y su amigo/a acaban de llegar al Hotel Oro Verde en Ecuador y hablan con el/la recepcionista sobre los servicios del hotel. El problema es que ustedes se han olvidado de algunas palabras del español. En parejas, túrnense para explicarle al/a la recepcionista lo que desean sin usar la palabra entre paréntesis.

MODELO: Deseamos (una habitación doble).
       Deseamos una habitación para dos personas.

Deseamos...

1. (una habitación sencilla)
2. (un baño privado)
3. (la llave)
4. (otra almohada)
5. (otra toalla)
6. (otra cobija)

Exercise F gives students practice in circumlocution—describing or defining something when they do not know the word.

After completion of the exercise, students present their statements to the class (out of order) and other students guess the reference.

G. ¿Qué tipo (*kind*) **de hotel es?** En grupos de cuatro estudiantes, describan las características de (a) un hotel de lujo (*luxury*) o (b) un hotel muy económico. Un/a secretario/a escribe las descripciones. Luego, presenten sus descripciones a la clase o a otro grupo de estudiantes.

For *Exercise G*, assign to half of the groups topic (a), and to the other half, topic (b). After approximately five minutes, call upon at least one group representing each topic area to present its description to the class.

Another option is to pair topic (a) groups with topic (b) groups to share their descriptions and possibly make comparisons.

The *Conversaciones* are recorded on the *Dicho y hecho* instructor CD/tape. You may wish to introduce the *Conversación* by playing it for the class.

Have students practice this conversation in groups of three, taking the parts of the two professors and the receptionist. Have one group perform in front of the class.

Conversación

En el aeropuerto y en el hotel

La profesora Falcón y el profesor Marín-Vivar viajan a una conferencia en Perú. Al llegar al aeropuerto de Lima recogen su equipaje y van al hotel.

PROF. MARÍN: Bueno, por fin llegamos. ¿Qué tal el vuelo?

PROF. FALCÓN: Siempre me pongo nerviosa cuando el avión despega y cuando aterriza, pero los asientos eran muy cómodos° y las azafatas muy amables. Mira, allí está nuestro equipaje.

comfortable

PROF. MARÍN: Parece que todo está aquí. ¿Vamos a inmigración?

PROF. FALCÓN: Sí. ¿Tienes el pasaporte listo?

falls/drops

PROF. MARÍN: A ver... (*Busca en su chaqueta.*) Sí, aquí lo tengo. (*Se le cae° un papel al suelo.*)

you dropped

PROF. FALCÓN: (*Recogiendo el papel.*) Mira, se te cayó° este sobre. (*Lo examina.*) Es tu tarjeta de embarque.

PROF. MARÍN: Ya no la necesito. Puedes tirarla en la basura.

PROF. FALCÓN: ¿Y este papel con la dirección del hotel?

PROF. MARÍN: No es importante. Tengo las reservaciones en la maleta.

PROF. FALCÓN: Bueno, ahora vamos a recoger el equipaje, y luego, a la aduana.

(Más tarde, en un hotel del centro de Lima.)

RECEPCIONISTA: Buenas tardes. ¡Bienvenidos!

PROF. FALCÓN: Buenas tardes. Tenemos una reservación para dos habitaciones.

PROF. MARÍN: Así es. A nombre de Falcón y Marín-Vivar.

RECEPCIONISTA: Vamos a ver. Sí, aquí están: dos habitaciones sencillas, con baño privado y vista a la Plaza Central.

PROF. FALCÓN: Correcto. Señorita, si no es mucha molestia, ¿podemos enviar el equipaje a las habitaciones con el botones? Es que tenemos prisa. Nuestra conferencia comienza en 20 minutos.

RECEPCIONISTA: No hay problema. Vamos a hacerlo de inmediato.

PROF. MARÍN: Otra pregunta. Tenemos que comer algo antes de ir a la conferencia. ¿En qué piso está el restaurante?

RECEPCIONISTA: Tomen el ascensor hasta el piso doce. Allí hay un restaurante y una cafetería. ¿Algo más?

PROF. FALCÓN: No, creo que es todo. Gracias.

¿Qué pasa?

1. ¿Adónde viajan la profesora Falcón y el profesor Marín-Vivar?
2. Durante el vuelo, ¿qué le pone nerviosa a la profesora Falcón?
3. ¿Qué hay en el sobre que se le cae al profesor Marín-Vivar?
4. ¿Cómo son las habitaciones que han reservado la profesora Falcón y el profesor Marín-Vivar?
5. ¿Por qué tienen prisa?
6. ¿Dónde está el restaurante del hotel?

Estructuras

1. *Giving direct orders and instructions to others:*
Los mandatos de usted y ustedes

In Spanish there are both formal and informal command forms. You studied the informal **tú** commands in Chapter 11. You have seen the formal **usted** and **ustedes** command forms throughout the text (**Escriba el ejercicio, Contesten las preguntas,** etc.). These command forms are used with people whom you address as **usted** or **ustedes**. Whether affirmative or negative, **usted/ustedes** commands are identical to the **usted** and **ustedes** subjunctive forms which you have just learned.

	esperar	volver	ir
Ud.	**Espere./No espere.**	**Vuelva./No vuelva.**	**Vaya./No vaya.**
Uds.	**Esperen./No esperen.**	**Vuelvan./No vuelvan.**	**Vayan./No vayan.**
	Wait./Don't wait.	*Come back./ Don't come back.*	*Go./Don't go.*

In all *affirmative* **usted** commands, object and reflexive pronouns are attached to the end of the command form. A written accent is necessary on the syllable of the command form that is normally stressed.

Ayúde**me** con las maletas, por favor. — *Help me with the suitcases, please.*

Abróche**se** el cinturón. — *Fasten your seatbelt.*

In all *negative* **usted** commands, the object and reflexive pronouns *precede* the verb.

No se siente allí. Hay algo en el asiento. — *Don't sit there. There is something on the seat.*

El pasaporte es importante. **No lo** pierda. — *The passport is important. Don't lose it.*

Reaffirm to students that they have been using Ud. commands since the Capítulo preliminar: **abra, cierre, escriba,** etc. Stress that the **Ud.** commands are used with persons with whom you are less familiar, i.e., on a last name basis, and to show respect and courtesy.

To illustrate visually the position of object and reflexive pronouns in commands, before class write on separate sheets of paper the following words: **haga, lo, no, acueste, se.** Have three students stand in front of the class. Give to two of them **lo** and **haga.** Have them place themselves in the correct order for the affirmative Ud. command (you can add the accent). Give the **no** to a third student and have the students reposition themselves for the negative Ud. command, minus accent. Follow the same procedure for **se** and **acueste.**

Helpful hint for the students: When one pronoun is added to the command, the third to the last vowel takes the accent.

Práctica y comunicación

Encourage students to be very dramatic (and physical) in following the instructions. (Reinforcing oral expression with physical actions keeps the class upbeat and produces a positive learning atmosphere.)

Simón dice may also be played with these and other commands.

H. ¡Sigan (*Follow*) **las instrucciones!** Sigan las instrucciones del profesor/de la profesora. Dramaticen las acciones.

1. Levántense.
2. Hagan ejercicios.
3. Abrace a la persona que está al lado de usted.
4. Dígale algo en español a la persona que está al lado de usted.
5. Siéntense.
6. Lávense la cara.
7. Péinense.
8. Cepíllense los dientes.
9. Es la hora de la siesta. Duérmanse.
10. ¡Despiértense!

Transparency #53 Use the transparency to review this exercise after students have completed their work in pairs.

I. ¡Háganlo! Natalia, Camila y Rubén van a hacer un viaje a Perú. Denles recomendaciones según los dibujos. Trabajen en parejas y usen los mandatos de **ustedes**.

MODELO: **Saquen sus pasaportes con mucha anticipación.**

sacar...

hacer las reservas...

conseguir...
y *confirmar...*

llevar...

llegar...

Durante el viaje,
visitar... y *tomar...*

escribirnos/mandarnos...

divertirse...
y *disfrutar de...*

J. Consejos (*Advice*) **para la profesora/el profesor**. Decida lo que la profesora/el profesor debe hacer. Use los mandatos de **usted**.

MODELO: PROFESOR/A: Tengo mucha sed.
ESTUDIANTE: **¡Tome un refresco!**

1. No me siento bien hoy.
2. Tengo un dolor de cabeza horrible.
3. Estoy muy cansado/a. He trabajado demasiado esta semana.
4. Tengo mucho frío.
5. Tengo hambre.
6. No tengo efectivo y tengo que comprar varias cosas.
7. ¡Acabo de recibir un cheque de 10.000 dólares!

Exercise J provides an excellent opportunity for the instructor to dramatize each condition or situation.

K. ¿Cuántos mandatos pueden inventar? ¡Una competencia! La clase debe dividirse en cinco grupos. Cada grupo escoge uno de los siguientes temas e inventa varios mandatos de **usted** o **ustedes** (afirmativos y negativos), según la situación. Tienen seis minutos. Un/a secretario/a escribe los mandatos y al final los comparte con la clase. ¿Qué grupo tiene el mayor número de mandatos?

If there is sufficient board space, this activity can be completed with each group writing on the board.

1. El/La agente de la línea aérea hablándole al pasajero/a la pasajera.
2. El/La gerente (*manager*) del hotel hablándole a la camarera.
3. El médico/La médica hablándole al/a la paciente.
4. Los estudiantes hablándoles a los profesores. (Uds.)
5. La profesora/El profesor hablándoles a los estudiantes. (Uds.)

L. Saeta, la aerolínea de Ecuador. En parejas, lean el anuncio. Luego, imaginen que ustedes son agentes de la línea aérea y deciden escribir una nueva versión del anuncio. Usen los mandatos de **usted** y su versión de la información presentada. Vea la lista de verbos. Tienen ocho minutos.

MODELO: **Siéntese en su asiento confortable y disfrute de su viaje.**

Al final, lean su anuncio a otra pareja y/o a la clase.

Verbos: **sentarse, disfrutar de, gozar de, seleccionar, pedir, tomar, ver, escuchar, leer, viajar.**

En el aire...
Un mayor espacio entre asientos (35 pulgadas°) hará[2] su viaje más confortable. Será mimado° con cócteles de cortesía, refrescos y bocaditos. Seleccione entre 3 platos fuertes, además de ensaladas frescas, una variedad de panes y la selección de un delicioso postre. Podrá seguir con café o algún licor para después disfrutar de una siesta o una película a bordo. También encontrará audífonos para disfrutar de la música o para ver una película; diarios locales y nuestra revista de cortesía *Aboard...* y la más amable tripulación°, dispuesta siempre a asistirlo.

inches
spoiled

crew

---

[2]The verbs **hará**, **será**, and **podrá** in this selection are in the future tense and translate as *will make*, *will be*, and *will be able to*.

Bien dicho Los números ordinales

To present the ordinal numbers, line up ten students and practice the numbers forward and backward. Students call out: primero, segundo, ... or Soy el primero/la primera en la fila... to contrast the masculine and feminine forms.

primer, primero/a	*first*	**sexto/a**	*sixth*
segundo/a	*second*	**séptimo/a**	*seventh*
tercer, tercero/a	*third*	**octavo/a**	*eighth*
cuarto/a	*fourth*	**noveno/a**	*ninth*
quinto/a	*fifth*	**décimo/a**	*tenth*

¡Un momento, por favor!

Primero and **tercero** become **primer** and **tercer** when they immediately precede a masculine, singular noun.

El ascensor está en el **tercer** piso.	*The elevator is on the **third** floor.*

M. Suba al quinto piso. Usted se está quedando en el Hotel Laguna Azul y desea usar ciertos servicios que se ofrecen allí. Usted va a la recepción para averiguar dónde puede encontrar los lugares o las cosas que usted busca. El/La recepcionista le indica el piso. Trabajen en parejas. Un/a estudiante es el huésped/la huéspeda y el otro/la otra es el/la recepcionista. Refiéranse a la siguiente «Guía para huéspedes» y sigan el modelo.

MODELO: Usted quiere cortarse el pelo.

HUÉSPED/A: **Perdón. ¿Dónde se encuentra la peluquería del hotel?**

RECEPCIONISTA: **Suba/Vaya al quinto piso. Allí está la peluquería.**

1. Usted desea tomar una bebida y cenar.
2. Usted quiere nadar y hacer ejercicio.
3. Usted quiere comprar un regalo para su novio/a.
4. Usted desea asistir a una de las sesiones de la conferencia que toma lugar en este hotel.
5. Usted desea unos refrescos y hielo para la habitación.
6. Usted quiere sacar fotos de la laguna y de la ciudad.
7. Usted tiene que buscar algo que está en el coche.

HOTEL LAGUNA AZUL
GUÍA PARA HUÉSPEDES

Servicios	Piso	Servicios	Piso
Recepción	Planta baja	Balcón—Vista panorámica	10
Restaurante	2	Peluquería	5
Bar	2	Boutique	1
Piscina	9	Garaje	Sótano
Gimnasio	9	Refrescos y hielo	4, 6, 8
Sala de conferencias	3, 7		

2. *Expressing doubt, uncertainty, or disbelief:* El subjuntivo con expresiones de duda e incredulidad

When a speaker expresses doubt, uncertainty, or disbelief relevant to an action or condition, the subjunctive is used.

Dudo que el avión **llegue** a tiempo.

I doubt that the plane will arrive on time.

No puedo creer que las maletas no **estén** aquí.

I can't believe that the suitcases aren't here.

The verb in the first clause, containing the expression that indicates the speaker's doubt, uncertainty, or disbelief, is in the indicative; the verb in the second clause is in the subjunctive.

> expression that indicates doubt/uncertainty/disbelief   *(indicative)*
> + **que** +
> action or condition that is doubted, uncertain, etc.   *(subjunctive)*

Some verbs and expressions of doubt, uncertainty, or disbelief are:

dudar	*to doubt*	**Dudo** que **haya** demora.
no estar seguro/a (de)	*not to be sure*	**No estamos seguros de** que **sirvan** comida en el vuelo.
no creer	*not to believe*	**No creen** que **podamos** aterrizar ahora.

- **Creer** and **estar seguro** may express the speaker's doubt or uncertainty when used to ask a question.

  ¿Estás seguro(a) de/Crees que **puedan** encontrar el equipaje?

  Are you sure/Do you think that they can find the luggage?

- However, when **creer** and **estar seguro** are used to express certainty, the indicative is used.

  El piloto **está seguro de/cree** que **podemos** aterrizar ahora.

  The pilot is sure/believes that we can land now.

Introduce the subjunctive with expressions of doubt and uncertainty by writing **Dudo que** + *subjunctive* and **Creo que** + *subjunctive* on the board. Make statements about yourself **(Tengo 21 años. Hablo francés.**, etc.) and allow students to either doubt or believe your statements, thus highlighting the use of the subjunctive with expressions of doubt. Present and practice additional expressions of doubt within the context of personalized statements.

Práctica y comunicación

Elicit multiple responses from a variety of students to verify the variety of opinions in the class. Strongly encourage students to add their own original and personalized statements to this exercise.

N. Opiniones y estereotipos. En nuestra sociedad se oyen muchas generalizaciones. Indique si usted **cree** o **duda** de las siguientes generalizaciones. Seleccione el verbo correcto según su opinión. Siga el modelo.

MODELO: Las líneas aéreas americanas son superiores a las europeas. (son/sean)

Yo creo que son superiores. *o* **Yo dudo que sean superiores.**

Generalizaciones: referencias nacionales

1. Los autos estadounidenses son inferiores a los autos japoneses. (son/sean)
2. Las cámaras japonesas son excelentes. (son/sean)
3. El vino de California es superior al vino francés. (es/sea)
4. La comida mexicana es superior a la comida francesa. (es/sea)
5. Las películas europeas son superiores a las estadounidenses. (son/sean)
6. Las líneas aéreas estadounidenses son muy eficientes. (son/sean)

Generalizaciones: los sexos

7. Las mujeres son más inteligentes que los hombres. (son/sean)
8. Los hombres prefieren a las mujeres inteligentes. (prefieren/prefieran)
9. Las mujeres prefieren a los hombres ricos. (prefieren/prefieran)
10. Los hombres son más sentimentales que las mujeres. (son/sean)
11. Las mujeres tienen más paciencia que los hombres. (tienen/tengan)
12. Los hombres de esta clase son muy machos. (son/sean)
13. Las mujeres de esta clase son extraordinarias. (son/sean)

This exercise allows students to see clearly the difference between the use of the subjunctive (#1–6) and the indicative (#7–10). After students complete their work, spot-check a few items from each category (subjunctive vs. indicative).

Ñ. De viaje. A veces somos un poco pesimistas y tenemos muchas dudas de las condiciones que vamos a encontrar cuando nos vamos de viaje. En parejas, completen las oraciones de una manera original.

1. Dudamos que el avión...
2. No estamos seguros/as de que nuestro equipaje...
3. No creemos que los auxiliares de vuelo...
4. Dudamos que el hotel...
5. No estamos seguros/as de que las habitaciones...
6. No creemos que el piloto...

En otras ocasiones somos muy optimistas y viajamos **sin** dudas o preocupaciones. En parejas, completen las oraciones de una manera positiva y original. Usen el tiempo presente o **ir** + **a** + *infinitivo*.

7. Estamos seguros/as de que la línea aérea...
8. Creemos que el vuelo...
9. Estamos seguros/as de que el hotel...
10. No dudamos que las habitaciones...

Ahora, presenten algunas de sus ideas a la clase.

O. Viajes espaciales: ¡Bienvenidos a bordo! Lean la siguiente selección de la revista *Abordo Dominicana*. Luego, en parejas, escriban sus reacciones a la idea de hacer viajes a la luna. Usen las expresiones (**no**) **dudar**, (**no**) **estar seguro/a**, (**no**) **creer**, **esperar**, etc. Usen el subjuntivo o el indicativo según la situación. Al final, lean algunas de sus reacciones a la clase.

«Atención: Todos los pasajeros del vuelo espacial número uno, rumbo al Mar de la Tranquilidad con escalas° en el Mar de la Fertilidad, el Mar de la Serenidad, el Océano de la Tempestad, las Mesetas de Plato y el Cráter de Marco Polo, por favor, tengan los boletos de viaje a mano al pasar por la puerta de seguridad. Se les darán trajes de presión° y cascos° de oxígeno al llegar a su destino. ¡Qué tengan un buen viaje a la luna!»

stops

pressure/helmets

Aunque éste le parezca un anuncio de ciencia ficción hay probabilidades de que se convierta en realidad en un futuro no muy lejano. Los últimos adelantos° en los viajes espaciales amplían las posibilidades para que, dentro de poco, las personas que hoy en día no son ni astronautas ni científicos especializados puedan disfrutar de las maravillas de los viajes espaciales.

advances

Noticias culturales

VOLAR EN AEROLÍNEAS HISPANAS

¿Le interesa a usted visitar Hispanoamérica o España? ¡Entonces haga las maletas y vaya al aeropuerto más cercano! Las líneas aéreas hispanas son famosas por su espectacular servicio internacional. El servicio de a bordo es de primera y puede satisfacer a los gustos más *demanding* exigentes°. ¡Y usted no tiene que viajar en primera clase para experimentar este servicio amistoso y profesional!

Cuando usted viaja en clase turista en la mayoría de las líneas aéreas hispanas, los auxiliares de vuelo le invitan a una copa de champaña o vino y frutas frescas, quesos y galletas antes de servir la comida —¡gratis! Los chefs de las líneas aéreas preparan unas comidas *tablecloths* exquisitas que se sirven en manteles° de lino, con platos de cerámica, *cutlery* copas y vasos de cristal y cubiertos° de metal. Es una experiencia inolvidable. ¡¿Cómo será el servicio de primera clase?!

Por supuesto, puede tener otras experiencias con estas líneas aéreas—algunas bastante inesperadas. A veces, cuando los vuelos se *are late* atrasan°, el agente de vuelo anuncia que «en este vuelo hay embarque libre». Esto significa que no hay asientos asignados, aún si tiene una tarjeta de embarque en la mano. Tiene que correr y sentarse donde haya un asiento libre.

a.   c.   e.   g.   i.

b.   d.   f. *⭐ LanChile*   h. *ℕ aeronica*

¿Qué hay de nuevo?

1. ¿Qué caracteriza a las aerolíneas del mundo hispano?
2. ¿Cómo es el servicio de a bordo de estas aerolíneas?
3. ¿Cómo se sirve la comida?
4. ¿Qué ocurre cuando hay embarque libre?

Conexiones y contrastes

1. En general ¿qué caracteriza el servicio de las aerolíneas domésticas de su país?
2. En su opinión, ¿cuál es el mejor método de transporte para viajar largas distancias? ¿Prefiere usted volar, manejar o tomar el tren o el bus? ¿Cuáles son las ventajas y desventajas de su selección? Explique.

Actividad

¿Puede usted identificar algunas de las líneas aéreas del mundo hispano? Relacione los símbolos (a–h) con los nombres.

1. _____ Líneas Aéreas Costarricenses S. A.
2. _____ Compañía Mexicana de Aviación
3. _____ Compañía Panameña de Aviación
4. _____ Aerolíneas Argentinas
5. _____ Línea Aérea Nacional de Chile
6. _____ Aerolíneas Nicaragüenses
7. _____ Empresa Consolidada Cubana de Aviación
8. _____ Lloyd Aéreo Boliviano
9. _____ Líneas Aéreas de España

3. Using impersonal expressions to express recommendations, emotion, and doubt: El subjuntivo con expresiones impersonales

In addition to the uses previously studied, the subjunctive may be used with impersonal expressions such as *It's important . . . ,* *It's necessary . . . ,* etc. to express:

● the desire to influence the actions of someone else

Es importante que **llames** a tus padres.	*It's important that you call your parents.*

● emotional reactions to the actions or conditions of another person or thing

Es una lástima que **tengas** que irte tan temprano.	*It's a shame that you have to go so early.*

● doubts and uncertainties

Es posible que **perdamos** la conexión en Miami.	*It's possible that we'll miss the connection in Miami.*

impersonal expression + **que** + subjunctive

Some frequently used impersonal expressions are:

desire to influence	**es bueno**	*it's good*
	es mejor	*it's better*
	es necesario, es preciso	*it's necessary*
	es importante	*it's important*
	es urgente	*it's urgent*
emotional reactions	**es una lástima**	*it's a shame*
	es extraño	*it's strange*
	es ridículo	*it's ridiculous*
	es horrible	*it's horrible*
	no es justo	*it's unfair*
doubt and uncertainty	**es posible**	*it's possible*
	es imposible	*it's impossible*
	es probable	*it's probable*
	es improbable	*it's improbable*

If there is no change of subject after the impersonal expression, generally the infinitive is used, not **que** + *subjunctive*.

Es necesario salir para el aeropuerto ahora.	*It's necessary to leave for the airport now.*
Es necesario que **salgamos** para el aeropuerto ahora.	*It's necessary for us to leave for the airport now.*

Introduce the subjunctive with impersonal expressions by writing the expressions on the board or on a transparency.

Indicate the relationship between particular expressions and the concepts of the subjunctive previously studied (indirect commands/emotion/doubt).

Make dramatic personalized statements (**Estoy muy enfermo/a hoy**) and allow students to react to them using the impersonal expressions (**Es una lástima que usted esté muy enfermo/a hoy**).

Emphasize the importance of a change of subject for the use of the subjunctive with impersonal expressions.

P. Planes para una conferencia. Usted y el/la vice-presidente de su compañía están investigando sitios y hoteles donde puedan tener una conferencia grande en el futuro. Primero, lean el anuncio del Grand Hotel Guayaquil. Luego, comparen los atractivos que ofrece el hotel con su lista de requisitos para ver si es una buena opción. Lean los requisitos y contesten las siguientes preguntas. Trabajen en parejas.

Lista de requisitos:

1. **Es** muy **importante** que el hotel **tenga** más de 200 habitaciones.   ¿Las tiene? _____ *sí* _____ *no*

2. **Es** absolutamente **necesario** que **tenga** una variedad de atractivos para los visitantes.   ¿Los tiene? _____ *sí* _____ *no*

3. **Es preciso** que **ofrezca** oportunidades para divertirse, hacer ejercicio, etc.   ¿Las ofrece? _____ *sí* _____ *no*

4. **Es importante** que **esté** bien ubicado (*situated*).   ¿Está bien ubicado? _____ *sí* _____ *no*

5. **Es** muy **necesario** que **esté** en una ciudad grande.   ¿Está en una ciudad grande? _____ *sí* _____ *no*

¿Creen ustedes que este hotel sea una buena opción? ¿Por qué sí o por qué no? ¿Qué atractivos tiene?

Bienvenido
EL GRAND HOTEL GUAYAQUIL está ubicado a un costado de la Catedral, a pocos pasos del Centro Comercial y Financiero de Guayaquil. 180 habitaciones con TV por cable, cuatro restaurantes, dos bares, un complejo deportivo, piscina con cascada tropical y nuestro Minicentro Comercial con: agencia de viajes, alquiler de vehículos, salón de belleza unisex, etc. ... más una atención personalizada que lo hará sentir como en su casa.

Lo esperamos en su próxima visita...
Guayaquil es la «entrada principal» a las playas más lindas del Ecuador, las Islas Galápagos y uno de los mejores sitios de pesca deportiva del mundo. Guayaquil es la capital comercial e industrial y puerto principal del Ecuador. Población aproximada 2 millones de habitantes, altura 4 m., clima deliciosamente tropical.

El Terraza Racquet Club bar & grill
Para estar en forma. La mejor manera de relajarse y compartir momentos agradables es el Terraza Racquet Club. Un gimnasio modernamente equipado, sauna, baño, sala de masajes, dos canchas de squash, bar y grill con deliciosas bebidas y exquisitos platillos... hacen que el mantenerse en forma sea una experiencia placentera.

Restaurante Barbacoa
Al lado de la piscina. En un ambiente exótico al aire libre, con trío musical, disfrute de nuestras especialidades en lomo de res, langostinos y langosta al Grill. Una experiencia inolvidable.

La Pepa de Oro
Nuestra elegante cafetería capta el sabor de la época bonanza del cacao en el Ecuador a fines del siglo XIX. Abierta las 24 horas.

Q. ¿Es posible? Indique si, en su opinión, **es posible/imposible** o es **probable/improbable** que le ocurran a usted las siguientes cosas.

MODELO: sacar una «C» en español
Es imposible que yo saque una «C» en español.

1. sacar una «A» en español
2. sacar una «F» en español
3. ganar la lotería
4. viajar a la luna
5. casarse este año
6. comprometerse este año
7. recibir un cheque de su tía rica
8. hacer un viaje a Sudamérica este verano
9. comprar un coche nuevo este año
10. ser profesor/profesora de español algún día

Exercises Q and *R* concentrate on the formation of the subjunctive. The impersonal expressions are provided.

For *Exercise Q,* write on the board the impersonal expressions listed in the exercise. Encourage students not to look at their texts. For each item, elicit a response from more than one student to play upon the variety of opinions.

R. Lo que debe hacer Esteban. Indique lo que debe hacer Esteban, usando las expresiones impersonales indicadas.

MODELO: **Es urgente que Esteban se despierte.**

Transparency #54 Use the transparency to complete this exercise. The *Un paso más* provides personalization.

Es urgente que...

Es importante que...

Es urgente que...

Es bueno que...

Es mejor que...

Un paso más: En parejas, hablen de lo que es urgente/importante/bueno/mejor/preciso que ustedes hagan en este momento de su vida universitaria.

In this exercise students provide the full range of impersonal expressions to react to situations based on the chapter theme.

S.   Un vuelo en la línea aérea «Buena Suerte» (*Good Luck*). Indiquen su reacción a lo que pasa en el vuelo 13 con destino a la Isla de Paraíso. Usen las expresiones impersonales presentadas en la página 391. Trabajen en parejas. Sigan el modelo.

MODELO: No hay asientos reservados.
Es una lástima/Es extraño que no haya asientos reservados.

1. Las azafatas no dan instrucciones.

2. Las azafatas no traen comida.

3. Muchas personas no pueden ver la película desde sus asientos.

4. Hay mucha turbulencia.

5. Dos pasajeros no quieren abrocharse el cinturón.

6. Frecuentemente se apagan las luces.

7. Varios pasajeros duermen profundamente.

8. Una pasajera está fumando un cigarro en la sección de no fumar.

9. Un bebé está llorando.

10. Un niño tiene que vomitar.

11. El piloto pide un cóctel.

12. Uno de los motores no funciona bien.

13. ¡El avión no puede aterrizar!

This exercise provides written reinforcement and gives students the opportunity to be creative in their responses.

T.   Situaciones. En grupos de tres, escriban breves reacciones a las siguientes situaciones. Usen las expresiones **Es urgente que..., Es mejor que..., Es imposible que..., Espero/Siento que...,** etc.

1. Mi amigo/a acaba de recibir sus notas, ¡y sacó «D–» en tres de sus clases! **Es urgente que...**

2. Los padres de mi novio/a llegan en media hora, ¡y no estoy listo/a para su visita!

3. Estoy en el aeropuerto y anuncian que hay una demora de cinco horas de nuestro vuelo.

4. Estoy en el avión y el piloto anuncia que vamos a pasar por una tormenta grande y que el avión tiene problemas mecánicos.

5. Estoy en la aduana y el inspector de aduanas sospecha que tengo algo ilegal en la maleta. ¡No es verdad!

6. Estoy en un hotel y descubro que en el baño de la habitación no hay agua caliente, que las sábanas están sucias y que hay cucarachas.

4. *Expressing reactions to recent events:* **El presente perfecto del subjuntivo**

The present perfect subjunctive is used to express reactions to events that have occurred in the past but are closely tied to the present. Its form is very similar to the present perfect indicative.

> *Es posible que hayamos llegado un poco tarde.*
>
> SALIDA
> VUELO 523
> BOGOTA

Espero que no **hayan salido** del aeropuerto.	*I hope that they **have** not **left** the airport.*
Es posible que **hayan ido** a buscar un teléfono.	*It's possible that they **have gone** to look for a phone.*

The present perfect subjunctive is formed by using the present subjunctive of **haber** plus the past participle.

present subjunctive of **haber**	+	past participle

perder *to lose*

Es improbable que...	*It is improbable that . . .*
(yo) **haya perdido** el boleto.	*I have lost the ticket.*
(tú) lo **hayas perdido**.	*you have lost it.*
(Ud., él, ella) lo **haya perdido**.	*you have/he/she has lost it.*
(nosotros/as) lo **hayamos perdido**.	*we have lost it.*
(vosotros/as) lo **hayáis perdido**.	*you have lost it.*
(Uds., ellos, ellas) lo **hayan perdido**.	*you/they have lost it.*

Write on the board a series of statements in the present perfect indicative.

Review the present perfect indicative plus the formation of regular and irregular past participles.

To each original statement, add a clause expressing emotion, doubt, etc. and change the verb in the second clause from the present perfect indicative to the subjunctive. (Mi hermano ha llegado. Me alegro de que haya llegado, etc.)

Illustrate one model verb within a context: Dudan que (yo) haya..., que (tu) hayas..., etc.

Práctica y comunicación

U. Su amigo se va a Quito. Su amigo va a pasar un semestre estudiando en Quito, Ecuador. ¿Qué espera usted que él **haya hecho** para prepararse para el viaje? Escoja la reacción que mejor corresponda a cada declaración (del nº 1 al 6).

1. No debe llevar efectivo.

2. Le gusta sacar fotos.

3. Va a vivir con una familia ecuatoriana.

4. La familia no habla inglés.

5. Sus abuelos siempre se preocupan cuando viaja a otro país.

6. Él siempre espera hasta el último momento para organizarse.

> a. Es bueno que él les haya escrito una carta.
> b. Espero que haya conseguido los cheques de viajero.
> c. Espero que haya comprado muchos rollos de película.
> d. Dudo que haya hecho sus maletas.
> e. Es improbable que les haya dicho que se va por un semestre.
> f. Me alegro de que haya estudiado español por cuatro años.

Students become familiar with the formation of the present perfect subjunctive through this "recognition" exercise.

Study Hints
Review the present perfect indicative studied in Chapter 10, pp. 325–326. Focus on the irregular past participles.

V. ¿Cómo reacciona usted? Según los dibujos, indique su reacción positiva o negativa a lo que ha ocurrido recientemente. Use **Me alegro de que...** o **Siento que...**

MODELO: **Me alegro de que Octavio haya ganado el campeonato de esquí.**

...Octavio...
el campeonato de esquí.

...Inés...
en un concierto.

...Camila...
en su trabajo escrito.

...Javier...
para su cumpleaños.

...Alfonso...
para nosotros.

¡Ay de mí! ...Rodolfo...
(Pobrecito.)

W. ¿Qué ha hecho? Piense en algo interesante que usted ha hecho recientemente. Puede ser algo real o imaginario. Presénteselo a la clase. Los otros/Las otras estudiantes dan su reacción usando: **Es bueno que...,** **Me alegro de que...,** **Es una lástima que...,** **Siento que...,** **Es improbable que...,** **Dudo que...,** etc.

MODELO: **He ganado la lotería.**

ESTUDIANTE: **Dudo que hayas ganado la lotería.**

X. Las cabañas Bataburo. Unos estudiantes han visitado una región remota de la selva amazónica de Ecuador. Para llegar, viajaron en autobús, en ranchera (bus abierto) y en canoas con motor por el río Tinguino. En grupos de tres, lean la descripción del lugar y las actividades.

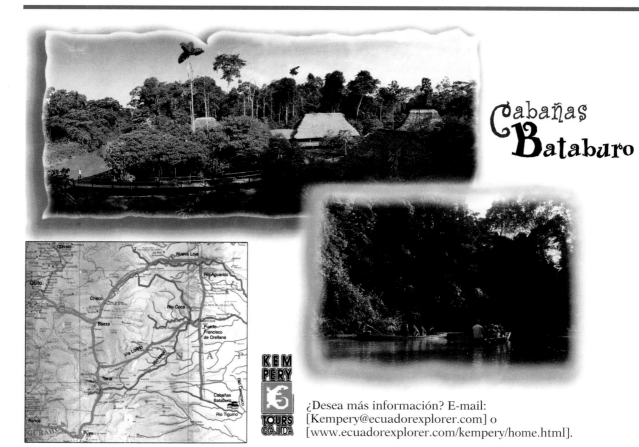

Cabañas Bataburo

¿Desea más información? E-mail: [Kempery@ecuadorexplorer.com] o [www.ecuadorexplorer.com/kempery/home.html].

En el corazón místico y salvaje de la selva primaria del territorio Huaorani[3], se han construido las Cabañas Bataburo. El diseño de construcción está totalmente en armonía con la selva. Les ofrecemos un confort sin perder el sentimiento de aventura de este paraíso lleno de misterios. Alojamiento en habitaciones dobles o matrimoniales con baños privados o compartidos, mosquíteros, luz eléctrica y torre de observación de aproximadamente 40 mts. El comedor sirve excelente comida típica.

Actividades:

- Caminatas de 5 a 6 horas en las que el guía hablará sobre la flora y fauna de la zona.
- Tour nocturno de obser-vación de insectos (tierra) y caimanes (río).
- Pescar pirañas; ver anaconda.

1. Hablen acerca de las cabañas y el alojamiento. **Es bueno/interesante**, etc. **que las cabañas estén/tengan**, etc. ...
2. Los estudiantes participaron en todas las actividades. Den su reacción. **Es interesante/fascinante/extraño**, etc. **que ellos hayan...**
3. Decidan quién/quiénes quieren visitar este lugar. ¿Por qué sí o no? ¿En qué actividades les gustaría o no les gustaría participar?

---

[3]Indigenous group that lives in the Amazon region of Ecuador.

Dicho y hecho

Conversando

Allow students to change partners and try to navigate through and resolve more than one problematic situation. If time allows, have 2–3 groups perform one of the situations in front of the class.

Problemas de viaje

¡Problemas, problemas, problemas! ¡Hay que resolverlos! La clase se divide en grupos de tres. Cada grupo selecciona uno de los siguientes problemas y trata de resolverlo. Al final, cuatro grupos pueden representar los cuatro problemas frente a la clase.

En el aeropuerto: problema 1

Personajes: Un/a agente de la línea aérea Buena Suerte y dos pasajeros/as que viajan juntos/as.

Situación: Dos pasajeros/as llegan muy tarde al aeropuerto. Van a una conferencia de negocios importantísima en Chicago. Descubren que la línea aérea Buena Suerte ha vendido sus asientos (los dos últimos asientos del avión) a dos millonarios/as. Hablan con el/la agente.

MODELO: PASAJERO/A 1: **Pero, señor/señorita...**

AGENTE: **...**

En la aduana: problema 2

Personajes: Dos pasajeros/as y el inspector/la inspectora de aduanas.

Situación: Dos pasajeros/as jóvenes llegan a la aduana del aeropuerto de Miami. El inspector/La inspectora de aduanas sospecha que hay un problema.

MODELO: INSPECTOR/A: (*a los pasajeros*) **Abran las maletas, por favor... ¿Qué es esto?**

PASAJERO/A 1: **...**

En el hotel: problema 3

Personajes: Aurora, Anselmo y el/la recepcionista.

Situación: Aurora y Anselmo hacen un viaje. (Están de luna de miel.) Han decidido que su viaje va a ser una aventura, como su amor. Por eso, no han reservado habitación en ningún hotel. Llegan al hotel Mil Estrellas y hablan con el/la recepcionista para averiguar si el hotel tiene todo lo que desean.

MODELO: RECEPCIONISTA: **Buenas noches. ¿En qué puedo servirles?**

AURORA: **...**

En el hotel, media hora más tarde: problema 4

Situación: Aurora y Anselmo están un poco desilusionados con el hotel. Su habitación, las condiciones del baño, etc. no son muy buenas. Hablan con el/la recepcionista para tratar de resolver los problemas.

MODELO: AURORA: **Perdón, señor/señorita, pero tenemos algunos problemas con nuestra habitación.**
RECEPCIONISTA: **¿Sí? ¿Qué tipo de problemas?**

¡A escuchar!

La inversión (*investment*) **del siglo se perdió**

Estamos en el vuelo 515 con destino a Caracas cuando de repente se oye un anuncio. Habla la azafata. Escuche lo que dice y también los comentarios de la pasajera del asiento 23F. Luego, conteste las dos primeras preguntas.

1. ¿Por qué enciende el capitán la señal (*signal*) de emergencia?

    __ Hay problemas mecánicos. __ Hay turbulencia.

2. ¿La pasajera del asiento 23F coopera inmediatamente con la azafata?

    __ sí __ no

Ahora, escuche la conversación otra vez y complete las oraciones para indicar las instrucciones de la azafata y el problema de la pasajera.

3. La azafata dice que es urgente que los pasajeros regresen a...
4. Ella les dice: «Abróchense..., pongan..., terminen... y apaguen...»
5. La pasajera estaba mandando mensajes por...
6. Ella dice que ha perdido...

De mi escritorio

Unas vacaciones de maravilla

Imagine que usted es agente de una agencia de viajes. Escriba un anuncio (de diez a doce oraciones) promoviendo (*promoting*) unas vacaciones en un lugar específico del mundo hispano. Busque información sobre el lugar por Internet o en la biblioteca. Incluya:

*   una descripción del lugar
*   sugerencias para actividades que los pasajeros puedan hacer (mandato de usted: **vaya, venga, disfrute de...**, etc.)
*   información sobre el transporte (avión, autobús, tren, coche) y el alojamiento (los mejores hoteles)
*   las preparaciones que deben hacer antes del viaje (**Es importante que..., Es preciso que...**, etc.)
*   en conclusión, palabras que afirmen la idea de escoger este lugar para las vacaciones (**Estamos seguros/as que..., No hay duda de que...**, etc.)

The listening passage for this and all *¡A escuchar!* sections is recorded on both the instructor and student tape or CD that accompanies each text.

Audioscript:

AZAFATA: Señores y señoras, el capitán acaba de encender la señal de emergencia. Nos estamos aproximando a una zona de gran turbulencia. Es necesario que todos presten atención y sigan estas instrucciones. Los pasajeros que estén en los pasillos o en los baños, favor de regresar a sus asientos. Rogamos que permanezcan sentados sin levantarse bajo ninguna circunstancia. Abróchense los cinturones de seguridad. Pongan sus asientos en la posición vertical y terminen sus bebidas. En un segundo pasaremos a retirar los vasos. Y por favor, ¡apaguen todos los aparatos electrónicos!

LA SEÑORA DEL ASIENTO 23 F: Pueden esperar un minuto, estoy a punto de mandar un correo electrónico. ¡Es muy importante!

AZAFATA: Mire señora, le repito que apague su computadora porque puede interferir con los aparatos de navegación. Es muy peligroso.

LA SEÑORA DEL ASIENTO 23 F: ¡He perdido más de mil dólares por culpa de estas turbulencias! ¡Iba a ser la inversión del siglo!

AZAFATA: Lo siento; y ahora agárrense fuerte que ya empiezan las turbulenciaaaaaaa....

Study Hints
See what you have learned! Turn to pp. 406–407 to review the active vocabulary and take the self-test for this chapter.

Los países andinos: Perú, Ecuador y Bolivia

[www.wiley.com/college/dicho/panorama]

Use *transparency #56* (map) to review the map questions with the class.

Preguntas sobre el mapa

1. ¿Cuál es la capital de Ecuador? ¿Dónde está situada?
2. ¿Cuál es una ciudad importante en la costa de Ecuador?
3. ¿Cuál es la capital de Perú? ¿Dónde está situada? ¿Cuál es un puerto importante que está muy cerca de la capital?
4. ¿Cómo se llaman las ruinas incas cerca de Cuzco, Perú?
5. ¿Cuál es el lago que está en la frontera entre Perú y Bolivia?
6. ¿Con qué países tiene frontera Bolivia? ¿Cuáles son las capitales de Bolivia?

El gran imperio inca

Ecuador, Perú y Bolivia, situados en el corazón[1] de los Andes, formaban el imperio inca. Este imperio, llamado Tahuantinsuyo, tenía una extensión de tres mil millas de norte a sur. La zona andina contiene espectaculares picos nevados, impresionantes volcanes y el inmenso lago Titicaca.

Cerca de Cuzco, Perú, a más de ocho mil pies de altura, los incas construyeron la ciudad de Machu Picchu. Esta ciudad, perdida por siglos, refleja el alto nivel de tecnología del imperio inca, que contaba con diez millones de habitantes antes de la conquista. ¿Qué le impresiona a usted de esta vista de Machu Picchu?

Además de sus adelantos[2] en la arquitectura, la ingeniería y la medicina, los incas perfeccionaron el cultivo de la patata y el cuidado del ganado[3] de los Andes, como las llamas, alpacas y vicuñas. Muchos indígenas continúan llevando el traje típico de los indios andinos: sarapes, ponchos y sombreros hechos con lana de vicuña o alpaca. ¿Puede usted identificar este animal de la región andina de Perú?

En la frontera entre Bolivia y Perú, a 12.506 pies de altura, está el lago Titicaca. En la parte boliviana del lago está la Isla del Sol. Una leyenda dice que el primer inca salió de esta isla para fundar Cuzco, la capital del imperio. ¿Sabe usted que el Titicaca es el lago más grande de Sudamérica (122 millas) y el lago navegable más alto del mundo? ¿Cómo cruzan estas personas el lago Titicaca?

---

[1]*heart*   [2]*advances*   [3]*livestock*

Perú

Perú es el tercer país más grande de Sudamérica y tiene tres zonas geográficas distintas. La costa árida del Pacífico, donde están Lima y el puerto principal, El Callao, es la región más dinámica del país. La región andina, con montañas muy elevadas, domina la geografía del país. ¿Qué le impresiona a usted de esta escena de las montañas de Perú? Cordillera Blanca, Perú.

Al este del país, está la fascinante selva amazónica. Vea la foto. ¿De qué está hecha la canoa?

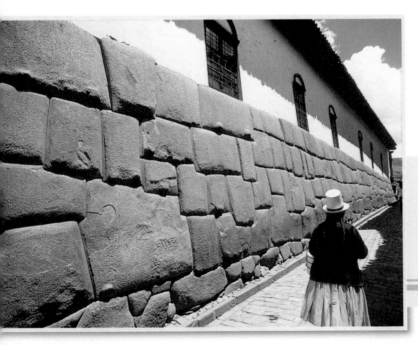

¿Sabía usted?

▶ En 1532 Francisco Pizarro y sus soldados llegaron a Perú en busca de metales preciosos.

▶ Utilizando sus caballos y sus armas de fuego, cosas que los incas nunca habían visto, los españoles capturaron al último emperador, Atahualpa, y conquistaron la región.

▶ En este período se estableció el virreinato, y Lima, la capital, se convirtió en el centro colonial más importante de Sudamérica.

▶ Después de su independencia en 1824, Perú tuvo numerosos conflictos internos y con países vecinos.

▶ Hoy Perú es un país democrático que lucha por resolver sus problemas económicos.

La influencia indígena es muy marcada en Perú. Las lenguas oficiales son el español y el quechua, idioma inca. Esta calle en Cuzco demuestra la fusión de la cultura indígena y española. ¿Quiénes construyeron el muro de piedra[4]? ¿Y la parte superior del edificio?

_____
[4]*stone wall*

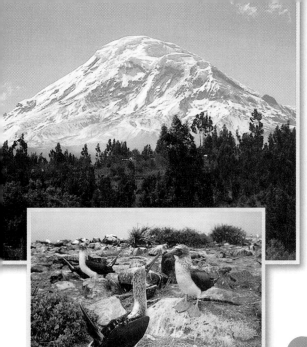

Ecuador

Ecuador es un país pequeño de grandes contrastes geográficos. En sus costas cálidas y secas, existen excelentes playas que dan al Pacífico. En la región oriental está la zona amazónica, donde el clima es caliente y húmedo y existe una gran variedad de vegetación y fauna. La región andina, con impresionantes volcanes, tiene un clima frío y seco. ¿Tiene usted interés en subir al Chimborazo, el volcán más alto de Ecuador? ¿Por qué?

SUPER TORTUGAS
Las tortugas de Galápagos, Ecuador, pueden vivir un año sin comer y pueden pesar (*weigh*) 500 libras y vivir por 100 años.

¿Siete toneladas de oro?
La iglesia de la Compañía de Jesús en Quito, Ecuador, está decorada con más de 7 toneladas de oro.

Las Islas Galápagos, a 960 millas de la costa ecuatoriana, son un verdadero tesoro ecológico, donde coexisten especies de reptiles, aves y plantas únicas en el mundo. ¿Cuál es la característica más interesante de estas aves de las Islas Galápagos?

Una rosa para ti
Muchas de las flores y plantas que se venden en las florerías de los EEUU y de Europa son de Ecuador. Llegan en aviones casi todos los días.

¿Sabía usted?

- La línea ecuatorial que pasa por el norte de Quito, la capital, le dio su nombre a este país.
- En 1535 se descubrieron las Islas Galápagos.
- El 10 de agosto de 1809 se dio en Quito el primer grito de independencia de América Latina.
- En 1822, después de la batalla de Pichincha, Ecuador se independizó de España y se incorporó a la Gran Colombia.
- Abandonó la Gran Colombia en 1830 y se convirtió en república independiente.
- En 1998, Ecuador firmó una serie de tratados con Perú para poner fin a los conflictos fronterizos que empezaron durante la época de la independencia.

Quito, la capital de Ecuador, es una ciudad con una zona antigua de gran belleza, en donde hay numerosos ejemplos del arte y la arquitectura coloniales. Por eso muchos la llaman «la cara de Dios[5]». Está situada en un valle andino y contempla desde su altura horizontes increíblemente bellos. Describa usted la Plaza de la Independencia en Quito.

[5]*God*

QUERIDO EQUIPO...

El pueblo boliviano le escribió una gran carta a su equipo nacional de fútbol para animarlo (*encourage*) antes de ir a La Copa Mundial de 1994 en los Estados Unidos. ¡La carta midió (*measured*) más de 4 millas! Un total de 24.953 bolivianos de todas partes del país la escribieron y se considera la carta más larga del mundo.

Bolivia

Sucre es la capital constitucional de Bolivia, y La Paz es la capital congresional—el verdadero centro administrativo del gobierno. La ciudad es famosa por ser la más alta del mundo: está a 12.725 pies de altura. Vea la foto de La Paz. ¿Hay mucha vegetación en esta ciudad? ¿Por qué?

¿Sabía usted?

- El nombre de este país es un homenaje a Simón Bolívar, el héroe sudamericano de las guerras de independencia.
- Bolivia fue parte de Perú durante casi toda la época colonial.
- Las minas de plata de Potosí fueron la atracción principal para los españoles. ¡En tiempos coloniales Potosí era la ciudad más poblada de América!
- Bolivia se independizó en 1825, pero poco después tuvo varias guerras con países vecinos. En una guerra con Chile perdió su única salida al mar.

¿Qué descubrimos?

1. ¿Cuál es el único país andino sin un puerto marítimo?
2. ¿Dónde es posible encontrar especies de animales y plantas únicas en el mundo?
3. ¿Dónde se encuentra el lago Titicaca?
4. ¿A qué país llegaron primero Francisco Pizarro y sus soldados?
5. ¿Cuál es el país andino con dos capitales? ¿Cuáles son?
6. ¿Cuáles son dos ejemplos del ganado de los Andes?
7. ¿En qué país está Machu Picchu? ¿Quiénes la construyeron?
8. ¿Qué línea pasa por el norte de la capital de Ecuador?

Adivinanzas

Divídanse en parejas. Seleccionen una categoría y busquen las frases que mejor describan el período o país indicado: **el imperio inca, Perú, Bolivia, Ecuador.** Ahora, algunas parejas presentan sus frases a la clase. Las otras parejas escuchan y luego identifican el período o el país.

ENCUENTRO CULTURAL
Artes literarias: Un cronista inca

El Inca, Garcilaso de la Vega (1539–1616), fue un famoso escritor peruano del siglo XVI. Su padre era español y su madre era inca. En 1609 publicó sus *Comentarios reales*, una crónica de la conquista española de Perú que incluye información extensa sobre la historia, la política y las costumbres de los incas antes de la llegada de los españoles. En la siguiente selección, el autor describe el sistema de correos y comunicaciones del imperio incaico.

READING STRATEGIES
Understanding a historic text

Note that the following selection was written in the 17th century and that grammatical usage in Spanish has changed and evolved since that time. Examples: **llamáronlos** *vs.* **los llamaron, habían puestos** *vs.* **habían puesto**. *If you do not recognize the ending on a verb (for example,* **olvidasen**), *look for the root word that you do understand (* **olvidar**).

Comentarios Reales
de El Inca, Garcilaso de la Vega

Chasqui llamaban a los correos[1] que habían puestos por los caminos, para llevar con brevedad los mandatos[2] del Rey y traer las nuevas[3] y los avisos[4] que por sus reinos y provincias, lejos o cerca, hubiese de importancia. [...]

Llamáronlos *chasqui*, que quiere decir trocar[5], o dar y tomar, que es lo mismo, porque trocaban, daban y tomaban de uno en otro, y de otro en otro, los recados[6] que llevaban. [...] El recado o mensaje que llevaban los chasquis era de palabra, porque los indios del Perú no supieron escribir. Las palabras eran pocas y muy concertadas[7] y corrientes[8], por que no se trocasen y por ser muchas se olvidasen. [...]

Otros recados llevaban, no de palabra sino por escrito, digámoslo así, aunque hemos dicho que no tuvieron letras. Las cuales eran nudos[9] dados en diferentes hilos[10] de diversos colores [...] A estos hilos anudados llamaban *quipu* (que quiere decir anudar y nudo, que sirve de nombre y verbo), por los cuales se entendían en sus cuentas[11].

Preguntas

1. ¿Qué quiere decir *chasqui*? ¿Por qué se llamaban así los mensajeros de los inca?
2. ¿Llevaban los chasquis cartas escritas en papel? ¿Por qué?
3. ¿Cómo eran los mensajes de palabra que llevaban los chasquis? ¿Por qué tenían que ser así?
4. ¿Cómo eran los mensajes «escritos» que llevaban los chasquis? ¿Cuál es el nombre de ese tipo de mensaje?
5. ¿Qué tipos de recado utiliza usted con más frecuencia en la vida diaria? ¿Cree usted que es posible comunicarse en nuestro mundo sin escribir cartas en papel?

---

[1]*messengers* [2]*commands* [3]*news* [4]*announcements* [5]*to exchange* [6]*messages* [7]*methodical*
[8]*common* [9]*knots* [10]*threads* [11]*accounts*

Sustantivos

En el aeropuerto

la aduana
la aerolínea
el asiento
el auxiliar de vuelo
el avión
la azafata
el billete
el boleto
la demora
el equipaje
el horario
la línea aérea
la llegada
la maleta
la pasajera
el pasajero
el pasaporte
el pasillo
la pilota
el piloto
la puerta
la sala de espera
la salida
la tarjeta de embarque
la ventanilla
el viaje de ida y vuelta
el vuelo

En el hotel y en la habitación

el aire acondicionado
la almohada
el ascensor
el baño privado
la calefacción
la cama doble
la cama sencilla

la cobija
la computadora portátil
la habitación doble
la habitación sencilla
la llave
la manta
la piscina
la planta
la planta baja
la propina
la recepción
la sábana
el servicio de habitación

Las personas en el hotel

el botones
la camarera
el huésped
la huéspeda
el portero
el/la recepcionista

Otras palabras y expresiones útiles

la agencia de viajes
la cámara
la foto
el país
la reserva
la reservación
el rollo de película
el/la próximo/a
bienvenidos

Verbos y expresiones verbales

aterrizar
confirmar
conseguir (i, i)

dejar
despegar
disfrutar (de)
dudar
facturar
recoger
registrarse
servir (i, i)
volar (ue)
abrocharse el cinturón
bajarse de...
estar seguro/a (de)
hacer la maleta
sacar/tomar fotos
subirse a...
tener prisa

Expresiones impersonales

es bueno
es extraño
es horrible
es importante
es imposible
es improbable
no es justo
es mejor
es necesario
es posible
es preciso
es probable
es ridículo
es una lástima
es urgente

I. Los mandatos de *usted* y *ustedes* afirmativos y negativos. Imagine que usted es agente de viajes. ¿Qué le dice usted a su cliente?

MODELO: sacar su pasaporte con mucha anticipación
Saque su pasaporte con mucha anticipación.

1. hacer las reservaciones hoy
2. conseguir los boletos pronto
3. confirmar el vuelo
4. tener paciencia si hay demoras
5. encontrar un hotel cerca de la playa
6. pedir una habitación con baño privado
7. pagar con tarjeta de crédito
8. mostrarme las fotos al volver
9. divertirse

II. El subjuntivo—expresiones de duda e incredulidad.

A. Escriba sus reacciones a las actividades de sus amigos.

MODELO: *dudar*/que Juan *pasar* por la aduana fácilmente
Dudo que Juan pase por la aduana fácilmente.

1. no *creer*/que ustedes *encontrar* sus asientos rápidamente
2. no *estar* seguro(a) de/que el auxiliar de vuelo *saber* hablar español
3. *dudar*/que el avión *despegar* a tiempo
4. no *estar* seguro(a) de/que (nosotros) *llegar* a tiempo
5. no *creer*/que (tú) *poder* ir con nosotros

B. Conteste las preguntas. Use el subjuntivo sólo *(only)* para expresar duda.

MODELO: ¿Tiene la azafata la revista *Sports Illustrated*? (creer)
Creo que la tiene.
¿Tiene la revista *People en español*? (no creer)
No creo que la tenga.

1. ¿Cuesta el boleto más de mil doscientos dólares? (creer)
2. ¿Hay un problema serio? (no creer)
3. ¿Llega nuestro equipaje a tiempo? (dudar)
4. ¿Es una línea aérea muy eficiente? (no estoy seguro/a de)
5. ¿Aterrizamos a tiempo? (estoy seguro/a de)

III. Expresiones impersonales. Complete las oraciones combinando la información de las declaraciones con la expresión impersonal indicada.

MODELO: No llevo mi computadora portátil. Es mejor que...
Es mejor que no lleve mi computadora portátil.

1. El avión llega tarde. Es una lástima que...
2. Tengo todo el equipaje. Es bueno que...
3. Vamos a la aduana. Es urgente que...
4. No puedo encontrar el boleto. Es horrible que...
5. No hay azafatas. Es extraño que...

IV. El presente perfecto de subjuntivo. ¿Sientes que o te alegras de que las siguientes cosas hayan ocurrido?

MODELO: mi mejor amiga/irse de la universidad
Siento que mi mejor amiga se haya ido de la universidad.

1. mis amigos/llegar recientemente
2. mi mejor amiga/comprarme un regalo
3. tú/perder tu cámara
4. mis amigos/no llamarme
5. ellos/tener un accidente
6. Elena y Marta/conseguir las entradas para el concierto

V. Repaso general del Capítulo 12. Conteste con oraciones completas.

1. En el aeropuerto, ¿qué información encontramos en el horario?
2. Al llegar al aeropuerto, ¿qué hacen los pasajeros generalmente?
3. ¿Cree usted que los aviones generalmente llegan a tiempo?
4. ¿Duda usted que las líneas aéreas norteamericanas sean eficientes?
5. En su opinión ¿cuáles son las características de un hotel de cinco estrellas?
6. Usted y su familia, ¿han viajado mucho? ¿Se alegra usted de que hayan viajado mucho o siente usted que no hayan viajado más?

_____

Answers to the **Autoprueba y repaso** are found in **Apéndice 2**.

CAPÍTULO 13

La Carretera Panamericana conecta las culturas y los paisajes de las tres
Américas—América del Norte, América Central y América del Sur.
¡Qué bello y majestuoso es el paisaje del norte de Chile!

Viajes terrestres: Coches y carreteras

Goals for communication

- To talk about travel by car, train, and bus
- To refer to unspecified or nonexistent persons and things
- To talk about what will happen and pending actions
- To express conditions and purpose
- To make suggestions

Presentation of *Bien dicho*, pp. 410–411

Vocabulary from previous chapters can be quickly and effectively recycled via the transparencies.

Transparency #57 Use the transparency of the opener drawings for Chapter 13 to visually present vocabulary dealing with the car, the gas station, and the highway. Each vocabulary item can be repeated chorally.

Cultural focus

- The Pan American Highway
- Guatemala, Honduras, Nicaragua, and El Salvador

Structures

1. El subjuntivo con referencia a lo indefinido o inexistente
2. El futuro
3. El subjuntivo: conjunciones temporales
4. El subjuntivo: conjunciones de condición y de finalidad
5. Los mandatos de **nosotros** (*Let's*)

Viajes terrestres: Coches y carreteras

PEMEX

1. la estación de servicio, la gasolinera

15. la velocidad

80 KM MAX

14. el kilómetro

16. la carretera, la autopista

13. el camino

9. el motor

10. arreglar, reparar

12. desinflada

2.

Aire

11. la llanta

3. la gasolina

8. el parabrisas

4. echar gasolina
5. llenar
6. el tanque

7. revisar (el aceite)

1. service/gas station   2. air (m.)   3. gasoline   4. to put gas (in the tank)   5. to fill   6. tank   7. to check (the oil)
8. windshield   9. motor   10. to fix, repair   11. tire   12. flat (tire)   13. road   14. kilometer   15. speed   16. highway

17. truck 18. bridge 19. to cross 20. traffic light 21. to turn 22. to the left 23. to continue, follow
24. straight, straight ahead 25. to the right 26. policewoman 27. to stop (movement) 28. accident 29. crash
30. to crash 31. policeman 32. motorcycle

Práctica y comunicación

Assign *Exercise A* for written homework to be completed prior to class.

Move quickly through the questions, calling on students individually, or, for short-answer questions, soliciting responses from the entire class. Refer to *transparency #57*.

A. Coches y carreteras. Conteste las preguntas según los dibujos en las páginas 410–411.

1. ¿Dónde está el coche VW?

2. ¿Qué echa uno de los empleados en el tanque? ¿Qué están haciendo los otros dos empleados?

3. El otro coche tiene problemas mecánicos. ¿Qué está haciendo el mecánico?

4. ¿En qué condición está una de las llantas del coche? ¿Qué va a hacer el hombre que lleva la llanta nueva?

5. ¿A qué velocidad se puede manejar en el camino que está cerca de la estación de servicio?

6. En la carretera que está a la distancia hay un camión. ¿Qué está cruzando el camión?

7. Para ir a León por la carretera 67, ¿en qué dirección se debe doblar? ¿Y para ir a Ríos? Para ir a Taos, ¿se debe doblar o seguir recto?

8. ¿Qué ha ocurrido en la intersección cerca del semáforo? ¿Piensa usted que el coche rojo paró o no paró al llegar al semáforo?

9. Según las señales (*signals*) que da la mujer policía, ¿qué tiene que hacer el coche que viene por el camino?

10. El hombre que está en la motocicleta, ¿puede seguir adelante o tiene que esperar? ¿Por qué? ¿Qué tipo de chaqueta lleva?

B. Juego de palabras. ¿Qué asocia usted con las siguientes palabras?

MODELO: llenar
el tanque, la gasolina, etc.

1. revisar

2. cambiar

3. arreglar o reparar

4. limpiar

5. cruzar

6. doblar

7. el accidente

8. el semáforo

Bien dicho Coches y carreteras (continuación)

los **frenos**	*brakes*
el **limpiaparabrisas**	*windshield wiper*
el **tráfico**, el **tránsito**	*traffic*
la **cuadra**, la **manzana**	*block (city)*
la **esquina**	*corner*
la **milla**[1]	*mile*
la **frontera**	*border*
el **carnet**, la **licencia de conducir**	*driver's license*
la **multa**	*fine*
funcionar	*to work (machine)*
estacionar	*to park*
el **estacionamiento**	*parking*
tener cuidado	*to be careful*
ponerse impaciente	*to get (become) impatient*
tratar de + *infinitivo*	*to try to (do something)*
despacio	*slow, slowly*
cómodo/a	*comfortable*
seguro/a	*safe*

With the presentation of **tener cuidado**, recycle the **tener** expressions presented earlier: **tener hambre, sed, frío, calor, miedo, sueño, prisa.**

With the presentation of **tratar de** + *infinitive*, remind students of the structures studied previously that require the use of the infinitive: **acabar de..., dejar de..., tener que..., tener ganas de...**

You may want to point out to students that, as usual, there are variations to the vocabulary presented: **llanta/rueda/neumático, estacionar/aparcar**, and so on.

C. Preguntas personales. En parejas, háganse las siguientes preguntas y contéstenlas.

1. ¿Qué tipo de coche manejas? ¿Es un coche seguro? ¿Cómodo?
2. ¿Cuántos años tenías cuando sacaste tu licencia de conducir?
3. ¿Te gusta la idea de viajar por todo el país en auto? ¿Y en motocicleta?
4. ¿Has cruzado la frontera entre los Estados Unidos y México? (¿Dónde?) ¿Entre los Estados Unidos y Canadá? (¿Dónde?)
5. ¿Has chocado alguna vez? (¿Dónde?) (¿Cuándo?) (¿Qué pasó?)
6. ¿Has recibido una multa recientemente? (¿Por qué?) (¿De cuánto?)
7. Cuando empezaste a conducir, ¿al principio manejabas con mucho cuidado? ¿Manejabas despacio? Y ahora, ¿tienes cuidado cuando manejas? ¿Debes manejar más despacio?
8. Cuando tu coche tiene una llanta desinflada, ¿tratas de inflarla? Si tienes que cambiarla, ¿puedes hacerlo tú mismo/a? Cuando tu coche no funciona, ¿tratas de repararlo? Si hay problema con los frenos, ¿tratas de repararlos?
9. A veces, ¿te olvidas de llenar el tanque? ¿Te olvidas de revisar el aceite? ¿Te olvidas de revisar las llantas?
10. ¿Te acuerdas siempre de abrocharte el cinturón? ¿Por qué es importante abrocharse el cinturón?
11. En un semáforo, ¿te acuerdas siempre de parar antes de doblar a la derecha?
12. Al manejar, ¿te pones impaciente cuando hay mucho tráfico? ¿En qué otras situaciones te pones impaciente?
13. Cuando estás manejando por la carretera y tienes prisa, ¿a qué velocidad manejas (millas/kilómetros por hora)?
14. En la universidad, ¿es fácil o difícil encontrar estacionamiento? ¿A veces estacionas donde no debes? ¿Cuánto cuesta el estacionamiento?

This exercise offers students practice in a variety of tenses, recycling the present, present progressive, present perfect, and imperfect. Move about the classroom as students work in pairs, and note questions that appear to be problematic so that they can be reviewed with the class.

---

[1]One mile = 1.60 kilometers.

Transparency #58 Demonstrate via the transparency the first 2 or 3 directions. To complete numbers 1–6 in the first part of the exercise, have the students trace the route of their exploration of downtown with either their finger or a pencil. At the conclusion of this part of the activity, use the transparency of the map and have a student trace the route in front of the entire class. Your final destination is . . . the cemetery! The students then complete the second part of the exercise working in pairs.

D. ¿Cuál es su destino? Usted está en la esquina de la calle 18 y la avenida D. Siga las instrucciones del profesor/de la profesora para llegar a su misterioso destino.

1. Camine dos cuadras por la Avenida D. Cómprese un helado en la Heladería Coco que está en la esquina.
2. Doble a la izquierda en la Calle 20 y siga recto dos cuadras hasta llegar al semáforo. Pare en el semáforo.
3. Doble a la derecha en la Avenida B y siga recto una cuadra hasta llegar a la estatua.
4. Doble a la derecha en la Calle 21 y siga recto una cuadra. Cómprese una pizza en la Pizzería Roma que está en la esquina.
5. Cruce la Avenida C y doble a la izquierda.
6. Pase el Banco Unido a mano derecha. Cruce la Calle 22 y camine una cuadra más hasta llegar a su destino. ¿Dónde está usted?

Un paso más: En parejas, un/a estudiante le pide direcciones a otro/a estudiante para llegar a los siguientes lugares. Túrnense.

1. Tengo que ir de compras. ¿Cómo se llega del cementerio al Almacén Corte?
2. Tengo ganas de ver una película. ¿En qué esquina está el Cine Azul? ¿Cómo se llega del Almacén Corte al Cine Azul?
3. Quiero comprarme un libro. ¿En qué esquina está la Librería Marcos? ¿Cómo se llega del Cine Azul a la Librería Marcos?
4. Voy a comprar pasteles para mi profesor/a de español. ¿En qué calle está la pastelería El Dulce? ¿Cómo se llega de la Librería Marcos a la pastelería?

E. Viajando por el laberinto. Un/Una estudiante de la clase tiene que pasar por un laberinto para llegar a su destino final. El otro/La otra es su guía. Instrucciones: (1) Dos estudiantes salen de la clase. (2) Los otros estudiantes cambian la posición de las sillas y de los pupitres, etc. formando un laberinto. (3) Los dos estudiantes, uno con los ojos tapados (*covered*), vuelven a la clase. (4) El /La estudiante con los ojos tapados pasa por el laberinto siguiendo las direcciones de su guía. ¿Tal vez una sorpresa lo/la espera al final?

Expresiones útiles: **Dobla a la derecha/izquierda, Sigue recto/derecho, Para, Ten cuidado, Despacio, Un poco más/menos...**

For *Exercise E*, bring to class a blindfold and a "surprise" for the student who successfully navigates the labyrinth. The "surprise" might take the form of a rubber snake or spider that catches the student off guard, or a treat! This activity provides excellent experience in giving directions and is great fun!

In preparation for this activity, write on the board and practice with the class the expressions involved in giving accurate directions. The two students that leave the classroom should continue practicing the directions outside.

While the student is being led through the maze by the guide, the remaining students should reaffirm the commands given by the guide or give contrary advice! If time allows, have more than one student pass through the laberinto.

BASF aprende de la naturaleza para encontrar soluciones novedosas y responsables con el medio ambiente. El "Pez Globo" se llena de aire y aumenta de volumen para evitar los ataques de sus depredadores.

BASF ha hecho evolucionar este sistema con la creación de plásticos técnicos más seguros para recubrimientos de airbags.

Grupo BASF en España: BASF Española S.A. - BASF Coatings S.A. - BASF Management Services S.A.Laboratorios Knoll S.A. BASF Curtex S.A. - Elastogran S.A. - BASF Sistemas de Impresión S.A. - BASF Labiana S.A. - Norteña de Distribución S.L.

BASF División Regional Europa Sur. Paseo de Gracia, 99 - 08008 Barcelona.

COMPROMISO DE PROGRESO

El airbag ya estaba inventado. Los plásticos de BASF lo han hecho más seguro.

El «Pez Globo» se llena de aire y aumenta de volumen para evitar los ataques de sus depredadores. ¿Qué relación existe entre el «Pez Globo» y los *airbags*? ¿Tiene *airbags* su coche? ¿Se siente usted más seguro/a con *airbags*?

Bien dicho ¡Reacciones!

When presenting these expressions, have the students repeat them emphatically with a sense of drama!

¡Caramba!	*Oh, my gosh!*
¡Claro!, ¡Por supuesto!	*Of course!*
¡Socorro!	*Help!*
Lo siento mucho.	*I'm so sorry.*
¡Qué barbaridad!	*How awful!*
¡Qué lástima!	*What a shame!*
¡Qué lío!	*What a mess!*
¡Ay de mí!	*Poor me! (What am I going to do?)*
¡Qué suerte!	*What luck!/How lucky!*

F. ¡Caramba! ¿Qué dice usted en las siguientes situaciones? Use todas las reacciones de la lista. Hay más de una respuesta posible.

¿Qué dice usted cuando...?

1. Un amigo de su compañero/a de cuarto ha tenido un accidente horrible y está en el hospital.

2. Usted está en el centro de la ciudad de Nueva York y ¡su coche tiene una llanta desinflada!

3. Llueve mucho y ¡los limpiaparabrisas no funcionan!

4. Usted está manejando **muy** rápidamente por las calles de San Francisco y descubre que ¡los frenos no funcionan!

5. Le cuentan a usted que alguien robó el coche nuevo de su amiga.

6. El policía le pide a usted la licencia de conducir y usted no la tiene.

7. Usted abre la puerta de su coche y ve que todo está **muy, muy** sucio por dentro. Hay papeles, comida vieja, ropa sucia y vieja, etc., por todas partes.

8. Una tía rica le pregunta a usted si quiere un coche nuevo de regalo.

Conversación

Un viaje en coche

Linda y Pepita viajan en coche para pasar el fin de semana con sus amigos en la playa. Linda conduce y Pepita está un poco nerviosa.

PEPITA: Linda, vas muy rápido y casi no tenemos gasolina.

LINDA: ¡Ay, Pepita! ¡Cálmate! Todo va a estar bien. Tengo prisa por llegar a la playa.

PEPITA: ¿Qué es ese ruido? ¿No lo oyes, Linda? Hay un ruido en la llanta.

LINDA: ¡Pepita! Es tu imaginación. Es mejor que te duermas.

PEPITA: Linda, por favor. Párate en esa estación de servicio para que revisen el coche. Si no lo haces, voy a tomar el autobús hasta la playa.

LINDA: Bueno, bueno... está bien. Voy a parar sólo para que te calles°.

be quiet/shut up

(Entran en la estación de servicio.)

LINDA: *(Al empleado.)* Buenas tardes, ¿puede llenar el tanque y revisar las llantas, por favor?

EMPLEADO: Sí, inmediatamente. *(El empleado echa la gasolina y revisa las llantas.)* ¿Quiere que revise el motor y los frenos?

LINDA: No, no es necesario.

PEPITA: ¡Sí! ¡Sí, es necesario!

(El empleado revisa el motor y los frenos.)

EMPLEADO: *(A Linda.)* Señorita, la llanta delantera derecha está en muy malas condiciones y necesita cambiarse; el coche casi no tiene aceite; los frenos están muy malos... Necesito por lo menos cuatro horas para repararlo todo. Lo siento mucho.

PEPITA: *(A Linda.)* ¿Qué dices ahora, Linda?

LINDA: ¡Caramba!

¿Qué pasa?

1. ¿Adónde van Linda y Pepita?
2. ¿Quién está conduciendo el coche?
3. ¿Por qué está nerviosa Pepita?
4. ¿En dónde se paran?
5. ¿Qué revisa el empleado?
6. ¿Qué le pasa al coche?

The *Conversaciones* are recorded on the *Dicho y hecho* instructor CD/tapes. You may wish to introduce the *Conversación* by playing it for the class.

Students, working in pairs, read the conversation twice with expression. One pair performs in front of the class.

Estructuras

1. *Talk about unknown or nonexistent persons or things:*
El subjuntivo con referencia a lo indefinido o inexistente

In Spanish, when a reference to a person or thing is either (1) *nonspecific* (*unidentified, hypothetical, unknown*) or (2) *nonexistent* in the mind of the speaker, the subjunctive is used.

> nonspecific or nonexistent reference + **que** + subjunctive

(1) *Nonspecific (unidentified, hypothetical, unknown)*

¿Hay alguien aquí que **pueda** ayudarme a reparar el motor?	*Is there someone* here who *can* help me fix the motor?
Preferimos un coche que **tenga** aire acondicionado.	*We prefer a car* that *has* air conditioning.

(2) *Nonexistent in the mind of the speaker*

No hay ningún coche aquí que **funcione** bien.	*There are no cars* here that *work* well.

However, if the person or thing referred to is known, identified, or definitely exists in the mind of the speaker, the indicative is used.

> reference to what is definite, known, existing + **que** + indicative

Tenemos un coche para usted que **está** en excelentes condiciones.	*We have a car* for you that *is* in excellent condition.

Práctica y comunicación

G. Un sondeo (*A poll*). Escuche las preguntas del profesor/de la profesora. Levante la mano para contestar afirmativamente. La clase cuenta las respuestas afirmativas para cada pregunta y apunta el total.

Keeping track of (and having students record) the number of responses or lack thereof in each category is essential to the completion of the second part of the exercise. The point of the anticipated "zero" responses is to provide ample practice of the subjunctive with a nonexistent antecedent.

En esta clase, ¿hay alguien...	*Número*
(a) que sea de Vermont?	_____
(b) que sepa pilotear un avión?	_____
(c) que sepa tocar el violín?	_____
(d) que sea vegetariano/a?	_____
(e) que tenga ocho hermanos?	_____
(f) que tenga su cumpleaños este mes?	_____
(g) que haya dejado de fumar?	_____
(h) que tenga un coche nuevo?	_____

Ahora, en parejas, repasen los resultados de cada pregunta. Hagan oraciones según el modelo.

MODELO: **En esta clase, hay dos personas que son de Vermont.** *o* **No hay nadie (ninguna persona) que sea de Vermont.**

> **DICHO** **No hay mal que por bien no venga.**
> *¿Puede usted explicar el significado de este dicho en español?*

H. Preguntas personales. En parejas, hagan las siguientes preguntas y contéstenlas.

You may wish to demonstrate two or three items of this exercise with a student in front of the class. Then pair students to complete the exercise beginning with number one. Move about the classroom listening for potential errors and interesting answers. Have certain students share select answers with the class.

MODELO: ¿Hay alguien de tu familia que...   *saber* hablar chino?
¿Hay alguien de tu familia que sepa hablar chino?
Sí, mi tía sabe hablar chino. *o* **No, no hay nadie de mi familia que sepa hablar chino.**

1.   ¿Hay alguien de tu familia que...
tener más de ochenta años? (¿Quién?)
saber tocar el piano? (¿Quién?)
ser famoso/a? (¿Quién?)
se *haber* graduado de esta universidad? (¿Quién?)

2.   ¿Conoces algún/alguna estudiante que...
haber sacado la nota «A» en todas sus clases?
nunca *haber* estado en la biblioteca?
no *saber* manejar un coche de transmisión manual?
conducir un BMW?

3.   ¿Tienes una clase que...
ser muy fácil? (¿Cuál?)
ser muy difícil? (¿Cuál?)
ser un poco aburrida? (¿Cuál?)
tener más de cien estudiantes? (¿Cuál?)

I.   Un mundo ideal. Divídanse en siete grupos. Cada grupo selecciona una oración y la completa con tres o cuatro posibilidades diferentes. En cada grupo, un/a secretario/a escribe las oraciones. Al concluir, él/ella las comparte con la clase.

1.   Queremos un/a profesor/a que...
2.   Necesitamos encontrar un/a compañero/a de cuarto o de apartamento que...
3.   Nosotras (las mujeres de la clase) estamos buscando un hombre que...
4.   Nosotros (los hombres de la clase) estamos buscando una mujer que...
5.   Buscamos un lugar de vacaciones que...
6.   Vamos a conseguir un trabajo o empleo que...
7.   Queremos comprar un coche que...

Estructura

2. *Talking about what will happen:* El futuro

Note that in Spanish, the future may be expressed three ways:

present tense

| Ella **llega** esta noche. | *She **is arriving*** *tonight.* |
| *immediate future* | |

ir + **a** + infinitive

| **Voy a estudiar** en Guatemala este verano. | ***I'm going to study*** *in Guatemala this summer.* |

future tense

| **Estudiaré**[2] en Guatemala este verano. | ***I will study*** *in Guatemala this summer.* |

---

[2]In spoken Spanish, the **ir** + **a** + *infinitive* construction is used more frequently than the future tense to refer to the future.

In Spanish, as in English, the future tense tells what *will* happen. The future tense of all regular **-ar**, **-er**, or **-ir** verbs is formed by adding the same set of endings to the infinitive.

infinitive + -é, -ás, -á, -emos, -éis, -án			
	llamar	**volver**	**ir**
(yo)	llamar**é**	volver**é**	ir**é**
(tú)	llamar**ás**	volver**ás**	ir**ás**
(Ud., él, ella)	llamar**á**	volver**á**	ir**á**
(nosotros/as)	llamar**emos**	volver**emos**	ir**emos**
(vosotros/as)	llamar**éis**	volver**éis**	ir**éis**
(Uds., ellos, ellas)	llamar**án**	volver**án**	ir**án**

¿**Comprarás** un coche nuevo el año próximo?	*Will you buy a new car next year?*
Lo **compraré** si consigo un buen trabajo.	*I will buy it if I get a good job.*

The following verbs add regular future endings to the irregular stems shown (not to the infinitive).

infinitive	stem	future forms
hacer	**har-**	haré, harás, hará, haremos, haréis, harán
decir	**dir-**	diré, dirás,...
poder	**podr-**	podré, podrás,...
querer	**querr-**	querré, querrás,...
saber	**sabr-**	sabré, sabrás,...
poner	**pondr-**	pondré, pondrás,...
salir	**saldr-**	saldré, saldrás,...
tener	**tendr-**	tendré, tendrás,...
venir	**vendr-**	vendré, vendrás,...

Harán todo lo posible para resolver el problema.	*They will do everything possible to solve the problem.*
Tendremos que tener paciencia.	*We will have to be patient.*

¡Un momento, por favor!

- The future tense may also be used to express conjecture or probability.

¿Qué hora **será**?	*I wonder what time it is?*
Serán las tres.	*It's probably three o'clock.*

- The future of **hay** (*there is, there are*) is **habrá** (*there will be*).

¿**Habrá** una fiesta este fin de semana?	*Will there be a party this weekend?*

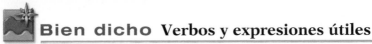

Bien dicho Verbos y expresiones útiles

mudarse	*to move (from house to house)*
reemplazar	*to replace*
(no) estar de acuerdo	*to agree (to disagree)*

Práctica y comunicación

This "recognition" exercise begins with a captivating photograph. The theme of the environment is recycled within the context of the future tense.

Read (or ask a student to read) each prediction aloud as students jot down their yes or no answers.

J.   Dentro de 50 años, ¿cómo será nuestra vida y nuestro planeta?
Observe la mariposa (*butterfly*) en la foto. ¿Está usted de acuerdo o no con los pronósticos presentados? ¿Por qué?

Dentro de 50 años, todas las selvas desaparecerán. Miles de especies se perderán.

Indique si usted está de acuerdo o no con los siguientes pronósticos. Apunte *sí* o *no*.

Dentro de 50 años...

1. El número de automóviles en circulación aumentará.
2. Los coches eléctricos reemplazarán a los que usan gasolina.
3. Habrá más contaminación del aire y de los ríos y mares.
4. En las ciudades grandes tendremos que llevar máscaras de oxígeno por la contaminación del aire.
5. Para disminuir la congestión en las ciudades, muchas personas se mudarán al campo.
6. Habrá más pobreza en el mundo.
7. El uso de la tecnología y de las computadoras aumentará.
8. En las universidades, las máquinas reemplazarán a muchos de los profesores.
9. Encontraremos una cura para el cáncer.
10. Podremos viajar a la luna fácilmente.

En grupos de cuatro, comparen sus respuestas. ¿Están de acuerdo?

MODELO: ESTUDIANTE 1: **Yo creo que las selvas desaparecerán.**

ESTUDIANTE 2: **Estoy de acuerdo/No estoy de acuerdo porque...**

K. Los planes para el año próximo. ¿Qué cosas positivas ocurrirán el año próximo? Seleccione dos o tres opciones de cada categoría. Dígaselas a la clase. Use el tiempo futuro.

MODELO: (yo) *comer* menos comida rápida
         Comeré menos comida rápida.

1. Para mejorar mi salud, yo...
   comer menos comida rápida/chocolate/postres   *acostarme* más temprano
   comer más frutas y vegetales   *tomar* menos refrescos
   desayunar todos los días

2. En nuestra vida académica, nosotros...
   asistir a todas las clases   *terminar* los proyectos a tiempo
   estudiar más   *sacar* mejores notas
   leer más y *ver* la tele menos

3. En general, mis amigos/as...
   tener más cuidado al manejar   *pensar* en el futuro
   tomar buenas decisiones para el futuro   *tratar* de ayudarse y *ser* buenos/as amigos/as

L. Planes para el verano. En parejas, háganse las preguntas sobre lo que piensan hacer durante el verano y contéstenlas.

1. ¿Te mudarás? ¿Volverás a casa?
2. ¿Buscarás trabajo?
3. ¿Cuándo sabrás si tienes empleo?
4. ¿Tendrás que trabajar todo el verano?
5. ¿Qué más querrás hacer este verano?
6. ¿Qué cosas no podrás hacer?
7. ¿Vendrás a la universidad para asistir a la escuela de verano? (¿Qué clases tomarás?)
8. ¿Saldrás con frecuencia con tus amigos? (¿Adónde irán ustedes?)
9. ¿Harás algún viaje? (¿Adónde?)

M. La adivina/El adivino (*The fortune teller*). Imaginen que ustedes son adivinas/adivinos y pueden pronosticar el futuro según las líneas de la mano. Trabajando en parejas, indiquen lo que ocurrirá en el futuro en la vida del otro/de la otra estudiante. Usen la siguiente información como guía.

MODELO: Esta línea de tu mano me dice que **tendrás cinco hijas.**

PERSONAS	POSIBILIDADES
tú...	graduarte en...
tu futuro/a esposo/a	mudarte a...
tus hijos/as	trabajar en...
tus amigos/as de la	ser (*descripción/profesión*, etc.)
universidad	estar casado/a con...
	tener...
	vivir...

Un paso más: Escriba cuatro oraciones pronosticando su futuro. Luego, entregue su papel a la profesora/al profesor. Ella/Él se lo lee a la clase, y pregunta de quién será. La clase trata de determinar a quién describe.
Será...

N. El auto del siglo XXI. Trabajen en parejas. Primero, estudien este auto de carreras (*race car*) diseñado por estudiantes de México. ¿Les gustaría tener un auto solar como éste? ¿Por qué? ¿Serán los autos solares los autos del futuro? ¿Por qué sí o por qué no?

Ahora, inventen ustedes el auto del siglo XXI. ¿Cómo será? ¿Qué características tendrá o no tendrá? Usen las siguientes características como guía, y sean creativos.

1. *ser*: solar, barato/caro, grande/pequeño, reciclable, seguro, ¿...?
2. *tener*: motor de combustión/eléctrico, faros (*headlights*) que se ajustan automáticamente, llantas permanentes/reciclables, asientos cómodos/móviles, una velocidad máxima de ... millas por hora, ¿...?
3. *haber* (montados en el carro): computadora, televisor, teléfono, telecámaras para ver el tráfico, ¿...?

Presenten a la clase algunas características de su auto del futuro. ¿Qué pareja tiene el más original?

Diseñado por un grupo de estudiantes de diferentes universidades y especialistas en diversas disciplinas, el auto solar de carreras —Tonatiuh— es un hito en el devenir tecnológico del país.

Palabra útil: **hito** = *milestone*

Noticias culturales

LA CARRETERA PANAMERICANA

¿Sueña usted con cruzar toda Latinoamérica detrás del volante° de su automóvil? La Carretera Panamericana le ofrece una aventura inigualable°.

La Carretera Panamericana comienza en Fairbanks, Alaska, y continúa hasta Ushuaia, Tierra del Fuego, en Argentina. Esta gran vía conecta las culturas y los paisajes de las tres Américas, pasando por numerosas ciudades y pueblos, y cruzando las selvas y las montañas más importantes del continente. A veces es una autopista. Otras veces es un camino de dos carriles°.

El plan para su construcción comenzó en 1925 con un congreso celebrado en Buenos Aires. Los Estados Unidos cooperó con los países de Latinoamérica en la planificación y construcción de esta carretera, y actualmente sólo falta construir 160 km (casi 100 millas) en la densa selva del Darién, entre Panamá y Colombia. A causa de la importancia ecológica de la zona, es muy probable que nunca se termine de construir esta parte de la carretera. Al llegar a este lugar, los viajeros deben transportar sus vehículos en barco hasta Venezuela o Colombia. Allí pueden retomar la Carretera Panamericana y continuar su viaje hacia el sur. ¡Como promedio°, un viaje a lo largo de toda la Carretera Panamericana puede durar hasta 13 meses!

wheel

unequaled

average

lanes

Condorito es el protagonista de una tira cómica chilena. ¿Qué trabajo tiene Condorito? ¿En qué lugar de la Panamericana cree usted que está? ¿Por qué quiere suicidarse?

¿Qué hay de nuevo?

1. ¿Dónde comienza la Carretera Panamericana? ¿Dónde termina?
2. ¿En dónde se interrumpe la carretera?
3. ¿Por qué es probable que nunca se termine la construcción de la carretera?
4. ¿Qué hay que hacer para continuar el viaje a Sudamérica?
5. ¿Aproximadamente cuánto tiempo es necesario para recorrer toda la Carretera Panamericana?

Conexiones y contrastes

1. ¿Le gusta a usted hacer viajes muy largos en coche? ¿Por qué?
2. ¿Recuerda usted su viaje más largo en coche? ¿Adónde iba?
3. ¿Cuál es la carretera más pintoresca de su país o su región? ¿Por qué?

3. *Talking about pending actions:* **El subjuntivo después de conjunciones temporales**

The subjunctive is used after the following conjunctions of time only when an action has not yet occurred. In contrast, if the action is habitual or completed, the indicative is used.

cuando	*when*
antes de que[3]	*before*
después de que	*after*
hasta que	*until*
tan pronto como	*as soon as*

---

action pending, yet to occur > subjunctive

Cuando vuelvas a casa, llámame.	***When you return*** *home, call me.*
Llevaré el coche al mecánico **antes de que salgas**.	*I will take the car to the mechanic* ***before you leave***.
Lavaré el coche **después de que** el mecánico **termine** el trabajo.	*I will wash the car* ***after*** *the mechanic* ***finishes*** *his work.*
Me quedaré aquí **hasta que** él **nos llame**.	*I will stay here* ***until*** *he* ***calls us***.
Tan pronto como recibas la llamada, recogeremos el coche.	***As soon as you receive*** *the call, we will pick up the car.*

---

habitual or completed action > indicative

Mi amigo siempre me llama **cuando vuelve** a casa.	*My friend always calls me* ***when he returns*** *home.* (habitual)
Mi amigo me llamó **cuando volvió** a casa.	*My friend called me* ***when he returned*** *home.* (completed)

---

[3]The conjunction **antes de que**, because of its meaning (signaling an action yet to occur), is always followed by the subjunctive.

¡Un momento, por favor!

When there is no change of subject, the conjunctions **antes de que**, **después de que**, and **hasta que** most commonly become **antes de** + *infinitive*, **después de** + *infinitive*, and **hasta** + *infinitive*.

*Change of subject > **que** + subjunctive*	*No change of subject > infinitive*
Lo terminaremos **antes de que salgas**.	Lo terminaremos **antes de salir**.
Haremos la decisión **después de que hagas** la llamada.	Haremos la decisión **después de hacer** la llamada.
Nos quedaremos aquí **hasta que** lo **termines**.	Nos quedaremos aquí **hasta terminarlo**.

Práctica y comunicación

Ñ. Proyecciones hacia el futuro. Indique las opciones que mejor correspondan a sus planes. Luego, léanselas a un/a compañero/a de clase.

A "recognition" exercise provides the first step, with emphasis on personal plans for the future. Allow students a few minutes to check off and complete their answers.

1. Antes de que termine este año escolar...

   _____ hablaré con mis profesores de mis notas, _____ completaré mis trabajas escritos, _____ saldré con todos mis amigos/as, _____ visitaré a la familia de mi mejor amigo/a, _____ compraré..., _____ iré a..., _____ ¿...?

2. Después de que termine este año escolar...

   _____ iré a la playa, _____ trabajaré, _____ haré un viaje con mi familia, _____ descansaré, _____ volveré a casa, _____ ¿...?

3. Tan pronto como me gradúe...

   _____ buscaré empleo, _____ me casaré, _____ asistiré a una escuela para graduados, _____ me mudaré, _____ alquilaré un apartamento, _____ compraré un coche nuevo, _____ ¿...?

4. En el futuro, cuando tenga la oportunidad...

   _____ haré un viaje en coche por todo el país, _____ viajaré a Europa/Sudamérica, ¿...?, _____ visitaré a todos mis parientes, _____ seré voluntario/a, _____ ¿...?

O. ¿Cuándo saldrán? Los estudiantes van a hacer un viaje en coche a la playa durante la semana entre los exámenes finales y la graduación. Indique que saldrán tan pronto como hagan ciertas cosas.

MODELO: **Saldrán tan pronto como Camila limpie su apartamento.**

Camila/*limpiar* su...

Javier/*terminar* el proyecto de...

Alfonso/*devolver*...

Esteban/*reparar*...

Rubén/*llenar*...

Carmen y Linda/*comprar*...

Pepita e Inés/*hacer*...

Un paso más: Imaginen que los estudiantes ya hicieron el viaje. Cambien cada situación al tiempo pasado. Trabajen en parejas.

MODELO: **Salieron tan pronto como Camila limpió el apartamento.**

P. Situaciones. En grupos de tres, completen las oraciones con tantas variaciones como sea posible.

1. Usted habla con el mecánico de la estación de gasolina antes de hacer un viaje largo en coche. **No voy a hacer el viaje hasta que usted...**
2. La madre o el padre habla con un hijo o una hija que tiene siete años. **Saldremos tan pronto como (tú)...**
3. El profesor o la profesora habla con los estudiantes. **Podemos salir de la clase después de que ustedes...**
4. La novia habla con el novio, o el novio habla con la novia. **Me casaré contigo cuando...**
5. Usted habla con algunos de sus amigos (que son un poco irresponsables). **No podemos ir a... antes de que ustedes...**

Ahora, presenten algunas de sus conclusiones a la clase.

Bien dicho ¡Viajemos por tren o en autobús!

la **estación de ferrocarril**	*railroad station*
la **estación de autobuses**	*bus station*
el **tren**	*train*
perder el tren/el autobús	*to miss the train/bus*
la **taquilla**	*ticket window*
el **boleto/billete**	*ticket*
de **ida y vuelta**	*round-trip*
de **primera clase**	*first class*
de **segunda clase**	*second class*
el **andén**	*platform*
el **maletero**	*porter*
los **aseos**, el **servicio**	*restroom*

Práctica y comunicación

Q. En la estación de ferrocarril. En grupos de cuatro estudiantes, describan la escena en la estación de ferrocarril. Un/a estudiante de cada grupo sirve de secretario/a. Tienen cinco minutos.

Transparency #60 After students have completed this exercise, project the transparency of the drawing and have one or two of the secretaries present their group's description to the class.

Palabra útil:
el **tatuaje** = *tatoo*

R. En la estación de ferrocarril/autobuses. En parejas, un/a estudiante hace el papel del empleado o la empleada y el otro/la otra hace el papel del pasajero o de la pasajera. Hagan las siguientes transacciones:

1. comprar un boleto (tipo y destino)
2. pedir información (sobre horario/equipaje/andenes/lugar des aseos o quiosco...)
3. hablar de las demoras y tratar de resolver los problemas que puedan causar

Be sure to pair students with different partners. After completion of this role-playing activity, seek at least one presentation in front of the class.

MODELO: EMPLEADO/A: **Buenos días, señor/señorita. ¿En qué puedo servirle?**

PASAJERO/A: **Deseo comprar...**

Al final, algunas parejas presentan su conversación ante la clase.

4. *Expressing condition and purpose:* **El subjuntivo después de conjunciones de condición y de finalidad**

Llevo este traje para que nadie sepa quién soy.

The subjunctive is always used after the following conjunctions:

en caso de que	*in case*
con tal (de) que	*provided that*
a menos (de) que	*unless*
para que	*so that, in order that*

These conjunctions denote purpose (*so that*) and condition or contingency (*unless, provided that, in case*). These meanings indicate that the outcome of these actions is dependent on other actions. Therefore, in the mind of the speaker, the outcomes are considered to be indefinite or pending, and may or may not take place.

Trae tu tarjeta de crédito **en caso de que** la **necesites**.	*Bring your credit card **in case you need it**.*
Puedes comprar un coche usado **con tal que** un mecánico lo **inspeccione**.	*You can buy a used car provided that a mechanic inspects it.*
No lo compres **a menos que** te **guste** mucho.	*Don't buy it **unless** you **like it** a lot.*
Vamos al concesionario Ford **para que** también **veas** los nuevos modelos.	*Let's go to the Ford dealership **so that you can** also **see** the new models.*

¡Un momento, por favor!

When there is no change of subject, the conjunction **para que** most commonly becomes the preposition **para** + *infinitive*.

Vamos a la estación de ferrocarril...	*We are going to the train station . . .*
...**para que** ella **compre** los boletos.	*. . . **so that** she **can buy** the tickets.*
...**para comprar** los boletos.	*. . . **to (in order to) buy** the tickets.*

Práctica y comunicación

S. Un viaje en tren por Europa. Imagine que usted y sus amigos/as están en España y están haciendo los preparativos para un viaje en tren por Europa. En parejas, lean las declaraciones (del nº 1 al 6) y complétenlas con las frases que les correspondan (a.–f.).

1. No podemos visitar todos los países de Europa...
2. Vamos a la estación de ferrocarril...
3. Vamos a comprarte un mapa de Europa...
4. Será difícil dormir en el tren...
5. Carlos viene con nosotros...
6. Debemos llevar los pasaportes originales (no las copias)...

> a. ...en caso de que los oficiales quieran revisarlos.
> b. ...para buscar información acerca de los horarios de los trenes.
> c. ...con tal que reciba el dinero que le mandó su tío.
> d. ...a menos que tengamos seis semanas de vacaciones.
> e. ...a menos que el tren tenga coches-cama.
> f. ...para que veas los países que vamos a visitar.

T. Por si acaso (*Just in case*). Alfonso hace un viaje a Honduras. ¿Por qué lleva las siguientes cosas?

MODELO: **Alfonso lleva el diccionario de español en caso de que no sepa algunas palabras.**

en caso de que

U. La mujer y el hombre de negocios. Una mujer y un hombre de negocios llegan a Miami de El Salvador para asistir a una conferencia y conocer la ciudad. Ustedes son los guías. En parejas, digan **para qué** ustedes los llevan a los lugares indicados. Completen las oraciones.

MODELO: Voy a llevarlos a un restaurante de comida rápida...
para que coman una hamburguesa.

Voy a llevarlos...

1. al centro comercial...
2. al banco...
3. a la oficina de correos...
4. a la pequeña Habana en Miami...
5. a Kinko's...
6. a Office Max...

V. Un viaje extraordinario en coche. Imaginen que después de graduarse, ustedes quieren hacer un viaje largo en coche. Completen las siguientes oraciones para indicar sus planes. Trabajen en grupos de cuatro. Un/a secretario/a escribe las respuestas.

1. Haremos un viaje a ... con tal que...
2. Saldremos cuando/tan pronto como...
3. No vamos a ... a menos que...
4. Vamos a llevar ... en caso de que...
5. Vamos a hacer el viaje para (*in order to*)...

Al final, lean sus planes a otro grupo y/o a la clase.

5. *Making suggestions:* Los mandatos de nosotros (*Let's*)

- To express the *let's* command, Spanish uses a form identical to the **nosotros** form of the present subjunctive.

Revisemos la batería. | ***Let's check*** the battery.
No **esperemos** más. | ***Let's* not *wait*** any longer.

- As in other command forms, object and reflexive pronouns in the **nosotros** commands are attached to the end of the affirmative command and placed before the negative command.

No lo hagamos ahora. Hagámoslo más tarde.

- To form the affirmative *let's* command of reflexive verbs, the final **-s** of the present subjunctive form is dropped before adding the pronoun **nos**. Note the written accent.

levantemos > levantemo- + **nos** = **¡Levantémonos!**

- The verbs **ir** and **irse** have irregular affirmative *let's* commands.

¡Vamos! or **¡Vámonos!** ***Let's go!***

But the negative command is the same as the subjunctive form.

¡No vayamos! or **¡No nos vayamos!**

Guatemala

La mitad de los guatemaltecos es de origen maya. Por eso, Guatemala tiene la cultura indígena más dinámica de todos los países centroamericanos. Las ruinas mayas más impresionantes están en Tikal, en la selva guatemalteca. ¿Puede usted imaginar cuántos escalones[2] es necesario subir para llegar al altar de este templo en Tikal?

Indígena guatemalteca gana el Premio Nobel
Rigoberta Menchú ganó el Premio Nobel de la Paz por sus contribuciones a ponerle fin pacífico a 30 años de guerra civil en Guatemala.

Originalmente, la capital del país era la ciudad de Antigua. Después de varios terremotos[3] catastróficos, la capital se transfirió a la ciudad de Guatemala. Hoy Antigua es un importante destino turístico por la belleza de su arquitectura colonial y su paisaje.[4] ¿El Volcán de Agua ocupa un lugar muy grande en la vida del pueblo. ¿Le molestaría a usted vivir cerca de un volcán?

El señor presidente
Miguel Ángel Asturias, escritor guatemalteco, ganó el Premio Nobel de Literatura (1967) por su controversial novela *El señor presidente*.

¿Sabía usted?

▶ Guatemala fue el centro de la civilización maya.
▶ En 1960 comenzó una lucha entre grupos revolucionarios y el gobierno, pero desde 1997 está en marcha un proceso de paz que empieza a consolidar la democracia.

Honduras

Las dos ciudades más importantes de Honduras son San Pedro Sula, el centro industrial del país y la capital, Tegucigalpa. Tegucigalpa está situada en la montañosa zona central. Observe esta iglesia pintoresca en el centro de Tegucigalpa. ¿Qué se puede comprar en este mercado?

¿Sabía usted?

▶ Los habitantes indígenas de Honduras eran los mayas y los lencas.
▶ Para el año 800 d.C., los mayas habían abandonado inexplicablemente sus ciudades.
▶ Cuando llegaron los españoles en 1523, sólo encontraron las ruinas de Copán, una gran ciudad de palacios y pirámides.

En Honduras, predominan varios grupos étnicos. El área más aislada y remota del país es la Mosquitia, donde viven 50.000 indios miskitos. (Vea el mapa.) En la costa caribeña viven los garífuna, quienes llegaron a Honduras en el siglo XVIII, escapándose de la esclavitud[5] bajo las colonias inglesas del Caribe. Vea la foto de esta magnífica familia garífuna. Describa a la familia y la escena.

---

[2]*steps*   [3]*earthquakes*   [4]*landscape*   [5]*slavery*

Nicaragua

Nicaragua es el país más grande de Centroamérica y se caracteriza por sus hermosos lagos y volcanes. Managua, la capital de Nicaragua desde 1858, está al lado del lago del mismo nombre. Vea esta perspectiva de Managua. Describa la escena. ¿Qué se ve en la distancia?

El gran Lago de Nicaragua tiene más de 8.000 km² y es el más grande de Centroamérica. Ometepe, en el gran Lago de Nicaragua, es la isla más grande del mundo situada en un lago. Describa la escena. ¿Se están divirtiendo los niños?

¿Sabía usted?

▶ La dictadura de Anastasio Somoza causó la revolución sandinista (de orientación marxista) en 1979.

▶ Los Sandinistas tomaron posesión del gobierno, pero los Contras, apoyados[6] por el gobierno de los EEUU, lucharon contra los Sandinistas.

▶ Esta guerra civil continuó hasta finales de los años ochenta. Las elecciones de 1990 establecieron la democracia en Nicaragua.

El Salvador

El Salvador tiene casi seis millones de habitantes. Es el país más poblado y más pequeño de Centroamérica. Es un país de impresionantes volcanes. Vea la foto del volcán Izalco. Permaneció activo desde 1770 hasta 1966. ¿Le gustaría a usted escalar este volcán? ¿Por qué?

¿Sabía usted?

▶ Los pipiles y los mayas fueron los únicos habitantes de El Salvador hasta 1524, cuando los españoles colonizaron la zona.

¿Qué descubrimos?

¿A qué país (Guatemala, Honduras, Nicaragua, El Salvador) se refiere cada una de las siguientes frases?

1. El 50% del país es de origen maya.
2. El lago más grande de Centroamérica.
3. Las ruinas de la ciudad maya de Copán.
4. Las ruinas de la ciudad maya de Tikal.
5. El país más pequeño y más poblado de Centroamérica.
6. Anastasio Somoza y la revolución sandinista.

Adivinanzas

○ En parejas, identifiquen cada una de las siguientes referencias: **Mitch, Tikal, Antigua, Copán, los garífuna, los miskitos, Tegucigalpa, Managua, San Salvador, San Pedro Sula, los Contras.**

○ Luego, cada pareja escribe una descripción de una de las referencias y se la entrega a la profesora/al profesor.

○ La clase forma dos equipos. Por turnos, cada equipo escucha y luego identifica cada descripción. Cada respuesta correcta vale dos puntos. ¿Cuál de los equipos ganó?

---

[6]*supported*

ENCUENTRO CULTURAL
Artes populares:
Textiles de Guatemala

Las telas[1] guatemaltecas son famosas en todo el mundo por sus colores brillantes y sobre todo por sus diseños, que indican la región de origen del textil. Esto ocurre porque hasta hace poco tiempo, la población guatemalteca vivía en regiones bastante aisladas[2] entre sí. La falta de comunicación contribuyó a la conservación de tradiciones de origen maya que han cambiado poco desde la época prehispánica.

Los textiles tradicionales de Guatemala utilizan materiales, colores y técnicas que forman parte de la herencia cultural maya. La fibra favorita en esta zona desde tiempos prehispánicos es el algodón. Las tintas y colorantes naturales que usan los guatemaltecos están hechos a base de plantas, insectos y minerales. Cientos de símbolos diferentes aparecen en los textiles mayas. Cada persona que fabrica una tela selecciona una combinación de símbolos para representar una historia o un episodio mitológico; por eso, es casi imposible encontrar dos piezas idénticas. Los siguientes son ejemplos de los símbolos más comunes:

Una interesante combinación de figuras y motivos tradicionales decoran este *tzute* (manto para la cabeza).

Los diamantes (1) representan el universo y el movimiento diario del sol: los diamantes más pequeños que están arriba y abajo representan el este y el oeste. El diamante en el centro representa el sol al mediodía. La segunda figura (2) representa una deidad[3] suprema: el dios de la tierra. El siguiente símbolo (3) representa la cola[4] de un escorpión, a su lado está la representación de una rana[5] (4). El último símbolo (5) representa un buitre[6]. Observe los ejemplos de textiles.

Detalle de los coloridos bordados de un huipil.

Preguntas

1. ¿Qué caracteriza los textiles guatemaltecos?
2. ¿Qué elementos tradicionales de la cultura maya persisten en la fabricación de los textiles guatemaltecos?
3. ¿Cuáles son los símbolos que usted reconoce en los tejidos que aparecen en las fotos?
4. ¿Puede usted encontrar un diseño nuevo en estas fotos? ¿Puede describirlo?
5. En su país, ¿se utilizan símbolos en la ropa? Dé ejemplos.
6. ¿Qué tipo de textiles prefiere usted ponerse? ¿Algodón? ¿Lana? ¿Lino?

_____

[1]*fabrics* [2]*isolated* [3]*deity* [4]*tail* [5]*frog* [6]*vulture*

Adjetivos

cómodo/a
desinflado/a
seguro/a

Adverbios y frases adverbiales

derecho
despacio
recto
a la derecha
a la izquierda

Expresiones útiles

¡Ay de mí!
¡Caramba!
¡Claro!
Lo siento mucho.
¡Por supuesto!
¡Qué barbaridad!
¡Qué lástima!
¡Qué lío!
¡Qué suerte!
¡Socorro!

Conjunciones

a menos (de) que
antes de que
con tal (de) que
cuando
después de que
en caso de que
hasta que
para que
tan pronto como

Sustantivos

En la carretera

el accidente
la autopista
el camino
el camión
la carretera
la cuadra
la esquina
la estación de gasolina
la estación de servicio
el estacionamiento
la frontera
la gasolinera
el kilómetro
la manzana
la milla
la moto(cicleta)
el puente
el semáforo
el tráfico
el tránsito

El automóvil

el freno
el limpiaparabrisas
la llanta
el motor
el parabrisas
el tanque

Otras palabras útiles

el aire
el carnet de conducir
la gasolina
la licencia de conducir
la multa

el policía
la velocidad

En la estación de ferrocarril

el andén
los aseos
el boleto/billete
    de ida y vuelta
    de primera clase
    de segunda clase
el maletero
el servicio
la taquilla
el tren

Verbos y expresiones verbales

arreglar
cruzar
doblar
estacionar
funcionar
llenar
mudarse
parar
reemplazar
reparar
revisar
seguir (i, i)
echar gasolina
(no) estar de acuerdo
ponerse impaciente
tener cuidado
tratar de + *infinitivo*

I. El subjuntivo con referencia a lo que es indefinido o inexistente.

A. Usted habla con un vendedor de coches usados. ¿Qué tipo de coche busca usted? Escriba oraciones con las palabras indicadas. Use el subjuntivo.

1. (yo) *buscar* un coche/que *ser* económico
2. (yo) *preferir* un coche/que no *usar* mucha gasolina
3. (yo) no *querer* comprar un coche/que *tener* problemas mecánicos

B. ¿Cómo le responde el vendedor? Escriba oraciones con las palabras indicadas. Use el subjuntivo o el indicativo según la situación.

1. (yo) *tener* muchos coches aquí/que no *costar* mucho
2. (yo) sólo *vender* coches/que *usar* poca gasolina
3. no hay ningún coche aquí/que *tener* problemas mecánicos

II. El futuro. ¿Qué harán las personas indicadas en el futuro?

MODELO: yo/graduarme en dos años
           Me graduaré en dos años.

1. yo/encontrar un trabajo magnífico
2. mi novio(a) y yo/casarnos
3. nosotros/mudarnos a una ciudad grande
4. mis amigos/hacer muchos viajes
5. tú/probablemente ir al Caribe con frecuencia
6. ustedes/probablemente volver a la universidad cada cinco años para las reuniones

III. El subjuntivo—después de conjunciones temporales. Complete las oraciones usando el verbo o frase entre paréntesis. Use el subjuntivo o el indicativo según las situaciones.

1. (recibir el dinero)
   Fui a la agencia de viajes tan pronto como...
   Iré a la agencia de viajes tan pronto como...
2. (comprar los boletos)
   Haré la reserva para el hotel cuando...
   Hice la reserva para el hotel cuando...
3. (llamarme)
   Fui a la estación de trenes después de que tú...
   Iré a la estación de trenes después de que tú...
4. (llegar)
   No iremos al andén hasta que el tren...
   No fuimos al andén hasta que el tren...

IV. El subjuntivo—después de conjunciones de finalidad y de condición. Conteste las siguientes preguntas según el modelo.

MODELO: ¿El operador no ha contestado? Voy a
           esperar hasta que...
           Voy a esperar hasta que conteste.

1. ¿Marta no ha llamado todavía? Voy a quedarme aquí en caso de que...
2. ¿José no sabe mi dirección? Voy a mandársela para que (él)...
3. ¿Me ayudas con la carta? Voy a escribirla en español con tal que (tú)...
4. ¿No tienes el código de área? No puedes llamar a menos que (tú)...

V. Los mandatos de *nosotros*. ¿Hacerlo o no hacerlo? Escriba la forma afirmativa y la negativa de los mandatos.

MODELO: llamarlo
           Llamémoslo. No, no lo llamemos.

1. levantarnos a las diez
2. salir para el centro
3. ir por la ruta más directa
4. parar en el supermercado para comprar comida
5. cruzar el puente nuevo
6. seguir recto por cuatro cuadras más
7. explorar todo el sector histórico de la ciudad

VI. Repaso general del Capítulo 13. Conteste con oraciones completas.

1. Cuando usted está de viaje y va a una estación de servicio, ¿qué quiere usted que haga el empleado/la empleada de la estación?
2. ¿Qué dice usted cuando está en el centro de la ciudad de Nueva York y su coche no funciona? (¡!)
3. ¿Ha hecho usted un viaje en tren o en autobús? (¿Adónde?)
4. ¿Le gusta a usted la idea de viajar en tren o en autobús? ¿Por qué?
5. Cuando se gradúe, ¿qué hará usted?
6. ¿Qué tipo de coche comprará usted en el futuro? ¿Por qué?
7. ¿Qué tipo de persona buscará usted para compartir un apartamento? **...una persona que...**

Answers to the **Autoprueba y repaso** are found in **Apéndice 2**.

CAPÍTULO 14

Photo by Michael Navarro

Elisabet, voluntaria del orfanato «Nuestros Pequeños Hermanos» (Honduras) es amiga de Nahum. ¿Participa usted en trabajo voluntario?

El siglo 21: desafíos y oportunidades

Goals for communication

- To talk about challenges and opportunities relevant to today's society and world
- To react to past actions or events
- To talk about what might or would happen
- To hypothesize
- To express hope or uncertainty

Cultural focus

- Hispanic students—volunteerism and involvement in social causes
- Paraguay and Uruguay

Structures

1. El imperfecto del subjuntivo
2. El pluscuamperfecto del subjuntivo
3. El condicional
4. Cláusulas con **si**
5. El subjuntivo con **ojalá**

Presentation of *Bien dicho*, pp. 444–445

The vocabulary and themes presented in this chapter are intended to form a bridge between beginning Spanish ("survival Spanish") and the intermediate level, which represents a more complex level of expression.

Transparency #63 Use the transparency of the opener drawings for Chapter 14 to visually present vocabulary dealing with the world today.

¡Bien dicho!

El siglo 21: desafíos y oportunidades

1. challenges 2. unemployment 3. economy 4. poverty 5. homeless 6. to suffer 7. hunger 8. crime
9. criminal 10. victim (*m.f.*) 11. to rob 12. violence 13. drug addiction 14. tobacco 15. alcohol 16. drugs
17. overpopulation 18. urbanization 19. opportunities 20. employment 21. company 22. to be successful

23. application 24. to apply (for a job), to request

44. el voluntarismo

39. la educación

40. la voluntaria

46. dar de comer

45. cultivar

OYECTO
ABITAT

41. la salud

42. la enfermedad

47. el voluntario

48. la vivienda

43. la cura

33. el gobierno

34. las elecciones

35. la candidata

36. el candidato

VOTE

VOTE

37. los ciudadanos

38. votar (por)

19.
OPORTUNIDADES

28. los/las líderes

20. el empleo

21. la compañía, la empresa

2005
2000
1995

ener éxito

27. la jefa

29. el acuerdo de paz

23. la solicitud

24. solicitar

30. la igualdad

31. los derechos humanos

26. el gerente

25. la entrevista

32. la justicia

25. interview   26. manager (la **gerenta**, f.)   27. boss, f. (el **jefe**, m.)   28. leaders   29. peace accord   30. equality
31. human rights   32. justice   33. government   34. elections   35. candidate, f.   36. candidate, m.   37. citizens
38. to vote (for)   39. education   40. volunteer, f.   41. health   42. sickness   43. cure   44. volunteerism
45. to cultivate, grow   46. to feed   47. volunteer, m.   48. housing

Práctica y comunicación

Have students volunteer their descriptions for each of the areas outlined in *Exercise A*.

Another option is to divide the class into ten groups, with each group preparing and then presenting a description of one of the circles to the class. Encourage students to be creative.

Refer to the *transparency (#63)* as students present their descriptions.

Conclude by asking the class to interpret the presentation of the world globe in the center of the opener spread, pp. 444–445.

Upon completion of *Exercise B*, ask certain pairs to share with the class their responses to some of the questions (i.e., #3, 4, 7, 9) that elicit opinions, etc.

A. El siglo 21: desafíos y oportunidades. En parejas, describan lo que ocurre en cada círculo, según los dibujos en las páginas 444–445.

DESAFÍOS

1. el desempleo
2. la pobreza
3. el crimen
4. la drogadicción
5. la sobrepoblación

OPORTUNIDADES

6. el empleo
7. los/las líderes del mundo
8. el gobierno/las elecciones
9. la educación y la salud
10. el voluntarismo

Presentes algunas de sus ideas a la clase.

B. Preguntas para conversar. Contesten las preguntas en parejas.

Desafíos

1. ¿En qué ciudades y/o países del mundo es la sobrepoblación un problema muy grande? ¿Cuáles son los efectos de la sobrepoblación?
2. Donde tú vives, ¿hay personas que sufran de hambre o de pobreza? Explica. ¿De desempleo? ¿Hay mucho crimen? Explica.
3. ¿En qué partes de este país hay muchos desamparados? En tu opinión, ¿por qué hay tantos desamparados en este país?
4. En la ciudad donde vive tu familia o en tu universidad, ¿hay un evidente problema de drogas? Explica. ¿Hay un problema de alcoholismo? Explica.

¿Sabías que nueve de cada diez drogadictos en centros de rehabilitación no se curan? ¿Conoces a personas que usen drogas? ¿Cómo y por qué comienzan a usar drogas algunas personas? ¿Es el alcohol también una droga? ¿Causa adicción?

"Una Vida Sin Drogas Es Una Vida Feliz"

HISPANIC YELLOW PAGES
a division of Vega & Associates

Oportunidades

5. Cuando te gradúes, ¿piensas que podrás encontrar empleo fácilmente? ¿Qué tipo de empleo vas a buscar? ¿Cuánto anticipas ganar por año durante tu primer año de trabajo?
6. ¿Has tenido entrevistas de empleo? ¿Para qué trabajo?
7. ¿Tienes fe (*faith*) en los líderes de este país? Explica. ¿Crees que haya justicia e igualdad para todos en este país? Explica. ¿Qué países, en tu opinión, no respetan (o antes, no respetaban) los derechos humanos?
8. ¿Has votado en alguna elección? (¿Por quién votaste?) ¿Crees que votar debe ser una obligación para cada ciudadano?
9. ¿Haces o has hecho trabajo de voluntario/a? (¿En qué tipo de proyecto participaste?)

la **ley**	*law*
la **discriminación**	*discrimination*
el **prejuicio**	*prejudice*
el **SIDA**	*AIDS*
el **aborto**	*abortion*
la **paz**/la **guerra**	*peace/war*
la **solución**	*solution*
apoyar	*to support (cause)*
eliminar	*to eliminate*
escoger[1]	*to choose*
evitar	*to avoid*
luchar (por)	*to fight (for)*
prevenir	*to prevent*
proponer	*to propose*
todo el mundo	*everyone*
estar a favor de/en contra de	*to be in favor of/against*

C. Opiniones. Para mejorar nuestro mundo, ¿cree usted que sea posible hacer las siguientes cosas? Apunte *sí* o *no* según su opinión.

Exercises C and D allow students to become familiar with the new vocabulary.

In Exercise C, you may wish to read each item while students jot down their opinions. Their yes/no answers are used in the follow-up activities.

¿Cree usted que sea posible...

1. evitar las guerras?
2. eliminar la mayor parte de la pobreza del mundo?
3. dar de comer a todo el mundo?
4. eliminar el prejuicio y la discriminación?
5. encontrar una solución al problema de la sobrepoblación?
6. prevenir el narcotráfico y la drogadicción si todos los gobiernos trabajan juntos?

¿Quiénes son los idealistas de la clase? ¿Quiénes indicaron que *sí* a la mayoría de las declaraciones?

¿Está usted a favor de o en contra de...?

1. el derecho a llevar armas muy peligrosas?
2. el derecho de la mujer a escoger el aborto?
3. la pena de muerte (*death penalty*)?
4. eliminar las leyes que prohíben el consumo de alcohol para los menores de 21 años?
5. legalizar la marijuana?
6. gastar mucho más para la exploración del espacio?
7. gastar mucho más para ayudar a los desamparados?
8. gastar mucho más para encontrar curas para el cáncer y el SIDA?

En grupos de tres, hablen de sus respuestas. Digan por qué están a favor de o en contra de las ideas. **Yo estoy a favor de/en contra de... porque...**

---

[1]**Escoger**, like **proteger** (Chapter 8), changes the **g** to **j** in the **yo** form of the present tense (**escojo**, **protejo**), and consequently, in all forms of the present subjunctive (**escoja**, **escojas**,...; **proteja**, **protejas**,...).

D. Organizaciones. ¿Qué causas apoyan las siguientes organizaciones? Combine la organización (1–8) con las causas (a–h).

1. Habitat para la Humanidad
2. Asociación Americana contra Cáncer
3. Amnistía Internacional
4. SPCA
5. UNICEF
6. Green Peace
7. Ejército de Salvación (*Salvation Army*)
8. La Cruz Roja

a. Lucha por los derechos humanos por todo el mundo, especialmente los de los prisioneros políticos.

b. Protege los mares, los animales en peligro de extinción, el medio ambiente, etc.

c. Ayuda a los que sufren en catástrofes naturales, en guerras, etc.

d. Construye viviendas para los desamparados.

e. Ayuda a los pobres, los desamparados, los alcohólicos, etc.

f. Defiende los derechos de los animales.

g. Busca curas para una enfermedad muy seria.

h. Defiende los derechos de los niños por todo el mundo.

E. Voluntarios: Ángeles al rescate (*rescue*). En parejas, lean los artículos y contesten las preguntas. Al final, decidan cuál de los tres ejemplos de «Ángeles al rescate» es el más heróico.

(1) Jóvenes al rescate: El huracán Georges, 22 de septiembre de 1998, la República Dominicana

¿A quiénes salvaron estos jóvenes? ¿Qué resultado positivo ocurrió en la comunidad a causa del huracán?

Palabras útiles:
herido = *wounded*;
ciego = *blind*;
casucha = *little house*

Jóvenes al rescate

La noche de la tormenta, varios chicos adolescentes se reunieron, como uno de ellos dice, "en pleno ciclón", para asegurarse de que nadie resultara herido. "Había gente que no quería salir de sus casas—dice Jorge Tiburcio Rodríquez, de 18 años—. De esa casa sacamos a una mujer embarazada. De allá sacamos a un par de ancianos." En un caso, los jóvenes salvaron a un hombre de 70 años, Enemencio Agüero Rosario, justo antes de que una de las paredes de su casucha se le viniera abajo. "Al huracán Georges, aunque destruyó el barrio, le

Jorge (a la derecha) y sus amigos salvaron a varias personas la noche de la tormenta, incluyendo a un anciano ciego.

agradecemos porque nos trajo integración—dice Montero—. Este fenómeno ha unido a la comunidad."

(2) La Madre Teresa: Misionera de la caridad (*charity*)

La madre de los pobres

Los menesterosos, los huérfanos, los rechazados, los leprosos y los agonizantes hallaron el amor de Dios en la Madre Teresa de Calcuta. "Que toda acción mía sea algo bello para Dios", el lema de sus Misioneras de la Caridad, fue la experiencia vivida por ella, cuyas misiones continúan abiertas en 120 países.

Palabras útiles:
menesterosos = *needy*;
huérfanos = *orphans*;
rechazados = *rejected*;
hallaron = encontraron;
Dios = *God*

¿A quiénes ayudaba la Madre Teresa? ¿En qué ciudad? ¿En qué país? ¿Cuál es el lema (*motto*) de sus Misioneras de Caridad?

(3) La línea aérea TACA: ayuda a los damnificados del huracán Mitch

TACA, PUENTE REGIONAL DE LA SOLIDARIDAD

El Grupo Taca se sumó a las labores de ayuda a los damnificados del huracán Mitch en Centroamérica... De inmediato se establecieron vuelos de carga internos a fin de movilizar ayuda a las poblaciones hondureñas incomunicadas... Los viajes repetitivos del carguero han transportado hasta la fecha más de 225.000 libras de alimentos, medicinas, agua y artículos de primera necesidad.... *El Heraldo*

Palabras útiles:
damnificados = *victims*;
alimentos = comida

¿Cómo se llama el programa de ayuda? ¿Qué carga llevaron? ¿Por qué fue necesario llevar la carga por avión? ¿Creen ustedes que sea normal que una compañía ayude cuando hay una emergencia? ¿Ocurre con frecuencia en su país?

Conversación

¡Quiero ser voluntario!

Es el último día de clases. Carmen y Javier están en la cafetería tomando un refresco. Carmen le pregunta a Javier sobre sus planes para el verano.

CARMEN: Javier, ¿qué piensas hacer este verano?

JAVIER: Me gustaría participar en alguna organización de voluntarios, pero todavía no he decidido en cuál.

CARMEN: ¿Qué tipo de organizaciones te interesa más? Rubén y Camila trabajarán con una organización que combate la contaminación ambiental. Octavio trabajará de voluntario en un centro que ayuda a víctimas de la drogadicción y el alcoholismo.

JAVIER: Yo quiero trabajar con una organización que defienda los derechos humanos.

CARMEN: ¿Sabes? La hermana del gerente de la empresa donde trabajo es la jefa de una organización que se dedica a defender la igualdad y la justicia social en varios países. ¿Te interesa?

It sounds

JAVIER: Suena° interesante. ¿Sabes cómo puedo ponerme en contacto con ella?

CARMEN: Sí, las oficinas de la organización están cerca de la universidad, en el edificio blanco frente al parque. Puedes pasar por allí y

fill out

rellenar° una solicitud.

JAVIER: ¿Y tendré que ir para una entrevista?

CARMEN: Claro, el proceso es el mismo que hay que seguir para conseguir cualquier empleo.

JAVIER: ¿Y después de la entrevista?

CARMEN: Bueno, si tienes éxito, entonces tendrás que asistir a unas sesiones de entrenamiento.

JAVIER: ¿Sesiones de entrenamiento? ¿Qué es eso?

level

CARMEN: Esas sesiones te darán más información sobre los problemas de cada país: el nivel° de pobreza, la economía, el gobierno, la educación, etcétera.

JAVIER: ¡Qué interesante! Definitivamente creo que me gustaría trabajar allí. Pero, ¿y cómo sabes tú tanto acerca de esta organización?

CARMEN: Yo trabajo allí los fines de semana. Soy una de las secretarias voluntarias.

¿Qué hay de nuevo?

1. ¿Qué quiere hacer Javier este verano?
2. ¿Qué va a hacer Octavio este verano?
3. ¿Qué tipo de organización le interesa a Javier?
4. ¿Quién es la hermana del gerente de Carmen?
5. ¿Dónde puede Javier conseguir una solicitud?
6. ¿Qué tiene que hacer Javier después de la entrevista? ¿Por qué?
7. ¿Por qué sabe Carmen tanta información acerca de la organización?

Estructuras

1. *Reacting to past actions or events:*
El imperfecto del subjuntivo

¡Qué triste! ¿Les pedí que no contaminaran nuestro mundo!

You have studied many different uses of the subjunctive and practiced the present subjunctive (relating actions that take place in the present or in the future) and the present perfect subjunctive (relating actions and events that have taken place in the immediate past).

PRESENT SUBJUNCTIVE

Espero que **ayuden** a los pobres.   *I hope that **they (will) help** the poor.*

PRESENT PERFECT SUBJUNCTIVE

Me alegro de que los **hayan ayudado**.   *I am glad that **they have helped** them.*

Note in the above examples that the verb in the *main clause* is in the *present tense,* and the verb in the *secondary clause* is in the *present subjunctive* or *present perfect subjunctive.*

In general, the imperfect (past) subjunctive is used in the same kinds of situations as the present subjunctive, but relates actions or events that took place in the past. When the verb in the *main clause* is in a *past tense* (most commonly preterit or imperfect), the *imperfect subjunctive* is used in the *secondary clause.*

MAIN CLAUSE	SECONDARY CLAUSE
present tense	*present subjunctive*
Es una lástima...	...que **lleguen** tarde.
	present perfect subjunctive
	...que **hayan llegado** tarde
past tense	*imperfect subjunctive*
Les **recomendé**...	...que **votaran** en las elecciones.
Siempre les **recomendaba**...	...que **votaran** en las elecciones.

Introduce the imperfect subjunctive via examples of present/present subjunctive sentences (**Quieren que yo salga**) changed to the past (**Querían que yo saliera**). Present the remaining imperfect subjunctive conjugations of **salir** through the example sentence.

Be sure to highlight the location of the accent in the **nosotros** form. See if students can identify the source of the stem (3rd person, preterit).

To practice the formation of the imperfect subjunctive, have students go to the board and quickly write as many verbs (in the infinitive) as they can within one minute. After they have returned to their seats, have them provide the preterit plural ending in the indicative followed by the equivalent form in the imperfect subjunctive. Erase each verb as its correct forms are given. This proves to be a good review of the preterit as well as reaffirming the difference in pronunciation between the two forms.

La formación del imperfecto del subjuntivo

The imperfect subjunctive of **-ar**, **-er**, and **-ir** verbs is formed by using the **ellos** form of the preterit indicative minus the **-ron** and adding the following endings: **-ra, -ras, -ra, -ramos, -rais, -ran**[2]. The imperfect subjunctive thus automatically reflects all irregularities of the preterit.

	apoyar apoya~~ron~~	**escoger** escogie~~ron~~	**sufrir** sufrie~~ron~~
(yo)	apoya**ra**	escogie**ra**	sufrie**ra**
(tú)	apoya**ras**	escogie**ras**	sufrie**ras**
(Ud., él, ella)	apoya**ra**	escogie**ra**	sufrie**ra**
(nosotros/as)	apoyá**ramos**	escogié**ramos**	sufrié**ramos**
(vosotros/as)	apoya**rais**	escogie**rais**	sufrie**rais**
(Uds., ellos, ellas)	apoya**ran**	escogie**ran**	sufrie**ran**

Study Hint

As the formation of the imperfect subjunctive is based on the preterit tense, review the regular, stem-changing, and irregular preterit tense verbs on pp. 181, 188, and 226.

Otros ejemplos:

dormir:	durmieron	>	**durmiera, durmieras**, …
pedir:	pidieron	>	**pidiera, pidieras**, …
ir/ser:	fueron	>	**fuera, fueras**, …
tener:	tuvieron	>	**tuviera, tuvieras**, …
estar:	estuvieron	>	**estuviera, estuvieras**, …
construir:	construyeron	>	**construyera, construyeras**, …

Take a moment to review all forms of **haber** to denote existence presented thus far: **hay, hubo, había, habrá, haya, hubiera.**

¡Un momento, por favor!

Hubiera is the imperfect subjunctive form of **había** (*there was, there were*).

> Sentíamos que **hubiera** tanta pobreza en el mundo.
> *We were sorry that **there was** so much poverty in the world.*

Los niños se alegraron de que hubiera voluntarios.

---

[2]In Spain and in certain Spanish dialects, the imperfect subjunctive is also commonly formed with an alternate set of endings: **-se, -ses, -se, -semos, -seis, -sen**. These forms are frequently seen in reading selections.

Práctica y comunicación _____

F. Jefes, profesores y padres: lo que esperaban. Según la situación, identifique quién esperaba o quiénes esperaban cada una de las siguientes cosas.

In this "recognition" exercise, students use the imperfect subjunctive but do not have to produce it. In their responses, have students read the complete sentences.

MODELO: se cepillaran los dientes
      Los padres esperaban que sus hijos se cepillaran los dientes.

1. hicieran la tarea
2. fueran profesionales
3. se bañaran todas las noches
4. llegaran al trabajo a tiempo
5. comieran bien
6. dijeran la verdad
7. hablaran en español
8. aprendieran el imperfecto del subjuntivo
9. no salieran del trabajo temprano
10. se acostaran temprano

> a. El jefe esperaba que los empleados...
> b. Los profesores esperaban que los estudiantes...
> c. Los padres esperaban que sus hijos...

G. Estudiantes voluntarios. Diga lo que las personas indicadas hicieron en las siguientes situaciones. Use el imperfecto del subjuntivo.

Prior to beginning this exercise, it is suggested that you write on the board the key phrases that begin each series: ...me pidieron que yo..., ...los niños querían que nosotros..., etc.

1. ***En la casa de ancianos:*** Durante mi primer año de la universidad algunos amigos míos me pidieron que **yo**...
   ...*ir* con ellos a una casa de ancianos
   ...*ayudar* a los ancianos
   ...*pasar* tiempo con ellos
   ...*leerles* periódicos
   ...*llevarles* regalos
   ...*volver* a visitarlos frecuentemente

2. ***En un orfanato*** *(orphanage):* En nuestro trabajo de verano en un orfanato en Asunción, Paraguay, los niños querían que **nosotros**...
   ...*jugar* con ellos
   ...*hacerles* galletas
   ...*traerles* regalos
   ...*enseñarles* inglés
   ...*contarles* cuentos
   ...*abrazarlos* mucho

3. ***En un refugio para los desamparados:*** Los miembros de una iglesia buscaban jóvenes voluntarios que pudieran ayudarlos en el refugio. Querían que **algunos estudiantes**...
   ...*recoger* ropa para el refugio
   ...*venir* al refugio los sábados
   ...*preparar* la comida
   ...*poner* las mesas
   ...*servir* la comida
   ...*limpiar* la cocina

H. La misión de Natalia en los Andes. Natalia trabajaba de voluntaria en una clínica en Mérida, Venezuela. Una amiga le dijo que Los Nevados, un pueblo remoto situado en los Andes, necesitaba medicamentos. Decidió ir al pueblo para llevársela. ¿Qué le recomendó su amiga? Trabajen en parejas.

MODELO: Le recomendó que...
Le recomendó que llevara su mochila, la medicina y comida.

Le recomendó que...

llevar...

despertarse...

ponerse...

escoger la ruta...

escalar... despacio

cruzar... con cuidado

tomar mucha... *comer...*

darle los medicamentos...

despedirse de...
volver ese mismo día

I. Hablando de la vida personal. Trabajando en parejas, comenten lo que pasaba en su vida personal durante los períodos indicados. Completen las oraciones indicando varias actividades. Túrnense.

Have several pairs of students share some of their responses.

1. Cuando tenía diez años,
   (a) yo esperaba que mis padres...
   (b) quería que mis hermanos/as...

2. Cuando estaba en la escuela secundaria,
   (a) yo buscaba un/a novio/a que...
   (b) mis padres querían que yo...
   (c) Mis maestros recomendaban que yo...

3. Cuando salí para la universidad,
   (a) yo temía que mi nuevo compañero/a de cuarto...
   (b) yo esperaba que los profesores...
   (c) yo esperaba que los otros estudiantes...

Al final, compartan algunos de sus deseos, temores y esperanzas con la clase.

J. Cosas de Dalí. En parejas, lean esta selección acerca de Salvador Dalí, famoso pintor español (1904–1989). Luego, contesten las preguntas. (¿Pueden ustedes encontrar en la selección los dos verbos en el imperfecto del subjuntivo?)

This authentic selection casts the grammar point at hand (the imperfect subjunctive) into an interesting context. Use the opportunity to bring in some copies of Dalí paintings.

SALVADOR DALI

COSAS DE DALI

El excéntrico y famosísimo pintor Salvador Dalí sentía una gran compasión por aquellas personas que vivían privadas de libertad, por lo que cuando vivía en Nueva York en 1965, donó una acuarela suya a la prisión de Rykers Island, la que está situada en medio del East River de la ciudad, y es una de las prisiones más tristes del mundo. A Dalí le daba mucha lástima que los prisioneros "vivieran rodeados del perfil iluminado de la ciudad más excitante del planeta y no pudieran disfrutarla como la disfruto yo", decía, y para hacerles su vida más interesante decidió donar la pintura que hoy en día cuelga en una de sus paredes.

Palabras útiles: **privados de** = *deprived of*; **acuarela** = *watercolor*; **cuelga** = *hangs*

1. ¿Por quiénes sentía Dalí una gran compasión?
2. ¿Qué donó?
3. ¿Cómo se describe la prisión de Ryker's Island?
4. ¿Qué le daba mucha lástima a Dalí?
5. ¿Por qué decidió donar la pintura?

Esperaba que hubieran resuelto este problema.

2. *Expressing reactions relevant to past events:* El pluscuamperfecto del subjuntivo

The pluperfect subjunctive (past perfect subjunctive) is used in the same kinds of situations as the present perfect subjunctive but expresses reactions to events that *had occurred* prior to another past event. Note the sequence of tenses.

PRESENT + PRESENT PERFECT SUBJUNCTIVE
Siento que ella **se haya ido**.   *I am sorry that she **has gone**.*

PAST + PLUPERFECT SUBJUNCTIVE
Sentí que ella **se hubiera ido**.   *I was sorry that she **had gone**.*

The pluperfect subjunctive is formed by using the imperfect subjunctive of **haber** plus the past participle.

This construction may be presented "for recognition only."

Write examples of sentences containing the *present* + *present perfect subjunctive* sequence of tenses. Example: **La profesora espera que yo haya estudiado.** Change the first clause to the past, then show the subsequent change from present perfect to pluperfect subjunctive.

hacer *to do, make*		
El jefe dudó que...		*The boss doubted that...*
(yo)	lo **hubiera hecho**.	*I had done it.*
(tú)	lo **hubieras hecho**.	*you had done it.*
(Ud., él, ella)	lo **hubiera hecho**.	*you/he/she, etc. had done it.*
(nosotros/as)	lo **hubiéramos hecho**.	*we had done it.*
(vosotros/as)	lo **hubierais hecho**.	*you had done it.*
(Uds., ellos, ellas)	lo **hubieran hecho**.	*you/they had done it.*

Práctica y comunicación

If practice beyond *Exercise K* is desired, use *transparency #55* that accompanies *Exercise V* in Chapter 12, changing the context to the past.

K. La tragedia del huracán Mitch. En el otoño de 1999, Honduras y otros países centroamericanos sufrieron uno de los más trágicos huracanes del siglo. Algunos estudiantes fueron a Honduras como voluntarios y escucharon las reacciones de la gente. ¿Qué dijeron los hondureños? En parejas, completen las oraciones. Usen el pluscuamperfecto del subjuntivo.

MODELO: (*destruir*)
      Fue una tragedia que el huracán **hubiera destruido** el 25% de la zona urbana de Tegucigalpa y el 65% de los puentes.

¿Qué dijeron los hondureños?

1. (*dejar*) Fue una tragedia que el huracán ... ... a siete mil muertos.

2. (*desaparecer*) No pudieron creer que pueblos enteros de los garífuna en la costa caribeña ... ...

3. (*perderse*) Lamentaron que las plantaciones de banano ... ... para siempre.

4. (*mandar*) Se alegraron de que Cuba ... ... 2.000 médicos para impulsar un plan sanitario.

5. (*donar*) Fue increíble que la comunidad internacional ... ... más de $67 millones en las primeras dos semanas.

6. (*ayudarlos*) Fue bueno que voluntarios ... ...

Noticias culturales

VOLUNTARISMO Y ACTIVISMO ESTUDIANTIL

En los países hispanos, muchos jóvenes forman y participan en organizaciones que contribuyen con una variedad de servicios al país. Especialmente para los estudiantes universitarios, el trabajo voluntario y el activismo ofrecen oportunidades para educarse y participar en la vida de la sociedad.

En muchos países, grupos de estudiantes voluntarios se dedican a la investigación y promoción del patrimonio cultural y ecológico, y también al cuidado del medio ambiente. Los estudiantes voluntarios se ocupan de gran parte de los programas de alfabetización° en las zonas rurales. De igual importancia son los programas de salud y planificación familiar. Los participantes en estos programas son generalmente estudiantes universitarios de medicina o ciencias sociales, pero también es común encontrar estudiantes de otras disciplinas y hasta estudiantes de escuelas secundarias.

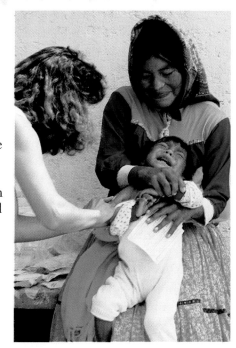

literacy

La expresión política es también parte de la vida estudiantil. Es frecuente ver grupos de estudiantes protestando contra la contaminación ambiental en una manifestación callejera. Otras veces los estudiantes protestan contra las condiciones educativas en las universidades o contra el aumento en el costo de la matrícula.

¿Qué hay de nuevo?

1. ¿Cuáles son algunos ejemplos de las actividades de los estudiantes voluntarios hispanos?
2. ¿Quiénes participan en los programas de salud y planificación familiar?
3. Generalmente, ¿contra qué protestan los estudiantes en las universidades hispanas?

Conexiones y contrastes

1. ¿Participa usted en una organización de voluntarios? ¿A qué tipo de actividades se dedica su organización?
2. ¿Ha protestado usted en alguna manifestación estudiantil? ¿Contra qué protestaba?
3. ¿Contra qué protestarían típicamente los estudiantes en una universidad como la suya?

3. *Talking about what would happen:* El condicional

The conditional tells what *would* potentially happen in certain circumstances. Example: *I would[3] go to South America (if I had the money).* The conditional of all regular **-ar**, **-er**, and **-ir** verbs is formed by adding the following endings to the infinitive. Note that the conditional endings are identical to the imperfect tense endings of **-er** and **-ir** verbs.

infinitive + -ía, -ías, -ía, -íamos, -íais, -ían			
	llamar	*volver*	*ir*
(yo)	llamar**ía**	volver**ía**	ir**ía**
(tú)	llamar**ías**	volver**ías**	ir**ías**
(Ud., él, ella)	llamar**ía**	volver**ía**	ir**ía**
(nosotros/as)	llamar**íamos**	volver**íamos**	ir**íamos**
(vosotros/as)	llamar**íais**	volver**íais**	ir**íais**
(Uds., ellos, ellas)	llamar**ían**	volver**ían**	ir**ían**

¿**Solicitarías** empleo en esa compañía?
Would you **seek** a job with that company?

Yo **buscaría** empleo en otra.
I would look for a job in another one.

The following verbs add regular conditional endings to irregular stems (not to the infinitive). The irregular stems for both the conditional and the future are identical.

infinitive	stem	conditional forms
hacer	**har-**	haría, harías, haría, haríamos, haríais, harían
decir	**dir-**	diría, dirías,...
poder	**podr-**	podría, podrías,...
querer	**querr-**	querría, querrías,...
saber	**sabr-**	sabría, sabrías,...
poner	**pondr-**	pondría, pondrías,...
salir	**saldr-**	saldría, saldrías,...
tener	**tendr-**	tendría, tendrías,...
venir	**vendr-**	vendría, vendrías,...

¿**Podrías** ayudarnos?
Would you **be able** to help us?

Ella dijo que lo **haría**.
She said that she would do it.

¡Un momento, por favor!

The conditional of **hay** (*there is, there are*) is **habría** (*there would be*).

Dijo que no **habría** ningún problema.
He said that there would be no problem.

---

[3]When *would* implies *used to* (*habitual past action*) the imperfect is used. *Every summer, I would go to South America.* **Cada verano, íba a Sudamérica.**

Introduce the conditional via *transparency #63* (chapter opener), stating all the things you would do to improve the world: **construiría viviendas para los desamparados, encontraría una cura para el cáncer,** etc.

Note for the students that (1) they already know the endings of the conditional from the imperfect tense of -er and -ir verbs, (2) the conditional uses the infinitive as the stem as did the future, and (3) the stems for the irregular verbs in the conditional are identical to those of the future tense.

Práctica y comunicación

L. ¿Lo harías o no? En parejas, háganse las preguntas. Luego, díganle a la clase lo que ustedes harían o no harían.

1. ¿Vivirías cerca de un volcán activo?
2. ¿Saltarías (*Would you jump*) de un avión?
3. ¿Harías un salto «bungee» del rascacielos Empire State? ¿De otro lugar?
4. ¿Comerías carne de serpiente o insectos para no morirte de hambre?
5. ¿Pasarías una noche en el bosque solo/a?
6. ¿Nadarías en un río con pirañas?

Have some fun with the idea of "would you dare" by having students ask you what you would dare to do.

As a follow-up, ask: ¿Hay alguien en la clase que haya hecho una de estas cosas? Students respond: Sí, yo he...

M. Soluciones. ¿Qué harían ustedes para empezar a resolver los problemas del mundo? Refiéranse a los dibujos en la página 444. Escriban una o dos cosas que ustedes harían en cada caso. Usen el **condicional**. Trabajen en grupos de cuatro y sean creativos.

Categorías

1. el desempleo **Encontraría...**
2. la pobreza
3. el crimen
4. la drogadicción
5. la sobrepoblación/la contaminación

4. *Hypothesizing:* Cláusulas con si

The past subjunctive may be used to express what would happen in a situation that is hypothetical, i.e., contrary-to-fact or very unlikely to occur. The conditional is used to express the result, i.e., what *would occur* as a consequence. These sentences can appear in either order (hypothetical situation first or last).

Si pudiera cambiar sólo una cosa, eliminaría la pobreza.

Sí.

---

si + imperfect subjunctive + conditional

or

conditional + **si** + imperfect subjunctive

Si **tuviera** el dinero,
  se lo **donaría** a los pobres.
Hablaría con el presidente
  si él **estuviera** aquí.

If *I had* the money,
  I would donate it to the poor.
I would speak with the president
  if he *were* here.

When an *if* clause poses a situation that is *possible* or *likely* to occur (not obviously contrary-to-fact or hypothetical), the *if* clause is in the *present* tense and the *present or future* is used to express the result.

---

si + present + present/future

Si **tengo** tiempo, **voy/iré.**

If *I have* time, *I go/I'll go.*

Confirm the concept of contrary-to-fact clauses by engaging the students in the following activity. Give half the class a small slip of paper of a certain color, perhaps yellow. To the other half of the class, provide small slips of paper of another color, perhaps blue. Instruct all students holding yellow paper to write on it a contrary-to-fact *if* clause WITHOUT ADDING THE CONDITIONAL RESULT: for example, si yo tuviera mucho dinero... All students holding blue paper must write on it a conditional result clause, for example, ...viajaría a la luna. Encourage them to be imaginative. Have one student collect all blue papers and another all yellow papers. Read the combinations at random. This can provide hilarious possibilities.

Práctica y comunicación

·ognition"
allows students
to become familiar with
the *if . . . would . . .* construction
within the context of the chapter
theme.

After students complete the exercise,
ask some "pairs" to volunteer their
answers for questions related to
university life (#2, 6, 7) and political
topics (#3, 4, 5).

N. Tu punto de vista—¿Lo harías o no? Trabajando en parejas, háganse las preguntas y contéstenlas según su punto de vista.

1. Si hubiera una manifestación en Washington en contra de la discriminación sexual, ¿participarías o no? ¿Por qué?
2. Si hubiera una manifestación en la universidad que propusiera eliminar las «fraternidades» y «sororidades», ¿participarías o no? ¿Por qué?
3. Si un candidato político o una candidata política apoyara el derecho de la mujer a escoger el aborto, ¿votarías por él/ella o no? ¿Por qué?
4. Si un partido político decidiera apoyar a unas compañías grandes que destruyen el medio ambiente pero benefician la economía, ¿lo apoyarías o no? ¿Por qué?
5. Si hubiera una guerra ahora como la de Vietnam, ¿lucharías o no? ¿Por qué?
6. Si el presidente de la universidad recomendara fines de semana de tres días, ¿estarías a favor de la idea o no? ¿Por qué?
7. Si tus amigos decidieran tomar bebidas alcohólicas ilegalmente y luego manejar, ¿irías con ellos o no? ¿Por qué?

Exercise Ñ concentrates
on the *would* (conditional)
clauses, and recycles
content from the *Panorama cultural*
sections and vocabulary dealing with
clothes.

Ñ. Viajes imaginarios. Si ustedes pudieran ir a los lugares indicados, ¿qué cosas llevarían, según el clima, etc.? ¿Y qué harían ustedes allí? Trabajen en grupos de tres.

MODELO: Si pudiéramos ir a Panamá...
          llevaríamos ropa de verano, sandalias, etc.
          visitaríamos el canal y las islas de San Blas, etc.

1. Si pudiéramos ir a Puerto Rico para las vacaciones de primavera...
2. Si pudiéramos ir a la región andina de Chile o Argentina en el invierno...
3. Si pudiéramos ir a España por un semestre...
4. Si pudiéramos ir a la región andina o incaica de Perú en el verano...

Al final, algunos grupos presentan sus ideas a la clase.

Exercise O provides brief
written reinforcement of
the *if* clauses and the
imperfect subjunctive within a
personal context.

O. Emociones. Exprese las causas posibles de sus sentimientos. Escriba sus respuestas.

MODELO: Estaría muy triste si...
          Estaría muy triste si mi perro se muriera.

1. Estaría muy preocupado/a si...
2. Estaría muy enojado/a si...
3. Estaría muy sorprendido/a (*surprised*) si...
4. Estaría muy contento/a si...

Lean algunas de sus conclusiones a la clase.

P. La imaginación. Mire los dibujos e indique lo que usted haría en esas circunstancias. Sea creativo/a.

Transparency #65 Use the transparency to complete this exercise. Encourage students to have fun with this exercise by ample use of their imagination.

MODELO: **Si estuviera en la selva, observaría la naturaleza, me escaparía de las serpientes, exploraría el río,** etc.

Si/*estar*...

Si/*ser*...

Si/*ser*...

Si/*vivir*...

Si/*vivir* en una casa encantada...

Si/*estar* en la prisión...

Si/*ver* un extraterrestre...

Si/*ser*...

Si/*ser* invisible...

El siglo 21: Desafíos y oportunidades

Group students and assign one topic to each group. Review the **modelo** carefully, pointing out that the verb used in the conditional clause is used again in the following *if* clause. Allow groups five minutes to complete their "chain." Send as many students to the board as space allows. Encourage them to have a conclusion to the events narrated in the chain. Review at least one "chain" for each item listed. Results can be hilarious.

Q. Una cadena (*chain*) **de posibilidades**. La clase se divide en seis grupos. Cada grupo escoge uno de los siguientes temas. En cinco minutos, escriban una cadena muy larga según el modelo. Después lean sus «creaciones» a la clase.

MODELO: Si tuviera mil dólares...
Si tuviera mil dólares, haría un viaje.
Si hiciera un viaje, iría a México.
Si fuera a México, comería muchas tortillas.
Si comiera muchas tortillas,... etc.

1. Si tuviera un coche nuevo...
2. Si tuviera tiempo...
3. Si tuviera un novio (una novia) muy especial...
4. Si no estuviera aquí...
5. Si pudiera hablar japonés...
6. Si me quedara solo/a un año de vida...

R. Conversaciones. En parejas, conversen acerca de los siguientes temas.

1. Si ganaras la lotería, ¿cómo cambiaría tu vida?
2. Si hubiera un incendio (*fire*) en tu casa y tuvieras cinco minutos para recoger cinco cosas, ¿qué cosas recogerías? ¿Por qué?
3. Si pudieras vivir en cualquier lugar del mundo, ¿dónde vivirías? ¿Por qué?
4. Si pudieras conocer a cualquier persona en la historia del mundo, ¿a quién te gustaría conocer? ¿Por qué?

Presenten algunas de sus ideas a la clase.

S. Si fuera presidente/presidenta. Escriba cinco oraciones indicando lo que usted haría si fuera presidente/presidenta de este país. Lea sus oraciones a un/a compañero/a de clase o a la clase.

5. *Expressing hopes, both real and unreal:* El subjuntivo con **ojalá**

Ojalá... or **ojalá que...** (*I hope that/wish that/if only*) translates literally as "May Allah (God) grant you. . . ." The expression was introduced into the Spanish language during the Arab occupation of Spain (711–1492 A.D.). **Ojalá** or **ojalá que** is always followed by the subjunctive, since it expresses hope or desire.

- When used with the present subjunctive, **ojalá** and **ojalá que** indicate that there is a good possibility the situation will occur.

    PRESENT SUBJUNCTIVE
    Ojalá (que) mi candidato **gane** la elección. *I hope that* my candidate *wins* the election.

- When used with the imperfect subjunctive, **ojalá** and **ojalá que** indicate that the situation is not likely to occur or is impossible.

    IMPERFECT SUBJUNCTIVE
    Ojalá (que) pudiéramos hacer el viaje a Washington. *I wish we could* take the trip to Washington (but we can't).

Práctica y comunicación

T. Los políticos. Diga si usted espera que los políticos hagan o no hagan las siguientes cosas. Responda con **Ojalá que sí** u **Ojalá que no**.

MODELO: reduzcan el déficit fiscal
Ojalá que sí reduzcan el déficit fiscal.

1. trabajen para mejorar la economía
2. suban los impuestos (*taxes*)
3. apoyen las leyes en contra de la discriminación
4. sean honestos
5. se olviden de los pobres
6. escuchen a los ciudadanos
7. digan mentiras
8. gasten más en las campañas políticas
9. luchen por los derechos de todos

ts">Introduce Ojalá que... by writing the two example sentences on the board, or personalize the sentences to reflect university life: Ojalá que nuestro equipo de... gane.

Students could also volunteer their personal wants/wishes (Quiero...) and then convert them to Ojalá que pueda...

Point out the similarity between the contrary-to-fact *if* clauses and the ojalá plus imperfect subjunctive construction: Si tuviera el dinero... > Ojalá que tuviera el dinero.

After the completion of this "recognition" exercise, encourage the students to make up their own Ojalá que... sentences reflecting upon our current politicians and political situation.

El siglo 21: Desafíos y oportunidades   cuatrocientos sesenta y tres **463**

U. Científicos clonan embrión humano. En parejas, lean el siguiente anuncio de periódico. Contesten las preguntas.

Científicos clonan embrión humano

LONDRES (AFP)- Unos científicos norteamericanos realizaron la primera clonación de un embrión humano, indica el diario británico *The Daily Mail*.

Utilizando métodos idénticos a los que permitieron el nacimiento de Dolly, la oveja clonada en el instituto Roslin de Edimburgo (Escocia), los científicos norteamericanos de la empresa Advanced Cell Technology de Massachusetts lograron producir un embrión macho compuesto por unas 400 células, según el diario, y lo incineraron al cabo de dos días.

Los científicos quieren producir tejidos humanos que se puedan utilizar para curar a pacientes aquejados de diferentes enfermedades, como las del sistema nervioso, la diabetes o el mal de Parkinson.

Desde que procedió a la clonación de su primer embrión, en noviembre de 1998, pesa sobre la empresa la sospecha de que haya llevado a cabo muchas más y los haya incinerado todos antes de que llegaran a la edad de 14 días, explica el diario.

Palabras útiles:
oveja = *sheep*;
al cabo de = *after*;
tejidos = *tissue*;
sospecha = *suspicion*

1. ¿Qué produjeron los científicos?
2. ¿Qué pasó dos días más tarde?
3. ¿Para qué quieren clonar embriones humanos?

Ahora, indiquen sus opiniones y sus deseos en cuanto a la continuación de este experimento.

_____ Ojalá que sigan con este experimento. Estoy de acuerdo con lo que están haciendo los científicos.

_____ Ojalá que abandonen este experimento. No estoy de acuerdo con lo que están haciendo los científicos.

Hablen de sus opiniones y defiéndanlas. **Es bueno/malo que clonen... porque...**

V. Sueños (*Dreams*) **imposibles.** En parejas, completen las oraciones.

1. Ojalá que en este mundo no tuviéramos...
2. Ojalá que en este mundo pudiéramos...

Díganle a la clase algunos de sus sueños.

W. Cifras (*Statistics*) **alarmantes**. En parejas, lean las siguientes cifras. Luego, completen las oraciones para indicar sus reacciones.

La Organización Mundial de Salud (OMS) declara que las enfermedades infecciosas constituyen la primera causa de mortalidad infantil y juvenil en el mundo. Seis enfermedades (infecciones de	las vías respiratorias, SIDA, diarrea, tuberculosis, malaria y rubeola) son responsables del 90% de las muertes de los niños del mundo. (*El Mercurio*, Cuenca, Ecuador, viernes 18 de junio de 1999)

1. Ojalá que...
2. Una solución para el problema de las enfermedades sería...

La Organización Internacional de Trabajo (OIT) estima en 250 millones el número de niños menores de 18 años que trabajan en el mundo, de los cuales la mitad a	tiempo completo. Según la OIT, entre 50 y 60 millones de niños entre 5 y 11 años trabajan diariamente en el mundo. (*El Mercurio*, Cuenca, Ecuador, miércoles 2 de junio de 1999)

3. Ojalá que...
4. Es trágico que...
5. Una solución al problema de los niños trabajadores sería...

Ahora, compartan algunas de sus ideas con la clase.

X. Invenciones. En parejas, lean los dos anuncios de invenciones. ¿Qué opinan ustedes de ellas?

¿En moto bajo el agua? Un joven inglés de 33 años, que vive en California, inventó una moto submarina. Ya han empezado a comercializarlas.	**¿Plásticos se convierten en petróleo?** Una compañía española que fabrica plástico también ha logrado convertir los plásticos usados en petróleo y gas natural. Así ayuda a conservar el medio ambiente.

Ahora, piensen en dos cosas extraordinarias que a ustedes les gustaría inventar. Incluyan por lo menos una invención que sea para mejorar la condición del mundo. Escriban sus ideas.

MODELO: **Ojalá que pudiéramos inventar... para...** *o*
Sería fenomenal si pudiéramos inventar... para...

Dicho y hecho

Conversando

This final *Dicho y hecho: Conversando* section combines written and oral skills. Students write the mini-dramas and perform them on one of the last days of class. Encourage the use of props and costumes! Give awards to the best presentations, perhaps using student judges.

Dramaturgos, actores y actrices

En grupos de tres a cinco estudiantes, escriban y presenten mini-dramas originales a base de los temas de todo el libro. Seleccionen uno de los siguientes temas:

1. en el restaurante o en el café
2. en el consultorio del médico
3. en la tienda de ropa o en el almacén
4. en el banco
5. tratando de alquilar un apartamento
6. problemas familiares y/o de amor
7. acampando en las montañas
8. haciendo un viaje en automóvil, tren, autobús o avión
9. en el hotel
10. en la oficina
11. en las Naciones Unidas, resolviendo los problemas del mundo

Instrucciones:

- Escriban un mini-drama utilizando vocabulario y estructuras del libro. ¡No traduzcan del inglés!
- Cada mini-drama será de cinco a seis minutos.
- Aprendan sus papeles de memoria.
- Al presentar su mini-drama, hablen claramente, con buena pronunciación ¡y con mucha expresión!

¡A escuchar!

🎧 The listening passage for this and all *¡A escuchar!* sections is recorded on both the instructor and student tape or CD that accompanies each text.

¡Manos a la obra (*Let's get to work*)!

Escuche los siguientes anuncios de la estación de radio KZK 95fm que presenta oportunidades de trabajo voluntario en todas partes del mundo. Decida qué oportunidad (**A, B** o **C**) mejor corresponda con cada uno de los tres estudiantes indicados.

Estudiantes

_____ 1. Elena, estudiante de biología, adora los animales y le encanta viajar.

_____ 2. Jaime, estudiante de matemáticas, tiene siete hermanos menores, es muy extrovertido y practica varios deportes.

_____ 3. María, estudiante de español, vivió en México por un año, le interesa la sociología y le gusta mucho conocer gente de otros países.

Ahora, escuche los anuncios otra vez. Decida cuál de las tres oportunidades sería la mejor para usted y por qué. Mencione dos o tres razones.

Oportunidades

_____ A. Los Ángeles (Programa de Verano)

_____ B. El Paso (Centro de Auxilios Familiares)

_____ C. Galápagos (Centro Charles Darwin)

¿Por qué?...

De mi escritorio

Presentaciones: Los países hispanos

En grupos de tres, hagan una investigación de un país hispano. Busquen información por Internet o en la biblioteca. Luego, presenten la información a la clase de una manera interesante y creativa. Las presentaciones deben ser de cinco minutos. Hablen de:

- un aspecto importante de la historia del país
- la geografía del país y el clima
- las atracciones de interés para el visitante

Study Hints

See what you have learned! Turn to pp. 472–473 to review the active vocabulary and take the self-test for this chapter.

In this final *De mi escritorio* activity, written and oral skills are combined. Students are to move beyond the *Panorama cultural* sections, seeking information on the Internet, or through other sources.

Audioscript:

ANUNCIO A: ¿Habla usted español e inglés? ¿Le interesa trabajar con inmigrantes que acaban de llegar a este país? ¡Sea voluntario este verano en nuestro Centro de Auxilios Familiares! Estamos situados en la bella ciudad de El Paso cerca de la frontera entre México y los Estados Unidos. ¡Le ofrecemos muchas oportunidades! Usted puede ser traductor, ayudar a familias con la documentación, matricularlas en clases de inglés o ayudarlas a encontrar alojamiento y empleo. Llámenos en seguida a 901-722-37-91 para recibir más información.

ANUNCIO B: ¿A usted le gustan los niños? Necesitamos voluntarios con mucha energía para trabajar en nuestro Programa de Verano con los niños de los barrios hispanos de Los Ángeles. Buscamos tutores para enseñar inglés y matemáticas y también voluntarios para organizar programas de recreo— vólibol, fútbol y básquetbol. Llámenos a 701-842-59-66. ¡Un verano de maravilla lo espera!

ANUNCIO C: ¿Desea usted aventuras? ¿Le gusta a usted el mar, las aves y los reptiles? ¿Ha estudiado biología marítima? Pase el verano trabajando en las Islas Galápagos de Ecuador. ¡Usted podrá colaborar con las investigaciones de la famosa Estación Charles Darwin en la Isla Santa Cruz y viajar a todas las Islas Galápagos! Nuestro propósito este verano es estudiar los efectos del turismo en las aves, los reptiles y la vida marítima. Comuníquese con nosotros por correo electrónico. Nuestra dirección es: [voluntarios@galapagos.com].

PANORAMA CULTURAL

Paraguay y Uruguay

[www.wiley.com/college/dicho/panorama]

Use *transparency #66* (map) to review the map questions with the class.

Preguntas sobre el mapa

1. ¿Cuáles son los tres países vecinos de Paraguay?
2. ¿Cuál es la capital de Paraguay?
3. ¿Dónde está situada la capital de Uruguay? ¿Qué opciones cree usted que hay para viajar de Montevideo a Buenos Aires?

Paraguay y Uruguay

Durante el período colonial estos países tuvieron una historia muy similar. Sin embargo, su situación geográfica y su destino político generaron diferencias regionales que resultaron en dos naciones con identidades muy distintas. Por ejemplo, en Uruguay, la población es uniforme—casi todos descienden de inmigrantes. En Paraguay hay mucha diversidad. La población incluye inmigrantes europeos y proximadamente veinticinco tribus indígenas.

Paraguay

Como Bolivia, Paraguay está en el corazón de Sudamérica y no tiene salida al océano. Paraguay deriva su nombre del río que lo cruza de norte a sur. Casi el 95% de la población vive al este del río. La zona del oeste es una extensa planicie llamada el Gran Chaco, que significa «lugar de caza[1]» en quechua.

La capital, Asunción, está a orillas[3] del río Paraguay. Es la ciudad más moderna del país y es el puerto más importante. La ciudad conserva muchos ejemplos de arquitectura colonial. Los tranvías[4] amarillos de Asunción se consideran una antigüedad. ¿Existen tranvías en alguna ciudad de su país?

Hoy en día Paraguay está a la cabeza en la producción de energía eléctrica. La represa[2] de Itaipú puede generar hasta 12.600.000 kilovatios. Paraguay exporta la mayor parte de esta enorme producción eléctrica a Brasil. ¿Hay una represa tan grande en su país?

A partir de 1609 los jesuitas establecieron comunidades autosuficientes que agrupaban a cientos de indígenas guaraníes y los protegían de los traficantes de esclavos[5] portugueses y españoles. Vea la foto de las ruinas de las misiones en Trinidad, Paraguay. ¿Conoce usted unas misiones en los EEUU? ¿En qué estados están?

¿Sabía usted?

▶ Hoy, existen en Paraguay dos lenguas principales, el español y el guaraní. Los paraguayos cantan, escriben y dan expresión a sus emociones en las dos lenguas.

Las espectaculares cataratas del Iguazú están en la frontera entre Argentina, Brasil y Paraguay. ¿Preferiría usted visitarlas en avión o en canoa?

---

[1]*hunt* [2]*dam* [3]*on the banks* [4]*trolleys* [5]*slaves*

Uruguay

Uruguay es la república sudamericana más pequeña. El nombre del país viene de un río, el río Uruguay, que lo separa de Argentina. La geografía uruguaya es uniforme: al norte están las llanuras[6] y al sur está la Banda Oriental, una región muy plana donde está situada la capital.

La agricultura y la ganadería son la base de la economía del país. La industria pesquera y la manufactura de productos derivados del ganado (lana, cuero, carne) son otra parte importante del sector comercial. El turismo también genera muchos beneficios y representa casi el 30% de la actividad económica.

UN NOMBRE PARA LA CAPITAL
En 1520 un marinero portugués, cuando vio desde el barco de Magallanes el lugar donde está la capital de Uruguay dijo: «¡Monte vide eu!» (Yo veo una montaña). Éste es el origen del nombre Montevideo.

Montevideo, la bella capital con playas en el Atlántico, atrae a muchos turistas. En esta ciudad vive la mitad de la población del país. Inicialmente Montevideo era un fuerte militar; por eso, no existen grandes edificios ni monumentos coloniales como en otras capitales. El aspecto de la ciudad es moderno. Según la foto, ¿qué atracciones turísticas ofrece Montevideo?

La yerba mate es un tipo de té muy popular en Uruguay y otros países del Cono Sur. ¿Qué bebidas prefiere usted para mantenerse alerta?

¿Qué descubrimos?

Existen varios contrastes importantes entre Paraguay y Uruguay. ¿A qué país hace referencia cada oración?

1. No tiene costas.
2. Su capital tiene costas sobre el Atlántico.
3. El español es la única lengua oficial.
4. Se hablan dos idiomas principales.
5. Tiene una capital que conserva bellos ejemplos de arquitectura colonial.
6. Su capital se caracteriza por su aspecto moderno, sin monumentos coloniales.
7. Su población es diversa: existe una gran variedad de tribus indígenas.
8. Su población es uniforme, casi todos descienden de inmigrantes.

¿Sabía usted?

▸ La legislación social de Uruguay es una de las más innovadoras de Hispanoamérica. Todas las personas que han trabajado 30 años tienen derecho a jubilarse[7] con pensión.

▸ Los uruguayos aman el fútbol y han ganado el campeonato mundial varias veces.

▸ La vida cultural de Uruguay es muy intensa: el país tiene uno de los índices de alfabetismo[8] más altos de Hispanoamérica.

Adivinanzas

Divídanse en parejas. Busquen y escriban las frases que mejor describan Uruguay y Paraguay—su **historia**, **geografía**, **economía**, etc. Dos parejas competirán frente a la clase. La clase presenta las frases y cada pareja, por turnos, escucha y luego identifica el país. La pareja que identifique correctamente el mayor número de frases gana.

---

[6]*flatlands*   [7]*to retire*   [8]*literacy*

Command Forms

usted	hable	coma	viva
	no hable	no coma	no viva
ustedes	hablen	coman	vivan
	no hablen	no coman	no vivan
nosotros	hablemos	comamos	vivamos
	no hablemos	no comamos	no vivamos
tú	habla	come	vive
	no hables	no comas	no vivas
(vosotros)	[hablad]	[comed]	[vivid]
	[no habléis]	[no comáis]	[no viváis]

B. STEM-CHANGING VERBS

Only the tenses with stem changes are given.

1. -ar and -er stem-changing verbs: e → ie and o → ue

pensar (ie) *to think*

Present Indicative: **pienso, piensas, piensa,** pensamos, pensáis, **piensan**
Present Subjunctive: **piense, pienses, piense,** pensemos, penséis, **piensen**
Commands: **piense (usted), piensen (ustedes),** pensemos (nosotros), **piensa (tú), no pienses (tú),** [pensad (vosotros), no penséis (vosotros)]

volver (ue) *to return*

Present Indicative: **vuelvo, vuelves, vuelve,** volvemos, volvéis, **vuelven**
Present Subjunctive: **vuelva, vuelvas, vuelva,** volvamos, volváis, **vuelvan**
Commands: **vuelva (usted), vuelvan (ustedes),** volvamos (nosotros), **vuelve (tú), no vuelvas (tú),** [volved (vosotros), no volváis (vosotros)]

Other verbs of this type are:

cerrar (ie)	*to close*	**acostarse (ue)**	*to go to bed*
despertarse (ie)	*to wake up*	**almorzar (ue)**	*to have lunch*
empezar (ie)	*to begin*	**contar (ue)**	*to count, tell*
encender (ie)	*to turn on (light)*	**costar (ue)**	*to cost*
entender (ie)	*to understand*	**encontrar (ue)**	*to find*
nevar (ie)	*to snow*	**jugar (ue)**	*to play*
perder (ie)	*to lose*	**mostrar (ue)**	*to show*
querer (ie)	*to wish, want, love*	**poder (ue)**	*to be able, can*
recomendar (ie)	*to recommend*	**recordar (ue)**	*to remember*
sentarse (ie)	*to sit down*	**resolver (ue)**	*to resolve*
		sonar (ue)	*to sound, ring*

2. -ir stem-changing verbs: e → ie, i and o → ue, u

referir (ie, i)   *to refer*

Present Participle:	**refiriendo**
Present Indicative:	**refiero, refieres, refiere,** referimos, referís, **refieren**
Preterit:	referí, referiste, **refirió,** referimos, referisteis, **refirieron**
Present Subjunctive:	**refiera, refieras, refiera, refiramos, refiráis, refieran**
Imperfect Subjunctive:	**refiriera, refirieras, refiriera, refiriéramos, refirierais, refirieran**
Commands:	**refiera (usted), refieran (ustedes), refiramos (nosotros), refiere (tú), no refieras (tú),** [referid (vosotros), **no refiráis (vosotros)**]

dormir (ue, u)   *to sleep*

Present Participle:	**durmiendo**
Present Indicative:	**duermo, duermes, duerme,** dormimos, dormís, **duermen**
Preterit:	dormí, dormiste, **durmió,** dormimos, dormisteis, **durmieron**
Present Subjunctive:	**duerma, duermas, duerma, durmamos, durmáis, duerman**
Imperfect Subjunctive:	**durmiera, durmieras, durmiera, durmiéramos, durmierais, durmieran**
Commands:	**duerma (usted), duerman (ustedes), durmamos (nosotros), duerme (tú), no duermas (tú),** [dormid (vosotros), **no durmáis (vosotros)**]

Other verbs of this type are:

divertirse (ie, i)	*to have a good time*
morir (ue, u)	*to die*
sentir (ie, i)	*to be sorry, regret*
sentirse (ie, i)	*to feel*
sugerir (ie, i)	*to suggest*

3. -ir stem-changing verbs: e → i, i

pedir (i, i)   *to ask for*

Present Participle:	**pidiendo**
Present Indicative:	**pido, pides, pide,** pedimos, pedís, **piden**
Preterit:	pedí, pediste, **pidió,** pedimos, pedisteis, **pidieron**
Present Subjunctive:	**pida, pidas, pida, pidamos, pidáis, pidan**
Imperfect Subjunctive:	**pidiera, pidieras, pidiera, pidiéramos, pidierais, pidieran**
Commands:	**pida (usted), pidan (ustedes), pidamos (nosotros), pide (tú), no pidas (tú),** [pedid (vosotros), **no pidáis (vosotros)**]

Other verbs of this type are:

conseguir (i, i)	*to get, obtain*
despedirse de (i, i)	*to say good-bye*
reírse (i, i)	*to laugh*
repetir (i, i)	*to repeat*
servir (i, i)	*to serve*
seguir (i, i)	*to follow*
vestirse (i, i)	*to get dressed*

C. VERBS WITH ORTHOGRAPHIC CHANGES

Only the tenses with orthographic changes are given.

1. c → qu

tocar   *to play (instrument)*

Preterit:	**toqué,** tocaste, tocó, tocamos, tocasteis, tocaron
Present Subjunctive:	**toque, toques, toque, toquemos, toquéis, toquen**
Commands:	**toque (usted), toquen (ustedes), toquemos (nosotros),** toca (tú), **no toques (tú),** [tocad (vosotros), **no toquéis (vosotros)**]

Like **tocar** are **buscar,** *to look for;* **explicar,** *to explain;* **pescar,** *to fish;* and **sacar,** *to take out.*

2. z → c

empezar (ie)   *to begin*

Preterit:	**empecé,** empezaste, empezó, empezamos, empezasteis, empezaron
Present Subjunctive:	**empiece, empieces, empiece, empecemos, empecéis, empiecen**
Commands:	**empiece (usted), empiecen (ustedes), empecemos (nosotros),** empieza (tú), **no empieces (tú)** [empezad (vosotros), **no empecéis (vosotros)**]

Like **empezar** are **abrazar,** *to hug;* **almorzar** (ue), *to have lunch;* and **cruzar,** *to cross.*

3. g → gu

pagar   *to pay (for)*

Preterit:	**pagué,** pagaste, pagó, pagamos, pagasteis, pagaron
Present Subjunctive:	**pague, pagues, pague, paguemos, paguéis, paguen**
Commands:	**pague (usted), paguen (ustedes), paguemos (nosotros),** paga (tú), **no pagues (tú),** [pagad (vosotros), **no paguéis (vosotros)**]

Like **pagar** are **llegar,** *to arrive;* **jugar** (ue), *to play;* and **apagar,** *to turn off.*

4. gu → g

seguir (i, i)   *to follow, continue*

Present Indicative:	**sigo,** sigues, sigue, seguimos, seguís, siguen
Present Subjunctive:	**siga, sigas, siga, sigamos, sigáis, sigan**
Commands:	**siga (usted), sigan (ustedes), sigamos (nosotros),** sigue (tú), **no sigas (tú),** [seguid (vosotros), **no sigáis (vosotros)**]

5. g → j

recoger   *to pick up*

Present Indicative:	**recojo,** recoges, recoge, recogemos, recogéis, recogen
Present Subjunctive:	**recoja, recojas, recoja, recojamos, recojáis, recojan**
Commands:	**recoja (usted), recojan (ustedes), recojamos (nosotros),** recoge (tú), **no recojas (tú),** [recoged (vosotros), **no recojáis (vosotros)**]

Like **recoger** is **escoger,** *to choose,* and **proteger,** *to protect.*

6. i → y

leer *to read*

Present Participle:	**leyendo**
Preterit:	leí, leíste, **leyó**, leímos, leísteis, **leyeron**
Imperfect Subjunctive:	**leyera, leyeras, leyera, leyéramos, leyerais, leyeran**

Like **leer** is **oír,** *to hear;* and in the present participle **traer,** *to bring:* **trayendo;** and **ir,** *to go:* **yendo.**

construir *to construct*

Present Participle:	**construyendo**
Present Indicative:	**construyo, construyes, construye,** construimos, construís, **construyen**
Preterit:	construí, construiste, **construyó,** construimos, construisteis, **construyeron**
Present Subjunctive:	**construya, construyas, construya, construyamos, construyáis, construyan**
Imperfect Subjunctive:	**construyera, construyeras, construyera, construyéramos, construyerais, construyeran**
Commands:	**construya (usted), construyan (ustedes), construyamos (nosotros), construye (tú), no construyas (tú),** [construid (vosotros), **no construyáis (vosotros)**]

Like **construir** is **destruir,** *to destroy.*

D. IRREGULAR VERBS

Only the tenses and commands that have irregular forms are given.

andar *to walk, to go, to run (machinery)*

Preterit:	**anduve, anduviste, anduvo, anduvimos, anduvisteis, anduvieron**
Imperfect Subjunctive:	**anduviera, anduvieras, anduviera, anduviéramos, anduvierais, anduvieran**

conocer *to know, be acquainted with*

Present Indicative:	**conozco,** conoces, conoce, conocemos, conocéis, conocen
Present Subjunctive:	**conozca, conozcas, conozca, conozcamos, conozcáis, conozcan**

dar *to give*

Present Indicative:	**doy,** das, da, damos, dais, dan
Preterit:	**di, diste, dio, dimos, disteis, dieron**
Present Subjunctive:	**dé,** des, **dé,** demos, deis, den
Imperfect Subjunctive:	**diera, dieras, diera, diéramos, dierais, dieran**

decir *to say, tell*

Present Participle:	**diciendo**
Past Participle:	**dicho**
Present Indicative:	**digo, dices, dice,** decimos, decís, **dicen**
Preterit:	**dije, dijiste, dijo, dijimos, dijisteis, dijeron**
Present Subjunctive:	**diga, digas, diga, digamos, digáis, digan**
Imperfect Subjunctive:	**dijera, dijeras, dijera, dijéramos, dijerais, dijeran**
Future:	**diré, dirás, dirá, diremos, diréis, dirán**
Conditional:	**diría, dirías, diría, diríamos, diríais, dirían**
Affirmative tú command:	**di**

estar *to be*

Present Indicative:	**estoy, estás, está,** estamos, estáis, **están**
Preterit:	**estuve, estuviste, estuvo, estuvimos, estuvisteis, estuvieron**
Present Subjunctive:	**esté, estés, esté,** estemos, estéis, **estén**
Imperfect Subjunctive:	**estuviera, estuvieras, estuviera, estuviéramos, estuvierais, estuvieran**

haber *to have*

Present Indicative:	**he, has, ha, hemos,** habéis, **han**
Preterit:	**hube, hubiste, hubo, hubimos, hubisteis, hubieron**
Present Subjunctive:	**haya, hayas, haya, hayamos, hayáis, hayan**
Imperfect Subjunctive:	**hubiera, hubieras, hubiera, hubiéramos, hubierais, hubieran**
Future:	**habré, habrás, habrá, habremos, habréis, habrán**
Conditional:	**habría, habrías, habría, habríamos, habríais, habrían**

hacer *to do, make*

Past Participle:	**hecho**
Present Indicative:	**hago,** haces, hace, hacemos, hacéis, hacen
Preterit:	**hice, hiciste, hizo, hicimos, hicisteis, hicieron**
Present Subjunctive:	**haga, hagas, haga, hagamos, hagáis, hagan**
Imperfect Subjunctive:	**hiciera, hicieras, hiciera, hiciéramos, hicierais, hicieran**
Future:	**haré, harás, hará, haremos, haréis, harán**
Conditional:	**haría, harías, haría, haríamos, haríais, harían**
Affirmative tú *command:*	**haz**

ir *to go*

Present Participle:	**yendo**
Past Participle:	**ido**
Present Indicative:	**voy, vas, va, vamos, vais, van**
Preterit:	**fui, fuiste, fue, fuimos, fuisteis, fueron**
Imperfect:	**iba, ibas, iba, íbamos, ibais, iban**
Present Subjunctive:	**vaya, vayas, vaya, vayamos, vayáis, vayan**
Imperfect Subjunctive:	**fuera, fueras, fuera, fuéramos, fuerais, fueran**
Affirmative tú *command:*	**ve**
Affirmative nosotros *command:*	**vamos**

oír *to hear*

Present Participle:	**oyendo**
Past Participle:	**oído**
Present Indicative:	**oigo, oyes, oye,** oímos, oís, **oyen**
Preterit:	oí, **oíste, oyó, oímos, oísteis, oyeron**
Present Subjunctive:	**oiga, oigas, oiga, oigamos, oigáis, oigan**
Imperfect Subjunctive:	**oyera, oyeras, oyera, oyéramos, oyerais, oyeran**

poder *to be able, can*

Present Participle:	**pudiendo**
Present Indicative:	**puedo, puedes, puede,** podemos, podéis, **pueden**
Preterit:	**pude, pudiste, pudo, pudimos, pudisteis, pudieron**
Present Subjunctive:	**pueda, puedas, pueda,** podamos, podáis, **puedan**
Imperfect Subjunctive:	**pudiera, pudieras, pudiera, pudiéramos, pudierais, pudieran**
Future:	**podré, podrás, podrá, podremos, podréis, podrán**
Conditional:	**podría, podrías, podría, podríamos, podríais, podrían**

poner *to put, place*

Past Participle:	**puesto**
Present Indicative:	**pongo,** pones, pone, ponemos, ponéis, ponen
Preterit:	**puse, pusiste, puso, pusimos, pusisteis, pusieron**
Present Subjunctive:	**ponga, pongas, ponga, pongamos, pongáis, pongan**
Imperfect Subjunctive:	**pusiera, pusieras, pusiera, pusiéramos, pusierais, pusieran**
Future:	**pondré, pondrás, pondrá, pondremos, pondréis, pondrán**
Conditional:	**pondría, pondrías, pondría, pondríamos, pondríais, pondrían**
Affirmative tú command:	**pon**

Like **poner** is **proponer,** *to propose.*

querer *to wish, want*

Present Indicative:	**quiero, quieres, quiere,** queremos, queréis, **quieren**
Preterit:	**quise, quisiste, quiso, quisimos, quisisteis, quisieron**
Present Subjunctive:	**quiera, quieras, quiera,** queramos, queráis, **quieran**
Imperfect Subjunctive:	**quisiera, quisieras, quisiera, quisiéramos, quisierais, quisieran**
Future:	**querré, querrás, querrá, querremos, querréis, querrán**
Conditional:	**querría, querrías, querría, querríamos, querríais, querrían**

saber *to know*

Present Indicative:	**sé,** sabes, sabe, sabemos, sabéis, saben
Preterit:	**supe, supiste, supo, supimos, supisteis, supieron**
Present Subjunctive:	**sepa, sepas, sepa, sepamos, sepáis, sepan**
Imperfect Subjunctive:	**supiera, supieras, supiera, supiéramos, supierais, supieran**
Future:	**sabré, sabrás, sabrá, sabremos, sabréis, sabrán**
Conditional:	**sabría, sabrías, sabría, sabríamos, sabríais, sabrían**

salir *to go out, leave*

Present Indicative:	**salgo,** sales, sale, salimos, salís, salen
Present Subjunctive:	**salga, salgas, salga, salgamos, salgáis, salgan**
Future:	**saldré, saldrás, saldrá, saldremos, saldréis, saldrán**
Conditional:	**saldría, saldrías, saldría, saldríamos, saldríais, saldrían**
Affirmative tú command:	**sal**

ser *to be*

Present Indicative:	**soy, eres, es, somos, sois, son**
Preterit:	**fui, fuiste, fue, fuimos, fuisteis, fueron**
Imperfect:	**era, eras, era, éramos, erais, eran**
Present Subjunctive:	**sea, seas, sea, seamos, seáis, sean**
Imperfect Subjunctive:	**fuera, fueras, fuera, fuéramos, fuerais, fueran**
Affirmative tú command:	**sé**

tener   *to have*

Present Indicative:	**tengo, tienes, tiene,** tenemos, tenéis, **tienen**
Preterit:	**tuve, tuviste, tuvo, tuvimos, tuvisteis, tuvieron**
Present Subjunctive:	**tenga, tengas, tenga, tengamos, tengáis, tengan**
Imperfect Subjunctive:	**tuviera, tuvieras, tuviera, tuviéramos, tuvierais, tuvieran**
Future:	**tendré, tendrás, tendrá, tendremos, tendréis, tendrán**
Conditional:	**tendría, tendrías, tendría, tendríamos, tendríais, tendrían**
Affirmative tú command:	**ten**

Like **tener** is **contener,** *to contain.*

traducir   *to translate*

Present Indicative:	**traduzco,** traduces, traduce, traducimos, traducís, traducen
Preterit:	**traduje, tradujiste, tradujo, tradujimos, tradujisteis, tradujeron**
Present Subjunctive:	**traduzca, traduzcas, traduzca, traduzcamos, traduzcáis, traduzcan**
Imperfect Subjunctive:	**tradujera, tradujeras, tradujera, tradujéramos, tradujerais, tradujeran**

Like **traducir** is **conducir,** *to drive.*

traer   *to bring*

Present Participle:	**trayendo**
Past Participle:	**traído**
Present Indicative:	**traigo,** traes, trae, traemos, traéis, traen
Preterit:	**traje, trajiste, trajo, trajimos, trajisteis, trajeron**
Present Subjunctive:	**traiga, traigas, traiga, traigamos, traigáis, traigan**
Imperfect Subjunctive:	**trajera, trajeras, trajera, trajéramos, trajerais, trajeran**

venir   *to come*

Present Participle:	**viniendo**
Present Indicative:	**vengo, vienes, viene,** venimos, venís, **vienen**
Preterit:	**vine, viniste, vino, vinimos, vinisteis, vinieron**
Present Subjunctive:	**venga, vengas, venga, vengamos, vengáis, vengan**
Imperfect Subjunctive:	**viniera, vinieras, viniera, viniéramos, vinierais, vinieran**
Future:	**vendré, vendrás, vendrá, vendremos, vendréis, vendrán**
Conditional:	**vendría, vendrías, vendría, vendríamos, vendríais, vendrían**
Affirmative tú command:	**ven**

Like **venir** is **prevenir,** *to prevent.*

ver   *to see*

Past Participle:	**visto**
Present Indicative:	**veo,** ves, ve, vemos, veis, ven
Preterit:	**vi,** viste, **vio,** vimos, visteis, vieron
Imperfect:	**veía, veías, veía, veíamos, veíais, veían**
Present Subjunctive:	**vea, veas, vea, veamos, veáis, vean**

Apéndice 2: Respuestas para las autopruebas

AUTOPRUEBA Y REPASO 1

I. 1.   PEPITA: (Muy) Bien, gracias.
     PROFESORA: (Muy) Bien, gracias.
  2. PROFESORA: ¿Cómo te llamas?
  3.   CARMEN: ¿Cómo estás? (¿Qué tal?)
     PEPITA: Muy bien, gracias. (Regular.)
  4. PROFESORA: Mucho gusto. (Encantada.)
     CARMEN: El gusto es mío. (Igualmente.)
  5.   MANUEL: Me llamo Manuel.
     PEPITA: Me llamo Pepita.
     PEPITA: Igualmente.
  6.   CARMEN: ¿Qué hora es?
     PEPITA: Hasta luego. (Hasta pronto. Chao. Adiós.)

II. 1. Ellos son de Chile pero nosotras somos de México.   2. Tú eres de Colombia pero ustedes son de España.   3. Luis es de El Salvador pero Juan y Elena son de Honduras.

III. 1. Sí, soy de Tejas. *o* No, no soy de Tejas.   2. Sí, soy muy sentimental. *o* No, no soy muy sentimental.   3. Sí, soy pesimista. *o* No, no soy pesimista.   4. Sí, somos responsables. *o* No, no somos responsables.   5. Sí, somos arrogantes. *o* No, no somos arrogantes.

IV. 1. Son japonesas.   2. Es española.   3. Es canadiense.   4. Son mexicanas.   5. Son alemanes.

V. 1. lunes, los miércoles, los viernes (los martes, los jueves)...   2. los sábados, los domingos

VI. A. 1. Es la una y cuarto (quince) de la tarde.   2. Son las nueve y media (treinta) de la noche.   3. Son las seis menos diez de la mañana. *o* Son las cinco y cincuenta de la mañana.   4. Son las doce menos veinte de la noche. *o* Son las once y cuarenta de la noche.   5. Es (el) mediodía.

B. 1. ¿A qué hora es la clase de historia? Es a las ocho y cuarto (quince) de la mañana.   2. ¿A qué hora es la clase de español? Es a las nueve y veinte de la mañana. 3. ¿A qué hora es la clase de religión? Es a las dos y media (treinta) de la tarde.

VII. 1. Es el catorce de febrero.   2. Es el primero de abril.   3. Es el cuatro de julio. 4. Es el veintitrés de noviembre.   5. Es el veinticinco de diciembre.

VIII. 1. Me llamo...   2. Muy bien, gracias. (Regular.)   3. Soy de...   4. Soy...   5. Es el... de...   6. Es lunes, etc.   7. Son las... (Es la...)

I. A. 1. el, los ejercicios 2. la, las lecciones 3. la, las páginas 4. el, los exámenes

B. 1. un, una 2. un, una, unas 3. una, unos

II. 1. Voy a la cafetería (al centro estudiantil). 2. Vamos al laboratorio (a la residencia estudiantil/al cuarto). 3. Vamos al gimnasio. 4. Van a la oficina del profesor. 5. Vas a la librería. 6. Va al cuarto (a la residencia estudiantil/a casa/al apartamento).

III. 1. Tomo... 2. Llegan... 3. ¿Estudia...? 4. ¿Trabajas...? 5. Usamos...

IV. 1. Asistimos... aprendemos... 2. Vivo... estudio... 3. Comen... toman... 4. Leemos... escribimos... 5. Imprimes... usas... 6. Hago... salgo...

V. 1. Sí, voy a clases todos los días. *o* No, no voy... 2. Hay... estudiantes en la clase de español. 3. Sí, hay (mucha) tarea todas las noches. *o* No, no hay... 4. Sí, escribimos en el *Cuaderno de ejercicios* todas las noches. *o* No, no escribimos... 5. Voy a la librería. Voy al laboratorio (al centro de computadoras). 6. Voy a... 7. Ceno a las... 8. Como en casa (en la cafetería/en mi apartamento).

I. 1. tengo 2. tiene 3. tienen 4. tenemos 5. tienes

II. 1. Tengo mis fotos. 2. ¿Tienes tus libros? 3. Tiene su diccionario. 4. Tenemos nuestro televisor. 5. ¿Tienen sus calculadoras?

III. 1. soy, son débiles 2. son, es bajo 3. somos, somos ricos 4. es, son difíciles

IV. 1. Estoy nervioso/a (preocupado/a). 2. Están (muy) ocupados/as. 3. Está (muy) enfermo/a. 4. Estamos contentos/as.

V. 1. es 2. son 3. es, es 4. es 5. está 6. están 7. son 8. son

VI. 1. Tengo... años. 2. Mi madre es simpática, etc. *o* Mi padre es alto, etc. 3. Mis amigos/as son simpáticos/as, etc. 4. Mis amigos/as están bien (contentos/as), etc. 5. Sí, estamos preocupados/as por nuestras notas en la clase de... *o* No, no estamos preocupados/as por nuestras notas. 6. Tenemos clases los lunes, etc. 7. Mis (Nuestras) clases son difíciles, etc.

I. 1. ¿Pueden cocinar? Sí, podemos cocinar. *o* No, no podemos... 2. ¿Quieren ir de compras? Sí, queremos ir de compras. *o* No, no queremos... 3. ¿Almuerzan a las doce todos los días? Sí, almorzamos a las doce todos los días. *o* No, no almorzamos... 4. ¿Prefieren cenar en un restaurante o en la cafetería? Preferimos cenar en un restaurante (en la cafetería). 5. ¿Normalmente piden postres en los restaurantes? Sí, normalmente pedimos postres en los restaurantes. *o* No, normalmente no pedimos...

II. 1. Voy a imprimir mi trabajo escrito. 2. Vamos a tomar una siesta. 3. Vas a escuchar cintas en el laboratorio. 4. Van a ir al gimnasio. 5. Va a hablar con la profesora.

III. 1. Dos cuestan doscientos cincuenta dólares. 2. Dos cuestan ciento cuarenta dólares. 3. Dos cuestan setecientos dólares. 4. Dos cuestan dos mil ochocientos dólares. 5. Dos cuestan novecientos dólares. 6. Dos cuestan treinta y dos mil dólares.

IV. 1. ¿A sus padres les gusta tomar café? Sí, les gusta tomar café. *o* No, no les gusta... 2. ¿A ustedes les gusta la comida italiana? Sí, nos gusta la comida italiana. *o* No, no nos gusta... 3. ¿A ustedes les gusta tomar el desayuno temprano? Sí, nos gusta tomar el desayuno temprano. *o* No, no nos gusta... 4. ¿A su abuela le gustan los postres? Sí, le gustan los postres. *o* No, no le gustan... 5. ¿A usted le gustan los frijoles negros? Sí, me gustan los frijoles negros. *o* No, no me gustan...

V. 1. ¿Qué bebe? *o* ¿Por qué no bebe vino?   2. ¿Cuál es su fruta favorita?
3. ¿Cuándo trabaja?   4. ¿De dónde es?   5. ¿Cuántos años tiene?   6. ¿Dónde vive?
7. ¿Adónde va?   8. ¿Cómo está?

VI. 1. Como huevos, etc.   2. Mi postre favorito es el helado, etc.   3. Me gustan más las
manzanas, etc.   4. Quiero cenar en...   5. Voy a estudiar, etc.   6. Generalmente
dormimos... horas.   7. Sí, podemos estudiar toda la noche sin dormir. *o* No, no
podemos...

AUTOPRUEBA Y REPASO 5

I. 1. Busco **a** mi amigo. Busco la casa. Busco **al** médico.   2. Conozco **a** la señorita
Méndez. Conozco **al** señor Lorca. Conozco la ciudad de Nueva York.

II. 1. Tú vienes a clase todos los días. Yo vengo...   2. Nosotros decimos «hola» al entrar...
Yo digo «hola»...   3. Usted conoce bien al profesor. Yo conozco...   4. Nosotros
sabemos todo el vocabulario. Yo sé...   5. Ustedes hacen preguntas en clase. Yo hago...
6. Ana traduce las oraciones. Yo traduzco...   7. Ellas traen la tarea a clase. Yo traigo...
8. Tú no sales de clase temprano. Yo no salgo...

III. 1. Hace fresco. (Hace buen tiempo.)...   2. Hace frío. (Nieva.)...   3. Hace buen tiempo.
(Llueve mucho.)...   4. Hace mucho calor. (Hace sol.)...

IV. 1. Está nevando.   2. El niño está durmiendo.   3. Estoy leyendo una novela.
4. Estamos viendo la tele.   5. Mis hermanos están preparando la cena.

V. 1. Hace dos semanas que trabajo aquí.   2. Hace media hora que juego al tenis.
3. Hace un año que conozco a mi mejor amigo/a.

VI. 1. Conozco a...   2. Tengo que estudiar, etc.   3. Tengo ganas de dormir, etc.   4. Mi
estación favorita es la primavera, etc. porque...   5. Sí, tengo resfriados frecuentemente.
o No, no tengo... Tengo tos, fiebre, dolor de garganta, etc.   6. Estoy escribiendo los
ejercicios de la *Autoprueba*.   7. Hace (*semanas, meses*) que estudio español usando este
libro de texto.

AUTOPRUEBA Y REPASO 6

I. 1. Empecé a trabajar a las nueve.   2. Muchas personas abrieron cuentas.   3. Mi
prima cobró un cheque.   4. Cambiaste cheques de viajero.   5. Firmamos los cheques.
6. Saqué fotocopias para un cliente.   7. Ustedes pagaron la cuenta.   8. Vi a muchos
clientes nuevos en el banco.   9. Trabajé en el banco todo el día.

II. 1. Ana, ¿pidió usted las entradas? Carlos y Felipe, ¿pidieron ustedes...?   2. Ana,
¿prefirió usted la ópera o el ballet? Carlos y Felipe, ¿prefirieron...?   3. Ana, ¿durmió
usted bien después de volver del centro? Carlos y Felipe, ¿durmieron ustedes...?

III. **A.** 1. Antonio va a llevarme.   2. Antonio va a llevarnos.   3. Antonio va a llevarlos.
4. Antonio va a llevarlas.   5. Antonio va a llevarlos.   6. Antonio va a llevarla.
7. Antonio va a llevarte.

B. 1. Sí, las encontré.   2. Si, las firmé.   3. Sí, la cambié.   4. Sí, los recibí.

C. 1. Sí, quiero verlos/las. (Sí, los/las quiero ver.) *o* No, no quiero verlos/las. (No, no
los/las quiero ver.)   2. Sí, voy a llamarlos. (Sí, los voy a llamar.) *o* No, no voy a llamarlos.
(No, no los voy a llamar.)   3. Sí, necesito depositarlo. (Sí, lo necesito depositar.) *o* No, no
necesito depositarlo. (No, no lo necesito depositar.)   4. Sí, quiero abrirla ahora. (Sí, la
quiero abrir ahora.) *o* No, no quiero abrirla ahora. (No, no la quiero abrir ahora.)

IV. 1. No, no pedí nada.   2. No, nadie encontró tus cheques de viajero. *o* No, nadie los
encontró.   3. No, no hay ningún taxi esperando en la avenida. *o* No, no hay ninguno
esperando en la avenida.

V. 1. Abren los bancos a las... de la mañana. Abren los almacenes a las... 2. Sí, gasté mucho dinero en el centro comercial el mes pasado. Compré... *o* No, no gasté... No compré nada./Compré... 3. Pedimos... 4. Sí, fuimos al centro para ir a un restaurante, etc. *o* No, no fuimos al centro. 5. Sí, vimos la película «Titanic». Nos gustó.../No nos gustó. *o* No, no vimos... 6. Dormí... horas. 7. Casi nunca./Casi siempre duermo ocho horas porque...

AUTOPRUEBA Y REPASO 7

I. A. 1. Voy a comprar esta corbata. 2. Voy a comprar esos zapatos. 3. Voy a comprar esas camisetas blancas. 4. Voy a comprar ese reloj «Rolex».

B. 1. Estas gafas cuestan treinta y ocho dólares, ésas cuestan veintidós dólares y aquéllas cuestan diecinueve dólares. 2. Estos jeans cuestan setenta y cinco dólares, ésos cuestan sesenta y tres dólares, y aquéllos cuestan treinta y cuatro dólares. 3. Este traje cuesta trescientos cuarenta y cinco dólares, ése cuesta doscientos treinta dólares y aquél cuesta ciento cincuenta dólares. 4. Esta casa cuesta dos millones de dólares, ésa cuesta un millón de dólares y aquélla cuesta quinientos mil dólares.

II. A. 1. El abrigo es mío. Las botas son mías. Los guantes son míos. La gorra es mía. 2. La ropa interior es nuestra. Los jeans son nuestros. Las corbatas son nuestras. 3. La blusa es tuya. El vestido es tuyo. La camiseta es tuya. Las medias son tuyas. 4. La ropa de verano es suya. Las faldas son suyas. Los trajes de baño son suyos.

B. 1. Mi primo va con unos amigos suyos. 2. Viviana va con un amigo suyo. 3. Mi hermana y yo vamos con un amigo nuestro. 4. Voy con unos amigos míos.

III. 1. Natalia y Linda trajeron las decoraciones. 2. Pusimos las flores en la mesa. 3. Javier quiso venir pero no pudo. 4. Casi todos los estudiantes vinieron. 5. Estuviste en la fiesta por cuatro horas. 6. Tuve que salir temprano.

IV. 1. Él nos regaló un televisor pequeño. 2. Él le regaló una mochila nueva (a mi hermano). 3. Él les regaló joyas (a mis hermanas). 4. Él le regaló un abrigo de lana (a mi madre). 5. Él me regaló una chaqueta de cuero.

V. 1. Fui a la playa hace cinco años. 2. Visité a mis abuelos (Los visité) hace seis meses. 3. Hice ejercicio en el gimnasio hace tres semanas.

VI. 1. (Las mujeres) Llevan vestido, etc. (Los hombres) Llevan chaqueta y corbata, etc. 2. Debo llevar mi abrigo, mis suéteres, etc. a Alaska. Debo llevar mi traje baño, mis pantalones cortos, etc. a la Florida. 3. Sí, fui de compras ayer a Sears. Compré zapatos de tenis, etc. *o* No, no fui de compras ayer. 4. Estudié, etc. 5. Sí, conduje a la universidad esta mañana. No, no conduje... 6. Es mi coche. (Es el coche de mi padre...) 7. Traje mis libros, etc. 8. Sí, le di la tarea para hoy a la profesora/al profesor. *o* No, no le di... 9. Empecé a estudiar el vocabulario de este capítulo hace (*días/semanas*).

AUTOPRUEBA Y REPASO 8

I. 1. Nos fascinan los relámpagos. 2. Les molestan los mosquitos. 3. Le interesa la biología. (Le interesan los libros de biología.) 4. Me encanta pescar. 5. (A Pablo) Le importa la familia.

II. 1. Sí, se las di. 2. Sí, se lo expliqué. 3. Sí, se lo mandé. 4. Sí, te lo devolví. 5. Sí, puedo prestárselos. (Sí, se los puedo prestar.)

III. 1. Ahorraba la gasolina. 2. No desperdiciábamos el agua. 3. Protegías los animales del bosque. 4. Ellos plantaban árboles. 5. Rubén les escribía a los representantes del Congreso. 6. Mis amigos eran muy responsables cuando acampaban.

IV. 1. Los hombres de esta universidad son tan inteligentes como las mujeres de esta universidad. 2. Los profesores son tan divertidos como los estudiantes. 3. Reciclar el papel es tan importante como reciclar el aluminio. 4. Los Gutiérrez tienen tanto dinero como los Gómez. 5. Los Gutiérrez tienen tanta ropa como los Gómez. 6. Los Gutiérrez tienen tantos problemas como los Gómez.

V. 1. El lago Michigan es más grande que el lago Titicaca. El lago Superior es el más grande de los tres. 2. Las playas de México son más bonitas que las playas de Chile. Las playas de Costa Rica son las más bonitas de las tres. 3. La carne que produce Wisconsin es mejor que la carne que produce Texas. La carne que produce Argentina es la mejor de las tres.

VI. 1. Me fascinan (interesan) más las arañas, etc. Me molestan los mosquitos, etc. 2. Me encanta(n)... 3. Iba a las montañas, etc. 4. Comía mucho, etc. 5. Soy más generoso/a que (tan generoso/a como) (menos generoso/a que) mi mejor amigo/a. 6. Tengo más problemas que (tantos problemas como) (menos problemas que) mi mejor amigo/a. 7. La clase de... es la (clase) más interesante de la universidad.

AUTOPRUEBA Y REPASO 9

I. A. 1. El año pasado, alquilé un apartamento. 2. Con frecuencia, invitaba a mis amigos al apartamento. 3. Todos los sábados, limpiaba la sala. 4. Una vez, lavé las cortinas. 5. Los fines de semana, visitaba a mis vecinos. 6. Todas las mañanas, abría las ventanas. 7. Ayer, bajé al sótano. 8. Un día, vi un insecto enorme en la cocina.

B. 1. Eran las dos de la tarde. 2. Hacía sol. 3. Mónica llevaba jeans y una camiseta blanca. 4. Ella salió de su apartamento y decidió ir al parque. 5. Mientras caminaba por el parque, vio un gato hambriento. 6. Lo llevó a su apartamento. 7. Le dio leche y comida. 8. Después, fue al veterinario con el gato. 9. El veterinario lo examinó y dijo que el gato estaba un poco enfermo. 10. Mónica le dio de comer y el gato vivió felizmente con ella por muchos años.

II. A. 1. Quiero comer después de ver el vídeo. 2. Quiero poner los libros encima de la mesa. 3. Quiero poner la planta detrás del sofá. 4. Quiero estar fuera de la casa.

B. 1. entrar 2. comer 3. cenar 4. volver

III. 1. Trabajé para poder ir a México. 2. Salí para México el 6 de agosto. 3. Estuve allí por un mes. 4. Viajé por todo el país. 5. Compré un libro de arte para mi madre. 6. Lo compré por noventa pesos. 7. Mi madre me dijo, «Gracias por el libro».

IV 1. Era grande, etc. y tenía... 2. Salía con mis amigos/as, etc. 3. Vi la tele, etc. 4. Hablaban, etc. 5. Sí, van con frecuencia para hablar con sus amigos/as,...

AUTOPRUEBA Y REPASO 10

I. A. 1. Mi compañero/a de cuarto se despierta. 2. Me levanto. 3. Te bañas. 4. Elena se viste. 5. Nos ponemos suéteres porque hace frío. 6. Ana y Susana se van a clase.

B. 1. Acabo de ducharme. (Me acabo de duchar.) 2. Felipe acaba de peinarse. (Felipe se acaba de peinar.) 3. Acabas de lavarte la cara. (Te acabas de lavar la cara.) 4. Acabamos de afeitarnos. (Nos acabamos de afeitar.) 5. Ellos acaban de cepillarse los dientes. (Ellos se acaban de cepillar los dientes.)

II. 1. Los llama frecuentemente. 2. Lo habla fácilmente. 3. Llegó recientemente. 4. Me responde inmediatamente.

III. 1. Hemos visitado los volcanes. 2. Has sacado fotos de los pájaros. 3. Inés ha ido al mercado público. 4. Ustedes han comprado muchas flores. 5. Mis amigos han escrito muchas tarjetas postales. 6. Usted ha viajado por la costa del Mar Caribe. 7. Has visto el bosque de nubes de Monteverde. 8. He hecho muchas cosas interesantes. 9. Me he divertido mucho.

IV. 1. Había apagado la computadora.   2. Habías imprimido tu trabajo escrito.   3. Mi compañero/a de cuarto había cerrado las ventanas.   4. Habíamos hecho la tarea para la clase de español.   5. Linda y Teresa habían leído la novela para la clase de inglés.

V. 1. Me quito la ropa, me cepillo los dientes, etc.   2. Se duchó, se lavó el pelo, etc.   3. He estudiado, etc.   4. Sí, nos hemos divertido mucho recientemente. Hemos ido a muchas fiestas, etc. *o* No, no nos hemos divertido mucho recientemente.   5. Había viajado a...

AUTOPRUEBA Y REPASO 11

I. 1. Se enamoraron inmediatamente.   2. Se comprometieron seis meses más tarde.   3. Se casaron en secreto dos meses más tarde.   4. Aún hoy, después de 25 años, se aman mucho.

II. 1. Te sugiero que vayas a Puerto Rico durante el invierno.   2. Prefiero que mis amigos viajen en crucero.   3. Quiero que ellos se diviertan mucho durante su visita a San Juan.   4. Quiero que visites el bosque de nubes.   5. Les pido a todos que me compren un regalo.   6. Les recomiendo a mis amigos que se queden dos semanas.

III. 1. Espero que ellos viajen a todos los países.   2. Espero que Linda me mande fotos.   3. Siento que mis amigos salgan mañana sin mí.   4. Temo que ellos gasten todo su dinero.   5. Me alegro de que puedas hacer el viaje.   6. Espero que podamos hacer otro viaje en el futuro.

IV. A. 1. Limpia la cocina.   2. Apaga la radio.   3. Haz la cama.   4. Pon la mesa.   5. Devuelve los vídeos a la tienda.   6. Sé más optimista.   7. Córtate el pelo.   8. Acuéstate más temprano.

B. 1. No comas la comida que está en el refrigerador.   2. No gastes tanto dinero.   3. No vayas a tantas fiestas.   4. No salgas todas las noches.   5. No seas insolente.   6. No te levantes tan tarde.   7. No te preocupes.   8. No te pongas ropa sucia.

V. 1. Me reúno con mis amigos/as los sábados por la noche, etc. Nos reunimos en... Vamos al cine, etc.   2. Me llevo muy bien con (*nombre de persona*).   3. Se hablaron, se abrazaron, bailaron, etc.   4. Quiero que mis amigos/as estudien, que no vean la tele, etc.   5. Prefiero que no fume, etc.   6. Espero que me dé una «A» en español, etc.   7. No toques mi estéreo. Ven conmigo al cine, etc. Limpia el cuarto. No hables por teléfono a las dos de la mañana, etc.

AUTOPRUEBA Y REPASO 12

I. 1. Haga las reservaciones hoy.   2. Consiga los boletos pronto.   3. Confirme el vuelo.   4. Tenga paciencia si hay demoras.   5. Encuentre un hotel cerca de la playa.   6. Pida una habitación con baño privado.   7. Pague con tarjeta de crédito.   8. Muéstreme las fotos al volver.   9. Diviértase.

II. A. 1. No creo que ustedes encuentren sus asientos rápidamente.   2. No estoy seguro/a de que el auxiliar de vuelo sepa hablar español.   3. Dudo que el avión despegue a tiempo.   4. No estoy seguro/a de que lleguemos a tiempo.   5. No creo que puedas ir con nosotros.

B. 1. Creo que cuesta más de mil doscientos dólares.   2. No creo que haya un problema serio.   3. Dudo que nuestro equipaje llegue a tiempo.   4. No estoy seguro/a de que sea una línea aérea muy eficiente.   5. Estoy seguro/a que aterrizamos a tiempo.

III. 1. Es una lástima que el avión llegue tarde.   2. Es bueno que tenga todo el equipaje.   3. Es urgente que vayamos a la aduana.   4. Es horrible que no pueda encontrar el boleto.   5. Es extraño que no haya azafatas.

IV. 1. Me alegro de que mis amigos hayan llegado recientemente.   2. Me alegro de que mi mejor amiga me haya comprado un regalo.   3. Siento que hayas perdido tu cámara.   4. Siento que mis amigos no me llamen.   5. Siento que hayan tenido un accidente.   6. Me alegro de que Elena y Marta hayan conseguido las entradas para el concierto.

V. 1. Encontramos las horas de las salidas y llegadas de los vuelos.   2. Facturan su equipaje. Consiguen sus tarjetas de embarque.   3. Sí, creo que generalmente llegan a tiempo. *o* No, no creo que generalmente lleguen a tiempo.   4. Sí, dudo que sean eficientes. *o* No, no dudo que son eficientes.   5. Un hotel de cinco estrellas tiene/es...   6. Sí, hemos viajado mucho. *o* No, no hemos viajado mucho. Me alegro de que hayamos viajado mucho. *o* Siento que no hayamos viajado más.

AUTOPRUEBA Y REPASO 13

I. **A.** 1. Busco un coche que sea económico.   2. Prefiero un coche que no use mucha gasolina.   3. No quiero comprar un coche que tenga problemas mecánicos.

B. 1. Tengo muchos coches aquí que no cuestan mucho.   2. Sólo vendo coches que usan poca gasolina.   3. No hay ningún coche aquí que tenga problemas mecánicos.

II. 1. Encontraré un trabajo magnífico.   2. Mi novio/a y yo nos casaremos.   3. Nos mudaremos a una ciudad grande.   4. Mis amigos/as harán muchos viajes.   5. Probablemente irás al Caribe con frecuencia.   6. Ustedes probablemente volverán a la universidad cada cinco años para las reuniones.

III. 1. ...recibí el dinero, ...reciba el dinero   2. ...compre los boletos, ...compré los boletos   3. ...me llamaste, ...me llames   4. ...llegue, ...llegó

IV. 1. ...llame   2. ...la sepa   3. ...me ayudes   4. ...lo tengas

V. 1. Levantémonos a las diez.   2. Salgamos para el centro.   3. Vamos por la ruta más directa.   4. Paremos en el supermercado para comprar comida.   5. Crucemos el puente nuevo.   6. Sigamos recto por cuatro cuadras más.   7. Exploremos todo el sector histórico de la ciudad.

VI. 1. Quiero que revise el aceite, etc.   2. ¡Ay de mí!, etc.   3. Sí, he hecho un viaje en tren/autobús a... *o* No, no he hecho...   4. Sí, me gusta la idea porque... *o* No, no me gusta la idea porque...   5. Trabajaré, haré un viaje, etc.   6. Compraré un... porque...   7. Buscaré una persona que sea, etc ...

AUTOPRUEBA Y REPASO 14

I. 1. Quería que mi amigo fuera más conservador/encontrara empleo/resolviera sus problemas.   2. Esperaban que los hijos no sufrieran la discriminación/no tuvieran que luchar en una guerra/no tuvieran éxito.   3. Sugirió que escucharas las noticias/participaras en las elecciones/votaras por el mejor candidato.   4. Recomendó que recicláramos muchas cosas/no desperdiciáramos el agua/no contamináramos el río.

II. 1. Se alegraron de que no hubiéramos contaminado el lago.   2. Se alegraron de que los estudiantes hubieran ayudado a conservar el bosque.   3. Se alegraron de que hubieras plantado más árboles.   4. Se alegraron de que hubiera reciclado el papel y el aluminio.   5. Se alegraron de que mi amiga hubiera decidido participar en el club.

III. 1. Viajaría a muchos países.   2. Pepe pondría el dinero en el banco.   3. Les darías dinero a los pobres.   4. Gastarían todo el dinero.   5. Haríamos un viaje a la Patagonia.   6. Mis amigas irían a Chile a esquiar.

IV. 1. Si ganara más dinero, lo ahorraría.   2. Si lo ahorrara, tendría mucho dinero.   3. Si tuviera mucho dinero, compraría un coche.   4. Si comprara un coche, haría un viaje.   5. Si hiciera un viaje, iría a México.   6. Si fuera a México, me quedaría allí dos meses.

7. Si me quedara allí dos meses, perdería mi trabajo.   8. Si perdiera mi trabajo, no tendría dinero.

V.   1. Ojalá (que) el aire no estuviera tan contaminado.   2. Ojalá (que) no hubiera mucho desempleo en esta ciudad.   3. Ojalá (que) no tuviéramos muchas guerras en el mundo hoy.   4. Ojalá (que) muchas personas no sufrieran del SIDA y del cáncer.

VI.   1. En mi opinión, algunos de los problemas más serios son...   2. Cambiaría... porque...
3. Sí, me preocupaba por... *o* No, no me preocupaba por los problemas del mundo/otros problemas.   4. Quería que ellos (*verbo: imperfecto del subjuntivo*),...

Vocabulario

Spanish-English

The number following each entry corresponds to the chapter in which the word was introduced.

A

a at, to 2
abierto/a open 3
abogado/a *m/f* lawyer 3
aborto *m* abortion 14
abrazar to hug 5
abrigo *m* coat 7
abril April 1
abrir to open 6
abrocharse el cinturón to fasten one's seatbelt 12
abuela *f* grandmother 3
abuelo *m* grandfather 3
abuelos *m, pl.* grandparents 3
aburrido/a bored 3; boring 3
aburrirse to get bored 10
acabar de + *infinitivo* to have just (completed action) 10
acampar to camp 8
accidente *m* accident 13
aceite *m* oil 4
aceituna *f* olive 4
acerca de about (content) 9
acordarse (ue) de to remember 11
acostarse (ue) to go to bed 10
acuerdo *m* **de paz** *f* peace accord 14
adiós good-bye 1
¿adónde? (to) where? 2
aduana *f* customs 12
adultos *m, pl.* adults 11
aerolínea *f* airline 12
aeropuerto *m* airport 12
afeitarse to shave 10
agencia *f* **de viajes** travel agency 12
agosto August 1
agua *f* (*but* **el agua**) water 4
ahora now 2
ahorrar to save (money) 6
aire *m* air 8; **aire acondicionado** air conditioning 12
ajo *m* garlic 4
al + *infinitivo* upon (doing something) 9

alcohol *m* alcohol 14
alegrarse (de) to be glad (about) 11
alemán *m* German (language) 1
alemán/alemana *m/f, n., adj.* German 1
alfombra *f* rug, carpet 9
álgebra *f* (*but* **el álgebra**) algebra 2
algo something 6
algodón *m* cotton 7
alguien someone, somebody 6
algún (alguno/a/os/as) some, any 6
allí there 3
almacén *m* department store 6
almohada *f* pillow 12
almorzar (ue) to have lunch 4
almuerzo *m* lunch 4
alquilar to rent 9
alto/a tall 3
alumno/a *m/f* student 2
ama *m* **de casa** homemaker 3
amable kind, nice 3
amar to love 5
amarillo/a yellow 7
ambos/as both 11
amigo/a *m/f* friend 3
amistad *f* friendship 11
amor *m* love 11; **amor a primera vista** love at first sight 11
anaranjado/a orange 7
ancianos *m, pl.* elderly 11
andén *m* platform 13
anillo *m* ring 7
año *m* year 6; **tener... años** to be . . . years old 3
anoche last night 6
anteayer day before yesterday 6
anteojos *m, pl.* glasses 7; **anteojos de sol** sunglasses 7
antes de *prep.* before 9; **antes de que** *conj.* before 13
antipático/a disagreeable, unpleasant (persons) 3
apagar to turn off 9
apartamento *m* apartment 2

apoyar to support (cause) 14
aprender to learn 2
apuntes *m, pl.* notes 2
aquel/aquella *adj.* that 7; **aquél/aquélla** *pron.* that one 7
aquellos/as *adj.* those 7; **aquéllos/as** *pron.* those 7
aquí here 3
árbol *m* tree 8
aretes *m, pl.* earrings 7
argentino/a *m/f, n., adj.* Argentinian 1
armario *m* closet 9
arreglar to fix, repair 13
arroz *m* rice 4
arte *m* (*but* **las artes**) art 2
ascensor *m* elevator 12
aseos *m, pl.* restroom 13
asiento *m* seat 12
asistir (a) to attend 2
aterrizar to land 12
audífonos *m, pl.* headphones 2
aula *f* (*but* **el aula**) classroom 2
auto *m* car 3
autobús *m* bus 6; **parada** *f* **de autobús** bus stop 6
autopista *f* highway 13
auxiliar *m* **de vuelo** flight attendant (*m*) 12
avenida *f* avenue 6
avión *m* airplane 12
ayer yesterday 6
ayudar (a) to help 9
azafata *f* flight attendant (*f*) 12
azúcar *m* sugar 4
azul blue 7

B

bailar to dance 5
bajar to go down 9; **bajarse de** to get off, to get out (of) 12
bajo/a short 3
baloncesto *m* basketball 5

banana *f* banana   4
bañarse to take a bath, bathe   10
banco *m* bank   6; bench   6
bañera *f* bathtub   9
baño *m* bathroom   9; **baño privado** private bath   12
bar *m* bar   6
barato/a inexpensive   7
barco *m* boat   8; **en barco** by boat   8
básquetbol *m* basketball   5
basura *f* garbage, trash   8; **cubo** *m* **de la basura** trash can   9
bebé *m/f* baby   3
beber to drink   2
bebida *f* drink   4
besar to kiss   5
biblioteca *f* library   2
bicicleta *f* bicycle   6
bien fine   1; well   3
bienvenido/a welcome   12
billete *m* ticket   12
billetera *f* wallet   7
biología *f* biology   2
bisabuela *f* great-grandmother   3
bisabuelo *m* great-grandfather   3
bistec *m* steak   4
blanco/a white   7
blusa *f* blouse   7
bocadillo *m* sandwich   4
boda *f* wedding   11
boleto *m* ticket   12
bolígrafo *m* ballpoint pen   2
boliviano/a *m/f, n., adj.* Bolivian   1
bolso/a *m* purse, bag   7
bonito/a pretty   3
borrador *m* eraser   2
bosque *m* forest   8
botas *f, pl.* boots   7
bote *m* boat (small)   8
botones *m* bellboy   12
bróculi *m* broccoli   4
bueno/a good   3
buscar to look for   5
buzón *m* mailbox   6

C

caballo *m* horse   8; **montar a caballo** to ride horseback   8
cabeza *f* head; **dolor** *m* **de cabeza** headache   5
cada each, every   9
cadena *f* chain   7
café *m* coffee   4; cafe   6
cafetería *f* cafeteria   2
cajero *m* **automático** ATM   6
calcetines *m, pl.* socks   7
calculadora *f* calculator   2
cálculo *m* calculus   2

calefacción *f* heating   12
caliente hot (temperature, not spiciness)   4
calle *f* street   6
cama *f* bed   9; **cama sencilla** single bed   12; **cama doble** double bed   12
cámara *f* camera   12
camarera *f* maid (hotel)   12
camarero/a *m/f* waiter/waitress   3
camarón *m* shrimp   4
cambiar to change, exchange   6
cambio *m* change, small change, exchange   6
caminar to walk   5
camino *m* road   13
camión *m* truck   13
camisa *f* shirt   7
camiseta *f* T-shirt, undershirt   7
campo *m* country   3
canadiense *m/f, n., adj.* Canadian   1
cáncer *m* cancer   8
candidato/a *m/f* candidate   14
cansado/a tired   3
cansarse to get tired   10
cantar to sing   5
capa *f* **de ozono** ozone layer   8
capítulo *m* chapter   2
¡Caramba! Oh, my gosh!   13
cariñoso/a affectionate   11
carne *f* meat, beef   4; **carne de cerdo/puerco** pork   4; **carne de res** beef   4
carnet *m* **de conducir** driver's license   13
caro/a expensive   7
carpa *f* tent   8
carretera *f* highway   13
carro *m* car   3
cartera *f* wallet   7
casa *f* home, house   3; **ama** *m* **de casa** homemaker   3; **en casa** at home   3
casado/a married   11; **recién casados** *m, pl.* newlyweds   11
casarse (con) to get married (to)   11
cascada *f* waterfall   8
casete *m* cassette, tape   2
catarata *f* waterfall   8
catedral *f* cathedral   6
causa (a causa de) because of   8
causar to cause   8
CD *m* CD, compact disk   2; **CD-ROM** CD-ROM, compact disk   2
cebolla *f* onion   4
cena *f* supper, dinner   4
cenar to have dinner   2
centro *m* center, downtown   6; **centro comercial** shopping mall   6; **centro estudiantil** student center, commons   2

cepillarse to brush   10; **cepillarse el pelo** to brush one's hair   10; **cepillarse los dientes** to brush one's teeth   10
cepillo *m* brush   10; **cepillo de dientes** toothbrush   10
cerca de near   9
cerdo *m* pig   8; **chuleta** *f* **de cerdo** pork chop   4; **carne** *f* **de cerdo** pork   4
cereal *m* cereal   4
cereza *f* cherry   4
cerrado/a closed   3
cerrar (ie) to close   6
cerveza *f* beer   4
champú *m* shampoo   10
chao bye (so long)   1
chaqueta *f* jacket   7
cheque *m* check   6; **cheque de viajero** traveler's check   6
chica *f* girl   3
chico *m* boy   3
chileno/a *m/f, n., adj.* Chilean   1
chimenea *f* fireplace, chimney   9
chino *m* Chinese (language)   1
chino/a *m/f, n., adj.* Chinese   1
choque *m* crash   13
chorizo *m* sausage   4
choza *f* hut   8
chuleta *f* **de cerdo** pork chop   4
cielo *m* sky   8
ciencias *f, pl.* **políticas** political science   2
cine *m* movies, cinema   6
cinta *f* cassette, tape   2
cinturón *m* belt   7; **abrocharse el cinturón** to fasten one's seatbelt   12
cita *f* date, appointment   11
ciudad *f* city   3
ciudadano/a *m/f* citizen   14
¡Claro! Of course!   13
clase *f* class   2
cobija *f* blanket   12
cobrar to cash, to charge   6
cobro (a cobro revertido) collect call   10
coche *m* car   3
cocina *f* kitchen   9
cocinar to cook   4
código *m* **de área** area code   10
cola *f* line (of people or things)   6
colina *f* hill   8
collar *m* necklace   7
colombiano/a *m/f, n., adj.* Colombian   1
comedor *m* dining room   9
comer to eat   2
comida *f* food, main meal   4
¿cómo? how?   4; **¿Cómo está usted?** How are you? (*formal*)   1; **¿Cómo**

estás? How are you? (*informal*) 1;
¿Cómo se llama usted? What's your
name (*formal*)? 1; **¿Cómo te
llamas?** What's your name?
(*informal*) 1
cómoda *f* bureau 9
cómodo/a comfortable 13
compañero/a *m/f* **de cuarto** roommate
3
compañía *f* company 14
comprar to buy 2
comprensivo/a understanding 11
comprometerse (con) to get engaged
(to) 11
comprometido/a engaged 11
computación *f* computer science 2
computadora *f* computer 2;
computadora portátil
laptop/personal computer 12
comunicarse to communicate 11
con with 4; **Con permiso** Pardon me,
excuse me 1; **con tal (de) que**
provided that 13
conducir to drive 5; **carnet** *m* **de
conducir** driver's license 13
confirmar to confirm 12
conocer to know, be acquainted with
5
conseguir (i, i) to get, obtain 12
conservar to save, conserve 8
constantemente constantly 10
construcción *f* construction 8
contabilidad *f* accounting 2
contador/a *m/f* accountant 3
contaminación *f* pollution,
contamination 8
contaminado/a polluted, contaminated
8
contaminar to pollute, contaminate
8
contar (ue) to count, tell (narrate a
story or incident) 6
contento/a happy 3
contestador *m* **automático** answering
machine 10
contestar to answer 6
copa *f* goblet 9
corbata *f* tie 7
correo *m* **electrónico** E-mail 2
correr to run 5
cortar to cut 8; **cortarse** to cut
(oneself) 10
cortina *f* curtain 9
corto/a short 7; **de manga corta**
short-sleeved 7
cosa *f* thing 7
costar (ue) to cost 7
costarricense *m/f, n., adj.* Costa Rican
1
creer to think, believe 11

crema *f* cream 4; **crema de afeitar**
shaving cream 10
crimen *m* crime 14
criminal *m* criminal 14
crucero *m* cruise ship 8; **en crucero**
m by cruise ship 8
cruzar to cross 13
cuaderno *m* notebook 2
cuadra *f* city block 13
cuadro *m* picture, painting 5
¿cuál? which (one)? 4
¿cuáles? which (ones)? 4
cuando when 4; **¿cuándo?** when? 2
¿cuánto/a? how much? 4
¿cuántos/as? how many? 3
cuarto a quarter 1
cuarto *m* room 2
cuarto/a fourth 12
cubano/a *m/f, n., adj.* Cuban 1
cubo *m* **de la basura** trash can 9
cuchara *f* spoon 9
cuchillo *m* knife 9
cuello *m* neck 5
cuenta *f* bill, check 6
cuero *m* leather 7
cuidar to take care of, care for 11
culebra *f* snake 8
cultivar to cultivate, grow 14
cumpleaños *m* birthday 1
cuñada *f* sister-in-law 3
cuñado *m* brother-in-law 3
cura *f* cure 14

D

dar to give 5; **dar a luz** to give birth
11; **dar de comer** to feed 14; **dar un
paseo** to take a walk 8; **dar una
caminata** to take a hike 8
de *prep.* of, from; **de repente**
suddenly 9
debajo de beneath, under 9
deber ought to, should 5
débil weak 3
décimo/a tenth 12
decir (i) to say, tell 5
desforestación *f* deforestation 8
dejar to leave (object) behind; to let,
allow 12; **dejar de** + *infinitivo* to
stop (doing something) 10
delante de in front of 9
demasiado *adv.* too, too much 10;
demasiado/a/os/as *adj.* too much/too
many 10
demora *f* delay 12
dentro de inside 9
dependiente/a *m/f* store clerk 3
deporte *m* sport 5
depositar to deposit 6

derecha right 13
derecho straight, straight ahead 13
derechos *m, pl.* **humanos** human rights
14
desafíos *m, pl.* challenges 14
desafortunadamente unfortunately
10
desamparados *m, pl.* homeless 14
desaparecer to disappear 8
desayunar to have breakfast 2
desayuno *m* breakfast 4
descansar to rest 5
desear to desire, wish, want 4
desempleo *m* unemployment 14
desierto *m* desert 8
desinflado/a flat (tire) 13
desodorante *m* deodorant 10
despacio slow, slowly 13
despedirse (i, i) (de) to say good-bye
10
despegar to take off 12
desperdiciar to waste 8
despertador *m* alarm clock 10
despertarse (ie) to wake up 10
después afterwards 6; **después de**
prep. after 9; **después de que** *conj.*
after 13
destrucción *f* destruction 8
detrás de behind 9
devolver (ue) to return (something) 7
día *m* day 1; **buenos días** good
morning 1
diccionario *m* dictionary 2
diciembre December 1
difícil difficult, hard 3
dirección *f* **electrónica** E-mail address
2
disco compacto *m* CD, compact disk
2
discriminación *f* discrimination 14
disfrutar (de) to enjoy (something) 12
disquete *m* disk 2
distancia *f* 10; **de larga distancia**
long-distance 10
divertido/a *m/f* amusing, funny 3
divertirse (ie, i) to have a good time
10
divorciado/a divorced 11
divorciarse to get divorced 11
doblar to turn 13
dolor *m*: **dolor de cabeza** *f* headache
5; **dolor de estómago** *m* stomach
ache 5; **dolor de garganta** *f* sore
throat 5
domingo *m* Sunday 1
dominicano/a *m/f n., adj.* Dominican
1
¿dónde? where 3; **¿adónde?** (to)
where? 2; **¿de dónde...?** from
where? 1

dormir (ue, u) to sleep   4; **dormirse (ue, u)** to go to sleep   10
dormitorio *m* bedroom   9
drogadicción *f* drug addiction   14
drogas *f*, *pl*. drugs   14
ducha *f* shower   9
ducharse to take a shower   10
dudar (de) to doubt   12
durante during   9
durazno *m* peach   4

E

echar gasolina to put gas (in tank)   13
economía *f* economics   2; economy   14
ecuatoriano/a *m/f, n., adj.* Ecuadorian   1
edificio *m* building   6
educación *f* education   14
efectivo *m* cash   6
ejercicio *m* exercise   2; **hacer ejercicio** to exercise, to do exercises   5
el *m, definite article* the   2
él *m, subj.* he   1; *obj. prep. pron.* him   9
elección *f* election   14
electricidad *f* electricity   8
eliminar to eliminate   14
ella *f, subj.* she   1; *obj. of prep.* her   9
ellas *f, subj.* they   1; *obj. of prep.* them   9
ellos *m, subj.* they   1; *obj. of prep.* them   9
embarazada pregnant   11
empacar to pack   12
empezar (ie) to begin   6
empleo *m* employment   14
empresa *f* company   14
en in, at   3; on   9; **en caso (de) que** in case   13; **en vez de** instead of   9
enamorado/a in love   11
enamorarse (de) to fall in love (with)   11
encantado/a delighted (to meet you)   1
encantar to like a lot, love   8
encender (ie) to turn on   9
encima de on top of, above   9
encontrar (ue) to find   6; **encontrarse (ue) (con)** to meet up with (by chance)   11
endosar to endorse (check)   6
enero January   1
enfermarse to get sick   10
enfermedad *f* sickness   14
enfermero/a *m/f* nurse   3
enfermo/a sick   3
enfrente de in front of, opposite   8
enojado/a angry   3

enojarse to get angry   10
ensalada *f* salad   4
enseñar (+ **a** + *infinitivo*) to teach (how to do something)   8
entender (ie) to understand   4
entonces then   6
entrada *f* ticket (movie, theater)   6
entrar (en) to enter   6
entre between, among   9
entrevista *f* interview   14
enviar to send   6; **enviar por correo** to mail   6
equipaje *m* baggage   12
equipo *m* team   5
escalar: escalar una montaña to climb a mountain   8
escalera *f* stairs   9
escoger to choose   14
escribir to write   2
escritorio *m* desk   2
escuchar to listen to   2
escuela *f* school   3; **escuela primaria** elementary school   3; **escuela secundaria** high school   3; **en la escuela** at school   3
ese/a *adj.* that   7; **ése/a** *pron.* that one   7
esos/as *adj.* those   7; **ésos/as** *pron.* those   7
español *m* Spanish (language)   1
español/española *m/f, n., adj.* Spanish   1
espejo *m* mirror   9
esperar to wait (for)   6; to hope/expect   11
esposa *f* wife   3
esposo *m* husband   3
esquiar to ski   5
esquina *f* corner   13
esta this, that   7; **esta mañana** this morning   2; **esta noche** tonight   2; **esta tarde** this afternoon   2
estación *f* season   5; station   13; **estación de autobuses** bus station   13; **estación de servicio** service station   13; **estación de ferrocarril** train station   13
estacionamiento *m* parking   13
estacionar to park   13
estadounidense *m/f, n., adj.* American (from the United States)   1
estante *m* bookshelf, shelf   9
estar to be   3; **estar a favor de** to be in favor of   14; **estar de acuerdo** to agree   13; **estar de pie** to be standing   10; **estar de vacaciones** *f, pl.* to be on vacation   8; **estar en contra** to be against   14
estatua *f* statue   6
este/a *adj.* this   7; **éste/a** *pron.* this one   7
estéreo *m* stereo   9

estómago *m* stomach   5; **dolor** *m* **de estómago** stomachache   5
estos/as *adj.* these   7; **estos/as** *pron.* these   7
estrella *f* star   8
estudiante *m/f* student   2
estudiar to study   2
estufa *f* stove   9
evitar to avoid   14
examen *m* test   2
explicar to explain   7
extrañar to miss   11
extraño/a strange   12

F

fábrica *f* factory   8
fácil easy   3
fácilmente easily   10
facturar to check (baggage)   12
falda *f* skirt   7
familia *f* family   3
fascinar to fascinate, be fascinating to,   8
favor (por favor) please   1
febrero February   1
fecha *f* date   1
felicitaciones *f, pl.* congratulations   11
feo/a ugly   3
fiebre *f* fever   5
fiesta *f* party   2
fila *f* line (of people or things)   6
filosofía *f* philosophy   2
fin *m*: **fin de semana** weekend   1; **fin de semana pasado** last weekend   6; **por fin** finally   9
firmar to sign   6
física *f* physics   2
flaco/a skinny   3
flores *f, pl.* flowers   8
fotocopiadora *f* photocopier   2
francés *m* French (language)   1
francés/francesa *m/f, n., adj.* French   1
frecuentemente frequently   10
fregadero *m* sink (kitchen)   9
frenos *m, pl.* brakes   13
frente a in front of, opposite, facing   9
fresa *f* strawberry   4
frijoles *m, pl.* beans   4
frío/a cold   4; **hace (mucho) frío** it's (very) cold   5
frito/a fried   4
frontera *f* border   13
fruta *f* fruit   4
fuego *m* fire   8
fuera de outside   9
fuerte strong   3
fumar to smoke   5

seguir (i, i) to continue, follow   13
segundo/a second   12; **segunda clase** second class   13; **segundo piso** second floor, story   9
seguro/a sure   12; safe   13
selva *f* jungle   8
semáforo *m* traffic light   13
semana *f* week   6; **fin de semana** *m* weekend   1; **fin de semana** *m* **pasado** last weekend   1; **semana** *f* **pasada** last week   6; **semana** *f* **que viene** next week   6
sentado/a seated   10
sentarse to sit down   10
sentir (ie, i) to be sorry/regret   11; **lo siento (mucho)** I'm (so) sorry   1; **sentirse (ie, i) bien/mal** to feel good/bad   10
separarse (de) to separate (from)   11
septiembre September   1
séptimo/a seventh   12
ser to be   1
serio/a serious   3
serpiente *f* snake   8
servicio *m* restroom   13; **servicio de habitación** room service   12
servilleta *f* napkin   9
servir (i, i) to serve   4
sexto/a sixth   12
SIDA *m* AIDS   14
silla *f* chair   2
sillón *m* easy chair   9
simpático/a nice   3
sin without   4
sincero/a honest, sincere   11
sitio-web *m* Website   7
sobre about (content)   9; on   9
sobrepoblación *f* overpopulation   14
sobrina *f* niece   3
sobrino *m* nephew   3
sociología *f* sociology   2
socorro help   13
sofá *m* sofa   9
sol *m* sun   8; **hace sol** it's sunny   5
solicitar to apply (job), request   14
solicitud *f* application   14
soltero/a single   11
solución *f* solution   14
sombrero *m* hat   7
sonar (ue) to ring   9
sopa *f* soup   4
sótano *m* basement   9
su/sus his, her, its, your (*formal*), their   3
subir to go up   9; **subirse (a)** to get on   12
sucio/a dirty   7
suegra *f* mother-in-law   3
suegro *m* father-in-law   3
suelo *m* floor   9
suéter *m* sweater   7

sufrir to suffer   14
sugerir (ie, i) to suggest   11
suyo/a/os/as (of) his, (of) hers, (of) theirs, (of) yours (*formal*)   7

T

tabaco *m* tobacco   14
talla *f* size (clothing)   7
también also   4
tampoco neither, not either   6
tan: tan... como as . . . as   8; **tan pronto como** as soon as   13
tanque *m* tank   13
tanto: tanto como as much as   8; **tanto/a/os/as... como** as much (many) . . . as   8
taquilla *f* ticket window   13
tarde *f* afternoon, evening   1; late   2; **buenas tardes** good afternoon   1; **de la tarde** P.M. (in the afternoon)   1; **en la tarde** in the afternoon   2; **por la tarde** in the afternoon   2
tarea *f* assignment   2
tarjeta *f* card; **tarjeta de crédito** credit card   6; **tarjeta de embarque** boarding pass   12; **tarjeta telefónica** calling card   10
taxi *m* taxi   6
taza *f* cup   9
te *dir. obj.* you (*informal*)   6; *ind. obj.* you (to/for you) (*informal*)   7; **te presento** I want to introduce . . . to you   1; *reflex. pron.* yourself (*informal*)   10
té *m* tea   4
teatro *m* theater   6
techo *m* roof   9
teclado *m* keyboard   2
teléfono *m* telephone   9; **teléfono celular/móvil** cell/portable phone   10
televisión *f* TV   9; **ver la tele(visión)** to watch TV   9
televisor *m* television set   2
temer to fear/be afraid of   11
temprano early   2
tenedor *m* fork   9
tener to have   3; **tener... años** to be . . . years old   3; **tener calor/frío** to be hot/cold   5; **tener celos** to be jealous   11; **tener cuidado** to be careful   13; **tener éxito** to be successful   14; **tener ganas de** + *infinitivo* to feel like (doing something)   5; **tener hambre/sed** to be hungry/thirsty   4; **tener miedo** to fear/be afraid of   11; **tener prisa** to be in a hurry   12; **tener que** + *infinitivo* to have to . . .   5; **tener sueño** to be sleepy   10
tenis *m* tennis   5

tercer third   12
tercero/a/os/as third   12
terminar to finish   6
ti *obj. prep.* you (*informal*)   9
tía *f* aunt   3
tiempo *m* weather   5; **a tiempo** on time   2
tienda *f* store   6; **tienda de campaña** tent   8; **tienda de ropa** clothing store   6
tierra *f* land, earth   8
tijeras *f, pl.* scissors   10
tío *m* uncle   3
tiza *f* chalk   2
toalla *f* towel   9
tocar to play (instruments)   5
tocineta *f* bacon   4
tocino *m* bacon   4
todo/a/os/as *adj.*: **toda la mañana** all morning   2; **toda la noche** all night   2; **toda la tarde** all afternoon   2; **todas las mañanas** every morning   2; **todas las noches** every evening, night   2; **todas las tardes** every afternoon   2; **todo el día** all day   2; **todo el mundo** everyone   14; **todos los días** every day   2
todavía still, yet   4
tomar to take, drink   2; **tomar apuntes** *m, pl.* to take notes   2; **tomar el sol** to sunbathe   5; **tomar fotos** *f, pl.* to take photos   12
tomate *m* tomato   4
tonto/a dumb, silly   3
tormenta *f* storm   8
torta *f* cake   4
tos *f* cough   5
trabajador/a hardworking   3
trabajar to work   2
trabajo: trabajo *m* **(escrito)** paper (academic)   2; **en el trabajo** at work   3
traducir to translate   5
traer to bring   5
tráfico *m* traffic   13
traje *m* suit;
traje de baño bathing suit   7
tránsito *m* traffic   13
tratar de + *infinitivo* to try to (do something)   13
tren *m* train   13
triste sad   3
tú *subj.* you (*informal*)   1
tu/tus your (*informal*)   3
tuyo/a/os/as (of) yours (*informal*)   7

U

un/uno/una a   2; one   1; **un poco** a little   3; **una vez** once, one time   9

unos/unas some   2
universidad *f* college/university   2
urbanización *f* urbanization   14
urgente urgent   12
uruguayo/a *m/f, n., adj.* Uruguayan   1
usar to use   2
usted you (*formal*)   9; *obj. prep.* you (*formal*)   9
ustedes *subj.* you (*pl.*)   1; *obj. prep.* you (*pl.*)   9
uva *f* grape   4

V

vaca *f* cow   8
vacaciones *f, pl.* vacation   8
valle *m* valley   8
vaqueros *m, pl.* jeans   7
vaso *m* glass (drinking)   9
VCR *m* VCR   2
vecino/a *m/f* neighbor   9
velocidad *f* speed   13
vender to sell   4
venezolano/a *m/f, n., adj.* Venezuelan   1
venir to come   5
ventana *f* window   2

ventanilla *f* window (airplane, train, car)   12
ver to see   5; **ver la tele** to watch TV   5
verano *m* summer   5
verde green   7
verdura *f* vegetable   4
vestido *m* dress   7
vestirse to get dressed   10
vez *f* time (occurrence)   9
viajar to travel   8
viaje *m* a trip   8; **agencia** *f* **de viajes** travel agency   12; **hacer un viaje** to take a trip   8; **viaje de ida y vuelta** round-trip   12
víctima *f* victim   14
vida *f* life   11
vídeo *m* video   2
videograbadora *f* VCR   2
viejo/a old   3
viernes Friday   1
vinagre *m* vinegar   4
vino *m* wine   4
violencia *f* violence   14
visitar to visit   6
viudo/a *m/f* widower/widow   11
vivienda *f* housing   14
vivir to live   2
volar (ue) to fly   12

volcán *m* volcano   8
vólibol *m* volleyball   5
voluntario/a *m/f* volunteer   14
voluntarismo *m* volunteerism   14
volver (ue) to return   6
vosotros/as *m/f, subj.* you (*informal, pl., Sp.*)   1; *obj. prep.* you (*informal, pl., Sp.*)
votar (por) to vote (for)   14
vuelo *m* flight   12; **auxiliar** *m* **de vuelo** flight attendant (*m*)   12
vuestro/a/os/as your (*informal*)   3; (of) yours (*informal*)   7

Y

y and   3
ya already   6
yo *subj.* I   1

Z

zanahoria *f* carrot   4
zapatería *f* shoe store   6
zapatos *m, pl.* shoes   7; **zapatos de tenis** tennis shoes   7
zumo *m, pl.* juice   4

English–Spanish

A

a un/uno/una   2
A.M. de la mañana   1
able: to be . . . poder (ue)   4
abortion aborto *m*   14
about acerca de, sobre   9
above encima de   9
accident accidente *m*   13
accountant contador/a *m/f*   3
accounting contabilidad *f*   2
acquainted: to be . . . with conocer   5
address (E-mail . . .) dirección *f*
   electrónica,   2
adults adultos *m, pl.*   11
affectionate cariñoso/a   11
afraid (to be . . . of) temer; tener miedo
   de   11
after después de *prep.*   9; después de
   que *conj.*   13
afternoon tarde *f*   1; **every . . .** todas
   las tardes   2; **good . . .** buenas tardes
   1; **in the . . .** en la tarde   2; por la
   tarde   2
afterwards después   6
against (to be . . .) estar en contra de
   14
agency agencia *f*   12
agree estar de acuerdo (con)   13
AIDS SIDA *m*   14
air aire *m*   8; **air conditioning** aire
   acondicionado   12
airline aerolínea *f*   12; línea *f* aérea
   12
airplane avión *m*   12
airport aeropuerto *m*   12
aisle pasillo *m* (between two rows of
   seats)   12
alarm clock despertador *m*   10
alcohol alcohol *m*   14
algebra álgebra *f* 2
all todo/a/os/as *adj.*   2; **. . . afternoon**
   toda la tarde   2; **. . . morning** toda la
   mañana   2; **. . . night** toda la noche   2

allow dejar   12
along por   8; **to get . . . well** llevarse
   bien (con)   11
already ya   6
also también   4
American (from the United States)
   estadounidense *m/f, n., adj.*   1
among entre   9
amusing divertido/a   3
and y   3
angry enojado/a   3; **to get . . .** enojarse
   10
annoy (to be annoying to) molestar
   8
another otro/a   4
answer respuesta *f*   2; contestar   6
answering machine contestador *m*
   automático   10
any algún (alguno/a/os/as)   6
apartment apartamento *m*   2
apple manzana *f*   4
application solicitud *f*   14
apply (job) solicitar   14
appointment cita *f*   11
April abril   1
area code código *m* de área   10
Argentinian argentino/a *m/f, n., adj.*   1
arrival llegada *f*   12
arrive llegar   2
art arte *m* (*but las* artes)   2
as: as . . . as tan... como   8; **as much
   as** tanto como   8; **as soon as** tan
   pronto como   13
ask preguntar   7; **to . . . for** pedir (i, i)
   4
assignment tarea *f*   2
at a   1; en   3
attend asistir a   2
August agosto   1
aunt tía *f*   3
autumn otoño *m*   5
avenue avenida *f*   6
avoid evitar   14
awful (how . . . !) ¡qué barbaridad!   13

B

baby bébé *m/f*   3
backpack mochila *f*   2
bacon tocineta *f*; tocino *m*   4
bad mal   3; malo/a   3
badly mal   3
bag bolsa *f*   7; bolso *m*   7
baggage equipaje *m*   12; **. . . claim** sala
   f de equipajes   12
baked al horno *m*   4
ball pelota *f*   5
ballpoint pen bolígrafo   2
banana banana *f*; plátano *m*   4
bank banco *m*   6
bar bar *m*   6
basement sótano *m*   9
basketball baloncesto *m*; básquetbol *m*
   5
bath: private . . . baño *m* privado   12
bathe bañar(se)   10
bathing suit traje *m* de baño   7
bathroom baño *m*   9
bathtub bañera *f*   9
be ser   1; estar   3
beach playa *f*   3
bean (green) habichuela *f*; judía *f*
   verde   4
beans frijoles *m, pl.*   4
because porque   4; **. . . of** a causa de
   8
become: to . . . impatient ponerse
   impaciente   13
bed cama *f*   9; **double . . .** cama doble
   12; **single . . .** cama sencilla   12; **to
   go to . . .** acostarse (ue)   10
bedroom dormitorio *m*; recámara *f*   9
beer cerveza *f*   4
before antes de *prep.*   9; antes de que
   conj.   13
begin empezar (ie)   6
behind detrás de   9
believe creer   11
bellboy botones *m*   12

belt cinturón *m* 7
bench banco *m* 6
beneath debajo de 9
beside al lado de 9
best mejor 6
better mejor 6
between entre 9
bicycle bicicleta *f* 6; **to ride a . . .** ir en bicicleta 6
bill cuenta *f* 6
biology biología *f* 2
bird pájaro *m* 8
birthday cumpleaños *m, pl.* 1
black negro/a 7
blanket cobija *f*; manta *f* 12
block (city) cuadra *f*; manzana 13
blond(e) rubio/a 3
blouse blusa *f* 7
blue azul 7
boarding pass tarjeta *f* de embarque 12
boat barco *m* 8 **boat (small) . . .** bote *m* 8; **by . . .** en barco *m* 8
Bolivian boliviano/a *m/f, n., adj.* 1
book libro *m* 2; **telephone . . .** guía *f* telefónica 10
bookshelf estante *m* 9
bookstore librería *f* 2
boots botas *f, pl.* 7
border frontera *f* 13
bored aburrido/a 3; **to get . . .** aburrirse 10
boring aburrido/a 3
born (to be . . .) nacer 11
boss jefe *m*, jefa *f* 14
both ambos/as; los/las dos 11
bother molestar 8
boy chico *m*; muchacho *m* 3;
boyfriend novio *m* 3
bracelet pulsera *f* 7
brakes frenos *m, pl.* 13
bread pan *m* 4
break romper 10; **to . . . up with** romper (con) 11
breakfast desayuno *m* 4; **to have . . .** desayunar 2
breathe respirar 8
bridge puente *m* 13
briefcase maletín *m* 12
bring traer 5
broccoli brócoli *m* 4
brother hermano *m* 3
brother-in-law cuñado *m* 3
brown marrón 7
brunet(te) moreno/a 3
brush cepillar(se) 10; cepillo *m* 10; **to . . . one's hair** cepillarse el pelo 10; **to . . . one's teeth** cepillarse los dientes 10; **tooth . . .** cepillo *m* de dientes 10
building edificio *m* 6

bureau cómoda *f* 9
bus autobús *m* 6; **. . . stop** parada *f* de autobús 6
businessman hombre *m* de negocios 3
businesswoman mujer *f* de negocios 3
busy ocupado/a 3
but pero 3
butter mantequilla *f* 4
buy comprar 2
by por 8
bye chao 1

C

cafe café *m* 6
cafeteria cafetería *f* 2
cake torta *f* 4
calculator calculadora *f* 2
calculus cálculo *m* 2
call llamar 5; **collect . . .** llamada a cobro revertido 10; **telephone . . .** llamada *f* (telefónica) 10
camera cámara *f* 12
camp acampar 8
can poder (ue) 4
Canadian canadiense *m/f, n., adj.* 1
cancer cáncer *m* 8
candidate candidato/a *m/f* 14
cap gorra *f* 7
car auto *m*; carro *m*; coche *m* 3
card tarjeta *f* 6; **calling . . .** tarjeta telefónica 10; **credit . . .** tarjeta de crédito 6
care: to . . . for cuidar 11; **to take . . . of** cuidar 11
careful: to be . . . tener cuidado 13
carpet alfombra *f* 9
carrot zanahoria *f* 4
carry-on bag maletín *m* 12
cash cobrar 6; efectivo *m* 6
cassette casete *m* 2; cinta *f* 2
cat gato *m* 3
cathedral catedral *f* 6
cause causar 8
CD CD *m*; disco *m* compacto 2
CD-ROM CD-ROM *m* 2
center centro *m* 6; **student . . .** centro estudiantil 2
cereal cereal *m* 4
chain cadena *f* 7
chair silla *f* 2; **easy . . .** sillón *m* 9
chalk tiza *f* 2
chalkboard pizarra *f* 2
challenges desafíos *m, pl.* 14
change cambiar 6; cambio *m* 6
chapter capítulo *m* 2
charge cobrar 6

check cheque *m* 6; **traveler's . . .** cheque de viajero 6; revisar 13; **to . . . (baggage)** facturar 12
cheese queso *m* 4
chemistry química *f* 2
cherry cereza *f* 4
chicken pollo *m* 4; gallina *f* 8
child niño/a *m/f* 3
children niños *m, pl.* 11
Chilean chileno/a *m/f, n., adj.* 1
chimney chimenea *f* 9
Chinese chino/a *m/f, n., adj.* 1; **(language)** chino *m* 1
choose escoger 14
church iglesia *f* 6
cinema cine *m* 6
citizen ciudadano/a *m/f* 14
city ciudad *f* 3
class clase *f* 2
classroom aula *f* (but el aula) 2
clean limpiar 5; limpio/a 7
clerk (store) dependiente *m/f* 3
climb: to . . . a mountain escalar una montaña 8
close cerrar (ie) 6
closed cerrado/a 3
closet armario *m*; ropero 9
clothes *f* ropa 7
clothing store tienda *f* de ropa 6
cloud nube *f* 5
cloudy: it's (very) . . . está (muy) nublado 5
coat abrigo *m* 7
coffee café *m* 4
coin moneda *f* 6
cold resfriado *m* 5; frío/a 4; **it's (very) . . .** hace (mucho) frío 5; **to be . . .** tener frío 5
college universidad *f* 2
Colombian colombiano/a *m/f, n., adj.* 1
comb peine *m* 10; **to . . .** peinar(se) 10
come venir 5
comfortable cómodo/a 13
commons centro *m* estudiantil 2
communicate comunicarse 11
compact disk CD *m* 2, CD-ROM *m* 2; disco *m* compacto 2
company compañía *f*; empresa *f* 14
complain quejarse (de) 10
computer computadora *f* 2; **laptop . . .** computadora portátil 12; **. . . programmer** programador/a *m/f* 3; **. . . science** computación *f*, informática *f* 2
confirm confirmar 12
congratulations felicitaciones *f, pl.* 11
conserve conservar 8
constantly constantemente 10
construction construcción *f* 8
contact lenses lentes *m, pl.* or *f, pl.* de contacto 7

contaminate contaminar   8
contaminated contaminado/a   8
contamination contaminación *f*   8
continue seguir (i, i)   13
cook cocinar   4
cookie galleta *f*   4
cool fresco/a   5; **it's . . .** hace fresco   5
corn maíz *m*   4
corner esquina *f*   13
cost costar (ue)   7
Costa Rican costarricense *m/f, n., adj.*
   1
cotton algodón *m*   7
cough tos *f*   5
count contar (ue)   6
country campo *m*   3; país *m*   12
couple pareja *f*   11
course plato *m*   4; **Of . . . !** ¡claro!; ¡por
   supuesto!   13
cousin primo/a *m/f*   3
cow vaca *f*   8
crash choque *m*   13
cream crema *f*   4; **shaving . . .** crema
   de afeitar   10
crime crimen *m*   14
criminal criminal *m*   14
cross cruzar   13
cruise ship crucero *m*   8
cry llorar   11
Cuban cubano/a *m/f, n., adj.*   1
cultivate cultivar   14
cup taza *f*   9
cure cura *f*   14
currency moneda *f*   6
curtain cortina *f*   9
customs aduana *f*   12
cut cortar   8; **to . . . oneself** cortarse
   10

D

dance bailar   5
danger peligro *m*   8
dangerous peligroso/a   8
dark-skinned moreno/a   3
date cita *f*   11; fecha *f*   1; salir con
   11
daughter hija *f*   3
day día *m*   1; **. . . after tomorrow**
   pasado mañana   2; **. . . before**
   yesterday anteayer   6; **all . . .** todo el
   día   2; **every . . .** todos los días   2
death muerte *f*   11
December diciembre   1
deforestation desforestación *f*   8
delay demora *f*   12
delighted: . . . to meet you encantado/a
   1
deodorant desodorante *m*   10
depart irse   10

department store almacén *m*   6
departure salida *f*   12
deposit depositar   6
desert desierto *m*   8
desire desear   4
desk escritorio *m*   2; **student**
   classroom . . . pupitre *m*   2;
   front . . . recepción *f*   12
dessert postre *m*   4
destruction destrucción *f*   8
dictionary diccionario *m*   2
die morir (ue, u)   6
difficult difícil   3
dining room comedor *m*   9
dinner cena *f*   4; **to have . . .** cenar   2
dirty sucio/a   7
disagreeable (person) antipático/a   3
disappear desaparecer   8
discrimination discriminación *f*   14
dish plato *m*   4
dishwasher lavaplatos *m*   9
disk disquete *m*   2
divorced divorciado/a   11; **to get . . .**
   divorciarse   11
do hacer   2
doctor médico/a *m/f*   3
dog perro *m*   3
Dominican dominicano/a *m/f, n., adj.*
   1
door puerta *f*   2
doorman portero *m*   12
dormitory residencia *f* estudiantil   2
doubt dudar   12
down: to go . . . bajar   9
downtown centro *m*   6
dress vestido *m*   7
dressed: to get . . . vestirse   10
drink beber, tomar   2; bebida *f*   4;
   soft . . . refresco *m*   4
drive conducir; manejar   5
drug addiction drogadicción *f*   14
drugs drogas *f, pl.*   14
dry secar   9; **to . . . (oneself)** secarse
   10
dryer: hair . . . secador *m*   10; **clothes**
   . . . secadora *f*   9
dumb tonto/a   3
during durante   9

E

each cada   9
early temprano   2
earn ganar   6
earrings aretes *m, pl*; pendientes *m, pl.*
   7
earth tierra *f*   8
easily fácilmente   10
easy fácil   3
eat comer   2

economics economía *f*   2
economy economía *f*   14
Ecuadorian ecuatoriano/a *m/f, n., adj.*
   1
education educación *f*   14
egg huevo *m*   4; **scrambled eggs**
   huevos *m, pl.* revueltos   4
either: either . . . or o... o   6; **not . . .**
   tampoco   6
elderly ancianos *m, pl.*   11
election elección *f*   14
electricity electricidad *f*   8
elevator ascensor *m*   12
eliminate eliminar   14
E-mail correo *m* electrónico   2
employment empleo *m*   14
endorse (a check) endosar   6
engaged comprometido/a   11; **to**
   get . . . (to) comprometerse (con)   11
English inglés/a *m/f, n., adj.*   1;
   (language) inglés *m*   1
enjoy (something) disfrutar (de)   12
enter entrar (en)   6
environment medio ambiente   8
equality igualdad *f*   14
eraser borrador *m*   2
evening tarde *f*   1; **every . . .** todas las
   noches   2; **in the . . .** por la noche   2
every cada   9
everyone todo el mundo   14
exchange cambiar   6; cambio *m*   6
excuse me con permiso; perdón   1
exercise ejercicio *m*   2; hacer ejercicio
   5
expect esperar   11
expensive caro/a   7
explain explicar   7
explore (the Internet) navegar por
   Internet   2

F

facing frente a, enfrente de   9
factory fábrica *f*   8
fair justo   12
fall otoño *m*   5; **to . . . in love (with)**
   enamorarse (de)   11
family familia *f*   3
family room sala *f* familiar   9
far (from) lejos (de)   9
farm granja *f*   8
fascinate fascinar   8
fasten: to . . . one's seatbelt
   abrocharse el cinturón   12
fat gordo/a   3
father padre *m*   3
father-in-law suegro *m*   3
favor: to be in . . . of estar a favor de
   14
fear temer; tener miedo (de)   11

February febrero   1
feed dar de comer   14
feel (good/bad) sentirse (bien/mal)   10
fever fiebre *f*   5
fifth quinto/a   12
fight (for) luchar (por)   14
fill llenar   13
film película *f*   6
finally por fin   9
find encontrar (ue)   6
fine bien   1; multa *f*   13
finish terminar   6
fire fuego *m*   8
fireplace chimenea *f*   9
first primer (primero/a/os/as) *adj.*   12; primero *adv.*   6
fish (cooked) pescado *m*   4; **to . . .** pescar   4; **(live)** pez *m* (los peces)   8
fix arreglar; reparar   13
flat (tire) desinflado/a   13
flight vuelo *m*   12; **...attendant (*m*)** auxiliar *m* de vuelo   12; **(*f*)** azafata   12
floor suelo *m*   9; piso *m* (of a building)   9; **main . . .** planta *f* baja   12
flower flor *f*   8
flu gripe *f*   5
fly volar (ue)   12
follow seguir (i, i)   13
food comida *f*   4
foot pie *m*
football fútbol *m* americano   5
for por, para   8
forest bosque *m*   8
forget olvidar; **to . . . (to do something)** olvidarse de   11
fork tenedor *m*   9
fourth cuarto/a   12
French francés/francesa *m/f, n., adj.*   1; **(language)** francés *m*   1
French fries papas *f, pl.* fritas   4
frequently frecuentemente   10
Friday viernes *m*   1
fried frito/a   4
friend amigo/a *m/f*   3; **best . . .** mejor amigo/a *m/f*   3
friendship amistad *f*   11
from de *prep.*
front: in . . . of delante de   9; enfrente de   9; frente a   9
fruit fruta *f*   4
funny divertido/a   3
furniture muebles *m, pl.*   9

G

game partido *m*   5
garage garaje *m*   9
garbage basura *f*   8
garden jardín *m*   9

garlic ajo *m*   4
gas station gasolinera *f*   13
gas(oline) gasolina *f*   3; **to put . . . (in tank)** echar gasolina *f*   13
gate puerta *f*   12
gather recoger   12
generally generalmente   10
German alemán/alemana *m/f, n., adj.*   1; **(language)** alemán *m*   1
get conseguir (i, i)   12; **to . . . along well** llevarse bien   11; **to . . . angry** enojarse   10; **to . . . bored** aburrirse   10; **to . . . dressed** vestirse   10; **to . . . a grade** sacar una nota   2; **to . . . impatient** ponerse impaciente   13; **to . . . married (to)** casarse (con)   11; **to . . . off** bajarse (de)   12; **to . . . on** subirse a...   12; **to . . . a passport** sacar un pasaporte   12; **to . . . sick** enfermarse   10; **to . . . tired** cansarse   10; **to . . . together** reunirse (con)   11; **to . . . up** levantarse   10
gift regalo *m*   7
girl chica *f*; muchacha *f*   3
girlfriend novia *f*   3
give dar   5; **to . . . (as a gift)** regalar   7; **to . . . birth** dar a luz   11
glad: to be . . . about alegrarse (de)   11
glass (drinking) vaso *m*   9
glasses anteojos *m. pl.*; gafas *f, pl.*   7
gloves guantes *m, pl.*   7
go ir   2; **to . . . away** irse   10; **to . . . to bed** acostarse (ue)   10; **to . . . down** bajar   8; **to . . . out (with)** salir (con)   11; **to . . . to sleep** dormirse (ue, u)   10; **to . . . up** subir   8;
goblet copa *f*   9
gold oro *m*   7
golf golf *m*   5
good bueno/a   3; **to have a . . . time** parsarlo bien   8;
good-bye adiós   1; **to say . . .** despedirse (i, i) (de)   10
good-looking guapo/a   3
gosh (Oh, my . . . !) ¡Caramba!   13
government gobierno *m*   14
grade nota *f*   2
granddaughter nieta *f*   3
grandfather abuelo *m*   3; **great . . .** bisabuelo *m*   3
grandmother abuela *f*   3; **great . . .** bisabuela *f*   3
grandparents abuelos *m, pl.*   3
grandson nieto *m*   3
grape uva *f*   4
grass hierba *f*   8
gray gris   7
green verde   7
green bean habichuela *f*; judía *f* verde   4

grilled a la parrilla   4
grow cultivar   14
Guatemalan guatemalteco/a *m/f, n., adj.*   1
guest huésped/a *m/f*   12
guitar guitarra *f*   5
gym(nasium) gimnasio *m*   2

H

hair pelo *m*   10
hairdryer secador *m* de pelo   10
half media *f*   1; **better/other . . .** media naranja   11
half-brother medio hermano *m*   3
half-sister media hermana *f*   3
ham jamón *m*   4
hamburger hamburguesa *f*   4
handsome guapo/a   3
happen pasar   6
happening (what's . . . ?) ¿qué pasa? *(formal)*   1
happy contento/a   3
hard difícil   3
hardworking trabajador/a   3
hat sombrero *m*   7
have tener   3; **to . . . a good time** divertirse (ie, i)   10; **to . . . dinner** cenar   2; **to . . . just** acabar de + *infinitivo*   10; **to . . . lunch** almorzar (ue)   4; **to . . . to** tener que + *infinitivo*   5;
he él *m, subj.*   1
head cabeza *f*   5
headache dolor *m* de cabeza *f*   5
headphones audífonos *m, pl.*   2
health salud *f*   14
hear oír   5
heating calefacción *f*   12
help ayudar (a)   9
Help! ¡Socorro!   13
her su/sus   3; suyo/a/os/as   7; ella *obj. prep.*   9; la *dir. obj.*   6; **(to, for . . .)** le *ind. obj.*   7
here aquí   3
herself se *refl. pron.*   10
hi ¡hola!   1
highway autopista *f*   13; carretera *f*   13
hike: to take a . . . dar una caminata   8
hill colina *f*   8
him él *obj. prep., pron.*   9; **to/for . . .** le *ind. obj.*   7; lo *dir. obj.*   6
himself se *refl. pron.*   10
his su/sus   3; suyo/a/os/as   7
history historia *f*   2
home casa *f*   3; hogar *m*   9; **at . . .** en casa   3
homeless desamparados *m, pl.*   14

homemaker ama *m* de casa   3
Honduran hondureño/a *m/f*   1
honest sincero/a   11
honeymoon luna *f* de miel   11
hope esperar   11; **I... (that)** ojalá (que)   14
horrible horrible   12
horse caballo *m*   8
horseback: to ride . . . montar a caballo *m*   8
hose medias *f, pl..*   7
hot (temperature) caliente   4; **it's . . .** hace calor   5; **to be . . .** tener calor   5
hotel hotel *m*   12
house casa *f*   3
housing vivienda *f*   14
how? ¿cómo?; **. . . are you?** ¿Cómo está usted?, ¿Cómo estás? (*informal*); ¿Qué tal? (*formal*)   1; **. . . many?** ¿cuantos/as?   3; **. . . much?** ¿cuanto/a?   4;
hug abrazar   5
hunger hambre *m*   14
hungry: to be . . . tener hambre   4
hurry: to be in a . . . tener prisa   12
husband esposo *m*   3; marido   11
hut choza *f*   8

I yo *subj.*   1
ice hielo *m*   4; **. . . cream** helado *m*   4
immediately inmediatamente   10
important importante   12; **to be . . .** importar   8
impossible imposible   12
improbable improbable   12
in en   3; **. . . case** en caso de que   13; **. . . love (with)** enamorado/a (de)   11
inexpensive barato/a   7
inside dentro de   9
insist (on) insistir (en)   11
instead of en vez de   9
intelligent inteligente   3
intend: to do something pensar (ie) + *infinitivo*
interest interesar   8; **to be interesting to** interesar   8
interview entrevista *f*   14
introduce presentar   1
invest invertir (ie, i)   6
invite invitar   6
island isla *f*   8
it la *f, dir. obj.*,   6; lo *dir. obj.*   7
Italian italiano/a, *m/f, n., adj.*   1; **(language)** italiano *m*   1
its su/sus   3

jacket chaqueta *f*   7
jam mermelada *f*   4
January enero   1
Japanese japonés/a *m/f, n., adj.*   1; **(language)** japonés *m*   1
jealous: to be . . . tener celos   11
jeans jeans *m, pl.*; vaqueros *m, pl.*   7
jewelry joyas *f, pl.*   7; **. . . shop** joyería *f*   6
jewels joyas *f, pl.*   7
juice jugo *m*; zumo *m*   4
July julio   1
June junio   1
jungle selva *f*   8
just: to have . . . acabar de + *infinitivo*   10
justice justicia *f*   14

keep guardar   9
key llave *f*   12
keyboard teclado *m*   2
kill matar   8
kilometer kilómetro *m*   13
kind amable   3
kiss besar   5
kitchen cocina *f*   9
knife cuchillo *m*   9
know conocer; saber   5; **to . . . how to** saber   5

laboratory laboratorio *m*   2
lake lago *m*   8
lamp lámpara *f*   9
land aterrizar   12; tierra *f*   8
large grande   3
last night anoche   6
late tarde   2
later más tarde   2
laugh reírse (i, i) (de)   10
law ley *f*   14
lawyer abogado/a *m/f*   3
lazy perezoso/a   3
leader líder *m/f*   14
learn aprender   2
leather cuero *m*   7
leave [(object) behind] dejar   12; salir   2; irse   10
left izquierda *f*   13
lemon limón *m*   4
lend prestar   7
less menos   4
lesson lección *f*   2
let dejar   12

lettuce lechuga *f*   4
library biblioteca *f*   2
license: driver's . . . carnet *m* de conducir; licencia *f* de conducir   13
life vida *f*   11
lift levantar   5
light luz *f*   9
lightning relámpago *m*   8
like gustar   4; **I would . . .** quisiera...   4; **to . . . a lot** encantar   8
line (of people or things) cola *f*, fila *f*   6; línea *f*   10
listen (to) escuchar   2
literature literatura *f*   2
little pequeño/a *adj.* 3; poco *adv.*   4; **(quantity)** poco/a *adj.*   4; **a . . .** un poco   3
live vivir   2
living room sala *f*   9
lobster langosta *f*   4
long largo/a   7; **. . .-distance call** llamada *f* de larga distancia   10
long-sleeved de manga *f* larga   7
look: to . . . at mirar   5; **to . . . for** buscar   5
lose perder (ie)   5
lot: a . . . mucho   4; mucho/a/os/as *adj.*   4
love querer (ie)   4; amar   5; encantar   8; amor *m*   11; **. . . at first sight** amor *m* a primera vista   11; **to fall in . . . (with)** enamorarse (de)   11; **in . . .** enamorado/a   11
luck (what . . . !) ¡qué suerte!   13
lucky (how . . . !) ¡qué suerte!   13
lunch almuerzo *m*   4; **to have . . .** almorzar (ue)   4

machine: answering . . . contestador *m* autómatico   10
magazine revista *f*   6
maid (hotel) camarera *f*   12
mail enviar por correo   6
mailbox buzón *m*   6
make hacer   2; **to . . . photocopies** sacar fotocopias *f, pl.*   2
make-up maquillaje *m*   10; **to put on . . .** maquillarse   10
mall (shopping) centro *m* comercial   6
man hombre *m*   3
manager gerente/a *m/f*   14
many mucho/a/os/as *adj.*   4; pocos/as *m/f, adj.*   4; **as . . . as** tanto/a/os/as... como   8; **. . . times** muchas veces *f, pl.*   9; **too . . .** demasiados/as *adj.*   10
map mapa *m*   2
March marzo   1
market mercado *m*   4

married casado/a   11; **to get . . . (to)** casarse (con)   11
match partido *m*   5
mathematics matemáticas *f, pl.*   2
matter importar   8
May mayo   1
me me *dir. obj.*   6; **to/for . . .** me *ind. obj.*   7; mí *obj. prep.*   9; **poor . . . !** ¡ay de mí!   13
meal (main) comida *f*   4
meat carne *f*   4
meet reunirse (con)   11; **to . . . up (with) (by chance)** encontrarse (ue) (con)   11
mess (what a . . . !) ¡qué lío!   13
message mensaje *m*   10
metro metro *m*   6
Mexican mexicano/a *m/f, n., adj.*   1
microwave oven horno *m* de microondas   9
midnight medianoche *f*   1
mile milla *f*   13
milk leche *f*   4
mine mío/a/os/as   7
mirror espejo *m*   9
miss extrañar   11; **to . . . the train** perder (ie) el tren   13
Monday lunes *m*   1
money moneda *f*   6
month mes *m*   1
moon luna *f*   8
more más   4
morning: every . . . todas la mañanas   2; **good . . .** buenos días   1; **in the . . .** en la mañana   2; por la mañana   2
mother madre *f*   3
mother-in-law suegra *f*   3
motor motor *m*   13
motorcycle motocicleta *f*   13
mountain montaña *f*   3
mouse ratón *m*   2
move (from house to house) mudarse   13
movies cine *m*   6
much mucho   4; mucho/a/os/as *adj.*   4; **as . . . as** tanto como   8; **too . . .** demasiado/a *adj.*   10; demasiado *adv.*   10
museum museo *m*   6
music música *f*   2
my mi/mis   3
myself me *refl. pro.*   10

N

napkin servilleta *f*   9
nature naturaleza *f*   8
near cerca de   9
necessary necesario; preciso   12
neck cuello *m*   5

---

necklace collar *m*   7
need necesitar   4
neighbor vecino/a *m/f*   9
neither tampoco   6; **. . . nor** ni... ni   6
nephew sobrino *m*   3
nervous nervioso/a   3
new nuevo/a   3; **what's . . . ?** ¿qué hay de nuevo? (*formal*)   1
newlyweds recién casados *m, pl.*   11
newspaper periódico *m*   6
newsstand quiosco *m*   6
next próximo/a   6; **. . . week** semana *f* que viene   6
Nicaraguan nicaragüense *m/f, n., adj.*   1
nice amable; simpático/a   3; **. . . meeting you too** igualmente   1
niece sobrina *f*   3
night noche *f*   1; **at . . .** en la noche   2; **every . . .** todas las noches   2; **last . . .** anoche   6
ninth noveno/a   12
no ningún (ninguno/a)   6
no one nadie   6
nobody nadie   6
noise ruido *m*   10
none ningún (ninguno/a)   6
noon mediodía *m*   1
normally normalmente   10
notebook cuaderno *m*   2
notes apuntes *m, pl.*   2; **to take . . .** tomar apuntes   2
nothing nada   6; **. . . new/much** nada nuevo   1
November noviembre   1
now ahora   2
nurse enfermero/a *m/f*   3

O

obtain conseguir (i, i)   12
October octubre   1
of de *prep.*
off: to turn . . . apagar   9; **to get . . .** bajarse (de)   12
office oficina *f*   2
often muchas veces *f, pl.*   9
oil aceite *m*   4
okay regular   1
old viejo/a   3; **to be . . . years . . .** tener... años   3
older mayor   3
olive aceituna *f*   4
on sobre (content)   9
once una vez *f*   9
one un/uno/una   2
onion cebolla *f*   4
only (if . . .) ojalá (que)   14
open abierto/a   3
open abrir   6
operator operador/a *m/f*   10

---

opportunity oportunidad *f*   14
opposite enfrente de   8; frente a   9
or o   3
orange anaranjado/a   7; naranja *f*   4
order pedir (i, i)   4; **in . . . that** para que   13; **in . . . to (do something)** para + *infinitivo*   6
other otros/as   4
ought to deber   5
our nuestro/a/os/as   3
ours nuestro/a/os/as   7
ourselves nos *refl. pron.*   10
outside fuera de   9
oven horno *m*   9; **microwave . . .** horno *m* de microondas   9
overpopulation sobrepoblación *f*   14
ozone layer capa *f* de ozono *m*   8

P

P.M. de la tarde (in the afternoon); de la noche   1
pack empacar; hacer la maleta   12
page página *f*   2; **Web . . .** página-web *f*   2
paint pintar   5
painting cuadro *m*   5
Panamanian panameño/a *m/f, n., adj.*   1
pants pantalones *m, pl.*   7
panty hose pantimedias *f, pl.*   7
paper papel *m*   2; **(academic)** trabajo *m* (escrito)   2
Paraguayan paraguayo/a *m/f, n., adj.*   1
pardon me con permiso; perdón   1
park parque *m*   6; **to . . .** estacionar   13
parking estacionamiento *m*   13
partner pareja *f*   11
party fiesta *f*   2
pass pasar   6
pass (boarding . . .) tarjeta *f* de embarque   12
passenger pasajero/a *m/f*   12
pastry pastel *m*   4
pay (for) pagar   6
pea guisante *m*   4
peace paz *f*   14; **. . . accord** acuerdo *m* de paz   14
peach durazno *m*; melocotón *m*   4
pear pera *f*   4
pen (ballpoint . . .) bolígrafo *m*   2
pencil lápiz *m*   2
people gente *f*   6; personas *f, pl.*   3; **young . . .** jóvenes *m, pl.*   11
pepper pimienta *f*   4
person persona *f*   3
personally personalmente   10
Peruvian peruano/a *m/f, n., adj.*   1

philosophy filosofía *f*   2
photocopier fotocopiadora *f*   2
photos (to take . . .) tomar/sacar fotos *f, pl.*   12
physics física *f*   2
pick up recoger   12
picture cuadro *m*   5
pie pastel *m*   4
pig cerdo *m*   8; puerco *m*   4
pillow almohada *f*   12
pilot piloto/a *m/f*   12
pineapple piña *f*   4
pink rosado/a   7
pizza shop pizzería *f*   6
place lugar *m*   6; **to . . .** poner   5
plan (to do something) pensar (ie) + *infinitivo*
planet planeta *f*   8
plant planta *f*   12; plantar   8
plate plato *m*   9
platform andén *m*   13
play jugar (ue)   5; **(instruments)** tocar   5; **(sports)** jugar (ue) al (deporte)   5
plaza plaza *f*   6
please por favor   1
pleased: . . . to meet you mucho gusto   1
pleasure: the . . . is mine el gusto es mío   1
policeman policía *f*   13
policewoman mujer *f* policía   13
pollute contaminar   8
polluted contaminado/a   8
pollution contaminación *f*   8
pool (swimming) piscina *f*   12
poor pobre   3
pork carne *f* de cerdo/puerco   4; **. . . chop** chuleta *f* de cerdo   4
porter maletero *m*   13
Portuguese portugués/a *m/f, n., adj.*   1; **(language)** portugués *m*   1
possible posible   12
possibly posiblemente   10
post office oficina *f* de correos   6
poster póster *m*   9
potato papa *f*; patata *f*   4
poverty pobreza *f*   14
practice praticar   5
prefer preferir (ie, i)   4
pregnant embarazada   11
prejudice prejuicio *m*   14
prepare preparar   4
pretty bonito/a   3
prevent prevenir   14
price precio *m*   7
print imprimir   2
printer impresora *f*   2
probable probable   12
probably probablemente   10
problem problema *m*   8
professor profesor/a *m/f*   2

programmer (computer) programador/a *m/f*   3
propose proponer   14
protect proteger   8
protest protestar   8
provided that con tal (de) que   12
psychology psicología *f*   2
Puerto Rican puertorriqueño/a *m/f, n., adj.*   1
purple morado/a   7
purse bolsa *f*   7; bolso *m*   7
put poner   5; **to . . . gas (in tank)** echar gasolina   13; **to . . . on (shoes, clothes, etc.)** ponerse   10

Q

quarter cuarto   1
question pregunta *f*   2

R

radio radio *f*   9
radio/tape/CD player radiograbadora *f* con CD   9
rain llover (ue)   5
rain lluvia *f*   5
raincoat impermeable *m*   7
raining: it's . . . está lloviendo   5; llueve   5
rapidly rápidamente   10
ray rayo *m*   8
razor navaja *f*   10
read leer   2
ready listo/a   11
receive recibir   6
recently recientemente   10
receptionist recepcionista *m/f*   12
recommend recomendar (ie)   11
recorder: tape . . . grabadora   2
recycle reciclar   8
red rojo/a   7
redhead pelirojo/a *m/f*   3
refrigerator refrigerador *m*   9
register registrarse   12
regret sentir (ie, i)   11
relatives parientes *m, pl.*   3
religion religión *f*   2
remain quedarse   10
remember acordarse (ue) de; recordar (ue)   11
rent alquilar   9
repair arreglar; reparar   13
repeat repetir (i, i)   6
replace reemplazar   13
request pedir (i, i)   11; solicitar   14
reservation reserva *f*; reservación *f*   12
resolve resolver (ue)   8

rest descansar   5
restaurant restaurante *m*   6
restroom aseos *m, pl.*; servicio *m*   13
return volver (ue); regresar   6; **to . . . (something)** devolver (ue)   7
rice arroz *m*   4
rich rico/a   3
ride: to . . . a bicycle ir en bicicleta   6; **to . . . horseback** montar a caballo   8
ridiculous ridículo/a   12
right derecha   13
rights derechos *m, pl.*   14; **human . . .** derechos *m, pl.* humanos   14
ring sonar (ue)   9; anillo *m*   7
river río *m*   8
road camino *m*   13
rob robar   14
roll of film rollo *m* de película   12
roof techo *m*   9
room cuarto *m*   2; habitación *f*   12; **double . . .** habitación *f* doble   12; **. . . service** servicio *m* de habitación   12; **single . . .** habitación *f* sencilla   12
roommate compañero/a *m/f* de cuarto   3
round-trip viaje *m* de ida y vuelta   12
rug alfombra *f*   9
run correr   5
Russian ruso/a *m/f, n., adj.*   1; **(language)** ruso *m*   1

S

sad triste   3
safe seguro/a   12
salad ensalada *f*   4
salt sal *f*   4
Salvadorean salvadoreño/a *m/f, n., adj.*   1
sandals sandalias *f, pl.*   7
sandwich bocadillo *m*; sándwich *m*   4
Saturday sábado *m*   1
sausage chorizo *m*; salchicha *f*   4
save conservar   8; **to . . . (money)** ahorrar   6
say decir   5
schedule horario *m*   12
school escuela *f*   3; **at . . .** en la escuela   3; **elementary . . .** escuela primaria   3; **high . . .** escuela secundaria   3
science ciencia *f*   2; **computer . . .** computación *f*; informática *f*   2; **political . . .** ciencias *f* políticas   2
scissors tijeras *f, pl.*   10
scrambled (eggs) huevos *m, pl.* revueltos   4
screen pantalla   2
seafood marisco *m*   4

fotos *f, pl.* 12; **to . . . a shower** ducharse 10; **to . . . a walk** dar un paseo 8

tall alto/a 3

tank tanque *m* 13

tape (cassette) casete *m* 2; cinta *f* 2; **. . . recorder** grabadora 2

taxi taxi *m* 6

tea té *m* 4

teach: to . . . how to do something enseñar 8; enseñar + a + *infinitivo* 8

teacher maestro/a *m/f* 2

team equipo *m* 5

telephone teléfono *m* 9; **. . . book** guía *f* telefónica 10; **. . . call** llamada *f* (telefónica) 10; **cell/portable** teléfono *m* celular/móvil 10

television set televisor *m* 2

tell contar (ue) 6; decir (i) 5

tennis tenis *m* 5; **. . . shoes** zapatos *m, pl.* de tenis

tent carpa *f*; tienda *f* de campaña 8

tenth décimo/a 12

test examen *m* 2

thank you gracias 1

that aquel/aquella 7; ese/a 7; que 4

the el *m. def. art.* 2; la *f. def. art.* 2; las *f, pl. def. art.* 2; los *m, pl. def. art.* 2

theater teatro *m* 6

their su/sus 7

theirs suyo/a/os/as 7

them las *f.dir.obj.* 6; **to, for . . .** les *ind. obj.* 7; los *m, dir. obj.* 7; ellas/ellos *obj. prep.* 9

themselves se *refl. pron.* 10

then entonces; luego 6

there allí 3

these estos/as 7

they ellas *f subj.*, ellos *m, subj.* 1

thing cosa *f* 7

think creer 11; pensar (ie) 4; **to . . . about** pensar (ie) en 11

third tercer 12; tercero/a/os/as 12

thirsty: to be . . . tener sed 4

this este/esta *adj.* 7; éste/ésta *pron.* 7

those alquellos/as *adj.* 7; aquéllos/as *pron.* 7

those esos/as 7

throat: sore . . . dolor *m* de garganta *f* 5

through por 8

Thursday jueves *m* 1

ticket billete *m* 12; boleto *m* 12; **(movie, theater)** entrada *f* 6; **. . . window** taquilla *f* 13

tie corbata *f* 7

time hora *f* 1; **(occurrence)** vez *f* 9; **on . . .** a tiempo 2; **one . . .** una vez *f* 9; **to have a good . . .** pasarlo bien 8; divertirse (ie, i) 10

tip propina *f* 12

tire llanta *f* 13

tired cansado/a 3; **to get . . .** cansarse 10

to a 1

toast pan *m* tostado 4

tobacco tabaco *m* 14

today hoy 2

together juntos/as 11

toilet inodoro *m* 9; **. . . paper** papel *m* higiénico 10

tomato tomate *m* 4

tomorrow mañana 2; **day after . . .** pasado mañana 2; **see you . . .** hasta mañana 1

tonight esta noche 2

too demasiado *adv.* 10

toothpaste pasta *f* de dientes 10

top: on . . . of encima de 9

towel toalla *f* 9

town pueblo *m* 8; **. . . square** plaza *f* 6

traffic tráfico *m* 13; tránsito *m* 13; **. . . light** semáforo *m* 13

train tren *m* 13; **. . . station** estación *f* de ferrocarril 13

translate traducir 5

trash basura *f* 8; **. . . can** cubo *m* de la basura 9

travel viajar 8; **. . . agency** agencia *f* de viajes 12

tree árbol *m* 8

trip viaje *m* 8; **to take a . . .** hacer un viaje *m* 8

truck camión *m* 13

try: to . . . to do something tratar de + *infinitivo* 13

T-shirt camiseta *f* 7

Tuesday martes *m* 1

turn doblar 13; **to . . . off** apagar 9; **to . . . on** encender (ie); prender 9

U

ugly feo/a 3

ultraviolet ultravioleta 8

umbrella paraguas *m* 7

uncle tío *m* 3

under debajo de 9

undershirt camiseta *f* 7

understand entender (ie) 4

understanding comprensivo/a 11

underwear ropa *f* interior 7

unemployment desempleo *m* 14

unfortunately desafortunadamente 10

university universidad *f* 2

unless a menos que 13

unpleasant (persons) antipático/a 3

until hasta que 13

up: to go . . . subir 9

upon (doing something) al + *infinitivo* 9

urbanization urbanización *f* 14

urgent urgente 12

Uruguayan uruguayo/a *m/f, n., adj.* 1

us: to/for . . . nos *ind. obj.* 7; *dir. obj.* 6; nosotros/as *obj. prep.* 9

use usar 2

V

vacation vacaciones *f, pl.* 8; **to be on . . .** estar de vacaciones 8; **to go on . . .** ir de vacaciones 8

valley valle *m* 8

VCR VCR *m* 2; videograbadora *f* 2

vegetable legumbre *f*; verdura *f* 4

Venezuelan venezolano/a *m/f, n., adj.* 1

very muy 3

victim víctima *f* 14

video vídeo *m* 2

village pueblo *m* 8

vinegar vinagre *m* 4

violence violencia *f* 14

visit visitar 6

volcano volcán *m* 8

volleyball vólibol *m* 5

volunteer voluntario/a *m/f* 14

volunteerism voluntarismo *m* 14

vote (for) votar (por) 14

W

wait (for) esperar 6

waiter camarero *m* 3

waiting room sala *f* de espera 12

waitress camarera *f* 3

wake up despertarse (ie) 10

walk caminar 5; **to take a . . .** dar un paseo 8

wall pared *f* 9

wallet billetera *f* 7; cartera *f* 7

want querer (ie); desear 4

war guerra *f* 14

wash lavar 9; **to . . . oneself** lavarse 10

washer lavadora *f* 9

waste desperdiciar 8

watch reloj *m* 7; **to . . . TV** ver la tele(visión) 5

water agua *f* (*but el* agua) 4

waterfall cascada *f* 8; catarata *f* 8

watermelon sandía *f* 4

we nosotros/as *m/f, subj. pron.* 1

weak débil   3

wear llevar   7

weather tiempo *m*   5; **it's good/bad
. . .** hace buen/mal tiempo   5

Website sitio-web *m*   3

wedding boda *f*   11

Wednesday miércoles   1

week semana *f*   6

weekend fin *m* de semana   1; **last . . .**
fin de semana pasado   6; **on
weekends** los fines *m, pl.* de semana
2

weights pesas *f, pl.*   5; **to lift . . .**
levantar pesas *f, pl.*   5

welcome bienvenido/a   12; **you're . . .**
de nada   1

well bien   3; pues   1

what lo que   4

what? ¿qué?   4; **What's your name?**
¿Cómo se llama usted? (*formal*),
¿Cómo te llamas? (*informal*)

when cuando   4

when? ¿cuándo?   2

where? ¿dónde?   3; **(to) where?**
¿adónde?   4; **from . . .** ¿de dónde?   1

which que; lo que   4; **that . . .** lo que
4

which? ¿qué?   4; **. . . one?** ¿cuál?   4;
. . . ones? ¿cuáles?   4

while mientras   9

white blanco/a   7

who que   4

who? ¿quién/quiénes?   3

whose? ¿de quién?   4

why? ¿por qué?   4

widow viuda *f*   11

widower viudo *m*   11

wife esposa *f*   3

win ganar   5

window ventana *f*   2; **(airplane, train,
car)** ventanilla *f*   12; **ticket . . .**
taquilla *f*   13

windshield parabrisas *m*   13; **. . .
wiper** limpiaparabrisas *m*   13

windy: it's . . . hace viento   5

wine vino *m*   4

winter invierno *m*   5

wish desear; querer (ie)   4; **I . . . that**
ojalá (que)   14

with con   4

withdraw retirar   6

without sin   4

woman mujer *f*   3

wood madera *f*   8

wool lana *f*   7

word palabra *f*   2

work trabajar   2; trabajo *m*   2; **to . . .
(machine)** funcionar   13; **at . . .** en el
trabajo *m*   3

worried preocupado/a   3

worry (about) preocuparse (por)   10

worse peor   6

worst peor   6

write escribir   2

Y

yard jardín *m*   9

year año *m*   6; **to be . . . years old**
tener... años   3

yellow amarillo/a   7

yesterday ayer   6; **day before . . .**
anteayer   6

yet todavía   4

you la *f, s., dir. obj.*   6; las *f, pl., dir.
obj.*   6; **to/for . . .** le *s., ind. obj.*   7;
to/for . . . les *pl., ind. obj.*   7; lo *m,
dir.* obj.   7; los *m, dir. obj.*   7; os
dir. obj.   7; **to/for . . .** os *ind. obj.*
7; te *dir. obj.*   6; **to/for . . .** te *ind.
obj.*   7; ti *obj. prep.* (*informal*)   9; tú
subj. (*informal*)   1; vosotros/as (*pl,
informal*); vosotros/as *m/f* (*formal*)
1

young joven   3; **. . . people** jóvenes *m,
pl.*   11

younger menor   3

your su/sus (*formal*)   3; tu/tus
(*informal*)   3; vuestro/a/os/as (*formal*)
3

yours suyo/a/os/as (*formal*)   7;
tuyo/a/os/as (*informal*)   7;
vuestro/a/os/as (*informal*)   7

yourself se *refl. pron.*   10; te *refl. pron.*
10

yourselves os *refl. pron.*   10

Índice